国 家 出 版 基 金 项 目

湖北省社会科学基金重点项目
湖北省学术著作出版专项资金项目
湖北传承发展优秀传统文化重点项目
湖北省荆楚文化研究中心重点支持

荆楚文化史

史前卷

湖北省荆楚文化研究会组织编写

总 主 编：刘玉堂
本卷主编：宋海超

長江出版傳媒 | 湖北教育出版社

图书在版编目（CIP）数据

荆楚文化史. 史前卷 / 刘玉堂主编 ; 宋海超本卷主编
. -- 武汉 : 湖北教育出版社, 2022.12(2025.2重印)
ISBN 978-7-5564-5611-6

Ⅰ. ①荆… Ⅱ. ①刘… ②宋… Ⅲ. ①文化史—湖北—石器时代 Ⅳ. ①K296.3

中国版本图书馆CIP数据核字(2022)第239255号

荆楚文化史.史前卷 JINGCHU WENHUASHI.SHIQIAN JUAN

出品人	方 平	策 划	刘 艺
责任编辑	李晋阳	责任校对	李庆华
封面设计	李 枫 何亦明	责任督印	刘牧原

出版发行	长江出版传媒	430070 武汉市雄楚大道268号
	湖北教育出版社	430070 武汉市雄楚大道268号

经 销 新 华 书 店
网 址 http://www.hbedup.com
印 刷 武汉中远印务有限公司
地 址 武汉市黄陂区横店街货场路粮库院内
开 本 710mm×1000mm 1/16
印 张 29
字 数 460千字
版 次 2022年12月第1版
印 次 2025年2月第2次印刷
书 号 ISBN 978-7-5564-5611-6
定 价 125.00元

郧县人 I 号头骨

郧县人 II 号头骨

郧县人遗址石器

郧县人遗址貘左下颌

鸡公山遗址石器加工场

鸡公山遗址石器

石龙头遗址石器

大溪文化彩陶罐

大溪文化彩陶罐

大溪文化彩陶筒形瓶

柳林溪文化彩陶罐

下王岗二期文化彩陶钵

下王岗二期文化彩陶罐

下王岗二期文化彩陶盆

下王岗二期文化彩陶罐

油子岭文化彩陶单把杯

油子岭文化彩陶杯

油子岭文化彩陶罐

屈家岭文化彩陶纺轮

屈家岭文化彩陶壶

屈家岭文化彩陶猪

门板湾城址大房子

石家河城址三房湾红陶杯作坊

屈家岭文化铜矿石

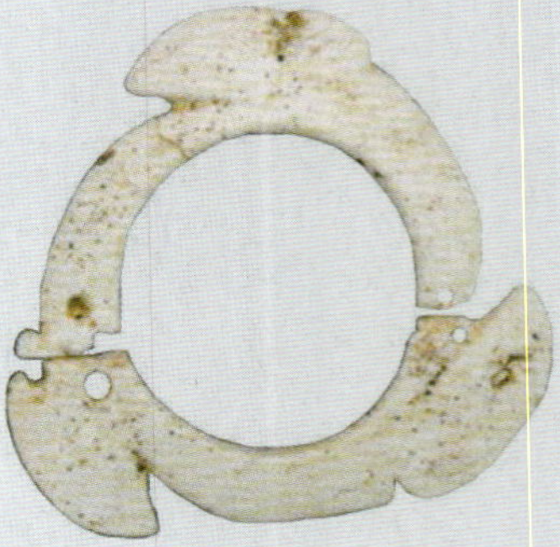

屈家岭文化玉璇玑

薛家岗文化穿孔石刀

薛家岗文化玉璜

薛家岗文化玉璜

后石家河文化玉鸟

后石家河文化玉虎

后石家河文化玉蝉

后石家河文化玉凤

后石家河文化玉虎头像

后石家河文化连体双人头像

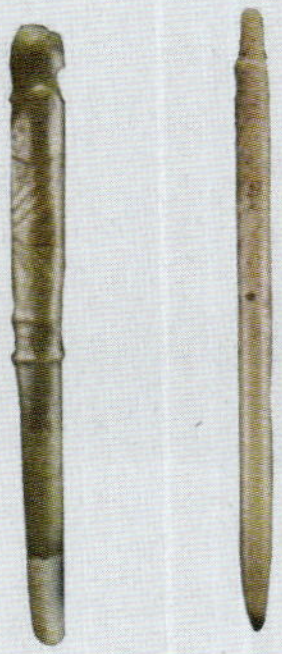
后石家河文化玉笄

后石家河文化玉佩

后石家河文化牙璋

后石家河文化玉虎座双鹰

后石家河文化玉人像

后石家河文化玉人像

《荆楚文化史》编纂委员会

主　任：王生铁

副主任：武清海　李佑才

委　员（按姓氏笔画为序）：

王树华　尹弘兵　叶　植　任　放　刘玉堂　安向荣　杜建国

李德华　吴成国　邱久钦　张　武　张　硕　张继才　陈昆满

罗运环　胡嘉猷　柳菊兴　姚伟钧　袁北星　夏日新

主　编：刘玉堂

副主编：李德华　陈昆满　杜建国

总　序

刘玉堂

“地利西通蜀，天文北照秦。风烟含越鸟，舟楫控吴人。”诗圣杜甫笔下的荆楚大地，令多少人为之心驰神往！而这方神奇土地孕育的荆楚文化，又令多少人为之梦萦魂牵！

荆楚文化的空间范围大致与今湖北行政区划相当，时间范围从远古到当代。之所以称荆楚文化，是因为其源头和主干楚文化是以湖北为中心发展壮大的，而且荆、楚又往往互称并举。荆楚文化史研究的主要范畴是湖北文化诞生、发展和演变的历史。至于本书称《荆楚文化史》而不称《湖北文化史》，主要由于“湖北”的概念是宋代才有的，始于北宋初年以洞庭湖为界分荆湖南、北二路，其中荆湖北路即指湖北。“荆楚”的概念则始于先秦，有族类名和地域名之分，前者如《诗·商颂·殷武》：“维女（汝）荆楚，居国南乡。”后者如《楚辞·大招》：“自恣荆楚，安以定只。”无论是族类名还是地域名，其对应的空间范围虽略有出入，但基本上都是以今湖北为中心，鉴于本书的时间跨度为远古至当下，故名之为《荆楚文化史》更为切近。

《荆楚文化史》的编撰兹事体大，因而对相关问题的说明尤为必要。

一是荆楚文化的时间界限。当代人治国别史或地域史，一般止于晚清或民国，而本书则上起远古，下至当下，突破了史学界心照不宣的“当代人不治当代史”的传统。本书如是考量，无意于标新立异，只是想把荆楚文化的最新面貌展示出来，以增强现实感，突出时代性，进而坚定文化自信。

二是荆楚文化的空间界定。本书的空间范围固然是以今湖北行政区划为主，但现今的湖北省境，基本上是明清以来逐步规范形成的，在此前的数千年中，湖北与周边诸省之间的行政归属变动不居。因此，本书虽然明确强调研究的空间范围原则上不超出当今湖北行政区划，但如涉及思想影响、文化交流、人物迁徙、商旅流通乃至政治背景和经济状况等问题，尤其是牵涉到湖北局势发展的重要事象时，有关叙述或分析会越出今湖北省界的范围。

三是荆楚文化的内容定位。一般文化史研究，视角有宏观和微观之分，也即通常所谓广义文化与狭义文化之别，前者包括物质文明成果和精神文明成果的总和，后者仅限于精神文明成果。如采取宏观视角，难免失之于宽泛，而且极易与《湖北通史》一类著述雷同；如采取微观视角，则未免失之于狭窄，以致某些重要的文化内容不能得到应有的反映。有鉴于此，本书采取了介于宏观与微观之间的"中观"视角，即除重点考察微观层面的思想、学术、文学、艺术、教育、科技、宗教、民俗之外，还涉及时代变迁的社会背景和生态、移民、城建、商旅、交通等文化事象。当然，由于各个时代的文化状貌不尽相同，故允许各卷在保持基本内容一致的前提下合理取舍。

概而言之，《荆楚文化史》旨在经由多维度和全方位的考察，梳理出荆楚文化发生、成长和演变的线索，揭示出荆楚文化的基本特征、分衍状态和流迁趋势，勾勒出荆楚文化与其他区域文化乃至外域文化间多向的碰撞、交流和融合的轨迹，进而客观地评价荆楚文化在中华文化发展过程中所起的强大而持久的作用与影响。

一、荆楚的自然环境与民族氛围

在人类生存的地球上，有一条神奇的纬线——北纬30° 线。它既是旧大陆古代文明的中轴线，又是长江流域的中轴线。中国的荆楚地区，埃及的古都孟菲斯，号为"神之门"的巴比伦，波斯帝国极盛时期的首都苏萨，以及南亚最早的两座古城之一哈拉巴，都无一例外地聚集在这一纬线附近。

从自然环境来看，荆楚正好处在东西之中、南北之间。说荆楚处在东西之中，这是因为中国的地势从西到东由高变低，呈三级阶梯之状：青藏高原为第一阶梯，南起云贵高原、中经四川盆地和黄土高原、北至内蒙古高原为第二阶梯，华中迤东的丘陵和平原为第三阶梯。荆楚正好处在第二阶梯与第三阶梯交接地带：鄂西在第二阶梯的东部，鄂中迤东在第三阶梯的西部。说荆楚处在南北之间，这是因为鄂北连接着秦岭、大巴山、桐柏山和大别山，鄂中迤南则为江汉平原和江南低山丘陵。荆楚整个地貌呈箕形：中部的江汉平原既平又低，西部、北部、东部是山地，只有南部向洞庭湖敞开。山环水绕的自然环境，温暖湿润的气候特征，不仅使荆楚的山郁郁葱葱，而且在境内形成不同流量的河流，汇入横穿其腹地的中国第一大河长江，众多水系如银练飘舞在广袤的荆楚大地上，构成纵横交错的水网，古云梦泽淤积遗留的大小湖泊，似明镜镶嵌于辽阔的江汉平原，调节着长江中游的旱涝。得中独厚的自然环境，不能不说是天赐荆楚。

就民族氛围而言，荆楚也恰好位居东西南北之中。汉藏语系的四大语族，最迟在周代已具雏形。汉语族的先民在北，壮侗语族的先民在东，苗瑶语族的先民在南，藏缅语族的先民在西。四个语族相互接触、彼此交错的中心，就在荆楚。北来的姬、姜等姓和殷人的遗民是汉语族的先民，东部的扬越属于壮侗语族的先民，南方的楚蛮多数应是苗瑶语族的先民，西部的巴人属于藏缅语族的先民。正是在这壮丽的民族景观中，蕴含着盎然勃兴的历史机缘。

荆楚独特的自然环境和民族氛围，既有利于接纳来自四面八方的文化信息，又能保持强大的定力，外求诸人以博采众长，内求诸己而独创一格，从而在某种程度上形成了大同小异的风气。其主体居民沉浮与共、休戚攸关，桀骜多于驯顺，狂放多于拘谨，独创多于固守，喜游心于天人之际，驰骋于艺文之间，不乏苦志慧心和奇思丽想。

二、荆楚文化的演进轨迹

居东南西北之中，当四通八达之会，荆楚历史波谲云诡，荆楚文化异彩纷呈，令人兴“大江东去，浪淘尽，千古风流人物”之叹。

属于“人猿相揖别”的旧石器时代遗址，在今湖北郧阳、郧西、丹江口、长阳、五峰、宜都、枝江、建始、大冶等县市区及荆州、神农架、襄阳、咸宁、武汉等地共发现200多处，涵盖了旧石器早、中、晚三个不同的发展阶段，其中最有代表性的是建始直立人和江陵鸡公山遗址。建始直立人距今215万年至195万年，早于元谋人、蓝田人、北京人，填补了中国人类发展史上从猿到人进化史中“直立人”这一关键环节的空白，对于探索人类的起源与演化具有重要价值。江陵鸡公山遗址下层的上限为距今5万年，其上层的下限为距今1万年。先前所发现的旧石器文化遗址大多在洞穴内，江陵鸡公山旧石器文化遗址却处于弥迤平原和汪茫水乡中。我们可以确信，江陵鸡公山旧石器文化的主人，只要没有因遭遇特别严重的天灾人祸而灭绝，应该属于后世荆楚人的远祖之列。

在“只几个石头磨过”的新石器时代，荆楚地区的文化遗址近3000处，更重要的是文化谱系相对完整：年代最早的是距今8000年的城背溪文化，继之大溪文化兴起，其后是屈家岭文化和石家河文化相继勃兴。屈家岭遗址是我国长江中游地区发现最早、最具代表性的大型新石器时代聚落遗址，也是长江中游地区第一个以遗址发现地命名的新石器文化。比屈家岭稍晚的石家河文化，不仅出现了初具规模的城址，而且发现了冶金的遗迹，代表了长江中游地区史前文化的最高水平，成为探索中华文明起源的一个重要标本。据《战国策·魏策》记载：“三苗之居，左彭蠡之波，右洞庭之水，文山在其南，而衡山在其北。”尽管关于文山和衡山的地望古今学者多所稽考而莫衷一是，但对于荆楚地区曾为三苗部落的腹地，则是学术界比较一致的见解。因此，荆楚地区先后诞生的大溪文化、屈家岭文化和石家河文化，庶几可以视作三苗部落的文化遗迹。

夏禹执政前后，一度效法尧舜对三苗实行的怀柔政策，却未能产生预期效果，三苗仍不愿服从夏王朝的统治，一场征伐三苗的战争不可避免，而双方实力的悬殊早已注定了三苗失败的结局。禹在征服三苗后，同样采取了尧舜流徙三苗之君的方式，迁徙三苗上层统治集团于西北边陲的“三危”，历经变服从俗，很可能成为后世羌族的祖先。对于三苗故地的遗部，禹则委派夏族人前往统治，意在对其实行严密的监控，达到巩固夏王朝统治地位的目的。涉及夏代荆楚地区经济社会状况的文献寥若晨星，仅有《尚书》《墨子》《世本》《帝王世纪》的相关零星记载，使我们依稀获得以上并非完整的信息。

殷商之世，以荆楚为中心的长江中游一带被殷人称作“南土”或“南乡”，前者见之于《左传·昭公九年》，后者见之于《诗·商颂·殷武》。从商汤起，经太甲到太戊的三代六王，是商王朝的巩固时期，统治者致力于内政，对方国部落则以羁縻为主，局势相对平静，荆楚地区也未见重大战争发生。从商王中丁开始，内患频生，中丁被迫迁都于隞。可能是荆人趁商都新迁而发难，也可能是中丁出于长治久安的考虑，总之在中丁都隞不久，荆楚东部的今武汉北部黄陂出现了商朝移民，继而建立了长江流域已知最早也是最大的早商城邑——盘龙城。盘龙城的建立，促进了中原商文化与荆楚文化的交流与融合，考古发现的江陵荆南寺遗址和沙市周梁玉桥遗址的商代文化层，就是以土著文化为主体并吸收中原商文化及其周边地区同时期文化因素而形成。尽管后来商王武丁曾大举征伐荆楚，商王朝与荆楚地区的文化交流则未曾中断，早熟的中原青铜文化南下，激活了荆楚固有的文化因子，促进了荆楚地区铜的采冶和铸造，以及城邑设置和农业区域经济中心的萌芽。

跌宕起伏的周代，从周初楚人嫡祖季连后裔鬻熊因辅佐周文王有功被徙“居丹阳”，至公元前 278 年秦将白起拔郢止，今荆楚地区一直是楚国的腹地。虽说春秋早期以前荆楚地区也曾诸国林立，其中不乏殷商遗民建立的权国和周王的同姓姬姓随国（曾国）这类颇有影响的封国，以及罗、卢、鄀、邓、谷、庸、麇（微）、鄂、唐、厉、绞等国，但权国春秋早期已被楚灭国改设为县，随国约春秋中期已成为楚国的附庸，其他国家要么亡于楚国，要么望风归附。从某种程度上说，周代荆楚地区的文化即楚文化。楚人在八百年的漫长岁月中，创造了震古烁今的文化，不啻与中原文化并肩而立，甚至与西方的古希腊文化难分轩轾。东西方文化各自从不同的方向出发，分别登上了人类文明轴心时代的巅峰，楚文化对中华文明乃至世界文明的贡献，足以令世人称奇。如果将中华文明比作浩瀚无垠的宇宙，那么，作为荆楚文化源头和主干的楚文化，就是宇宙中一条璀璨夺目的星河，澎湃于其中的"筚路蓝缕"的进取精神、"大象无形"的开放气度、"一鸣惊人"的创新意识、"上善若水"的和谐理念、"九死未悔"的爱国情怀和"一诺千金"的诚信品格，以其巨大的能量，穿越时空，生生不已！

"秦王扫六合，虎视何雄哉！"在秦王朝的统治下，荆楚文化惨遭洗劫，创巨痛深。先前济济多士，此时流失殆尽，自由活泼的文化气氛，被秦朝的坚甲利兵和严刑峻法扫荡一空。幸有云梦睡虎地秦简出土，才使人们得以了解秦代荆楚文化的些许信息。这批秦简包括《语书》《为吏之道》《秦律十八种》《效律》《秦律杂抄》《法律答问》《封诊式》《日书》《编年记》，尽管内容涉及秦朝政治、经济、法律、文化诸方面，仍然留下了荆楚文化的烙印。其中《为吏之道》作为一部官吏指南，吸收了源于荆楚的道家思想，如"强良不得"，与马王堆帛书《老子》甲本"强良者不得其死"如出一辙。从艺术风格来看，《为吏之道》与荀子"成相辞"毫无二致，而荀子曾任楚兰陵县令，其著作当受楚文化浸润，从《荀子·成相》到《为吏之道》，似可寻绎楚地民歌的传承脉络。通过秦简《编年记》，我们得以掌握秦始皇南巡经过故楚地安陆的确切时间和路线。秦简《日书》中的"秦楚月名对照表"，表明秦代荆楚地区因国家强制官方不得不使用秦历，但民间仍习惯沿用楚国旧历。从秦简展示的秦代隶书原貌观察，其"蚕头燕尾""一波三折"的特征，显然受到战国中期荆门包山楚简书法艺术的渗透。

文化多承楚制的汉代，伴随着经济社会的恢复发展，荆楚文化也逐渐复苏，在思想与学术、文学与艺术、科技与教育等领域都获得长足的进步。西汉时荆楚地区的经学如“离离原上草”，虽荣枯无常，却绵延不绝，至东汉时马融任南郡太守，荆州的经学已蔚然成风。东汉末年刘表任荆州刺史期间，养士抚民，推崇学术，遍注群经，广求遗书，荆州成为全国最大的学术中心，官府藏书甲于天下。汉代是“铺采摛文”的文学体裁——赋的鼎盛时期，荆楚虽少见汉赋名家，但汉赋的名篇佳作无不同荆楚有千丝万缕的联系。它们或搁笔于荆楚，或从内容和形式上“拓宇于楚辞”，或直接以描绘荆楚山川之美和人文之胜为题材，此即《文心雕龙·辨骚》所谓“枚、贾追风以入丽，马、扬沿波而得奇”。汉代乐舞广纳博采，荆楚地区独领风骚，崔骃《七依》描绘的“振飞縠以舞长袖，袅细腰以务抑扬”，分明是楚舞“长袖细腰”的再现。当阳汉墓的画像石和老河口汉墓的画像砖，其雕刻技艺相较于南阳画像石毫不逊色。在当阳、襄阳、云梦等地东汉墓中发现的陶楼，展示了汉代官僚豪族风格各异的庭院式建筑。汉代荆楚学校教育“庠序盈门”，科技尤其是数学和医学成果丰硕，江陵张家山汉墓出土竹简《算数书》是比《九章算术》更早的数学专著，而《脉书》和《引书》则堪称汉代荆楚医学的上乘之作。

魏晋南北朝是中国历史上一个战乱频仍、朝代迭更的特殊历史时期，荆楚地区先后处于孙吴、东晋和南朝宋、齐、梁、陈的统治之下，其文化冲突中有交融，碰撞中有演进。东汉末年至三国时期最著名的三大战役，就有两大战役即赤壁之战和夷陵之战都发生于荆楚；西晋灭吴的战略谋划，也是在荆州襄阳形成。真可谓“一部三国史，半部荆州书”。释道安襄阳弘法、习凿齿撰《汉晋春秋》和盛弘之《荆州记》的编撰，象征着荆楚学术于乱世中别开生面。与之相映生辉，“清新庾开府”“俊逸鲍参军”均为荆楚文学奉献出扛鼎之作，前者《哀江南赋》把骈赋创作推向了巅峰，后者《登黄鹤矶》开创了山水诗派峻厉奇矫的新风。被称为“清商曲辞”的西曲歌《石城乐》《襄阳乐》《江陵乐》，成为乐府诗中最能撞击人们心扉的歌曲。艺苑的盛事，不啻是儿童及女子歌舞“襄阳白铜鞮”舞动京华，更有宗炳的画论独步一时。南朝荆楚画家宗炳是著名的山水画家兼理论家，不仅创立了“应会感神，神超理得”的绘画美学理论，而且在技艺上提出了“竖划三寸”“横墨数尺”的山水画透视学原理。至于庾亮在武昌建立学舍和设置学官，无疑是东晋时期荆楚教育的一抹亮色。

隋唐是我国文化发展的黄金岁月，统一且相对稳定的政治格局，使社会经济得到了空前发展，政治中心的东移与经济中心的南移相互交织，共同演奏出波澜壮阔的盛世华章，混同南北的隋唐文化因之具有朝气蓬勃、兼容并收的恢宏气象。凭借独特的区位优势，荆楚大地成为南北、东西文化碰撞与融合的重要平台。在道教被视为国教的唐代，江陵已成为南北道教文化交流的中心。隋代智𫖮于当阳创建玉泉寺，其佛学理论也成熟于斯；分别以慧能和神秀为代表的禅学南北两宗，分流于荆楚蕲黄的东山，是隋唐时期荆楚文化的突出成就。在哲学和美学上，禅宗虽说未必超越道家，但常有突兀冷峻的奇想妙得，甚至使儒家瞠乎其后。如果说，段成式《酉阳杂俎》、余知古《渚宫旧事》、皮日休《皮子文薮》和孙光宪《北梦琐言》代表着荆楚博大精深的学术，那么“冲淡之中有壮逸之气”的孟浩然、“语奇体峻”的岑参、“不雕自饰”的张继和“酒隐安陆，蹉跎十年”的李白等人的诗篇，则交织出荆楚文学的万丈锦绣。唐代民间歌舞盛行，荆楚百姓在努力创造物质财富的同时，也尽情享受着“竹枝歌”、“郢中田歌”和“起舞激楚”的“采莲”舞带来的精神愉悦。“书中仙手”李邕和“落笔洒篆文，崩云使人惊”的李阳冰，则分别以其行书、篆书神品，成为书坛“示来者以轨则”的树立法度之人。荆楚唐代官学可考的有荆州州县学和襄阳州学，培养出的进士刘洎、岑文本、张柬之均官至相位。唐代竟陵陆羽撰写的世界第一部茶学专著《茶经》，不仅使饮茶成为朝野风尚，而且使得东西方“俱受其惠”。

宋元时期中国由南北分裂至天下一统，荆楚地区社会经济一直在曲折中前行。与之相应，学术包容、文学开新、书艺立宗、教育振兴、科技精进，无不浸染时代气息。经学上“学《易》醇深”的朱震、补程颐之缺失的项安世、传理学于北方的“隐君”赵复和“江汉同调”的砚弥坚等，营造了荆楚思想学术界云蒸霞蔚的景象。文学上张景力主文学革新、安陆“二宋”（宋庠、宋祁）为文“无一点尘气”，尤其是苏轼谪居黄州“驰骋翰墨，其文一变”，荆楚文坛新风劲吹；“江西诗派”中坚潘大临、北宋词人魏玩和僧仲殊以及南宋词人王质、汤冠卿等，在宋代词苑各擅风流；“填词不减宋人之工”的滕斌，使“渐于衰”的元词为之一振。艺术上，武昌湖泗窑把白瓷和青瓷分别向南北推移，在中国陶瓷发展史上的地位尤为重要。米芾书法如“天马脱衔，追风逐电”，米氏父子绘画“不取工细，善用水墨”，创造了被世人称之为“米氏云山”的独特表现手法。宋代荆楚官学的稳定发展和书院功能的演变，构成了荆楚教育的双璧。科技上庞安时“尤精于伤寒，妙得长沙（即张仲景）遗旨”，其《伤寒总病论》补张仲景《伤寒杂病论》之缺失。英山毕昇发明的活字印刷术，标志着印刷史上一项重大变革的完成，对中国乃至世界文化的影响既深且巨。

明清两朝，看上去似乎政治中心再度向北转移，经济中心继续向东倾斜，但荆楚地区毕竟处于绾毂中华的地位，仍不乏荦荦可观者。以学术观之，则有“嘉鱼二李”（李承芳、李承箕）和“黄安（或天台）三耿”（耿定向、耿定理、耿定力）傲然而立；特立独行的“异端”思想家李贽，在大别山麓的黄安、麻城写下了惊世骇俗的《藏书》。经学名宿则有“穷经巨擘”郝敬、“不为泛滥卮言”的陈士元和首倡“学统”的熊赐履，以及“根柢于诸经”的胡承诺。刘子壮的经世实学、熊伯龙的无神论和程大中、秦笃辉的“汉宋兼治”皆名重一时。史学方面也有章学诚的方志学和杨守敬的历史地理学风靡史林。以文学而论，不仅有“独抒性灵、不拘格套”的“公安派”和力倡“尖新幽冷”的“竟陵派”，而且有“触物感兴，陶写自如”的明初诗人魏观、王廷陈、吴国伦等人掀起的文学复古思潮。清代词曲盛行，荆楚虽未见自成一统的流派，但仍有杜濬、顾景星、徐石麟等感时伤怀的词人。就艺术而言，以画家吴伟为领袖的“江夏画派”名动天下，张裕钊和杨守敬的书法饮誉东瀛，而最突出者莫过于汉调同徽班进京促成了京剧的诞生。在教育领域，传统官学教育和私学教育两个体系已臻定型，义学的推行和宗学的发端也并行不悖。科技领域最突出的成就在医药学，李时珍呕心沥血撰成的《本草纲目》，无疑是荆楚对中国乃至世界医药学的杰出贡献。

近代伊始，长江中游地区经历了惨烈的战祸，南皮之学乘势而起。导致清朝覆灭的辛亥首义，爆发于湖北武昌。五四运动前后，荆楚大地成为新旧文化博弈的主要战场之一，恽代英创办的利群书社、董必武创立的武汉中学、中华大学主办的《光华学报》、华中大学开设的时政讲堂，已然成为传播新文化的重要阵地。此后南军北伐，先取长江中游，继取长江下游，荆楚始终得风气之先。以“朴诚勇毅”著称的荆楚子民，始终冲锋在新民主主义革命前沿：江岸铁路的风雷、汀泗桥头的硝烟、农讲所里的火种、“八七”会议的宣言，无一不是惊天动地的壮举；在红安七里坪、洪湖瞿家湾、阳新龙港、大悟宣化店……无不展现出荆楚儿女气壮山河的风范。抗日战争爆发，武汉一度成为全国的文化中心；解放战争的帷幕，在大别山南麓的鄂北拉开。无数事实证明，近代以来中国几乎所有重大变革的起点都在荆楚。一个有辉煌历史传统的省份，一个有深厚文化蓄积的地域，在革故鼎新之际，必有出类拔萃的思想学术和文学艺术。清代末年和民国期间的荆楚，就处在这么一个龙从云、虎从风的历史转折阶段，其文化呈两极发育的趋向：一极是政治与哲学思想的际会风云，其代表是张之洞的《劝学篇》和熊十力的《新唯识论》；一极是文学与艺术的异峰突起，其代表是闻一多的《红烛》和曹禺的《雷雨》。二者都是一流的水准，分别伫立于所处时代的高峰。近代荆楚的教育、科技，也在战火纷飞中勉力赓续，甚至出现了一些意想不到的成果。

自中华人民共和国成立至2018年，荆楚文化焕发出新的生命活力。坚持科学理论导航，以马克思主义为指导的哲学社会科学竞辉齐光：李达的马克思主义哲学研究、周鲠生和韩德培的国际法研究、黄焯的语言文字研究、唐长孺的中国历史研究、吴于廑的世界历史研究、张舜徽的中国历史文献研究和皮高品的图书馆学研究，以及《汉语大字典》的编纂、两届“荆楚社科名家”的学术成果，无不是站立在所在学科的前沿。紧扣时代脉搏，社会主义文艺园地鲜花怒放：依文学创作而论，小说有姚雪垠的《李自成》、报告文学有徐迟的《哥德巴赫猜想》、散文有碧野的《情满青山》、诗歌有曾卓的《悬崖边的树》，还有数位茅盾文学奖和鲁迅文学奖得主的作品，充分展示了文学鄂军的雄厚实力；就艺术创作而言，以高百岁为开山的京剧、以陈伯华为领军的汉剧、以沈云陔为旗手的楚剧、以王玉珍等主演的《洪湖赤卫队》为标志的歌剧和以夏雨田为代表的曲艺，以及以“杂技皇后”夏菊花为灵魂人物的汉派杂技和以中国画变革“三面旗帜”之一的周韶华为表率的荆楚绘画等，赢得了荆楚艺苑的满园春色。进入 21 世纪，荆楚文化在全国的影响力与日俱增：第八届中国艺术节、第六届中国京剧节、第二届中国歌剧节和第八届中国舞蹈大赛等大型文化活动相继在湖北举办，荆楚已然成为神州大地的一方文化高地。发挥资源优势，深入挖掘和大力整合荆楚文化资源，加强荆楚文化的保护与传承，《荆楚文库》这一迄今湖北规模最大的文献整理研究出版工程正顺利实施。与此同时，荆楚文化“走出去”的步伐铿锵有力，足迹遍及全球。立足创新驱动，致力于荆楚优秀传统文化的创造性转化和创新性发展，推动文化事业和文化产业快速前行，为实现全省经济社会发展提供思想保障、智力支持和道德滋养，让生生不息的荆楚优秀传统文化的文脉延续到文化创造中、血脉激活在生命智慧里、根脉滋长于社会生活间，为更加坚定文化自信、不断铸就中华文化新辉煌做出荆楚新贡献。

三、荆楚文化的主要特征

探讨荆楚文化的主要特征，离不开对楚文化特质的把握。由张正明先生率先提出并经众多学者不断完善的楚文化的“六大支柱”和“五种精神”，堪称楚文化特质的精练概括，前者即炉火纯青的青铜冶铸、绚丽精美的丝织刺绣、巧夺天工的木竹漆器、义理精深的老庄哲学、惊采绝艳的屈骚文学、恢诡谲怪的美术乐舞，后者即筚路蓝缕的艰苦创业精神、追新逐奇的开拓进取精神、兼收并蓄的开放融会精神、崇武卫疆的强军爱国精神、重诺贵和的诚信和谐精神。正是这“六大支柱”和“五种精神”，对荆楚文化特征的形成产生了重大而深远的影响。

在楚文化的根基上发展而来的荆楚文化，其鲜明特征最突出者有如下数端。

一是尊天重人。“天即自然”，尊天，即尊崇和顺应自然，这是源于楚地的道家思想的精髓，老子就力主“道法自然”，其名言就是“人法地，地法天，天法道，道法自然”。庄子也强调“毋以人灭天”，追求一种“天地与我并生，万物与我为一”的境界。荆门郭店出土楚简中有一部道家佚籍《太一生水》，比今本《老子》更为系统地表达了道家的宇宙生成论和生态文明观，主张“圣人无为，故无败……是以成辅万物之自然而弗敢为”，极力强调尊崇和顺应自然。重人，即尊重人的天性和重视民生。早期生息于湖北随州一带的炎帝神农为改善民生“播种五谷”“身亲耕，妻亲织”，为解除民疫“遍尝百草”“一日遇七十余毒”。早在春秋初期，随国大夫季梁就提出“民为神主”的观点：“夫民，神之主也。是以圣王先成民，而后致力于神”，“所谓道，忠于民而信于神也”。季梁的这一观点，比孟子的“民贵君轻”早300多年，虽誉之以石破天惊亦不为过。

二是尚和贵诚。《老子》极力推崇的“上善若水”的理念，既是老子万物“冲气以为和”的智慧结晶，又是荆楚文化崇尚和谐的绝妙象征。尚和的终极目标，在于实现社会和谐与人类和平。楚相孙叔敖断然中止造成市场混乱的“以小改大”的钱币的流行、撤销劳民伤财的“升高车厢”的政令，堪称力促社会和谐、维护国家稳定的明智之举。如果说，楚庄王大力倡导的“止戈为武”“禁暴戢兵”，代表了古代战争与和平关系的最先进的思想观念，那么，楚共王奉行的“抚有蛮夷，以属诸夏”，则是这种思想观念的有效践行，而为汉匈睦邻“和亲”异域的王昭君，更是致力于民族团结和人类和平的光辉典范。贵诚，以诚信为安身立命之本，这也是荆楚文化的一个优良传统。伯牙、子期“高山流水”的琴台知音典故，将人世间的诚信演绎到极致；在楚国边境昭关偷渡伍子胥的渔夫为解除其疑虑而投身江流，用血肉之躯见证了诚信至高无上的价值；楚人后裔季布“一诺千金”的故事，已成为中华民族诚信品格的经典表达；“中国考古学之父”李济对前辈学者学术观点的大胆质疑，充分显示出荆楚学人诚信处世、严谨治学的精神风范。

三是狂放达观。荆楚雄奇的高山峡谷、浩渺的江水湖光是狂放达观特征产生的地理因素，而崇尚个性的价值取向和狂野梦幻的原始巫风则是狂放达观的人文因素。如果说，狂放在楚狂接舆和伟大爱国主义诗人屈原以及闻一多身上体现得淋漓尽致，那么，达观则通过庄子“鼓盆而歌”和六祖慧能的偈语“本来无一物，何处惹尘埃”已见端倪。无论是释道安和习凿齿的襄阳晤对“弥天释道安”和“四海习凿齿”，还是以“醉吟先生”自号的皮日休的诗歌和呈“风樯阵马”之势的米芾的书法，乃至历代流寓荆楚的文坛巨擘笔下的诗词如以“我本楚狂人”自诩的李白的《七绝·黄鹤楼送孟浩然之广陵》、“老夫聊发少年狂”的苏轼的《念奴娇·赤壁怀古》，无不展露出狂放的天性和达观的襟怀。自许“楚人”的张之洞为奥略楼所题楹联“昔贤整顿乾坤，缔造多从江汉起；今日交通文轨，登临不觉亚欧遥”，则于欣慰中透出自信，达观中尽显超迈。

四是兼容并蓄。荆楚居神州之中，可谓“九省通衢”，人口交流的频率和规模远在其他地区之上，从而表现出多元混融的价值取向。夏商之际楚国的公族从中原南下“南土”，与江汉地区土著先民三苗遗裔融合，形成了具有独创精神的楚人。魏晋南北朝时期，大量北方移民夹杂着西域胡人以侨州郡县的形式居于荆襄之地，催生出胡音汉韵的西曲歌。元末明初和明末清初的先后两次“江西填湖广”和“湖广填四川”

大移民，更是激发了荆楚文化的活力，汉口镇因之从“天下四聚”之一一跃成为“驾乎津门，直逼沪上”的长江中上游地区最大都市。正是由于荆楚文化具有兼收并蓄的特质，所以，在晚清以来中西文化的激烈碰撞中，荆楚文化对西方文化显示出较强的兼容性，从而在中国近代文化转型中勇立潮头。

五是守正图新。守正指不忘初心、坚守信念、秉持正义、追求真理。秦将白起拔郢之时，屈原毅然纵身汨罗，以生命诠释其爱国恤民的赤胆忠心。楚国将亡之际，楚人南公发出惊天誓言：“楚虽三户，亡秦必楚。”言犹在耳，楚人陈胜、吴广揭竿而起，刘邦、项羽奋力亡秦。荆楚文化中这种坚守信念、不忘初心的基因，个性鲜明，薪尽火传。辛亥革命爆发前一周年，楚人后裔冯特民在《汉声》杂志上发出振聋发聩的呐喊：“我坚信，推翻封建帝制，只有推翻秦朝的楚人来完成！”一年后的辛亥武昌首义，验证了这位先哲的预言，这并非偶然的巧合，而是历史的必然。图新，指善开风气、敢为人先、开拓创新、追求卓越。荆楚文化凭借其区位优势和创新主体所特有的精神，在不同历史阶段的不同领域都不乏创新之举。春秋初年楚武王首创县制，是制度层面的重大创举；春秋五霸之一楚庄王“始为军政”，是军事体制的重大革新；禅学南北两宗在荆楚黄梅东山形成并分流，是学术文化领域的重大创造；被达尔文誉为“东方医药巨典”的《本草纲目》，属于科技文化领域内的重大创获；晚清张之洞督鄂期间大力实施的“办实业、兴教育、练新军、修铁路、通商贸”的“湖北新政”，更是一种全方位的创新。

四、荆楚文化在中华文明发展史上的地位与影响

习近平总书记2018年4月27日参观湖北省博物馆精品文物展时指出，“荆楚文化是悠久的中华文明的重要组成部分，在中华文明发展史上地位举足轻重”。这是对荆楚文化的精辟阐释和高度评价，是我们继承和弘扬荆楚优秀文化乃至中华优秀传统文化，促进其创造性转化和创

新性发展的自信之基、立足之本和动力之源。

荆楚文化在中华文明史上的地位与影响，在政治与伦理、思想与学术、文学与艺术、科学与技术等诸多领域都有突出表现。

首先看政治与伦理。

屈原风骨对中华民族精神锻造所起的巨大而深远的作用，是荆楚文化对中华文明最显著的贡献。楚国伟大的政治家、思想家、文学家屈原，堪称跨越时空而体现中华民族精神的光辉典范。他“志洁行廉”的政治品格、“九死未悔”的爱国精神、“上下求索”的创新意识、“哀民多艰”的民生情怀，在不同的时代、不同的社会、不同的国度，都具有异乎寻常的感染力和影响力。正是因为如此，1953 年世界和平理事会所倡议纪念的“世界四大文化名人”中，屈原赫然在列，是中国也是亚洲唯一的入选者，这是中华民族的荣光，也是荆楚儿女的骄傲！

楚国首创县制对中国行政建制设置的发凡起例作用，是荆楚文化对中华文明的重要赋能。春秋早期，楚武王熊通在灭掉位于江汉平原西部的权国后，在其基础上设立了权县，这是中国历史上第一次将县作为一级行政单位设置。自秦王朝统一以来，作为地方行政机构的州、郡、府、县等时有变易，唯有县一直保存至今（州之名虽存，但其政区意义已变，即仅用作少数民族地级行政区名称），成为中国行政建制中一个最关键的环节和最具标志性意义的文化符号，而其发明者正是极具开创精神的楚人。

“湖北新政”对中国近代社会转型的促进，是荆楚文化对中华文明的重大影响。在晚清“新政”中，湖广总督张之洞的“湖北新政”独树一帜，其内容主要有办实业、兴教育、练新军、修铁路，无一不是开中国近代社会转型风气之先，真可谓“缔造多从江汉起”。尤其是他组建的汉冶萍公司，是当时亚洲第一家大型钢铁联合企业，曾经得到毛泽东主席的高度评价：提起中国民族工业、重工业，不能忘记张之洞。“湖北新政”对中国近代社会转型影响之大由此不难想见。

被誉为“此复神州第一功”的辛亥武昌首义对中国制度变革的推

动，是荆楚文化对中华文明做出的一个十分突出的成就。辛亥革命推翻了中国两千多年的君主专制制度，以巨大的震撼力和深刻的影响力推动了近代中国社会变革。首义后颁布的第一个近代宪法性质的文件《鄂州约法》，在我国法制史上第一次公开承认人民民主权利，开启了民主共和建设的大门。这一破一立所体现的中国政体变革，对中国政治的影响十分深远，是中华民族伟大复兴征程中一座巍然屹立的丰碑。

荆楚文化对中华伦理的浸润，从荆楚"五孝"已足可寻绎。孝老爱亲是中华民族的传统美德，由此形成的孝亲文化是中华传统文化的重要组成部分。在我国广为流传的"二十四孝"中，就有"五孝"同荆楚密切相关，即老莱子"彩衣娱亲"、丁兰"刻木事亲"、董永"卖身葬父"、黄香"温衾凉席"和孟宗"哭竹生笋"。故老相传，老莱子是春秋晚期今湖北荆门人，丁兰是汉代今湖北南漳人，董永虽为汉代今山东人，但其卖身葬父则事发今湖北孝感。据文献记载，黄香是东汉时期今湖北云梦人，孟宗是三国时期今湖北孝昌人。毫无疑问，荆楚是中华孝文化典型最集中、底蕴最深厚、影响最深远的地区之一。

其次看思想与学术。

季梁"民为神主"学说和楚庄王"止戈为武"的理念，分别代表着荆楚文化在中国古代民本意识和人类和平思想形成过程中无可替代的地位。

季梁是春秋早期位于今湖北随州一带的随国的一位思想家、政治家和军事家。据《左传·桓公六年》所记，季梁的学说以"民为神主"为中心："夫民，神之主也……故务其三时，修其五教，亲其九族，以致其禋祀，于是乎民和而神降之福，故动则有成。""上思利民，忠也；祝史正辞，信也。"根据此前的认知，是神为民之主，民须忠于君而信于神。而按照季梁的理论，则是民为神之主，君须忠于民而信于神。这种意识出现在春秋早期，可谓空谷足音！战国中期孟子著名的"民贵君轻"的理论，很可能受到了季梁的启发。

如果说"民为神主"是民本意识的先声，那么，楚人"止戈为武"

的理念，则是人类和平思想的前导。“止戈为武”，是春秋五霸之一楚庄王的名言。“止”，即停止；“戈”，即干戈，指兵器，象征战争。“止戈为武”的字面意思是说“武”这个字由“止”和“戈”两个字构成，实际上是指使用武力的目的是停止战争，换言之，战争的目的不是挑起更大的战争，而是为了实现和平。楚庄王对战争与和平关系的认识，堪称人类和平思想的经典表达，不仅代表了中国古代战争与和平观念的最高认知水准，即使在当下乃至未来，仍然具有十分重要的世界性的理论意义和实践价值。

荆楚文化对中华学术的贡献，突出体现在茶文化和佛道文化两个方面。

虽说神农氏已发明茶饮，但将饮茶上升到学术层面则始于唐代竟陵人陆羽。陆羽醉心茶事，遍访神州，写下了世界上第一部茶学专著——《茶经》。其内容从茶的起源到种茶、制茶、烹茶之法，从饮茶器具到名茶产地和品茗之道，条分缕析，广博精深，标志着中华茶文化的形成，陆羽也因之被世人称为“茶圣”。《茶经》还被译成英、法、俄、日等多种文字出版，打开了中华茶文化海外传播的门户。19 世纪前后，以蒲圻（今赤壁）羊楼洞砖茶为标志的湖北茶叶开始输往俄、英等国，中外“茶叶之路”正式开通，全国最大的茶叶贸易市场汉口也被称为“东方茶港”。

禅宗唐代初期正式形成于今湖北黄梅东山，因而又称“东山法门”。其始于四祖道信，兴于五祖弘忍，成于六祖慧能。唐玄宗时，慧能的弟子神会入洛阳大行禅法，禅宗因而成为中国佛教最大的宗派，以至有“天下禅林，皆出东山法门”之说，其影响及于宋明理学。武当山位于今湖北十堰市，自唐太宗李世民敕建五龙祠始，历代帝王极力推崇武当真武神。明成祖朱棣更是奉真武为护国之神，依“皇室家庙”的规格和法式广建宫观，武当山由此以“治世玄岳”的崇高地位成为全国道教中心。

再次看文学与艺术。

楚辞和“优孟衣冠”“汉调进京”，分别代表着荆楚文化对中国文学和艺术巨大而深远的影响。

以屈原、宋玉为代表的楚国作家群体所创作的楚辞，既是同《诗经》并峙的中国文学的两大高峰之一，又是中国文学的两大源泉之一。相比于《诗经》，楚辞的节奏韵律更善于变化，状物写景更富于想象，表情达意更趋于委婉。历代第一流的人文学者，几乎没有不受楚辞浸润的，用刘勰《文心雕龙·辨骚》的话说，是“气往轹古，辞来切今，惊采绝艳，难与并能”，“其衣被词人，非一代也！”

春秋时期，楚国乐人优孟以善于模仿人物声形表演而闻名于世，“优孟衣冠”因之成为中国戏曲表演艺术的代名词。清代乾隆时期，荆楚“汉调”偕徽班进京，京城流传的京剧“班曰徽班，调曰汉调”，正是指的京剧唱腔主要承袭汉调皮黄腔即西皮、二黄而来。京剧界享有盛誉的“荆楚三杰”，即崇阳米应先、罗田余三胜和江夏谭鑫培，对京剧的成熟和发展做出了举世公认的成就。不仅如此，与京剧、越剧、评剧、豫剧并称为中国五大剧种的黄梅戏，也因清代中晚期发源于鄂皖赣交界处的黄梅多云山而得名。荆楚文化对中国戏曲艺术的贡献由此可见一斑。

最后看科学与技术。

荆楚文化对中华科学与技术的贡献，集中体现在农耕、青铜、活字印刷术和医药几个方面。

炎帝神农氏是与黄帝轩辕氏并称于世的两位中华民族人文始祖之一，是海内外中华儿女景仰的我国原始社会氏族部落的杰出首领。众多文献记载表明，湖北随州是炎帝神农部落的发祥地，该部落正是以随州为中心，沿汉水向长江流域和黄河流域南北拓展的。相传炎帝神农有八大功绩，其中最重要的是制造生产工具和种植五谷，不愧为中华农耕文明的开创者，为中华民族和中华文明的绵延壮大做出了卓越的贡献。

湖北大冶铜绿山古铜矿上起商末，下至汉初，是我国迄今发现的开采时间最长、矿石品位最高、采冶技术最先进、炼炉保存最完整、青铜产量最大的古铜矿遗址。青铜是上古时期的头等经济资源和战略资源，大冶铜绿山古铜矿的开发，对楚国的迅速崛起和保障周王朝以及中原地区的用铜需求，尤其是古代中国青铜文明的繁荣发展，乃至近代汉冶萍公司的组建等，都发挥了十分关键的作用，在中华青铜文明发展史上的地位至关重要。

宋代今湖北英山人毕昇发明的活字印刷术，标志着印刷史上重大变革的完成，极大地促进了文化传播的速度。这一重大技术还相继传到日本、朝鲜和欧洲各国，对世界印刷业发展和文化传播与交流都产生了难以估量的影响，马克思称其变成科学复兴的手段，变成精神发展创造的必要前提和最强大的推动力。

明代荆楚蕲州（今蕲春）人李时珍穷尽毕生心血撰写的《本草纲目》，在海内外影响巨大，被达尔文誉为“中国古代百科全书”和“东方医学巨典”。宋代荆楚蕲水（今浠水）人庞安时所著《伤寒总病论》、明代荆楚罗田人“医圣”万全所著《万密斋医学全书》、清代荆楚广济（今武穴）人杨济泰所著《医学述要》等，无一不是中国医药史上的杰作，对中国医药学的贡献令世人瞩目。

五、结语

从某种意义上说，荆楚地域是南方的“中原”，早在春秋战国时期，就有作为长江文明表率的楚文化横空出世，不仅与中原诸夏文化竞相媲美，而且与西方古希腊文化争奇斗艳。秦汉以后，这里仍有丰厚的文化积淀、宽松的文化环境和应时的文化机缘，因而得以成为道家的摇篮、禅宗的温床、南学的中心和新学的重镇，在科技领域和艺文园地也不乏奇思妙想和佳构鸿篇。

体大思精、源远流长的荆楚文化，生于钟灵毓秀之地，长于人文荟萃之乡，成于风云际会之域，沐风栉雨，傲雪凌霜，含英咀华，明丽天然。其和以直，旷以逸，文而质，博而精，浩瀚若海，厚重如山，大而弥新，久而弥坚，傲然卓立于中国地域文化之林，摇曳多姿，纷华照眼！

人以文化，文以人兴。荆楚的灵山秀水、世风民情和人文氛围，塑造了荆楚历史上奇特的人才景观，所谓“惟楚有材”，就是对荆楚人才盛况的艳羡！拭净岁月的铅华，打开绚丽多姿的中华文明长卷，荆楚大地风华绝代的英雄豪杰、贤哲逸士、墨客骚人接踵摩肩：中华民族人文始祖之一炎帝神农氏，伟大的爱国诗人屈原，汉赋鼻祖宋玉，音乐家钟仪、钟子期，和平使者王昭君，政治家熊绎、熊通、季梁、孙叔敖、刘秀、张居正、杨涟，军事家熊侣、孟珙、熊廷弼、徐海东、王树声，边塞诗人岑参、山水田园诗人孟浩然和忧国恤民诗人皮日休，茶圣陆羽，著名宗教人物道信、弘忍、神会和胡紫阳、张君房，书画双绝的米芾和“江夏画派”开山吴伟，活字印刷术发明者毕昇，医圣李时珍，文学家“安陆二宋”“公安三袁”“竟陵钟谭”，历史地理学家杨守敬、曹廷杰，民主斗士闻一多，哲学大师熊十力、汤用彤，经济学家王亚南，语言文字学家黄侃，散文家兼书法家张裕钊，作家废名、聂绀弩、张光年、欧阳山，文艺理论家胡风，剧作家曹禺，思想家鬻熊、环渊、鹖冠子、朱震、赵复、徐复观、殷海光，历史学家习凿齿、宗懔、段成式，方志学家王葆心，考古学家李济、黄文弼，天文学家甘德，数学家李潢，地质学家李四光，气象学家涂长望和无产阶级革命家陈潭秋、李汉俊、董必武、李先念……荆楚的山水因他们而增色，荆楚的文化因他们而生辉，荆楚的历史因他们而丰满！

九万里风鹏正举，三千年楚风腾飞。试看今日之荆楚文化，正如庄子笔下的大鹏，乘天地之正，御六气之辩，“水击三千里，抟扶摇而上者九万里”，“绝云气，负青天”，雄姿英发，气冲河汉！

目　录

绪　论

荆楚地区的史前时期，主要是指考古学上的旧石器时代和新石器时代。这是一个混沌的时代，人与天地自然、人与人之间的秩序正在逐渐建立之中；这是人类的童年时代，人的思想智慧、艺术创造力与早期人类共同成长。当巡礼中华地域文明版图时，我们不无崇敬地发现：在混沌初开的史前时期，在长江中游、洞庭湖之滨的荆楚故地，荆楚先民早已在此艰苦跋涉，开辟草莱，从蒙昧走向文明，书写了荆楚文化史卷的第一个篇章。

一

荆楚地区地貌类型复杂，岩溶洞穴发育，生态环境优越，生物资源丰富，是人类理想的栖息之地，非常适合古人类的生存与发展。目前，经过考古调查和发掘的旧石器遗址和化石出土地点，在湖北建始、郧阳、郧西、房县、神农架、丹江口、江陵（今荆州市荆州区）、长阳、五峰、宜都、枝江、大冶、汉阳等全省大部分范围内都有发现，初步统计达200处以上[①]。遗址大部分集中于湖北西北部地区，那里山大林密，这也从一个方面说明早期人类习惯栖居山地、洞穴的特点。

荆楚地区旧石器遗址遗存中，出土了许多珍贵的古人类化石及大批与之共存的动物群化石和打制石器，旧石器早、中、晚期发展序列较为完整和清晰。特别是在古人类化石材料方面，荆楚远古人类绵延不绝，这里有约200万年前的建始人、约100万年前的郧县人、约50万年前

① 陈振裕主编：《湖北文物典》，武汉：湖北人民出版社，2010年，第4—6页。

的郧县梅铺人与郧西白龙洞人、约 20 万年前的长阳人、约 10 万年前的郧西人、约 2 万年前的汉阳人……这些材料表明，荆楚是中国古人类发祥地之一，对于研究中国古人类的起源及演化具有重要意义。

湖北境内已发现的旧石器时代早期遗址与古人类化石主要有建始人、郧县人、郧县梅铺人、郧西白龙洞人、大冶石龙头遗址、神农架古犀牛洞遗址等；属于早期智人即旧石器时代中期阶段的人类化石主要有长阳人等；属于晚期智人即旧石器时代晚期的人类遗址与化石主要有丹江口石鼓后山遗址、郧西人、江陵鸡公山遗址、房县樟脑洞遗址及汉阳人等。

建始人遗址位于湖北省建始县高坪镇麻扎坪村龙骨洞。遗址出土 3 枚“似人似猿”的牙齿化石，同时还发现了多件哺乳动物化石、石器、石制品和骨器。

通过古人类学、古植物学、沉积岩石学、地球化学和古地磁学等多学科的综合研究，研究者确认在建始发现的“似人似猿”牙齿化石为人属早期成员的牙齿化石；同时，石器有明显的打击痕迹，早于元谋人、蓝田人、北京人。据此，建始龙骨洞发现的古人类被命名为“建始直立人”，其年代为距今 215 万—195 万年。直立人是人属的一个种，是旧石器时代早期的人类，是现代人的祖先。建始龙骨洞也因此被确认为“建始直立人遗址”，是我国发现的最早古人类遗址之一。

建始直立人填补了中国人类发展史上从猿到人进化史中“直立人”这一关键环节的空白，有力证明了中国人的发展具有本土连续性，对于当今中国乃至东亚旧石器时代考古研究、对于探讨人类起源的“一元”“二元”或“多元”理论具有十分重要的学术价值。

郧县人化石发现于湖北省十堰市郧阳区（原为郧县）青曲镇弥陀寺村曲远河口学堂梁子遗址。在遗址表土之下，考古工作者先后发现了 3 件基本完整的古人类头骨化石，以及一批石制品和哺乳动物化石。这是湖北首次发现、同时也是最完整的古人类头骨化石。

研究发现，郧县人遗址出土头骨化石与此前亚洲发现的直立人化石如北京人、蓝田人、爪哇人等古人类化石的形态基本一致，应该属于直立人类型，因此研究者将其定名为“直立人郧县亚种”，简称“郧县人”。考古学家综合古地质学、古动物学和考古测年学三个方面的研究成果，认为郧县人的年代为距今约100万年。

郧县人遗址是我国继北京周口店之后发现的又一处重要的古人类遗址，遗址出土的两具古人类头骨化石标本，是在中国大陆迄今所发现、显示人类祖先——直立人进化为较进步人种的最完整标本，为古人类研究提供了极其珍贵的资料。郧县人的发现，还修正了关于人类仅仅起源于非洲和自非洲迁徙的传统观点，为进一步探讨人类起源与发展提供了重要线索。

梅铺人化石出土于湖北省郧县梅铺镇西沟口村境内的杜家沟。学者研究后认为：梅铺遗址出土的4枚牙齿和北京猿人牙齿很相似，属于直立人之列。根据牙齿化石、伴出动物化石判断，梅铺人的年代为距今约50万年。

梅铺人化石的发现在中国古人类进化史上具有重要的学术意义。在时间上，梅铺人介于元谋人与北京人之间；从空间上看，梅铺人的居地不仅恰好位于元谋人与北京人居地的中间点上，而且也正好与蓝田人互为东西。所以，梅铺人的发现，不仅扩大了中国猿人化石分布点的研究范围，而且为研究我国古人类的起源和发展，提供了更多可靠的资料，具有重大的科学价值。

白龙洞人化石出土于湖北省郧西县安家乡神雾岭村白龙洞遗址。经过多次发掘及征集，一共获得8枚人类牙齿化石，以及动物化石、石制品、骨制品多件及其他与古人类活动有关的证据。

通过对白龙洞猿人牙齿化石、石器、伴出动物群化石的综合分析，研究者认为，白龙洞人的年代为中更新世，距今约50万年，其年代属旧石器时代早期。

白龙洞人在中国古人类进化史上同样具有重要的意义。从时间上看，白龙洞人处于晚期猿人向早期智人的过渡阶段；从空间上看，白龙洞人无疑是北京猿人在中国南方的同属，填补了北京猿人生存时代南中国猿人生存的空白，从而弥补了中国南方古人类进化史上的一个重要缺环。

石龙头遗址位于湖北省黄石市大冶湖畔，是一处文化面貌别具一格的旧石器早期人类活动遗存，为了解中国南方旧石器时代早期文化提供了重要资料。根据石龙头遗址出土石器和伴出动物群化石的特点，该遗址的年代当在中更新世的晚期。铀系法测定，石龙头第一层的年代为距今约 28.4 万年，这个数据与该遗址出土石器的年代、动物群化石的年代是吻合的。因此，我们基本可以认定石龙头遗址的年代为旧石器时代早期偏晚阶段。大冶石龙头遗址是长江中游一处重要的旧石器文化遗址，为了解湖北乃至中国南方旧石器时代早期文化提供了重要资料。

此外，在湖北西部的神农架古犀牛洞也出土有动物化石、石器多件。研究表明，神农架古犀牛洞旧石器遗址年代为距今 40 万年左右，和北京猿人同时期或稍晚于北京猿人。神农架古犀牛洞旧石器遗址海拔高度 2100 多米，是我国除西藏之外发现的海拔最高的一处旧石器遗址，极大地丰富了我国高山洞穴考古的材料，由此我们对古人类的生存范围、适应能力等也有了崭新的认识。

在距今 20 万年前的更新世晚期，人类从猿人阶段进化到智人阶段。智人是古人类演化的最高阶段，分早期智人和晚期智人，年代在距今 20 万—1 万年间。其中，早期智人生存的时代相当于考古学上的旧石器时代中期。在湖北境内，目前发现的属于早期智人即旧石器时代中期阶段的人类化石与遗址主要有长阳人化石等。

长阳人化石发现于湖北省长阳土家族自治县县城西南 45 千米的大堰乡钟家湾村的一个洞穴之中。遗址先后出土 1 件人类上颌骨化石、1 枚人类左下第二前臼齿化石和 19 种哺乳类动物化石。

我国著名古人类学家贾兰坡先生在对长阳人化石进行深入研究后指出，长阳人不仅具有现代人特征，而且也具有一定程度的原始特征。不过，就整体来说，长阳人所呈现的现代人的特征比其原始特征更多。贾兰坡先生指出："在我国南部地区从来没有发现过有如上述性质的人类的任何材料，长阳人的发现，不仅给江南动物群增加了新的种属，并为地层的划分提出了新的证据，同时给人类本身的分布与演化提供了新的资料。"①

经测定，长阳人化石的年代为距今约20万年，被认定为早期智人，属于旧石器中期的人类。

长阳人化石出土于1956年，是我国长江以南最早发现的古人类之一，在中国古人类研究中占有重要的地位。长阳人的发现，也说明长江流域以南的广阔地带同黄河流域一样，是中国古人类的起源地，是中华民族诞生的摇篮。

约距今5万年前，早期智人进一步发展成为晚期智人，这个阶段在考古学上属于旧石器时代晚期。湖北境内已发现的晚期智人即旧石器时代晚期的遗迹遗物比早期智人即旧石器时代中期的遗迹遗物更多，主要有丹江口石鼓后山遗址、郧西人化石、江陵鸡公山遗址、房县樟脑洞遗址及汉阳人化石等。

石鼓后山遗址位于湖北省丹江口市石鼓镇石鼓村后山。该遗址调查采集到石制品多件，石料以燧石为主，其次是石英岩。根据遗址出土石制品的文化特征判断，该遗址年代为旧石器时代晚期。

郧西人化石出土于鄂陕两省交界的湖北省郧西县李师关村附近的黄龙洞，遗址先后发现7枚古人类牙齿化石、一批古人类制作使用的工具、疑似燃烧痕迹、古人类采集的果物壳、大量伴生动物群化石及其他与古人类活动相关的证据。

黄龙洞遗址地层关系清楚，化石层较厚，化石分布密集且种类较多，特别是发现了与现代人特征比较接近的古人类牙齿化石，意义重大。通过铀系法测定，郧西人的年代在距今10万—4万年前，属于旧石器时代晚期智人阶段，是目前东亚地区发现的最早的晚期智人，对研

① 贾兰坡：《长阳人化石及共生的哺乳动物群》，《古脊椎动物学报》1957年第3期。

究中国现代人的来源与演化具有重要的学术价值。

鸡公山遗址位于湖北省荆州市荆州区（原江陵县析置）郢北村。遗址文化层厚达1米多，分上下两层。其中上文化层年代为距今2万—1万年，下文化层年代为距今5万—4万年。

鸡公山遗址上、下文化层直接揭示了大、小两种石器工业的地层叠压关系，清楚地反映了中国南方从砾石石器工业向石片小石器工业的过渡历程[①]，具有重要的学术价值。

鸡公山遗址是我国首次发现的旧石器时代人类在平原地区的活动遗存，遗址面积之大、地层关系之确切、文化遗物之丰富、遗迹关系之清楚，在中国尚属首次发现，填补了中国旧石器时代考古学的一个空白，同时在世界也属少见。尤其人类住所、石器加工场、野兽屠宰场等遗迹的揭露，堪称中国旧石器文化考古的重大突破。

樟脑洞遗址位于湖北省房县中坝乡龙滩村樟脑河之滨。根据石器和伴出动物化石的特征判断，房县樟脑洞遗址的地质时代属于晚更新世晚期，相当于旧石器时代晚期。经测定，樟脑洞遗址出土物的时间为距今1.3万年左右。

汉阳人化石采集于武汉市汉南区纱帽山附近长江沙滩。专家鉴定认为，这件头骨化石有比较明显的原始特征，但比北京人进步，更接近现代人，其年代可能处于晚期智人比较早的阶段，与北京山顶洞人（距今约1.8万年）和四川资阳人（距今约3.5万年）年代相当，距今约5万—1万年。汉阳人头骨化石是继1956年发现长阳人上颌骨化石、1975年发现梅铺人牙齿化石、1976年发现白龙洞人牙齿化石，1989年发现郧县人头骨化石后，湖北省旧石器时代考古的又一重大发现，具有极其重要的学术价值。

---

① 杨宝成主编、黄锡全副主编：《湖北考古发现与研究》，武汉：武汉大学出版社，1995年，第17—18页；李天元、冯小波：《长江古人类》，武汉：湖北教育出版社，2004年，第255—259页；刘德银：《远古人类走向平原的足迹》，《荆州重要考古发现》，北京：文物出版社，2009年，第5—14页。

人类的起源、演化是一个漫长的阶段，我们通过上述考古材料发现，在这个漫长的历史进程中，荆楚地区基本上没有缺席，旧石器时代早、中、晚期遗址遗迹在境内都有发现，其中有可能处于南方古猿或能人阶段的化石材料，还有直立人、早期智人和晚期智人化石，这些发现不仅极大地丰富了我国旧石器时代考古的学术体系，而且揭示了湖北是中国远古人类起源及其文化演化的主要地区之一，为研究中国古人类的起源与演化提供了极为重要的材料。

二

走过漫长的旧石器时代，人类迈入新石器时代。在考古学上，新石器时代是石器时代的最后一个阶段，其年代大约从距今一万年前开始，结束时间从距今5000多年至2000多年不等。

大约从距今8000多年前开始，荆楚地区进入新石器时代。在湖北境内，已调查发现的新石器时代的遗址有近3000处[①]。湖北新石器文化遗址，不仅数量多、分布广，而且堆积丰厚，内涵丰富，代表了不同阶段、不同区域湖北新石器文化的文化内涵与文化特征。它们如同点点繁星，基本上覆盖湖北全境，说明这个阶段荆楚境内史前文化已经呈现勃发、兴盛之势。更为重要的是，经过考古工作者的发掘、整理和研究，目前已经初步建立起一个相对比较完整的荆楚地区新石器文化的发展谱系。

在新石器时代早中期，荆楚地区存在四大文化系统，呈现出多元互动、竞相勃发的文化格局。这四大文化系统分别是：城背溪文化、柳林溪文化和大溪文化系统，分布于鄂西地区；仰韶文化系统，分布于鄂西北地区；边畈文化和油子岭文化系统，分布于鄂中地区，也就是后来著名的屈家岭文化、石家河文化的发源地和核心区；黄鳝嘴文化、薛家岗

① 陈振裕主编：《湖北文物典》，武汉：湖北人民出版社，2010年，第6—25页。

文化系统，分布于鄂东地区。

上述四大文化系统各有其独立的地理背景、分布范围、文化渊源与文化特色，同时相互之间也有着较为密切的文化联系和交流，由此形成了荆楚地区新石器时代早中期的文化地理格局。

这个阶段，荆楚先民的生产力水平进一步提高，生产生活丰富多彩，他们选址建房、渔猎采集、磨制石器、烧制陶器、琢磨玉器、刻划记事，同时原始审美与早期信仰崇拜逐步成熟……从人类文明起源的视角考量，这个阶段可谓是文明前夜，曙光熹微。

在湖北新石器文化早中期，鄂西地区相继诞生了城背溪文化、柳林溪文化、大溪文化等，前后延续达2000余年。

城背溪文化因最早发现于湖北宜都城背溪遗址而得名，其年代为距今7800—6900年左右，是目前湖北境内发现最早的新石器文化。城背溪文化不仅具有我国新石器时代较早阶段的鲜明文化特征，而且体现出长江中游新石器文化较为原始的特点，具有重要的学术价值。

柳林溪文化是继城背溪文化之后的又一种新石器文化，主要分布于东起湖北宜昌、西到重庆巫山的峡江地区，其年代为距今7000—6000年左右。

大溪文化是长江中游和江汉地区继柳林溪文化之后发展起来的一种新石器文化，因最早发现于重庆巫山大溪遗址而得名，其年代为距今6500—5100年左右。

大溪文化分布范围横跨鄂、渝、湘三省市，其中心区域在湖北江汉平原以南、以西地区。经调查，仅湖北境内已发现的大溪文化遗址就达100处以上，重要遗址有宜都红花套、枝江关庙山、江陵朱家台、宜昌中堡岛、宜昌杨家湾和巴东红庙岭等[①]。

大溪文化时期，稻作农业得到突破性发展，几乎所有大溪文化遗址中都发现了稻谷遗存和痕迹，如稻壳、稻草灰烬、夹有稻壳和水稻茎叶

① 孟华平:《论大溪文化》,《考古学报》1992年第4期。

碎末的红烧土块等，说明当时种植稻类作物已十分普遍。这个时期，还出现了一批大型遗址，如中堡岛、杨家湾、关庙山、宋家台等，有的遗址还出现了防御设施。

大溪文化先民的早期艺术创造、文化创造活动引人注目，如彩陶、陶球、刻划符号等。大溪文化陶片上目前已经发现了300多个刻划符号，学者认为，它们拓展了我国文字起源研究的视野，学术意义不可低估。

大溪文化晚期墓葬中随葬品数量出现一定差异，多的有几十件，少的只有一两件，有的甚至没有随葬品。这些现象说明贫富分化已经出现，私有制慢慢产生了。

在发展进程中，大溪文化充分吸收中原地区、洞庭湖区和汉东地区史前文化的先进因素，增益自身，壮大本体；同时，它也具有强烈的辐射作用，洞庭湖区、汉东地区都受到了大溪文化的强烈影响，其影响涵盖了长江中游的大部分地区。至此，长江中游地区新石器文化进入了第一个高峰期。

在湖北新石器文化早中期，鄂西北地区新石器文化受中原仰韶文化影响深刻，境内的郧县青龙泉、大寺，均县（今丹江口市）乱石滩、朱家台，枣阳雕龙碑等遗址就呈现出较为显著的中原文化特色。这些遗址的发现与发掘，对于研究黄河流域、长江流域交汇地带的新石器时代文化的发展，具有重要的学术价值。

在湖北新石器文化早中期，鄂中地区经历了边畈文化、油子岭文化两个发展阶段，其中边畈文化相当于大溪文化早期，油子岭文化相当于大溪文化中晚期[①]。

在湖北新石器文化早中期，鄂东地区属于薛家岗文化系统。薛家岗文化因首先发现于安徽潜山王河镇薛家岗遗址而得名，主要分布在大别山以东、巢湖以西的江淮之间，并扩散至鄂东和赣北部分地区，其年代

① 孟华平：《长江中游史前文化结构》，武汉：长江文艺出版社，1997年，第116、117页。

在距今 6000—5000 年左右。薛家岗文化受黄河下游地区新石器文化影响，同时又吸收长江下游地区新石器文化因素，文化特色显著。当薛家岗文化向西扩散，辐射至鄂东地区，即对当地文化产生深刻影响，主要遗址有黄梅塞墩、黄梅陆墩、武穴鼓山、黄冈螺蛳山等，这些遗址的文化自成一体，在湖北新石器文化及长江流域新石器文化体系中占有重要的地位。

在湖北新石器文化早中期，分布于荆楚各地的地域文化植根于荆楚，同时深受周边异域文化影响，你中有我，我中有你，文化交流、混融特色显著。它们如同繁星点点，共同扮亮史前荆楚文化的星空。

在距今约 5000 年之际，也就是大溪文化晚期，以汉东地区为中心的新石器文化（边畈文化、油子岭文化）在继承自身传统的基础上充分吸收了大溪文化、中原新石器文化和长江下游地区新石器文化的养分，特别是在下游新石器文化西进的强烈影响和冲击下，本土文化势力强劲上升、异军突起，一种新的考古学文化脱颖而出，即著名的屈家岭文化。

屈家岭文化的兴起，是长江中游新石器时代考古学文化演进的一次重大变革，这次变革打破了彼时荆楚境内四大文化主体同存并立的格局，屈家岭文化几乎一统长江中游地区，实现了空前的文化统一，长江中游地区新石器时代文化达到空前繁荣。

屈家岭文化因 1955 年最早发现于湖北京山屈家岭遗址（今属荆门市屈家岭管理区）而得名，是长江中游地区第一个被命名的新石器时代文化。遗址地处大洪山南麓与江汉平原的交接地带，总面积达 2.84 平方千米，是以屈家岭遗址点为核心，包括殷家岭、钟家岭、冢子坝、九亩堰、土地山和杨湾等遗址点的新石器时代大型环壕聚落。屈家岭遗址是我国长江中游地区发现最早、最具代表性的史前聚落遗址，其发现与发掘对于认识长江中游和江汉平原地区的史前文化具有特别重要的意义，因此被评为“中国 20 世纪 100 项考古大发现”之一。

屈家岭遗址主要文化内涵是屈家岭文化及其前身——油子岭文化，

主体遗存年代距今5300—4500年左右。

屈家岭文化分布以江汉平原为中心，遍布长江中游地区，东起大别山南麓，西至三峡，北到豫西南，南抵洞庭湖北岸。此外，在江西修水、河南许昌、陕西商洛等地也有屈家岭文化的分布。经过调查和发掘，湖北境内屈家岭文化遗址有100多处，其中代表性遗址有京山屈家岭、郧县青龙泉、钟祥六合、天门石家河、巴东李家湾和武昌放鹰台等。

屈家岭文化时期的遗址面积一般较大，以屈家岭遗址点为例，该遗址点面积至少有50万平方米，说明屈家岭文化时期人口不断增多，聚落规模随之进一步扩大。

屈家岭文化时期的湖北应城门板湾遗址房屋遗存的发现，为研究我国远古建筑史提供了前所未见的完整实物“标本”，同时也展现了长江中游先民高超的建筑技术和较高的生活水平。

屈家岭文化时期经济活动以稻作农业生产为主。在持续多年的考古工作中，屈家岭遗址发现了大量的稻谷、稻壳痕迹，反映出当时当地稳定、高产的农业生产活动。植物考古进一步揭示，屈家岭遗址还发现大量炭化粟，这是长江中游目前所见年代最早的粟遗存，表明在距今5000多年前，粟作农业也传播至湖北境内。南方的稻作农业和北方的粟作农业在屈家岭遗址相得益彰，使屈家岭文化成为中国农耕文明的重要起源地之一。

在屈家岭文化遗址中，还发现了许多家猪的牙齿、陶塑小鸡等，说明家畜家禽饲养也是当时重要的经济活动。

屈家岭文化时期，手工业也得到了很大的发展，以制陶业和原始纺织业的成就最为突出。

在屈家岭文化中心区域，先后发现了天门石家河、天门龙嘴、石首走马岭城、沙洋马家垸城、应城门板湾城、应城陶家湖城、公安鸡鸣城、江陵阴湘城、沙洋城河等多座屈家岭文化时期的古城。这些古城的年代大都距今5000年左右，它们均以其体量宏大的城垣、规则有序的人工水系、城中心大型院落建筑及祭祀遗迹等系列遗存，实证了这一时期长江中游地区社会经济发展的高度成就。屈家岭文化史前古城的出现，表明其所在的部落已经出现不同的社会阶层，并迈入阶级社会的门槛。

总之，以屈家岭文化为标志，长江中游地区史前文化开始了中国早期文明的新历程。

石家河文化是荆楚地区继屈家岭文化之后发展起来的一种新石器时代文化，因1955年发掘的湖北天门石家河镇的贯平堰、石板冲、罗家柏岭、三房湾等遗址群而得名，是以石家河古城为核心、由40多处遗址点共同构成的庞大聚落群，古城将诸遗址点有机地联系在一起。遗址主体年代为距今5900—3800年左右。

石家河文化分布范围基本上与屈家岭文化重合，只是北部已退到鄂西北，而南方则向湖南中部地区扩展。石家河文化的核心遗址——天门石家河遗址群位于长江中游腹地、大洪山山脉南部的山前开阔平原，以石家河遗址为中心，占地面积约8平方千米，包含40多处遗址，是长江中游地区已知面积最大、保存最完整、延续时间最长、等级最高的史前聚落遗址，与长江下游的浙江良渚遗址、黄河中游的陕西石峁遗址等共同被学术界认定为中华文明起源的重要见证。

正因为石家河遗址群面积大、保存好、等级高，同时其所处阶段正是中华文明形成的关键期，在中华文明尤其是长江中游文明进程中占有举足轻重的地位和价值，所以自20世纪50年代开始，石家河遗址群的田野考古工作一直持续推进，迄今已历60余年。这60余年，包含两个重要的阶段，第一个阶段是20世纪80年代中期至90年代初，特别是1990—1991年，考古学家对石家河遗址进行了大面积的调查与发掘，发现了石家河城址，并基本弄清了古城的年代、布局以及周边遗址群的初步情况，进一步丰富了对该地区史前聚落的数量、分布、规模、年代、文化内涵等方面的认识；第二个阶段是2014年至2019年，考古学家对石家河遗址群及外围9平方千米的区域进行了系统勘探，发现并确认了一批重要遗址遗迹。通过上述两个阶段的科学考古工作，逐步深化了我们对于长江中游史前文明的认知。考古学家认定，在公元前3000—前1800年的1000多年间，石家河遗址群一直是长江中游地区社会和文化发展的核心地点。

在石家河遗址群的核心部位，先民修筑有规模巨大的石家河古城。石家河古城城址平面为不规则长方形，南北长约1200米、东西宽约1000米，面积约120万平方米，是迄今为止长江中游发现的面积最大、保存最为完整的新石器时代古城，是同时期长江中游的中心聚落和都邑性城市。古城外侧修有护城河，宽60—100米，深4—6米。

通过大半个世纪系统的勘探和发掘，石家河古城的重要遗迹现象逐步被揭露，古城布局与功能逐渐明晰，古城初露峥嵘。目前已经在古城范围内发现并确认了多处重要的遗迹现象，如谭家岭古城、印信台大型祭祀区、邓家湾宗教活动中心、三房湾制陶作坊等。这些遗迹，不仅有助于我们了解石家河古城的布局与功能，更为我们深入了解石家河遗址群的宏观结构与组织分层提供了坚实的学术支撑，也进一步揭示出长江中游地区新石器时代晚期生产专业化与社会分层化的总体趋势。

实际上，石家河遗址群内先后出现过2座史前古城，除了上述石家河古城，还有一座年代更早的谭家岭古城。谭家岭古城位于石家河古城中心，城垣呈不规则圆形，城垣东西长440米、南北宽390米，城垣内总面积17万平方米，城壕内总面积则达26万平方米。谭家岭古城的始建年代为油子岭文化晚期，也就是距今约5000年前，其时正是中华文明形成的关键期。谭家岭古城的发现，表明石家河古城在距今约5000年时就已经开始筑造，将石家河城址的建城史至少提前了500年。所以，谭家岭古城是我国发现同时期规模最大的史前城址，是石家河遗址作为长江中游文化中心的重要开端、首度亮相，也是后来的石家河古城形成的重要基础。

石家河古城的一系列重要发现，令人眼界大开，耳目一新。考古学家经过深入研究后认定，在中华文明曙光到来的前夜，石家河古城这座120万平方米的大城所具有的文化辐射力甚至超越了长江下游的浙江良渚古城。

在农业方面，稻作农业仍是当时主要的经济门类，遗址红烧土中的稻壳和茎叶以及石斧、石锄、石锛、穿孔石刀、石镰、石凿、蚌镰等农业生产工具的大量出土，说明石家河文化时期的稻作农业在屈家岭文化的基础上又有了进一步的发展。

在家畜饲养业方面，这个时期也得到较快发展，如遗址中出土大量的猪、狗、羊等家畜遗骸，不少墓葬中随葬猪下颌骨等，说明家畜饲养已经比较普及。同时，石镞、石矛、骨镞、骨鱼镖的出土，说明捕鱼狩猎在当时的经济生活中仍占有一定的比例。

在制陶方面，石家河文化陶器制作方法有手制、轮制和轮修，还出现了模制制陶技术。以夹砂陶为主，泥质陶次之。陶色以灰、黑、红褐居多。陶器以素面为主，彩陶极为少见。器类较多，包括鼎、甑、罐、碗、钵、豆、盘、壶、杯、缸、器盖、器座、刻槽器等。

石家河文化时期，社会经济迅速发展的一个重要标志就是出现了新的手工业门类——冶铜业。在石家河遗址群的邓家湾遗址、肖家屋脊遗址、印信台遗址中都发现有许多孔雀石小块，最大块直径为 2—3 厘米，有些孔雀石表面被氧化成褐色，呈蜂窝状。经科学检测，它们为铜矿石。同时，石家河文化遗址还出土了多件小铜片。

石家河文化时期的墓葬以单人仰身直肢葬多见，仰身屈肢葬与侧身屈肢葬少见。墓葬规格大小不一，随葬品数量多寡悬殊，显然，石家河文化时期社会已经出现极为明显的贫富分化。石家河文化时期，还出现了瓮棺葬、二次葬以及猎头、拔牙等比较少见的习俗。

通过对石家河文化各类遗迹现象、出土文物的深入研究，学术界普遍认为，石家河遗址在距今约 5900—3800 年的漫长时段内，经历了初兴、强盛、突变及衰落的阶段性变化，这个跌宕起伏、波澜壮阔的历史进程可以分为中心聚落初步形成、文化持续引领与辐射、融入中原文明三个阶段。

第一阶段是油子岭文化的初兴期，时段约为距今 5900—4800 年。

这个阶段历经近千年的缓慢发展，建成了中心聚落谭家岭城，故也称谭家岭城时期。

第二阶段是屈家岭文化、石家河文化的强盛期，时段约为距今4800—4200年，是引领与辐射长江中游的重要时期，以石家河古城的建成为标志，故也称石家河城时期。随着面积120万平方米的石家河大城的出现，遗址范围随之扩大，形成了8平方千米的庞大聚落。此时，长江中游地区已经形成文化面貌高度相似的文化统一体，在这个统一体中，石家河遗址被视为长江中游地区文明的中心，具有文化引领与文化辐射的重要作用与地位。

第三阶段是后石家河文化的突变与衰落期，时段约为距今4200—3800年。这个阶段，显赫一时石家河古城已经废弃，不再使用，遗存数量减少，瓮棺葬开始流行，地域文化明显受到中原文化的强烈影响，并逐步融入中原文明的怀抱。

长江中游新石器文化是构建中华民族文化的重要区域，而石家河遗址则是长江中游非常具有典型性的史前遗址，石家河古城是我国目前已被确认的长江中游新石器时代城址中规模最大的一座城池，其附属地点之多、分布面积之广、出土器物之丰，在同时期遗址中罕见，具有稀有性、独特性的典型意义；石家河文化代表了长江中游地区史前文化发展的最高水平，是研究我国史前社会生产、社会生活、社会性质、社会结构、人口分布、聚落发展演变、民族形成与文明起源的重要资料，为探索长江中游文明的起源找到了重要的突破口，对于廓清我国上古史上的重重迷雾，探讨多元一体民族国家的形成有着极其重要的意义。

总之，石家河文化拥有长江中游的特大型古城，拥有高度发达的物质文化成就和精神文化成就，因而一跃成为长江中游区域的政治、文化中心，其文化影响强烈地辐射整个长江中游地区，最终促使长江中游地区形成统一的文化区，同时对长江中游周邻地区也产生了明显的影响。所以，石家河文化不仅是荆楚史前文化发展的巅峰期，而且也代表了长江中游地区史前文化发展的最高水平。

至石家河文化晚期，中原文化日益强盛并大举南下，对荆楚本土文化系统产生强烈的影响，一直平稳发展的石家河文化的发展进程陡然发生巨大变化，其结果就是石家河文化中出现了大量来自中原地区同时期文化的因素，导致石家河文化的性质发生了质变，其新兴文化的本土特征越来越少，主体部分与石家河文化并无关系，因此考古学界普遍认为，这应是不同于石家河文化的另一支考古学文化，应从石家河文化中独立出来。对于这支新兴的考古学文化，学术界一般以“后石家河文化”称之。

在后石家河文化时期，中原文化在荆楚地区特别是屈家岭文化、石家河文化核心区的江汉地区占据了主导地位，荆楚地区由此不再是具有独立性的区域主体、文化主体和政治主体，而是中原文化的边缘组成部分，江汉地区原有的文明进程戛然而止。这个时期，汉东地区文化与社会发展出现倒退，人口稀少，社会沉寂，呈现出一片荒凉的景象。峡江地区则被源自四川盆地的三星堆文化系统占据，仅有汉江中游地区和鄂东地区维持了一定程度的发展，但也不复往日的繁荣景象。

后石家河文化时期，随着手工业出现比较细致的专业分工，各种工匠都有了自己的专门化技术，手工工艺和艺术创造随之突飞猛进，令人叹为观止。这其中，玉器制作和陶塑工艺格外引人注目，尤其值得大书特书。后石家河文化玉器类型丰富、形态优美、造型生动，具有极高的艺术价值。多数玉器表面有精美的线刻图案、复杂的透雕和细如针尖的钻孔，普遍使用的圆雕、透雕、减地阳刻、浅浮雕线刻工艺代表了史前中国乃至东亚地区玉器加工工艺的最高水平。学者研究还发现，后石家河玉器中的神人头像、龙、凤、鹰、蝉等造型，在后世商周玉器中屡有出现，且风格相近，可以说是同出一源。专家认为，这是中华文明多元一体进程的直观体现。高超的陶塑工艺是后石家河文化又一项发达的文化成就与显著的文化特色。后石家河文化邓家湾遗址出土的陶塑人物及陶塑动物，雕琢精细，造型生动，初步统计其总数近万件。这些陶塑可以分为以下四大类，即人物、家畜与野兽、鸟类和家禽、人和动物的复合形态如人抱鱼等。后石家河文化陶塑品构思巧妙，手法娴熟，形象逼真，意趣盎然，折射出先民自然、和谐的生活情趣，也反映出先民高超的艺术想象力与创造力，是我国史前艺术的精华。

后石家河文化的年代，一般认为在距今4200—3900年左右，已经进入夏代初年。所以，以后石家河文化为标志，荆楚地区走完了其漫长而曲折的新石器时代，进入中国历史上的夏商周时期。

至此，荆楚历史掀开崭新的一页。

三

回首荆楚地区新石器文化漫长的发展进程，我们不难看出，本区域新石器时代遗址数量众多，分布广泛，文化发展序列清晰，文化内涵丰富多彩，它们共同绘就了一幅新石器时代荆楚地区社会全景图。荆楚地区新石器文化既是以原始农耕文化为主体的中国新石器文化的重要组成部分，同时在其自身发展的过程中也呈现出了鲜明的地域特色，亮点纷呈。

首先，荆楚新石器时代文化，充分展示了长江中游文明的灿烂成就，彰显了荆楚乃至整个长江中游地区在中华文明起源和多元一体发展历程中所起的重要作用，为实证“早期中国”文明基因贡献了荆楚力量。

“文明”一词，首见于《周易》中“天下文明”一语，指光明、有文采的意思。如今，“文明”通常是指人类社会的进步状态，与所谓的“野蛮”“蒙昧”相对。

关于人类进入文明社会的标志，中外学者持论各异，如城市、农业、金属用具、文字、礼制礼仪等，不尽相同。但所有研究者一致认为，城市的出现，无疑是人类社会进入文明时代的标志之一。在这一点上，荆楚地区新石器文化可谓占尽风骚。

在荆楚新石器时代早期，人类开始走出大山，在平原河谷聚族而居，形成大大小小的聚落，渐渐过上相对安稳的定居生活。城背溪文化与柳林溪文化时期，遗址数量较少，规模也不大；大溪文化时期，遗址规模逐步扩大，一般在1万平方米以上，遗址内功能布局科学合理，居住区位于遗址中央，墓葬区位于居住区外部，房屋筑造技术也日益进步；屈家岭文化和石家河文化时期，无论是遗址的分布、面积，还是功能布局，较之此前有较大的发展。

聚落遗址面积的扩大和建筑技术的提高，为城市的出现提供了可能性。截至目前，长江中游发现和确认的史前城址约20座，其中分布在湖北境内的就有天门石家河、天门笑城、江陵阴湘城、石首走马岭、公安鸡鸣城、公安青河城、应城门板湾、应城陶家湖、沙洋城河、沙洋马家垸、安陆王古溜、孝感叶家庙、大悟土城、黄陂张西湾、襄阳凤凰咀等。

从分布看，这些古城大体呈半月形分布在江汉平原西北部向低丘的过渡地带；从年代看，它们大约都在距今5000—4000年之间，有的可能还要早一些，古城的数量从早到晚呈增多趋势；从规模看，规模最大的天门石家河古城，面积达120万平方米，而规模小的古城如天门龙嘴城、石首走马岭城等，面积则不超过8万平方米；从选址看，所有古城都选择在山前地带的丘陵与湖泊洼地交接的平原地区，充分利用自然地形条件，依势而建；从筑城技术看，当时的城垣全部以夯土筑成；从功能布局看，这些古城城内都有较为明确的功能分区，如居住区、墓葬区和祭祀区等，城外修有护城河，城墙和护城河构成了一道坚固的防御体系。

城市是人类社会发展到一定阶段的结果，标志着私有制与阶级的确立、战争与强权的形成。城市的出现，是一个地区文明初现的重要标志。城市的出现，预示着国家的诞生。在新石器时代，如此多大小不一、形制各异的古城勃兴于江汉大地，见证、助力了中华文明的诞生与发展。

我国著名考古学家苏秉琦先生曾提出中华文明“满天星斗”的说

法，即在距今6000年左右，从辽西到良渚，中华大地的文明火花如满天星斗一样璀璨夺目。具体而言，在甘青地区有齐家文化系统，在辽西地区有红山文化系统，在海岱地区有龙山文化系统，在长江中游地区有石家河文化系统，在长江下游地区有良渚文化系统，在中原地区有仰韶文化系统。这些文化系统各有其根源，都创造出了灿烂的文化，中华文明的起源呈现出多元、区域性、不平衡的发展态势。各个地区的文化通过相互竞争、碰撞、融合，最终形成了完整的中华文明[①]。可以看出，荆楚地区新石器文化就是中华文明星空上一颗闪耀的星辰。

其次，湖北境内一系列栽培稻遗迹的发现，有力地证明了长江中下游是中国稻作农业重要的起源地之一。透过这些考古成果，我们还发现，早在新石器时代，湖北就是“鱼米之乡”。

20世纪80年代以前，国际学术界一直认为南亚是栽培稻的起源中心。随着大量和栽培稻有关的考古遗存如浙江河姆渡遗址的发现，中国是栽培稻起源中心之一的观点逐渐被学术界所接受。但中国栽培稻究竟起源于何时、何地，仍是学术界面临的一大难题，目前至少有云南说、华南说、长江中下游说、长江中游—淮河上游说等不同认识。

湖北地处长江中游，土地肥沃，气候湿润，四季分明，境内一系列栽培稻遗迹的发现，如宜都城背溪、京山屈家岭、天门石家河、枝江关庙山、郧县青龙泉、随州黄土岗、应城门板湾、武昌放鹰台、大冶蟹子地等遗址的相关发现，强有力地支持了长江中下游是中国稻作农业重要起源地之一的说法。

新石器时代，湖北地区稻作农业从无到有、从局部到广泛，发展明显、快速。但在这个阶段，该地区的稻作农业生产还不稳定，水稻产量尚不足以供给人们基本的食物需求，所以，当时的先民“靠山吃山，靠水吃水”，采集渔猎经济仍占有一定的比重，尤其是在湖北峡江地区仍以渔猎经济为主。在峡江地区和江汉平原新石器时代的很多遗址中，发

① 苏秉琦：《满天星斗：苏秉琦论远古中国》，北京：中信出版社，2016年。

现有大量鱼类骨骼遗存，如城背溪文化遗址出土的动物残骸中就有不少鱼、鳖、蚌壳等，有的鱼骨坑深达 1 米多，坑口长达 2.6 米，坑内的鱼骨成堆成片堆积。巴东店子头城背溪文化地层中曾发现一枚巨大的青鱼牙齿，根据其大小推测，这条青鱼活体或可长达 2 米左右。大溪文化时期的墓葬中，有以鱼随葬的现象，通常是随葬整条鱼，有的把鱼摆在死者身上或身下，有的置于死者口中。这应该是当时的一种葬俗，但也反映了鱼类在当时人们生活中的重要地位。

湖北新石器时代的很多遗址中，还出土各种用于渔猎和采集的生产工具，如砍砸器、刮削器、石球、网坠等，渔猎的手段主要是围猎、网捕、手抓、锥刺、石砸、叉鱼、网鱼等。据分析，当时的人们业已掌握在湍急的江流中深水捕鱼的渔业技能。

如今，人们一提起湖北，总是将其与“鱼米之乡”的美誉联系起来，殊不知，早在新石器时代，湖北先民就已经“饭稻羹鱼”，已经就是“鱼米之乡”。

除了城市、稻作农业外，在荆楚地区新石器文化中，原始文字、金属用具、宗教活动中心、祭祀区等文明标志也开始出现或雏形初现。

学术界一般认为，中国文字的源头可以追溯到新石器时代陶器上面的刻划符号，因为它们已经初步具备了原始文字的基本特征。宜昌杨家湾、中堡岛及天门石家河等新石器遗址中，出土了很多有刻划符号的陶片。经整理研究，这些刻划符号可分为自然类、植物类、动物类、人体类、工具器物类、数字符号等几大类。荆楚地区新石器时代刻划符号不仅为研究中国文字起源提供了一批珍贵的实物资料，也成为研究中华文明起源弥足珍贵的材料。

中国境内最早的铜器发现于陕西临潼仰韶文化姜寨遗址，是一件半圆形残铜片，质地为黄铜，经检测为冶炼所得，距今约 6700—6500 年。至新石器时代晚期，铜器在中国东到山东、西到甘肃、北到内蒙古、南到湖北的多地区都有发现，这其中就包括湖北石家河文化多个遗址出土的孔雀石（铜矿石）、铜片等遗物。

在宗教礼仪方面，湖北新石器时代的“太阳人”石刻、宗教活动中心、祭祀区、祭祀玉器等，都是原始宗教礼仪的最好见证，无不折射出人类早期文明的曙光。

其他如彩陶、陶塑、玉雕等，也一一反映出荆楚先民的精神世界和精神生活，如艺术审美、宗教信仰、风俗习惯等越来越丰富，越来越多姿多彩。目睹这些遗迹遗物，我们仿佛听到了先民迈入文明大门的铿锵足音。

总之，新石器时代的湖北文化灿烂，是城背溪文化、柳林溪文化、屈家岭文化、石家河文化等考古学文化命名地和主要分布区。其中屈家岭文化以京山、天门、钟祥为中心，覆盖整个长江中游，是中华文明继仰韶文化之后最为繁荣先进的文化之一，持续时间长达400年左右，其文化的强盛影响力甚至从长江中游辐射到山东、山西等地；石家河遗址是长江中游地区分布面积最大、保存最为完整的新石器时代聚落遗址，石家河文化代表了长江中游地区史前文化发展的最高水平。以屈家岭遗址、石家河遗址为代表的长江中游地区，在多元一体的中华文明起源与发展进程上占有十分重要的地位。

纵观荆楚地区史前文化的发展轨迹，从建始人、郧县人到长阳人，从城背溪文化、大溪文化到屈家岭文化、石家河文化，荆楚地区是中国古人类起源与演化的重要地区之一，是中国新石器时代文化的富集地区之一。荆楚先民在这块土地上奋力开拓，生生不息，创造了辉煌灿烂的原始文化，为璀璨夺目的荆楚文明开启先声。

更为重要的是，在中华文明起源和多元一体的发展历程中，荆楚史前文化辉煌灿烂，风姿绰约，延伸了历史轴线，增强了历史信度，丰富了历史内涵，活化了历史场景，为实证“早期中国”文明基因贡献了荆楚力量。荆楚地区是中华文明的重要起源地之一，荆楚地区所在的长江与黄河珠联璧合，成为中华文明的共同摇篮。在这个过程中，荆楚史前文化贡献巨大。

第一章　自然环境

环境是人类生存发展的基础，也是文化产生和演变的舞台。生态环境不断变化，也在很大程度上带来了文化的变迁。从距今一万年前，文明产生的基础——农业的出现，刀耕火种、毁林种田开始，人类文明的发展对地球生态环境的影响就越来越大[①]。同时，生态环境的多样性也影响了文化的多样性，荆楚大地独特的地理环境，丰富的自然资源，孕育产生了荆楚文化，也造就了荆楚文化的构成与特质。要了解荆楚文化，对自然环境及其演变的探讨不可或缺。

第一节　居中得水的优越位置

一、空间位置

湖北又称“荆楚大地”，地处中国中部长江中游，因位于洞庭湖北故称湖北，与河南、安徽、江西、湖南、重庆、陕西诸省市相邻。其省域东西长约740千米，南北宽约470千米，界于北纬29° 01′ 53″ —33° 6′ 47″ 、东经108° 21′ 42″ —116° 07′ 50″ 之间，总面积18.59万平方千米。当然这是现代意义上的行政区划，实际上，湖北整体处于我国地形第二级阶梯和第三级阶梯的过渡带，鄂西北山地和鄂西南山地为第二阶梯东缘，中东部的江汉平原、鄂东丘陵都是第三级阶梯的一部分。从中国整体地形看，第二级阶梯自青藏高原以北、往东，至大兴安岭、太行山、巫山、武陵山和雪峰山一线，海拔

① 苏秉琦:《中国文明起源新探》，北京：生活·读书·新知三联书店，1999年，第181页。

1000—2000米，主要分布高原和盆地。第三级阶梯为该线再往东到海岸，海拔500米以下，主要分布平原和丘陵。过渡地带的空间位置也赋予湖北省在地形上的过渡性，这里平原、丘陵和山地兼备，并都占有较大的比重。

而单就湖北自身分析，湖北整体三面环山，中部为平原，形成了相对独立的地理单元。湖北向西通过长江与上游的四川盆地相连，向东通过长江与长江下游平原相连，西北通过丹江、汉江与陕西相连，北部通过唐白河、唐河、襄阳盆地与河南南阳盆地相连，中部和南部江汉平原与湖南洞庭湖平原连成一片。

二、水系概况

虽然历史上的河道多有变迁，但湖北境内大小河流将省域内外连成一体。整体而言，因为地理位置居中，加上河道网络的汇集，使得湖北千百年来享受着“居中得水”的独特优势。

地处亚热带季风气候区的湖北降水充沛，河流水源充足，长江、汉江形成了巨大的水系，囊括千余条中小河流。长江从重庆巫山入境，横贯全省，长1061千米，湖北段占其全长的六分之一。而汉江自陕西白河县入境，自西北向东南斜穿省域，在境内长858千米。据统计，湖北境内流域面积50平方千米以上的河流有1200多条，总长度约4万千米，河网密度高。

湖北水系整体为向心状，全省河流中除位于鄂东北少量小河属淮河水系外，其余均分属长江、汉水的1—3级支流。这是由于湖北整体地形大致为三面高，中部平，南面敞开，发源于周边山地的大小河流均迂回曲折向中心汇聚，最终汇入长江。而又因为长江在境内整体偏南，境内包括汉江在内的大小长江支流多分布于长江北岸。

“鄂渚上千，湖泊成群”，除了河流外，湖北湖泊分布密度也较高，素有“千湖之省”之称。据统计，20世纪50年代全省百亩以上的湖泊有1066个，水域面积8300平方千米。虽然湖泊与河流一样在历史进程中多有演变，但史前阶段，湖北所在区域湖泊众多应该也是基本事实。全新世以来江汉平原河湖相互作用显著，长江、汉江形成主干河间洼地，其支流又分割主干河间洼地形成次级河间洼地，这些洼地就成为沼泽或湖泊。因此，江汉湖泊群是在基本统一的自然地理环境下形成的，所受内外营力相似，其湖盆形态具有一些共同特征，如湖水深度不大，岸线不稳，湖底平坦，湖底淤泥深厚，有机质含量高等[①]。

三、水系变迁

晚更新世末，第四纪的末次冰期使得气候变冷，气候干燥，雨量减少，海平面下降，在末次冰期鼎盛的距今 18000 年前后，东海海平面曾比今降低约 120 米，地处长江中游河段受到基面下降、来水来沙情况变化的影响，河床下切，形成了深切河谷与低水面。而到了距今 8000 到 5000 年，气候温暖湿润，降雨增多，海平面回升，长江基面抬升使河床坡度变缓，水流减慢，上游大量来水和泥沙堆积在中游，使得中游大量洼地成为水域，长江水道呈漫流洪道。距今 5000 年前后，气候逐渐转凉，气温和降雨量均有下降，水域仍在扩张，但水深变浅，进入沼泽化阶段，漫流洪道向分流水道发展[②]。整体而言，距今 10000 年以来，长江中游一直是江湖相依、水陆相间的自然地理环境，加上气候适宜，植被茂盛，水陆动植物资源丰富，为早期人类从事渔猎经济提供了较好的条件。

从另一个方面看，长江中游地区发达的水网体系也为先民信息、人员与物质的流通提供了相对便利的交通条件。长江中游地区涌现出的一批史前城址就集中体现了对水的利用。多数城垣聚落外围都有宽阔的护城河或壕沟，有的城垣内还有洼地。这些洼地或堰塘通过水门与城外的

---

① 何报寅:《江汉平原湖泊的成因类型及其特征》,《华中师范大学学报（自然科学版）》2002 年第 2 期。

② 杨怀仁、唐日长:《长江中游荆江变迁研究》，北京：中国水利水电出版社，1999 年，第 92—99 页。

壕沟、自然河道相通（如走马岭遗址）。水上交通对于加强各聚落、各区域之间的联系，进行经济文化交流、政治整合具有重要的意义[①]。

第二节　湖山相间的多样地貌

一、地形地貌

千万年的地质构造活动造就了湖北独特的地形地貌。湖北处于多种不同构造体系的复合部，境内经历过多次影响程度不同、受力方式各异的构造运动，留下了多种形态的形迹。境内地质构造主要有纬向构造、山字型构造、华夏系构造、新华夏系构造、南北向构造及各种型式的旋卷构造，其中淮阳山字型构造与新华夏系构造以及北部的纬向构造构成了湖北省基本构造骨架[②]。已有研究表明，如今的整体地形主要形成于新构造运动时期，湖北境内基本包含了诸如隆起、沉降、断裂、温泉等新构造运动特点。全新世以来，由于时间较短，除了平原地区常年受河流堆积影响外，整体地形变化不大。

地貌的变化也受外力的影响，湖北一带气温较高，降水充沛，植被繁茂，各类风化作用较为明显，而长江和汉江横亘全省，大小支流密布，常年受季风影响，河流的侵蚀、搬运和堆积作用，以及风积作用也较为突出。以长江为例，在西部山区下切、侵蚀后形成高山深谷地貌；在中部河道摆动，形成自由河曲，堆积形成江汉平原；在鄂东形成水网，发育成山间河谷平原。而这一带历来湖群密布，湖泊的堆积作用也很明显。在史前阶段，人类活动对地形地貌的影响应该还是局部、微小的。

正是由于地质构造运动和外力影响的复杂，造成了湖北地势起伏

---

① 郭立新：《长江中游地区初期社会复杂化研究（4300B.C.—2000B.C.）》，上海：上海古籍出版社，2005 年，第 21 页。

② 唐文雅等：《湖北自然地理》，武汉：湖北人民出版社，1980 年，第 14 页。

多变，高山、丘陵、平原、盆地等多种地貌类型并存。整体地形为东、北、西三面环绕幕阜山、大别山、桐柏山、大巴山、巫山、武陵山，中部低平，向南敞开，由中部平原向周边山地逐步上升，自内向外形成了平原、岗地、丘陵、低山、高山的排列。从自然地理区的角度，湖北省域可大致分为鄂西北山地区、鄂西南山原区、鄂北岗地区、鄂东北低山丘陵区、鄂东南低山丘陵区、江汉平原区。整体来看，全省山地多，丘陵、平原次之。具体来看，中低海拔山地最多，山势起伏较大，低海拔平原、台地也较多，多为冲积、洪积和湖积形成[①]。

二、土壤环境

土壤由各种颗粒状矿物质、有机物质、水分、空气、微生物等组成，是植物生长的基础，土壤条件一定程度上决定着史前人类的生业状况。土壤的形成与变化，大体上在地带性的基础上受到母质、气候、生物及人类活动等复杂因素的综合影响。上文提到，过渡性的地形地貌分布特点也决定了自然条件的复杂性。湖北境内地形条件的地区差别，带来了气候水分等方面的显著差异，加上成土母质的不同，境内土壤类型也较为丰富。整体而言，境内土壤分布与气候带大体适应，自南而北按水平方向可大致划分为中亚热带红壤、黄壤地带和北亚热带的黄棕壤、黄褐土地带。根据宏观地形可大致分为山地土壤、丘陵土壤、岗地土壤和平原湖区土壤等四个类别。而在同一地带内，因海拔高程的不同，土壤又往往具有垂直分布规律。此外，因母质、水文地质等影响，还有石灰土、紫色土、潮土、草甸土等非地带性土壤类型。

平原湖区土壤主要是冲积土和湖泥土。江汉平原及大小河流的河谷是冲积土的主要分布区域。冲积土在各类土壤类型中分布面积最大。整体而言，江汉平原由于是境内地势最低平的地区，长江和汉水经年累月泛滥沉积，导致这里土层深厚而肥沃。

---

① 该处划分中，低海拔为低于1000米，中海拔为1000—2000米，高海拔为2000—4000米。

岗地土壤以岗地黄土为主，集中于鄂北岗地一带。这里整体位于南阳盆地南部，周围山地冲刷下来的褐色黏土物质为主要的成土母质。岗地黄土大致可分为黄土、料姜土、白土和黑土等几种类型。岗地黄土较为黏重，耕性不良，透水性差，怕旱怕涝，有机质含量较低，整体肥力不高。

境内丘陵面积分布较广，地貌复杂，成土母质多样，导致丘陵土壤类型比较多，丘陵黄土、马肝土、白善土、红黄土、砂泥土和青泥土等较为常见。丘陵土整体肥力不高，但有的类型经过人为熟化可以达到较高的肥力。

鄂西北、鄂西南地区，除长江和汉水河谷外，大部分为山区，这一带的土壤类型呈现出明显的垂直分布特点。山地土壤类型有山地黄土、石渣子土、灰包土和山地沙土等。在山势较低处，有机质含量低，土质黏重。海拔稍高的位置，自然植被覆盖增多，有机质含量提升，经过人工熟化，可以成为高产土壤。地势更高、坡度大的地方，则往往因冲刷严重，土层很薄，不适于农业。

总体而言，冲积平原地区肥沃的土壤分布较为广泛，面积也较大。丘陵地区和山区的部分地区、部分土壤类型也较为肥沃，尤其是经过人工熟化后，能够成为高产土壤。这都为史前人类在湖北境内相对广泛的区域内繁衍生息奠定了基础。

第三节 波动适宜的气候条件

一、气温变化

地形地貌为人类的活动提供了基本的舞台，而气候的冷、暖、干、湿则深刻影响着人类文明的发展进程。根据已有研究，我国第四纪气候整体受季风和海流影响，既符合世界整体气候变化趋势又有一些区域特点。整体来看，第四纪以后，气候变化更加剧烈，冷暖期交替出现。以江汉平原为例，第四纪更新世经历五次冰期和四次间冰期，冰后期为全新世[①]。全新世早、中期大致对应考古学上的新石器时代，因此对全新世气候变迁的梳理至关重要。根据对北欧的研究，全新世气候可以大致概括为5个时期，前北部时期（距今10000—9500年，冰后期开始，寒冷气候占主导）；北部时期（距今9500—7500年，气候持续变暖）；大西洋时期（距今7500—5000年，气候温暖湿润）；亚北部时期（距今5000—2500年，气候干燥、波动较大）；亚大西洋时期（距今2500年至今，气候凉爽潮湿）[②]。有研究用"大暖期"代替北部时期与大西洋时期。从中国来看，全新世气候大致可以分为回暖期、升温期和降温期，但受具体地理环境和季风影响，各地具体的时间段差异明显，整体看是南方升温早降温迟，暖期长，北方相反。综合来看，中国的大暖期出现在距今8500—3000年，其中稳定暖湿的鼎盛阶段在距今7200—6000年，当时长江流域比现在气温高2℃[③]。从湖北荆门、利川等地的孢粉资料分析，长江中下游升温始于距今8900年，结束于距今4100年，历时4800年[④]。整个全新世长江中游气候变化又可以细分为八段，其中早全新世分温暖期（距今10000—8500年）、降温期（距今8500—7800年）两段，中全新世分温暖期（距今7800—5600年）、降温期（距今5600—5400年）、温暖期（距今5400—4700年）、降温期（距今4700—4200年）、温暖期（距今4200—3000年）五段，晚全新世为降温期（距今3000年至今）一段[⑤]。全新世作为间冰期，整体而言

① 康悦林：《江汉平原第四纪地层划分与古气候分期》，《湖北地质》1987年第1期。

② 王绍武：《全新世气候变化》，北京：气象出版社，2011年，第55页。

③ 施雅风等：《中国全新世大暖期气候与环境的基本特征》，《中国全新世大暖期气候与环境》，北京：海洋出版社，1992年，第1页。

④ 黄镇国等：《中国日本全新世环境演变对比研究》，广州：广东科技出版社，2002年，第25—26页。

⑤ 笪浩波：《长江中游文明化进程中的人地关系——以新石器时代为例》，上海：上海古籍出版社，2013年，第48页；王红星：《新石器时代长江中游地理研究》，武汉大学博士学位论文，1998年，第7页。

气候温暖湿润，为人类文明的产生和发展创造了良好的环境，但气候的突变时有发生，温暖湿润的气候常被干冷事件打断。全新世大致发生了8—9次干冷事件，其中距今8200、5500、4200、2800年的干冷事件较有代表性①。具体到不同区域气候突变的年代也有差异，但人类文明的发展与全新世几次气候突变的密切联系越来越受到人们关注②。

二、干湿状况

干湿情况同样值得关注，长江中游地区在新石器时代出现过数个持续时间约千年的较干和湿润时期及数个短时间尺度的干湿时期。长时段较干时期分别为距今11700—10700年、6400—5500年、4000—3000年，较湿时期分别为距今13000—11700年、8700—6400年、3000—1700年；短时段较干时期分别为距今9800—9200年、9000—8700年、5000—4200年、1700—1100年、700年至今，较湿时期分别为距今10700—9800年、9200—9000年、5500—5000年、4200—4000年、1100—700年③。

两湖平原距今10000年前，植被为云、冷杉和松为主的针叶林，体现寒温带至温带的植被景观，气候偏干冷；距今10000—8200年间，植被是以栎为主的落叶阔叶林和以青冈栎为主的常绿阔叶混交林，还有较多温带树种、少量亚热带树种，植被茂盛；距今8200—7800年间，植被是以松为主的针叶林和以栎为主的落叶阔叶林构成的针阔混交林，也有寒温带、温带树种以及极少的亚热带树种，水生植物较多，说明水域扩大；距今7800—5800年间，植被为常绿阔叶和落叶阔叶混交林、针

① 王绍武：《全新世气候变化》，北京：气象出版社，2011年，第125页。

② 吴文祥等：《全新世气候事件及其对古文化发展的影响》，《华夏考古》2005年第3期；吴文祥等：《5500aBP气候事件在三大文明古国古文明和古文化演化中的作用》，《地学前缘》2002年第1期；吴文祥等：《4000aB.P.前后降温事件与中华文明的诞生》，《第四纪研究》2001年第5期。

③ 谢树成等：《最近13ka以来长江中游古水文变化》，《地球科学》2015年第2期。

阔混交林，表现出多层次的植被景观；距今5800—5400年间，植被主要为针阔混交林；距今5400—3200年间，植被是含常绿阔叶的针阔混交林，有暖温带、亚热带树种，草本、蕨类植物较为茂盛[①]。

三、洪水情况

江汉平原是长江和汉江及其支流的冲积湖积平原，是古云梦泽所在地，全新世以来长江和汉江河道在此多次迁移，由于由西北向东南新构造掀斜运动和科氏力的作用总体南移[②]。受这一时期地质活动的影响，海平面上升，河流比降减小，流速降低，河床增宽，沉积作用明显，河水经常溢出堤岸，促成了周围泛滥平原的形成，并造就了大量湖泊与沼泽。根据研究，跨江南北的古云梦泽并非囊括整个平原的统一大湖，目前众多的湖泊并非过去大云梦泽的残余，但全新世中期高水位时期确曾存在过众多河间洼地湖和边缘壅塞湖，在洪水期可能会连成暂时性洪泛区[③]。从历时性来看，距今7500年以前为少湖期，湖泊主要分布于河间洼地；距今6000—5000年为多湖期，主要位于下荆江平原和洪湖地区，汉江北岸、上荆江平原也开始出现；距今5000年以后为湖泊衰退期，大片陆地露出成为人类活动场所；距今4300—3000年湖群再次扩张[④]。

以长江三峡和江汉平原的研究为例，新石器时代有两次大的洪水期，第一次洪水期主要为距今7000—5500年，第二次洪水期主要为距今4700—3500年，这两个洪水期均与高温、高海面期强盛的夏季风活动有关[⑤]。一般洪水位的研究也揭示，以江汉平原东部为例，在距今

① 闾国年：《长江中游湖盆扇三角洲的形成与演变及地貌的再现与模拟》，北京：测绘出版社，1991年，第163—164页。

② 朱育新等：《全新世江汉平原地区长江南移年代的沉积学依据》，《科学通报》1997年第18期。

③ 蔡述明等：《全新世江汉湖群的环境演变与未来发展趋势——古云梦泽问题的再认识》，《武汉大学学报（哲学社会科学版）》1998年第6期。

④ 肖平：《江汉平原全新世环境演变》，北京师范大学博士论文，1991年，第63—66页。

⑤ 朱诚等：《长江三峡及江汉平原地区全新世环境考古与异常洪涝灾害研究》，《地理学报》1997年第3期。

10000年左右洪水位高程在10米以下，距今9000年出现第一个高水位期，水位达到14.2米，随后有所下降。大溪文化早期洪水位大约为标高12米，随后急剧上升，在距今5000年前后达到19米，之后水位有所下降，但在距今4000年前后再一次上升，在距今3000年左右达到24米[①]。

人类生存离不开水，但泛滥的洪水又会给人类带来灭顶之灾。史前洪水的消涨深深影响着早期文明的形成和发展，关于洪水的记忆也成为史前传说的重要内容。总体而言，长江中游水网密布，在一些特定的时期洪水频发，洪水是认识荆楚地区史前文化发展情况必须考虑的因素。全新世人类活动与水文环境演化过程有密切联系。早期水位上升时期（距今8500—5500年），江汉平原、洞庭湖平原一带聚落数量总体较少，聚落的分布和迁徙与水位变化关系不大；距今5500—4000年，河湖水位处于相对较低位置，聚落数量明显增加、分布范围扩大，石家河古城成为区域都邑性聚落，长江中游人类文化进入早期文明阶段；而距今4000年前后，河湖水位再次上升，聚落数量锐减，长江中游史前文化衰落[②]。

---

① 郭立新：《长江中游地区新石器时代自然环境变迁研究》，《中国历史地理论丛》2004年第2期。

② 赵成双苹、莫多闻：《长江中游江汉—洞庭盆地全新世以来水文环境演变与人类活动》，《地理学报》2020年第3期。

第二章　初民足迹

人类的起源和演化是近代科学产生以后的三大前沿话题之一。在近现代科学兴起以前，世界各地的不同人群通过创造诸多神话来解释人类起源这一谜团。神或借助某种媒介，如植物、动物、土壤等创造了人类，或通过呼喊的方式创造了人类；或神身体的某一部分变化为人类。这种世界范围内不同文化关于人类起源的传说，本质基本相同，多认为人是由某种自然界的神秘力量创造，这也成为基督教等宗教关于人类起源的基本认识，即神造论。

人类的起源和演化主要涉及古生物学、古人类学、考古学等学科，这三个学科各有重点，又互相融合。古生物学与人类起源的结合之处主要是研究与古人类同时代的已绝灭的动植物，提供环境和时代信息。古人类学主要是以人类及其近亲动物的化石为研究对象，年代上限为距今700万年左右。考古学以人类留下的各种遗迹和遗物为研究对象，年代上限为距今300万年左右。三个学科互相交叉、融合，从不同的侧面揭示人的演化、发展与迁徙，技术、观念、文化的形成与传播等。古人类学研究中对年代的描述多采用地质学和考古学两套术语。地质学将地球近600万年以来的历史分为上新世、更新世、全新世三个时期。欧洲的考古学者将旧石器时代分为早、中、晚三期，中国旧石器早期和中期的石器特征基本相同[①]。古人类学将人类的进化分为地猿、南方古猿、能人、直立人、早期智人、晚期智人等几个阶段（表2–1）。值得注意的是地质学和考古学划分的各阶段，前后相继，不存在重合。而在古人类学的划分中，不同的人种可能存在年代重合，即在某一段时间内，不同

① 高星：《关于“中国旧石器时代中期”的探讨》，《人类学学报》1999年第1期。

人种同时生活在某一区域。

表 2–1　地质学、考古学年代分期与古人类分类对照表

<table>
<tr><th>考古学分期</th><th>古人类分类</th><th>绝对年代
（距今万年）</th><th>地质学分期</th></tr>
<tr><td>新石器时代</td><td>现代人</td><td>1—今</td><td>全新世（Q4）</td></tr>
<tr><td>旧石器时代晚期</td><td>晚期智人</td><td>5—1</td><td rowspan="2">晚更新世（Q3）</td></tr>
<tr><td rowspan="2">旧石器时代中期</td><td rowspan="2">早期智人</td><td>14—5</td></tr>
<tr><td>20—14</td><td rowspan="2">中更新世（Q2）</td></tr>
<tr><td rowspan="4">旧石器时代早期</td><td rowspan="2">直立人</td><td>73—20</td></tr>
<tr><td>160—73</td><td rowspan="2">早更新世（Q1）</td></tr>
<tr><td rowspan="2">能人</td><td>250—160</td></tr>
<tr><td>300—250</td><td rowspan="3">上新世（N2）</td></tr>
<tr><td rowspan="2">/</td><td>南方古猿</td><td>450—160</td></tr>
<tr><td>地猿</td><td>530—450</td></tr>
</table>

据不完全统计，荆楚地区共发现古人类化石点 8 处（表 2–2），以牙齿、头骨碎片为主，完整头骨仅见于郧县学堂梁子。地域上来看，主要分布于鄂西北十堰（4 处）和鄂西南宜昌（2 处）、恩施（1 处），江汉平原仅纱帽山 1 处（图 2–1）。海拔上，并未呈现出一定的规律，距今 20 万年的长阳龙骨洞海拔最高，为 1300 米；海拔最低的为距今 5 万年左右的汉阳纱帽山。这 8 处地点都位于河流的沿岸，分洞穴遗址与旷野遗址两类，以前者为主。旷野遗址仅有郧县学堂梁子、汉阳纱帽山 2 处，且纱帽山为采集调查所得，采集点地处江汉平原东缘，自然环境与其他 7 处有明显差异，目前还不能完全确定采集点是古人类化石的原生堆积。

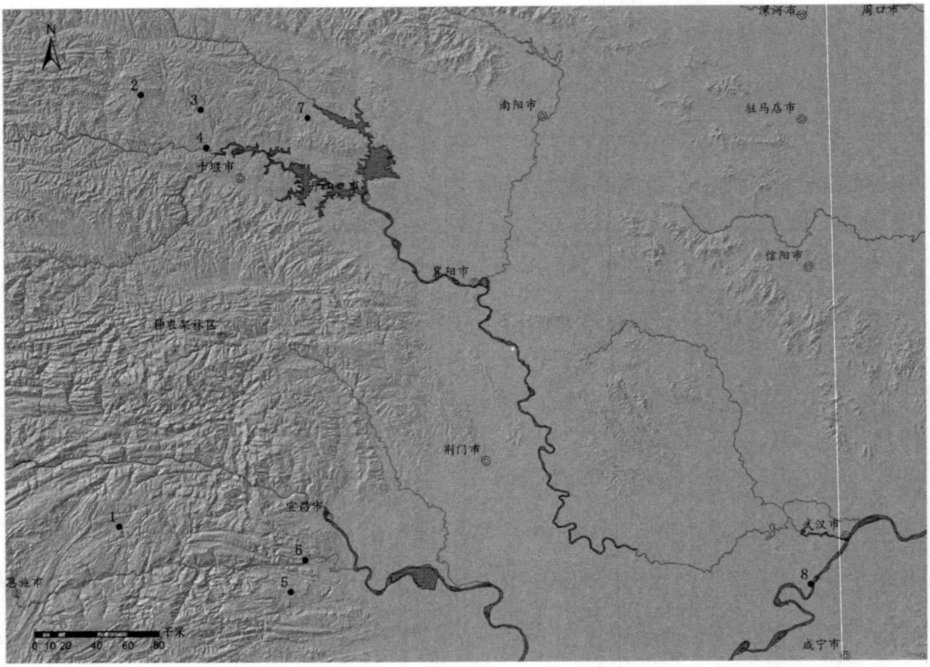

图 2-1　荆楚地区古人类化石点位置图

1. 建始龙骨洞　2. 郧西黄龙洞　3. 郧西白龙洞　4. 郧县学堂梁子　5. 长阳龙骨洞　6. 长阳果酒岩　7. 郧县梅铺　8. 汉阳纱帽山

表 2-2　荆楚地区古人类化石点

编号	遗址	类型	海拔（米）	种属	年代（万年）	人类化石	石制品（件）	骨制品（件）	哺乳动物化石
1	建始龙骨洞	洞穴	740	直立人	215—195	牙齿 3	679	65	87 种
2	郧县学堂梁子	旷野	219	直立人	100	头骨 3	493	0	26 种
3	郧县梅铺	洞穴	240	直立人	100	牙齿 4	若干	0	21 种
4	郧西白龙洞	洞穴	550	直立人	76	牙齿 8	38	2	29 种

续表

编号	遗址	类型	海拔（米）	种属	年代（万年）	人类化石	石制品（件）	骨制品（件）	哺乳动物化石
5	长阳龙骨洞	洞穴	1300	早期智人	20	上颌骨 1 牙齿 1	0	0	19 种
6	长阳果酒岩	洞穴	140	晚期智人	14.3—19.5	头骨残片 8 颌骨 1 肱骨 12	0	0	/
7	郧西黄龙洞	洞穴	598	晚期智人	10	牙齿 7	29	20	83 种
8	汉阳纱帽山	旷野	31	晚期智人	/	头骨残片 1	1	0	0

据不完全统计，荆楚地区旧石器时代遗址经过考古发掘的约 46 处（表 2–3）。从地域上来看，主要分布鄂西北和鄂西南两地（图 2–2）。南水北调文物保护工程在丹江口库区开展了系统工作，三峡文物保护工程在三峡库区共发现旧石器时代遗址 21 处[①]，从目前的遗址数量来看，两个区域大致相当。这些遗址多分布于河流两岸的台地上，也有旷野和洞穴两类，除 10 处为洞穴外，其余均为旷野遗址。

① 国务院三峡工程建设委员会办公室、国家文物局：《长江三峡工程淹没及迁建区文物古迹保护规划报告》，北京：中国三峡出版社，2010 年，第 8 页。

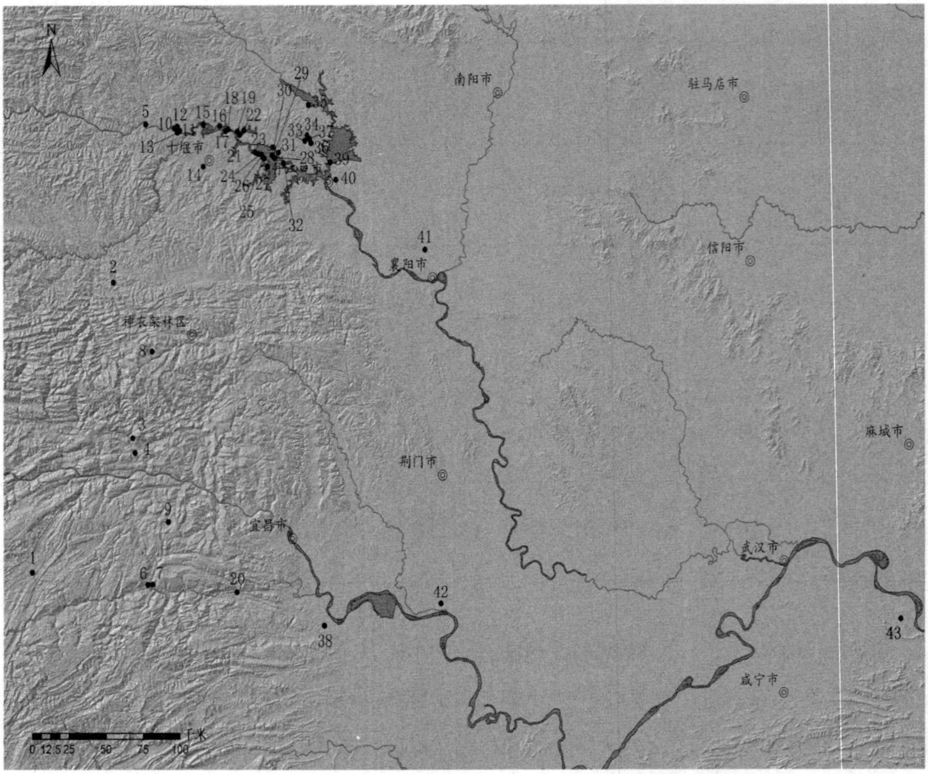

图 2-2　荆楚地区旧石器时代遗址位置图

1. 建始岩风洞　2. 房县樟脑洞　3. 巴东九红岩　4. 巴东祠堂包　5. 郧县肖家河　6. 长阳榨洞　7. 长阳小洞　8. 神农架犀牛洞　9. 秭归孙家洞　10. 郧县大树垭　11. 郧县三浪滩　12. 郧县滴水岩　13. 郧县后房　14. 十堰鸳鸯寺　15. 郧县柳陂酒厂　16. 郧县伏龙观　17. 郧县黄家窝　18. 郧县刘湾　19. 郧县肖沟　20. 长阳鲢鱼山　21. 郧县尖滩坪　22. 郧县余嘴　23. 丹江口黄家湾　24. 丹江口红石坎　25. 丹江口杜店　26. 丹江口双树　27. 丹江口黄沙河口　28. 丹江口水牛洼　29. 丹江口北泰山庙　30. 丹江口果茶场　31. 丹江口龙口　32. 丹江口彭家河　33. 丹江口石鼓后山　34. 丹江口蛤蟆沟　35. 丹江口宋湾　36. 丹江口毛家洼　37. 丹江口跑马岭　38. 枝城九道河　39. 丹江口连沟　40. 丹江口明家山　41. 襄阳山湾　42. 江陵鸡公山　43. 大冶石龙头

表 2-3　荆楚地区旧石器时代遗址

序号	遗址	类型	发掘年份	石制品（件）	动物（种）	年代（万年）	发掘面积（平方米）
1	丹江口蛤蟆沟	旷野	2001	1	0	旧石器时代	采集
2	十堰鸳鸯寺	旷野	2001	1	0	旧石器时代	采集

续表

序号	遗址	类型	发掘年份	石制品（件）	动物（种）	年代（万年）	发掘面积（平方米）
3	丹江口龙口	旷野	2010	283	0	旧石器时代	675
4	巴东九红岩	洞穴	2002	0	4	旧石器时代	200
5	秭归孙家洞	洞穴	1994	16	8	旧石器时代	采集
6	丹江口毛家洼	旷野	1988	200	0	旧石器时代晚期	采集
7	襄阳山湾	旷野	1973 1983	5	0	旧石器时代晚期	采集
8	丹江口跑马岭	旷野	1988	38	0	旧石器时代晚期	采集
9	郧县三浪滩	旷野	1997	12	0	旧石器时代晚期	采集
10	丹江口黄沙河口	旷野	2008	150	0	旧石器时代晚期	500
11	丹江口连沟	旷野	1998	201	0	旧石器时代中期	采集
12	丹江口黄家湾	旷野	2008	91	0	旧石器时代 早期偏晚	600
13	郧县肖沟	旷野	2010	413	0	旧石器时代 早期晚段	1500
14	丹江口红石坎	旷野	2008	158	0	旧石器时代早期	525
15	郧县余嘴Ⅱ	旷野	2009	334	0	旧石器时代早期	500
16	郧县大树垭	旷野	1997	11	0	旧石器时代早期	采集
17	郧县肖家河	旷野	1997	7	0	旧石器时代早期	采集
18	丹江口明家山	旷野	1994	1	0	旧石器时代早期	采集
19	巴东祠堂包	旷野	2005	0	1	更新世	500
20	丹江口北泰山庙Ⅰ	旷野	2006	277	0	中更新世早期	800
21	丹江口彭家河	旷野	2006	184	0	中更新世	600
22	丹江口宋湾	旷野	2004	353	0	中更新世	800
23	丹江口果茶场	旷野	2009	132	0	中更新世	500

续表

序号	遗址	类型	发掘年份	石制品（件）	动物（种）	年代（万年）	发掘面积（平方米）
24	建始岩风洞	洞穴	2008 2010	36	11	中更新世中晚期	56
25	丹江口北泰山庙Ⅱ	旷野	2010	159	0	中更新世 —晚更新世	500
26	江陵鸡公山	旷野	1992	/	0	中更新世 —晚更新世	467
27	丹江口水牛洼	旷野	2010	301	0	中更新世 —晚更新世	675
28	郧县余嘴Ⅰ	旷野	2009	245	0	中更新世 —晚更新世	75
29	丹江口石鼓后山	旷野	1987	28	6	/	采集
30	郧县伏龙观	旷野	1996	9	12	晚更新世	采集
31	枝城九道河	洞穴	1986	约 400	10	晚更新世	/
32	郧县黄家窝	旷野	2011	576	0	晚更新世	600
33	丹江口杜店Ⅰ	旷野	2008	209	0	1	600
34	房县樟脑洞	洞穴	1986	2000 余	12	1.3	采集
35	郧县滴水岩	旷野	2012	55	0	1—8	2100
36	长阳榨洞	洞穴	1996	18	9	2.7	32
37	郧县尖滩坪	旷野	2006	822	0	7—8	1000
38	神农架犀牛洞	洞穴	1996	61	40 余	10	/
39	郧县后房	旷野	2010	162	0	9—18.5	400
40	长阳鲢鱼山	洞穴	1994	/	30 余	12	500
41	长阳小洞	洞穴	1999	10	7	12.6	/
42	郧县柳陂酒厂	旷野	2017	8	0	14.3—25.6	采集

续表

序号	遗址	类型	发掘年份	石制品（件）	动物（种）	年代（万年）	发掘面积（平方米）
43	大冶石龙头	洞穴	1971	88	10	28.4	/
44	郧县刘湾	旷野	2010	319	1	60±12	700
45	丹江口杜店Ⅱ	旷野	2008	209	0	70	600
46	丹江口双树	旷野	2006	900余	0	70—80	1500

第一节　旧石器时代早期

目前，最早的人类可能是生活于非洲中北部距今700万—600万年的乍得人，其脑容量约为350毫升，牙齿兼具后续古人与猿的特征，由于枕骨大孔的缺失，现在还不能确定其是否可以直立行走。紧接其后的是生活在肯尼亚距今600万年的原始人图根种、距今500多万年的地猿和距今440万年的地猿始祖种。图根人仅发现数段大腿骨，其形态与现代人相同，与猿有很大的差异。因此，可以确定他们已经可以直立行走，有时候可能兼具四肢行走。地猿目前也仅有牙齿发现，除了能确定其与后来的古人比较相似外，我们对地猿目前还知之甚少。

地猿始祖种发现的化石较多，目前共计35个个体109件化石，其中迄今最古老的个体，为一个身高为1.2米，体重约50千克的成年女性，脑容量为330—350毫升。从牙齿的磨损情况看，地猿始祖种为杂食性。前臂和上臂很长，手的大小和指头的形态显示，其已不像现代猿类那样，以手指关节触地行走。盆骨呈现一种与后续人类相接近的状态。脚趾很长，第一趾与脚掌岔开，不像现代人类同其他四趾并拢。这说明地猿始祖种脚的抓握能力很强，既可以在地上直立行走，又可以长时间在树上攀爬。

从距今400万年到160万年，人类进化进入一个爆炸阶段，这一阶段的古人类被称为南方古猿。他们已完全直立行走，但还不能制作工具。到目前为止，已经辨识出十来种形态存在明显差异的南方古猿。生活在非洲大陆的南方古猿，进化呈现一种灌木丛状，即从一个物种分化出两种或者更多种后代，并存一段时间后，除其余一个种族继续繁衍延续外，其余种族均消失灭绝。南方古猿的脑容量在300—500毫升。早期的南方古猿男性身高为1.2—1.4米，晚期的可以达到1.5米，而女性身高明显矮于男性，在1米左右。对于南方古猿的食物来源，确切的证据只有鲍氏种牙齿表面的细微痕迹表明他们是以草为生。人类恒牙上的牙釉质在形成以后不会再生长，其各种元素的构成与恒牙形成这段时间的环境一致。因此，可以通过牙齿中微量元素的变化追踪人口迁徙。通过这种方法，学者发现距今200万年的2个洞穴，大约90%的男性成员从小就生活在此地，而女性成员中，有半数来自于外地。

距今300万—250万年，人类的大家庭中出现了能人这一新成员。他们身高只有1.1米左右，主要分布于坦桑尼亚、肯尼亚、埃塞俄比亚、马拉维和南非，与南方古猿的分布范围基本相同，且有一段时间共存，大概在距今180万—160万年消失。

距今200万年左右，直立人开始在全球除大洋洲之外的地方普遍发现。直立人身高明显增加，最高可以达到1.8米，此后直到现代人类，身高的变化基本不大。现在的美洲和大洋洲都没有猿类分布，也没有古猿化石发现。因此，美洲和大洋洲的人类应当是迁徙的结果。早于300万年的人类化石，均发现于非洲。因此，学界提出一种认识，人类起源于非洲，而后扩散至世界各地（表2–4）。

表2–4　人类进化简表

种类	年代（距今万年）	分布区域	脑容量（毫升）	进化特征
乍得人	700—600	乍得	320—380	直立行走?

续表

<table>
<tr><th colspan="2">种类</th><th>年代（距今万年）</th><th>分布区域</th><th>脑容量（毫升）</th><th>进化特征</th></tr>
<tr><td colspan="2">图根人</td><td>600</td><td>肯尼亚</td><td>/</td><td>直立行走</td></tr>
<tr><td colspan="2">地猿</td><td>500</td><td>埃塞俄比亚</td><td>300—350</td><td>直立行走</td></tr>
<tr><td colspan="2">地猿始祖种</td><td>440</td><td>埃塞俄比亚</td><td>330—350</td><td>直立行走</td></tr>
<tr><td rowspan="11">南方古猿</td><td>湖泊种</td><td>420—390</td><td>肯尼亚
埃塞俄比亚</td><td>365—370</td><td rowspan="11">直立行走</td></tr>
<tr><td>阿尔种</td><td>390—300</td><td>埃塞俄比亚
肯尼亚
坦桑尼亚</td><td>485</td></tr>
<tr><td>扁脸种</td><td>350</td><td>肯尼亚</td><td>/</td></tr>
<tr><td>羚羊河种</td><td>300</td><td>乍得</td><td>/</td></tr>
<tr><td>非洲种</td><td>300—200</td><td>南非</td><td>442</td></tr>
<tr><td>埃塞俄比亚种</td><td>260</td><td>埃塞俄比亚
肯尼亚</td><td>410</td></tr>
<tr><td>惊奇种</td><td>250</td><td>埃塞俄比亚</td><td>450</td></tr>
<tr><td>鲍氏种</td><td>230—120</td><td>坦桑尼亚
肯尼亚</td><td>510</td></tr>
<tr><td>源泉种</td><td>200</td><td>南非</td><td>420</td></tr>
<tr><td>粗大种</td><td>200—150</td><td>南非</td><td>530</td></tr>
<tr><td colspan="2">能人</td><td>300—180</td><td>非洲</td><td>650</td><td>制作工具</td></tr>
<tr><td colspan="2">直立人</td><td>180—25</td><td>大洋洲之外</td><td>750—1225</td><td rowspan="2">/</td></tr>
<tr><td colspan="2">智人</td><td>25—1</td><td>全球</td><td>1400</td></tr>
<tr><td colspan="2">现代人</td><td>1—今</td><td>全球</td><td>1500</td><td>/</td></tr>
</table>

一、建始人

建始龙骨洞也称巨猿洞，遗址位于湖北省建始县高坪镇麻扎坪村。1970年，中国科学院古脊椎动物与古人类研究所对该洞穴进行了数次发掘，发现3颗“似人似猿”牙齿、5颗巨猿牙齿和共生的19种哺乳动物，其年代为早更新世[①]。1998—2000年，他们进行了第二次发掘[②]，发现了3颗古人类牙齿、632件石制品、65件骨制品，并伴出87种哺乳动物。2008年，他们对洞口进行了试掘，发掘面积6平方米，获得了15个种属的哺乳动物化石和47件石制品[③]。

（一）堆积过程

鄂西—峡江的广大区域内发育有大量石灰岩洞穴，许多洞穴发现人类化石、石制品和哺乳动物化石，使这一地区成为探索早期人类起源、演化和第四纪哺乳动物演化与环境变迁的重要区域[④]。建始高坪一带，中生界灰岩发育，构造和气候条件有利于岩溶的发育和洞穴的形成，目前进行过考古工作的有龙骨洞、大岩洞、窑场湾1号洞、杨家坡洞等。

洞穴所在的龙骨坡为一个海拔794米的石灰岩小山丘，属于峰丛地貌。龙骨洞发育在三叠系嘉陵江组的灰岩中，是一个近东西向延伸，长约110米的水平溶洞。洞穴有东西两个洞口，东洞口高2.04、宽3.4米，西洞口高2.1、宽1.8米。人类化石及石制品主要发现于东洞口、西支洞及洞穴中部（图2-3、2-4）。洞穴内的堆积分四个阶段形成。第一阶段（第17—15层），洞穴是一条具有一定水动力条件的暗河，由于水流作用，部分砾石被带入洞穴，在最下层形成了砾石堆积。第二阶段（第14—9层），洞穴在干涸的环境下形成了钙板层。有时会有少量的水流，

---

① 许春华等：《鄂西巨猿化石及共生动物群》，《古脊椎动物与古人类》1974年第4期。

② 郑绍华编：《建始人遗址》，北京：科学出版社，2004年。

③ 中国科学院古脊椎动物与古人类研究所人类演化实验室等：《湖北建始高坪洞穴调查及其试掘简报》，《人类学学报》2010年第4期。

④ 刘武等：《鄂西—峡江地区的古人类资源及相关研究进展》，《第四纪研究》2006年第4期。

这形成了碳酸钙强胶结的地层。第三阶段（第8—7层），洞穴是一条与地表由通道联系，水流速度缓慢的暗河。洞穴内主要堆积形成即是在这一阶段，哺乳动物和人类化石也发现于此层。第四阶段（第6—1层）是洞穴沉积形成的最晚阶段，基本处于干涸沉积的环境（图2-5）。

（二）古人类化石

龙骨洞到目前为止共发现古人类牙齿3颗，这是荆楚地区发现最早的古人类化石。根据磨损程度可以确定这三颗牙齿属于不同的个体。分别为下颌右侧第一臼齿（PA1277）、上颌右侧第三臼齿（PA1278）、上颌左侧第三臼齿（PA1279）。龙骨洞发现的古人类牙齿与北京周口店直立人下臼齿形态接近，但也存在齿冠褶皱比较简单、齿尖脚尖较高、齿冠较长、牙齿硕大等与周口店直立人下臼齿不同的特征[①]，其整体特征与中国境内的其他直立人接近，与南方古猿及非洲早期古人类有明显差异[②]（图2-6）。

（三）石器工业

石料在自然界的温度、火、冰川、冰滑、流水、海洋、风等作用下会形成类似人工石制品的假石器，粗大树根的机械作用、车辆的碾压、人或动物的踩踏也会形成假石器[③]。从埋藏环境、石制品工艺特征、石料来源等方面甄别人工石制品与假石器就成为旧石器研究的一个基本前提。龙骨洞遗址出土了226件直径小于2厘米、重量低于10克的碎屑石块，这不仅排除了自然力量形成石器的可能，还说明这里就是古人制作石制品的场所。

---

① 高建：《与鄂西古猿共生的南方古猿牙齿化石》，《古脊椎动物与古人类》1975年第13期。

② Liu W，Clarke R，Xing S.Geometric morphometric analysis of the early Pleistocene hominin teeth from Jianshi，Hubei Province，China，Science in China，D：EarthSciences, 2010，53：1141—1152.

③ 裴文中：《论史前石器与和石器》，《裴文中史前考古学论文集》，北京：文物出版社，1987年，第1—42页。

图 2-3 龙骨洞遗址地形图

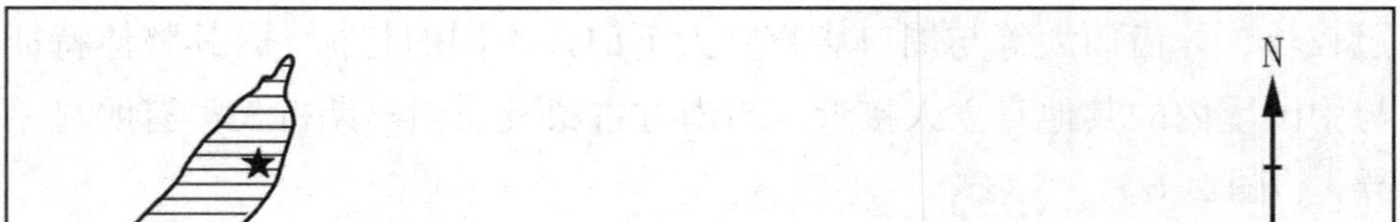

图 2-4 龙骨洞遗址平面图

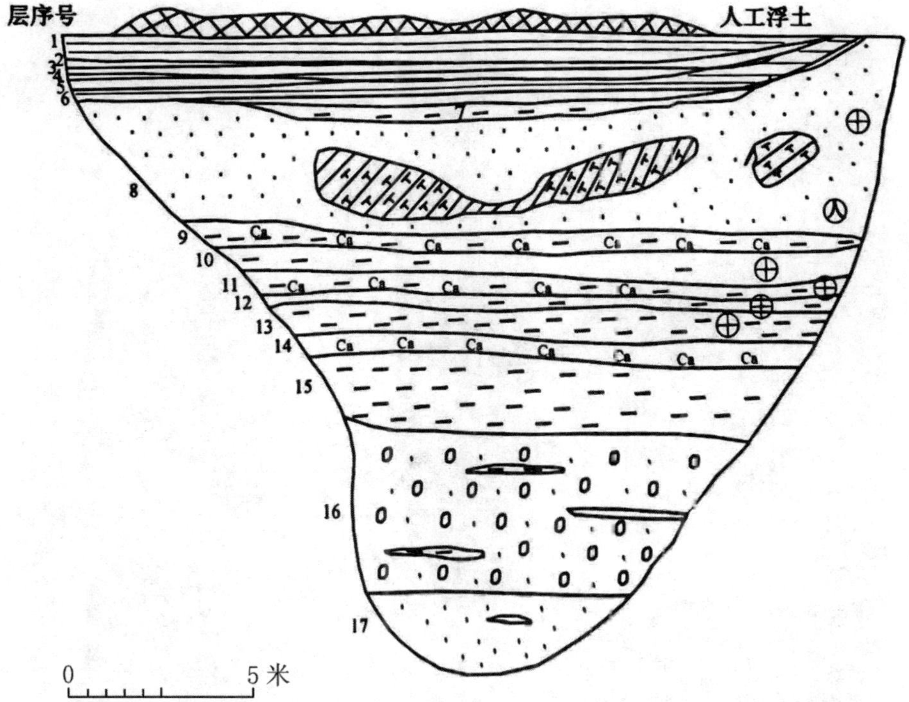

图 2–5 龙骨洞遗址 C—C′ 剖面

1999—2000 年发掘获得的 632 件石制品石料的种类很少，以燧石和砾石为主（84%），硅质灰岩次之（15.4%），另有少量石英岩（0.6%）。这些石材在洞穴周边都可以找到，基本可以确定为就地取材，在洞内也发现了古人采集的备料或石料。制作技术有砸击法和锤击法两种。发现的石制品可分人工石块和碎片（47%）、石器（32.75%）、石核（12.18%）和石片（8.07%）等（图 2–7）。石器以小型为主，重量多在 50 克以下。类型以刮削器为主（94.2%），伴有少量尖状器（1.93%）、雕刻器（0.49%）。考古工作者用遗址堆积中的石料进行石器打击实验，可以确定这些碎屑为砸击法的副产品（图 2–7）。

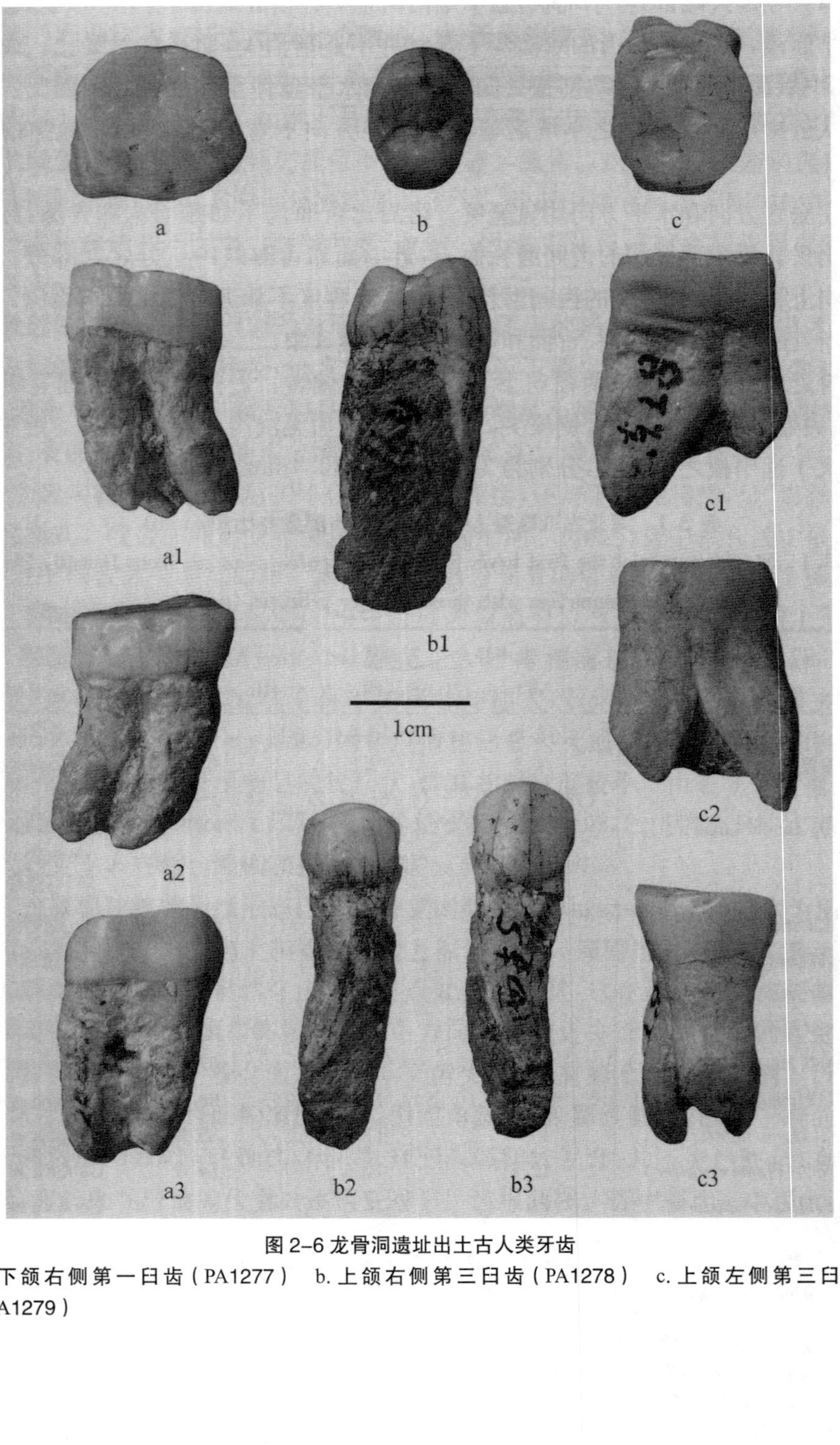

图 2-6 龙骨洞遗址出土古人类牙齿

a. 下颌右侧第一臼齿（PA1277） b. 上颌右侧第三臼齿（PA1278） c. 上颌左侧第三臼齿（PA1279）

图 2–7 龙骨洞遗址出土石器

1. 石核（P.8035） 2. 石核（P.8034） 3. 石核（P.8037） 4. 石片（P.8056） 5. 石片（P.8058） 6. 石片（P.8059） 7. 刮削器（P.8015） 8. 刮削器（P.8016） 9. 乱削器（P.8024） 10. 石锤（P.8005） 11. 雕刻器（P.8001） 12. 尖状器（P.8000）

（四）渔猎经济

龙骨洞共出土了 32 科 87 种哺乳动物，分大型哺乳动物和小型哺乳动物两类。大型哺乳动物 35 种，分属于灵长目、食肉目、长鼻目、奇蹄目、偶蹄目等。常见种属有步氏巨猿、拟豺、武陵山大熊猫、桑氏鬣狗、更新猎豹、马、山原貘、黄氏兽、小猪、裴氏猪、中华乳齿象、东方剑齿象等，这些动物都具有早更新世的时代特征。依据现生种属的地理分布，可以分为热带森林型，如貘属；热带亚热带森林型，如巨貘属、大灵猫属、犀属、麂属等；亚热带森林型，如金丝猴属、大熊猫属、灵狸属、羚羊属；广布森林型，如熊属、貂属、水獭属、猪属；亚热带温带森林型，如斑羚属；温带草原型，如马属；广布广栖型，如豺属；热带亚热带草原型，如斑鬣狗属。以森林型为主，共 26 属 30 种，占 88.24%，即龙骨洞曾是一种热带亚热带的森林环境。纯热带动物貘、温带草原动物马（2 属 2 种，分别占 6.67%、5.89%）的出现说明曾出现过热、冷的气候变化。植物孢粉以乔木花粉（76%—80%）为主，其次是蕨类植物（13%—16%），草本植物和灌木花粉较少（6%—7%），这种植物孢粉的组成也与大型动物所反映的植被情况相同，均为森林景观。

小型哺乳动物 52 种，分属于食虫目、翼手目、兔形目和啮齿目。种属的总体特征与周口店第 18 地点、怀柔黄坎、山东淄博孙家山 A 群动物相似。根据现生种的地理区系，可将小型哺乳动物分为中亚热带森林型，如微尾鼩等；热带—南亚热带森林型，如印度长尾鼩、大黑鼩、前普通攀鼠等；横断山脉山地森林型，如鼩鼹、湖北绒鼠等；温带草原和高山草甸型，如丝绸兔；广布型，如竹鼠、异仓鼠、社鼠等。以中亚热带森林型为主，共计 27 种，约占 69%。从 13 个现生于横断山脉的物种来看，其最低海拔在 1561 米左右，高出龙骨洞海拔 826 米，按同一纬度海拔升高 100 米，温度下降 0.6℃计算，龙骨洞当时的气温要比现在低 6℃，如果以平均海拔 2425 米来算，则低 10℃。从小型动物群在各层的种属来看，龙骨坡动物群受南亚热带动物群的干扰要比横断山脉和华北温带动物群小，但两者的影响均未动摇本土动物群的根基。只是在相对温热的阶段，南亚热带的少数动物向北扩散；在相对寒冷的时段，横断山脉的少数动物向东扩散。从小型动物种属的数量来看，龙骨洞共经历过 3 热 3 凉的气候波动（图 2–8）。

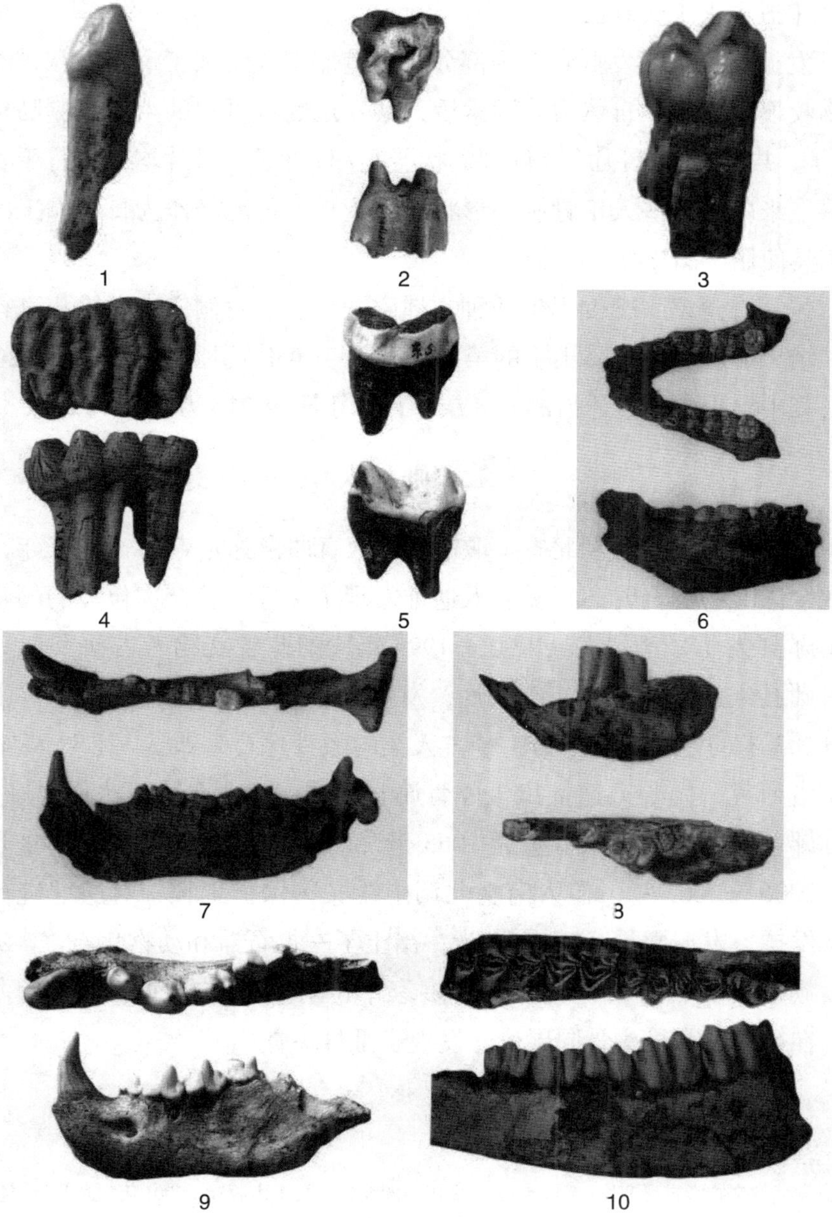

图 2-8　龙骨洞遗址出土动物化石

1. 步氏巨猿（PA1280-G6）　2. 中国犀（V13461.123）　3. 金丝猴（V13971.3）　4. 东方剑齿象（V13484.7）　5. 东方剑齿虎（V13439）　6. 武陵山大熊猫（V13458）　7. 熊（V13411.2）　8. 硕豪猪（V13219）　9. 桑氏鬣狗（V13427.1）　10. 云南水鹿（V13468.93）

（五）人工骨制品

发掘过程中，发掘者发现部分动物骨骼有人工加工痕迹，在排除了动物咬痕、抓痕、自然力等因素后，共发现数量可观的人工骨制品（图2-9）。共有45件骨片、5件骨尖状器、7件骨铲，骨片均是从骨干直接剥落下来的。这些人工骨制品形状多不规矩，可能是作为日常加工肉类的工具使用（图2-9）。

采用热退磁、交变退磁两种古地磁测年手段对洞穴内的堆积进行测年。结果显示有石制品出土的第11—2层其年代为距今242万—180万年，其中出土古人类牙齿的第8层年代早于距今215万年。

二、郧县人

郧县人遗址位于湖北省十堰市郧阳区青曲镇弥陀寺村。1989年，第二次全国文物普查时，在郧县人遗址发现了1件被胶结物包裹的颅骨化石（郧县人Ⅰ号颅骨）。1990—1995年，湖北省文物考古研究所等单位对郧县人遗址进行了4次发掘，发掘面积575平方米①。在距离Ⅰ号颅骨3.3米的地方发现了另1个古人类的颅骨化石（郧县人Ⅱ号颅骨）。经学者研究，郧县人遗址出土颅骨属直立人，被命名直立人郧县亚种，简称郧县人。其平均脑容量为1065毫升，与北京直立人的1075毫升接近。2006—2007年，作为南水北调中线文物保护工程，对遗址进行了再次发掘，发掘面积2500平方米，出土了一批石器和动物化石②。2021年，湖北省文物考古研究院联合多家单位对遗址进行了第三次考古发掘，在第Ⅰ、Ⅱ号头骨同层位，发现了Ⅲ号头骨③。

① 湖北省文物考古研究所：《郧县人》，武汉：湖北科学技术出版社，2001年；湖北省博物馆：《郧县人——长江中游的远古人类》，北京：文物出版社，2007年。

② 湖北省文物考古研究所：《郧县人遗址2006—2007年发掘简报》，《湖北南水北调工程考古报告集·第三卷》，北京：科学出版社，2014年，第213—221页。

③ 湖北省文物考古研究院等：《湖北十堰市学堂梁子旧石器时代遗址》，《考古》待刊。

图 2-9 龙骨洞遗址出土骨制品

1. 骨片（P.8070） 2. 骨片（P.8071） 3. 骨片（P.8072） 4. 尖状器（P.8073） 5. 骨铲（P.8076）
6. 尖状器（P.8075） 7. 骨铲（P.8079） 8. 骨铲（P.8078） 9. 骨铲（P.8077） 10. 骨器（P.8081）
11. 骨器（P.8080）

（一）堆积过程

汉江于第三纪后期开始形成，第四纪是其发育的主要时期，构造运动和河流侵蚀作用使河流两岸发育了四级阶地。第一级阶地为河漫滩相堆积，高出现代河床10米左右，已被丹江口水库淹没；第二级阶地砾石层高出现代河床25米左右，在汉江两岸分布较多，阶地上披覆着厚度达2—10米的风尘堆积层；第三级阶地高出现代河床约40米，阶地较残缺，保留较少，风尘堆积层也比较薄，厚度为1米；第四级阶地砾石层高出现代河道50米左右，为厚约20米的风尘黄土堆积（表2–5）。

表2–5 汉江阶地年代简表[①]

阶地序列	土色	形成年代
一级阶地	黄色亚黏土	晚更新世晚期
二级阶地	红土	晚更新世早期
三级阶地	棕红色黏土	中更新世
四级阶地	棕红色黏土	中更新世

郧县人遗址位于汉江与曲远河交汇处的第四级台地上（图2–10），堆积可分5个沉积单元。遗址底部是由砂砾、排列有向的粗砂和河床砂层组成的沉积物（第Ⅰ、Ⅱ沉积单元），与汉江第四级阶地的堆积物一致。其上为洪水形成的质地均一、致密砂质黏土（第Ⅲ、Ⅳ沉积单元）。这层堆积不含砂砾，也不含粗砂，稍微有一些中砂和细砂。郧县直立人化石、石制品、动物化石均出自第Ⅲ沉积单元（图2–11）。

① 陈虹、方梦霞：《长江中下游地区旧石器时代文化分期分区研究》，《考古学报》2020年第1期。

图 2–10　郧县人遗址地形图

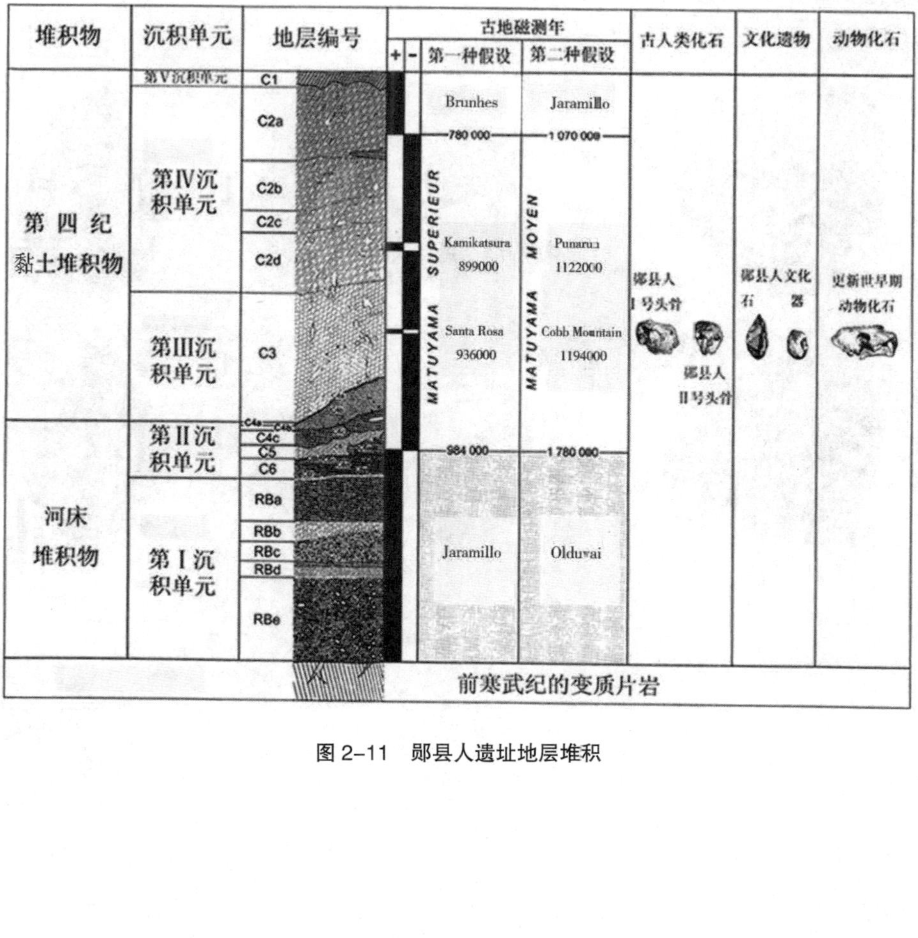

图 2–11　郧县人遗址地层堆积

（二）古人类化石

郧县直立人Ⅰ号、Ⅱ号头骨化石在埋藏过程中受到挤压变形，除下颌骨缺失外，脑颅和面部基本完整。头骨粗壮，骨缝已基本愈合，牙齿磨损严重，估计属于中年男性个体。Ⅰ号头骨（EV9001）顶骨与枕骨在人字缝附近断裂，左侧颧弓中段断失，右侧颧弓大部分缺失。硬腭面在纵向和横向均有较宽的裂缝，并造成了错位。16 枚上颌牙齿全部在位，但所有牙齿齿冠都有不同程度的破损。其中右侧第二和第三臼齿齿冠全部断失。Ⅱ号头骨（EV9002）两侧眉脊外侧受损，两侧颧弓均已断失。齿弓完整，两侧中门齿和左侧犬齿缺失，所有牙齿齿冠表面均有破裂。Ⅲ号头骨出露部分保存完好，附有少量堆积物。头骨眶上圆枕粗壮，前额低平，明显向后倾斜，眶后缩窄明显。颅顶呈低穹隆状，后面观头骨最宽处靠下，形态具有直立人的体质特征（图 2–12、2–13）。

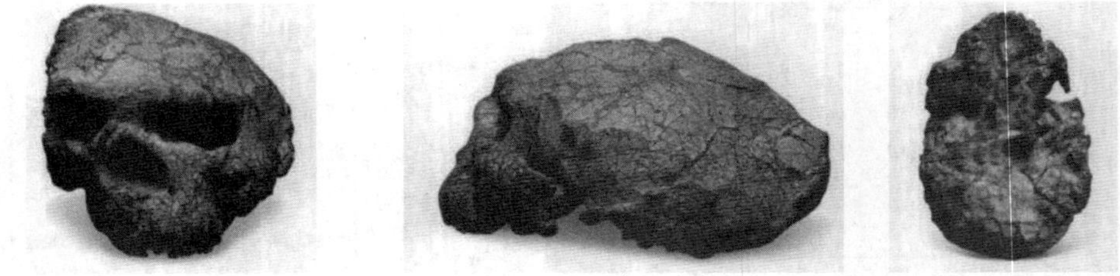

1

2

图 2–12　郧县人颅骨

1. Ⅰ号颅骨　2. Ⅱ号颅骨

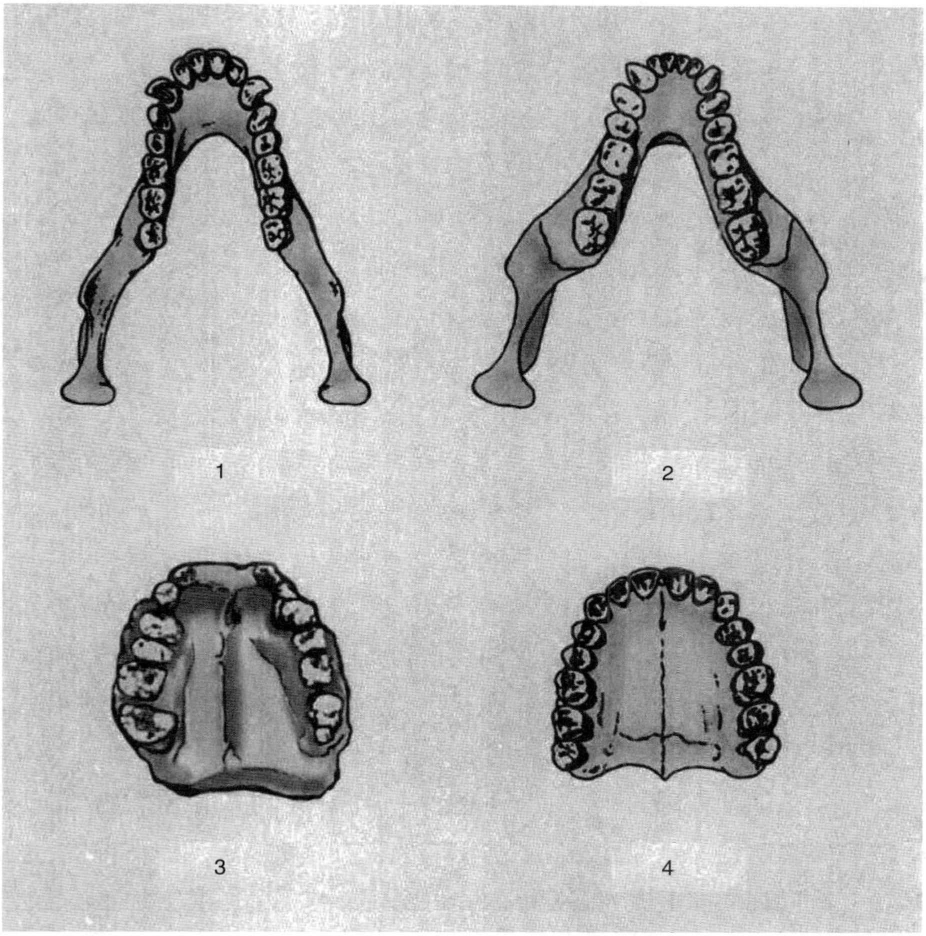

图 2–13　郧县人口腔与现代人口腔对比
1. 黑猩猩　2. 腊玛古猿　3. 郧县人　4. 现代人

（三）石器工业

郧县人遗址 1990—1995 年的发掘中，共收集石制品 509 件[①]。石制品岩性大类方面，火成岩比例很高，接近一半的比例，沉积岩次之，变

① 湖北省文物考古研究院：《学堂梁子——郧县人遗址考古发掘报告石制品研究》，北京：中国社会科学出版社，2022 年，第 379—390 页。

质岩最少。岩性小类以脉石英为主（46.01%）；其次为砂岩（15.13%）、硅质岩（13.45%）和石英岩（11.55%）；泥质岩（3.36%）、含砾砂岩（1.89%）、细沙岩（1.68%）、混合岩（1.26%）、花岗斑岩（0.63%）、石英斑岩（0.63%）、粉砂岩（0.63%）、片麻岩（1.26%）、绿帘石（0.21%）、矽卡岩（0.21%）和安山岩（0.21%）比例较少。这些各种岩性的石制品也说明郧县人选择制作石器的素材范围非常广泛，三大岩性每类都有六七种被古人制作石器。

石制品有工具（0.63%）、原料及素材（72.06%）、石核石器（19.33%）、石片石器（7.98%）四大类。石核石器以砍砸器（13.66%）、手镐（1.47%）、手斧（1.89%）为主；石片石器以刮削器（5.67%）为主。石器打片技术以锤击法为主，存在砸击的石锤以及砸击产生的坑疤，未见系统修理台面的石片，但存在有疤台面的石核。石核以单台面为主，双台面和多台面较少。石片数量不多，大多为完整石片，半边石片、台面破碎石片都不多。石核和石片的比率为 1 ∶ 1.49，即每件石核只能剥下 1.5 块石片。即使加上碎片，石核上剥下的石片和碎片也不到 4 块。这说明郧县人利用石核进行剥片的效率并不高（图 2–14）。

郧县人遗址发现的石器中，手镐和手斧最有特色，素材均为长而扁平的砾石。前者主要用砂岩砾石加工而成，有时略微进行一下剥皮、去薄，有时候直接加工成为石器。手斧的出现，标志着郧县人加工石器的水平达到了一个新的高度。手斧主要是用质地不好的硅质岩加工而成，由于选择的素材在形状上比较理想，往往在一个面上进行精细加工，而在另一面只进行粗加工，这样就造成了手斧上一面没有砾石石皮，一面保留有大面积的砾石石皮，这在中国其他时代相近的遗址中很少发现。

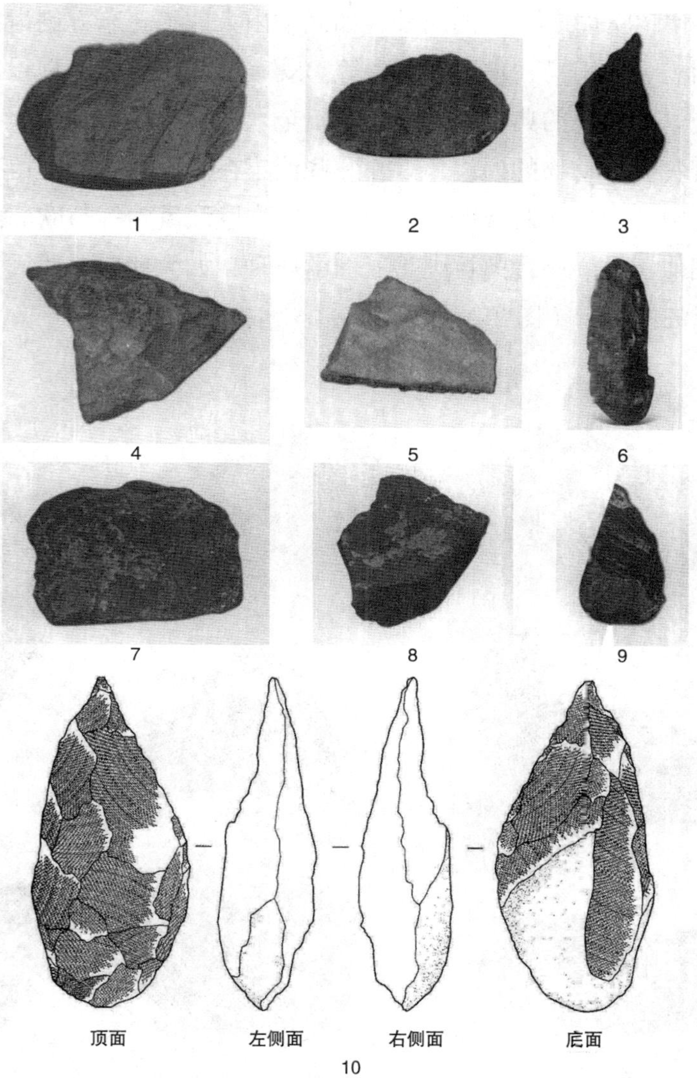

图 2–14　郧县人遗址出土石器

1. 砍砸器　2. 刮削器　3. 双面器　4. 刮削器　5 刮削器　6. 砍砸器　7. 石核　8. 石核　9. 砍砸器　10. 手斧

（四）渔猎经济

郧县人遗址出土的哺乳动物化石主要有 6 目 26 种，既有北方属种的裴氏猫、李氏野猪、大角鹿、秀丽黑鹿、短角丽牛，也有华南“大熊猫—剑齿象动物群”[①]的属种，如武陵山大熊猫、东方剑齿象、中国犀、中国貘、云南马、水鹿、水牛等。既有第三纪的残留物种，如剑齿虎，也有早更新世的典型物种，如蓝田金丝猴、桑氏鬣狗等。有一些骨骼上留有食肉目动物的牙齿，另外一些汇集在一起的骨骼上留有豪猪的牙痕。食肉动物，如西藏黑熊、拟豺、短吻巨颌鬣狗等与欧洲的一样或者非常相似，另一些食肉目则是亚洲的属种，如大熊猫、裴氏猫。食草类均为亚洲所特有（图 2–15）。

图 2–15　郧县人遗址出土动物化石

1. 中国貘下颌骨　2. 中国黑熊颅骨　3. 桑氏鬣狗下颌骨　4. 剑齿虎　5. 中国犀下颌骨　6. 蓝田金丝猴下颌骨　7. 裴氏猫上颌骨　8. 中国貘颅骨

① 大熊猫—剑齿象动物群是指更新世生活于中国南部—马来亚地区的动物群。主要物种有大熊猫、鬣狗、剑齿象、中国貘、巨貘、野猪、黑鹿、水牛等。可分更新世早、中、晚三个阶段，早期兼具第三纪的残留物种。

从食草类动物的死亡年龄曲线看，它们大量是自然死亡或者灾难性死亡，食肉类动物多为成年时死亡。一些食草动物的下颌骨和长骨上有一些呈凹缺状的断裂，有可能是人类敲骨吸髓留下的痕迹，有一些（犀、貘等）都是完整的，没有明显的人类砍砸痕迹。因此，大量的食草动物骨骼似乎是快速堆积而成，可能是由于汉江突然涨水形成的一个陷阱，食草动物被陷其中，而古人类则来到此地获取肉制品[①]。而遗址中发现的24件标本可以拼合、联合成10组（图2–16）。因此，郧县人遗址有可能只是古人获取肉类的场所。

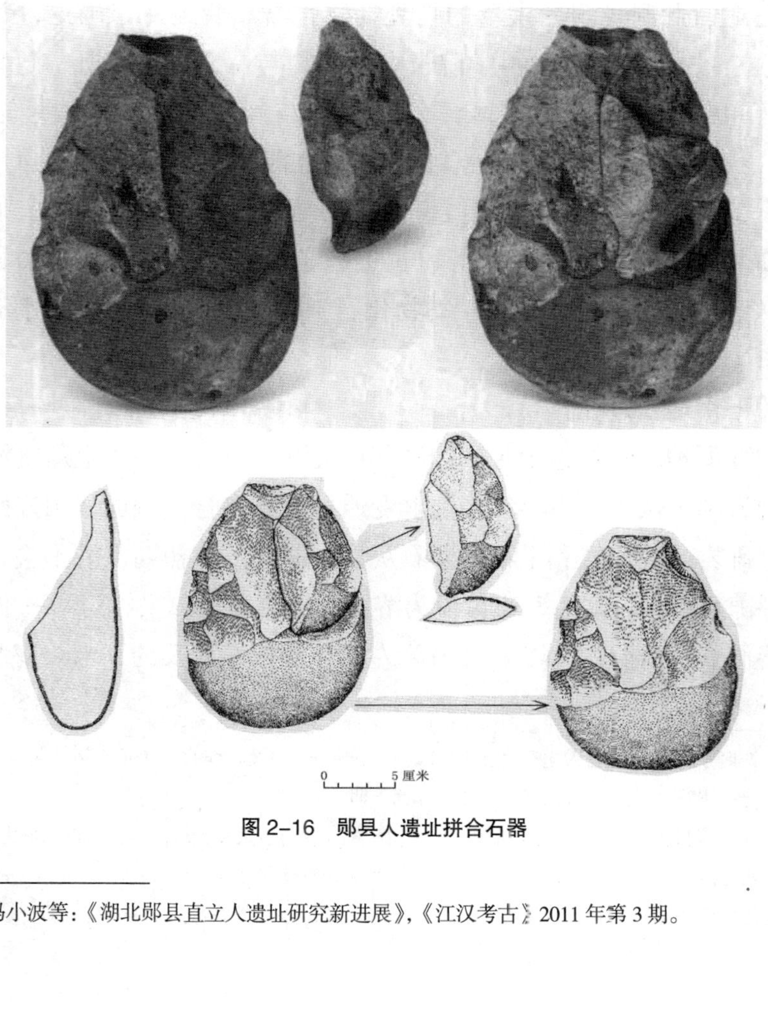

图2–16　郧县人遗址拼合石器

① 冯小波等：《湖北郧县直立人遗址研究新进展》，《江汉考古》2011年第3期。

通过地质和动物群的研究，可以确定郧县人生活在更新世早期，即距今100万—115万年。古地磁测年显示郧县人的生活年代为距今83万—90万年。综合以上数据，发掘者认为郧县人应生活于更新世早期，绝对年代为距今100万年左右。但9个与古人类化石同层的牙化石釉质的电子自旋共振测年结果显示，其年代为58.1万 ±9.3万年[①]。这比古地磁测年的结果要晚很多。

三、白龙洞人

郧西白龙洞遗址位于湖北省郧西县安家乡神雾岭村。1976年，当地村民在白龙洞发现了大量的哺乳动物化石。后经专家确定，其中有2颗直立人牙齿[②]。中国科学院古脊椎动物与古人类研究所、湖北省博物馆等单位组成联合考古队，分别于1977年、1982年对遗址进行了发掘，获得古人类牙齿5颗，哺乳动物化石20余种和石制品41件[③]。2007—2009年，中国科学院古脊椎动物与古人类研究所、重庆师范大学、湖北省文物考古研究所等单位进行了第三次发掘，发掘面积6平方米，获得古人类牙齿1颗、动物化石19种、石制品23件、骨制品2件[④]。

（一）堆积过程

白龙洞地处秦岭造山带武当隆起西北缘，发育起始于上新统沙坪组碳酸盐岩和下伏中元古界武当山群变质岩系不整合接触面，洞穴围岩为沙坪组砾岩、藻灰岩和生物格架石灰岩：洞穴发育初期由沿不整合面渗流的裂隙水引起，之后垂直渗流为溶蚀的主要方式。主体为南—西南向水平溶洞。目前洞口高1.5—2.0米左右，洞内东西长约9米，南北宽约

---

① 陈铁梅等：《湖北郧县人化石地层的ESR测年研究》，《人类学学报》1996年第2期。

② 李建：《郧阳猿人》，《江汉考古》1980年第1期。

③ 湘江：《湖北郧西发现猿人牙齿化石》，《古脊椎动物与古人类》1977年第2期；群力：《湖北郧西县白龙洞又发现猿人牙齿》，《人类学学报》1983年第2期。

④ 武仙竹等：《湖北郧西白龙洞古人类遗址初步研究》，《人类学学报》2009年第1期。

4—6 米（图 2–17）。洞内堆积主要为红色黏土。2007 年的发掘区位于现洞口，考虑到坍塌的洞壁，其应该是古人类活动的主要区域之一，西壁的地层可以分为 8 层。

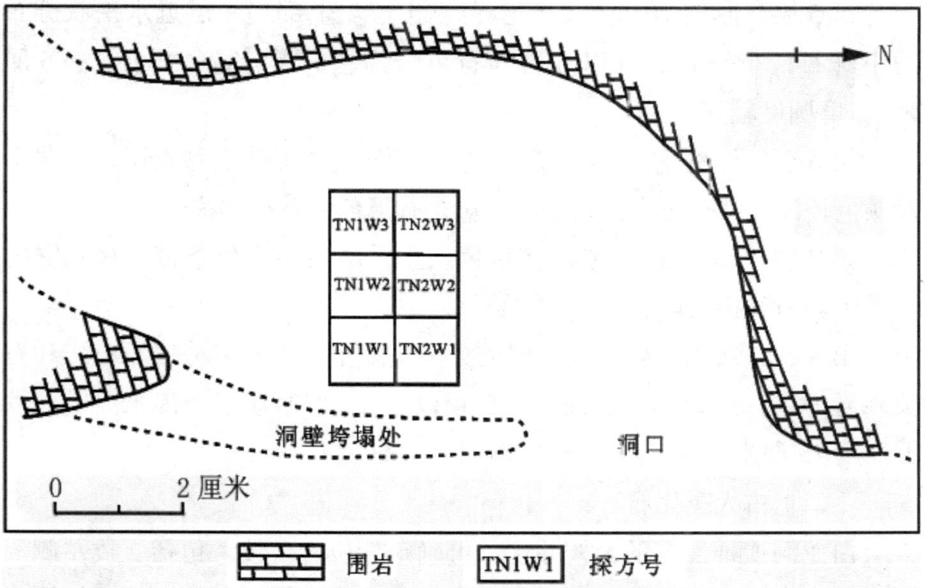

图 2–17　白龙洞遗址 2007 年发掘区位置图

第 1 层，厚约 50 厘米。黄褐色黏土层。土质细腻，结构较松散，夹杂有石灰岩碎块和零星化石碎渣，局部夹杂棕黄色黏土。下部有水平状层理。本层结构较混乱，推测为前人在洞内发掘过的扰乱层。

第 2 层，厚约 54 厘米。棕红色黏土层。土质细腻，结构致密，柱状节理比较发育。层内有黑色铁质浸染现象。有零星钙质结核和小砾石（砾径约 5 毫米）。层内夹有一层厚约 7—8 厘米的橙黄色含砾砂质黏土透镜体。含丰富的动物化石，并埋藏有其他人类活动遗迹（石制品、骨制品、灰烬层等）。该层在洞穴内近水平状分布，是埋藏古人类活动遗迹的文化层。

第 3 层，厚约 33 厘米。褐红色—棕褐色黏土层。土质细腻，结构致密，较坚硬。有零星钙质结核和小砾石。有较弱的黑色锰质浸染现象。

第 4 层，厚约 25 厘米。棕黄色黏土层。土质细腻，结构致密，较坚硬。层内含零星小砾石。有较弱的黑色锰质浸染现象。

第 5 层，厚约 20 厘米。棕黄色黏土层。上部夹一层近水平状分布的小砾石，小砾石成分以片岩和石英岩为主，无分选（砾径 2—5 厘米），磨圆度较好。

第 6 层，厚约 15 厘米。灰褐色—灰黄色含砾砂质黏土层。本层中段颜色较深，砂砾集中，较坚硬。包含有黑色钙质小结核。

第 7 层，厚约 35 厘米。灰黄色黏土，层内夹黄色条带。显示弱的水平层理和波状层理。

第 8 层，灰褐色砂砾层，层内夹少量黏土。砾石成分以石英岩和石英砂岩为主，无分选，磨圆好，粒径以 1—3 厘米居多。渗水严重，发掘深度 15 厘米，未见底（图 2–18）。

（二）古人类化石

白龙洞遗址发现的 8 枚牙齿，可确定牙位者 7 枚。包括 2 枚左侧上颌第四前臼齿、1 枚左侧下颌第四前臼齿（PA1532）、1 枚左侧下颌第三前臼齿、1 枚右侧上颌第二臼齿、1 枚右侧下颌第一或第二臼齿和 1 枚右侧下颌第三臼齿（图 2–19）。

（三）石器工业

经过三次发掘，共获得石制品 60 余件，石料均选取洞穴周围变质岩层中的脉石英或者石英岩。石制品个体以中、小型居多，锤击法为剥片的基本方法；类型包括石器（14 件）、石核（7 件）、石片（6 件）和断块和碎屑等 34 件。白龙洞地处南北过渡地带，但石制品的类型组合、形态特点和毛坯选择显示出中国北方石器工业的特点（图 2–20）。

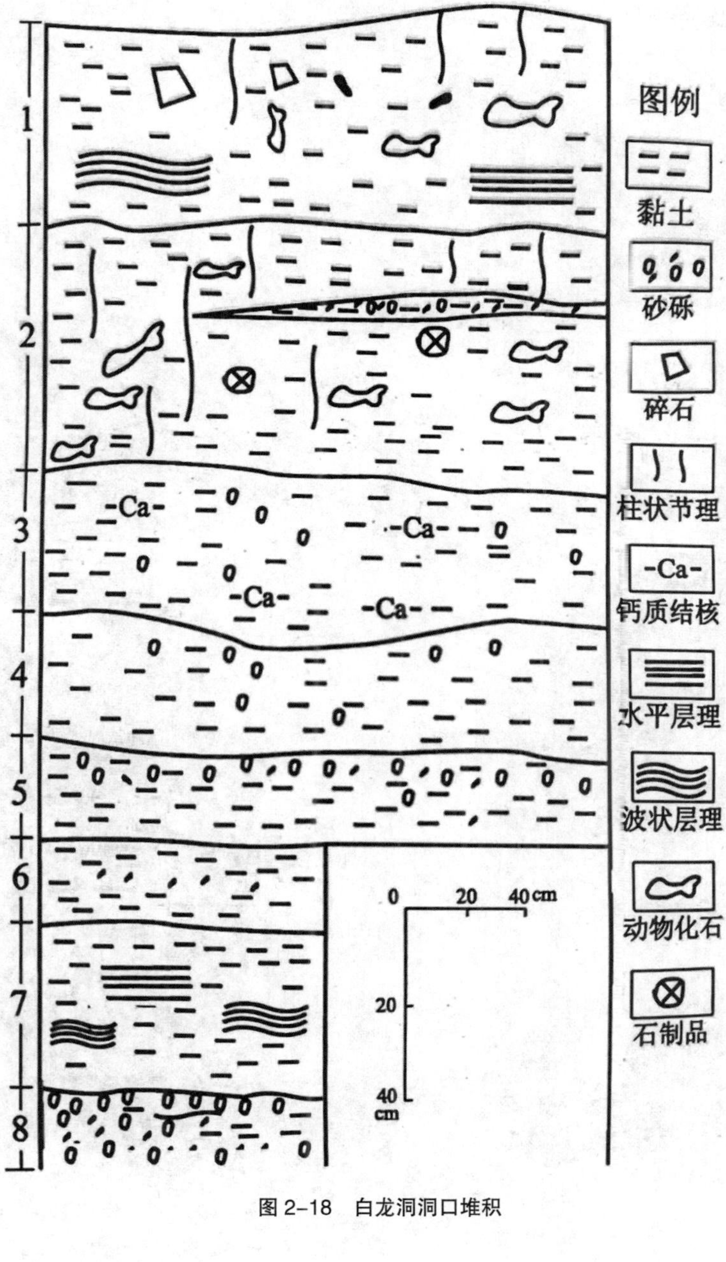

图 2-18　白龙洞洞口堆积

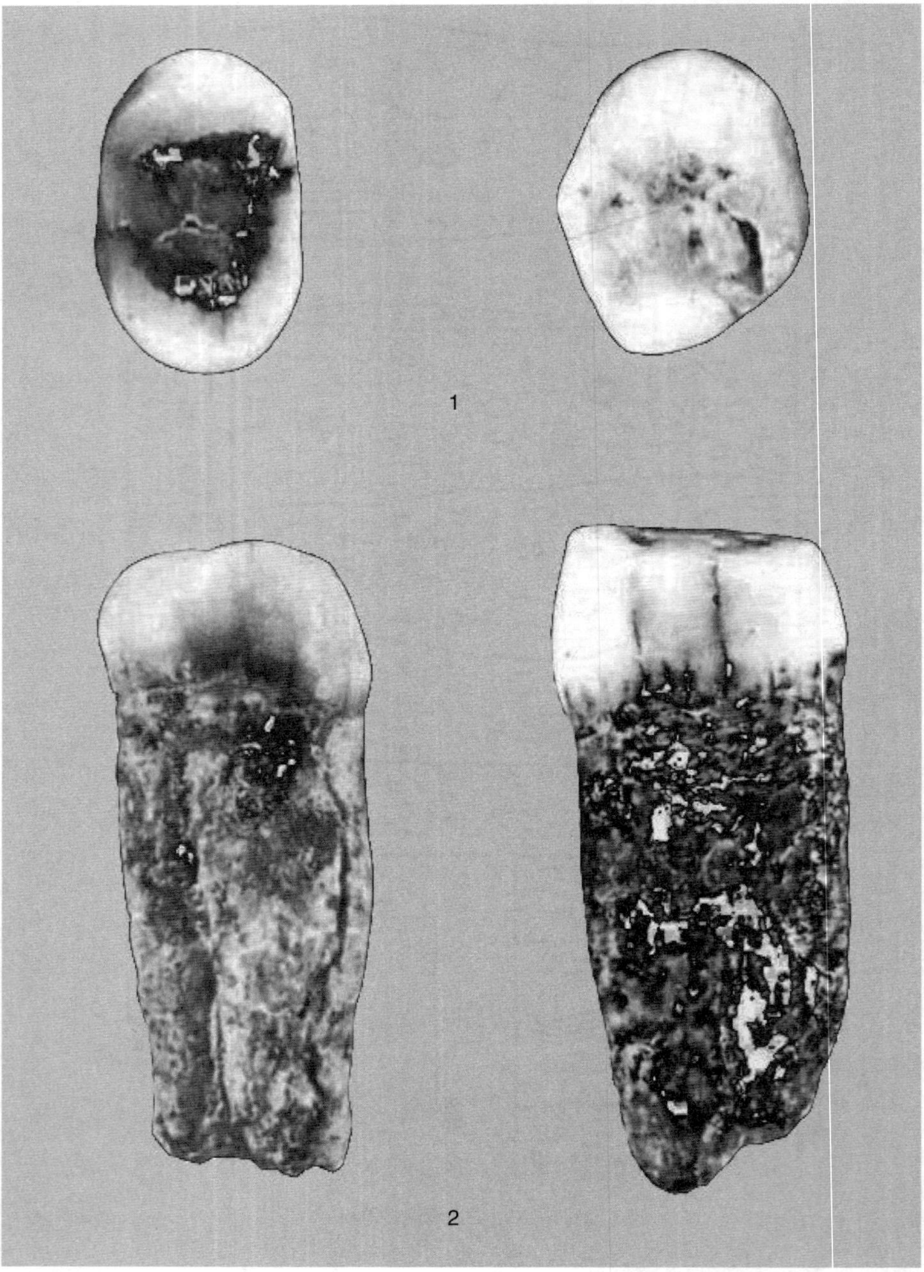

图 2-19　白龙洞遗址出土古人类牙齿
1. 咬合面　2. 侧面

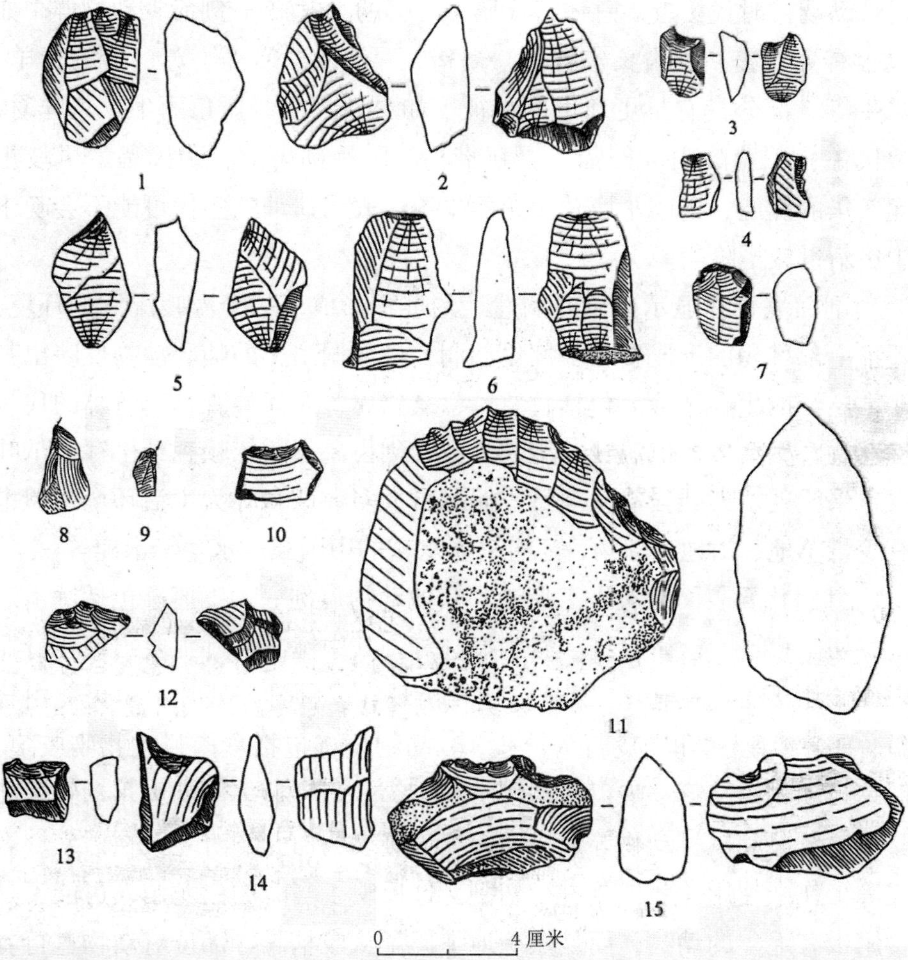

图 2-20 白龙洞遗址出土石器

1. 石核（BLD2007-008） 2. 石核（BLD2007-001） 3. 砸击石核（BZS005） 4. 石片（BLD2007-005） 5. 砸击石核（BLD2007-007） 6. 石片（BLD2007-009） 7. 砍砸器（BZS010） 8. 雕刻器（BZS008） 9. 雕刻器（BZS006） 10. 刮削器（BLD2007-006） 11. 砍砸器（BZS001） 12. 砍砸器（BZS002） 13. 刮削器（BLD2007-003） 14. 刮削器（BLD2007-002） 15. 刮削器（BLD2007-004）

（四）渔猎经济

哺乳动物化石种类共有 5 目 29 种，以偶蹄目大型动物为主，其中以鹿科和牛科动物较多，没有发现小哺乳动物化石。整体与湖北郧县人遗址动物群时代接近。总体特征属于广义的大熊猫—剑齿象动物群，如包含有大熊猫、剑齿象、竹鼠、豪猪、犀、貘、水鹿、苏门羚、青羊、水牛等。部分具有早更新世的特征，如更新猎豹、短角丽牛。爪哇豺、桑氏鬣狗、武陵山大熊猫、更新猎豹、巨颏剑齿虎、裴氏猪、凤岐祖鹿、华丽黑鹿、云南水鹿及短角丽牛等，表明遗址的年代可能不会晚于中更新世较早阶段。

剖面氧化物显示出白龙洞遗址的堆积形成于一个温暖湿润的环境，遗址上部堆积的形成要较下部更湿润。白龙洞出土的哺乳动物反映出其非常广泛的生存环境。包括竹鼠属、豪猪属等东洋界森林、竹林的代表性动物，生活环境以温暖、湿润为主的剑齿象属，依赖森林生存的爪哇豺、果子狸、大狸猫等食肉目。偶蹄目大多数以森林为生活环境，但也有少量草地、山地型动物，还有喜欢水域的中国貘、水牛、水鹿等[①]。

骨骼化石表面常有人工痕迹和其他动物痕迹。人工痕迹包括锤击痕迹、切割痕迹、砍斫痕迹、戳刺痕迹等，其中锤击痕迹主要出现在骨器表面（用于骨器制造），其他痕迹则出现在多种骨骼残片上（可能由狩猎、屠宰、分割和剥皮行为产生）。动物痕迹包括食肉目动物啃咬痕、偶蹄目动物踩踏痕、啮齿目动物啃咬痕等。啃咬痕多由啮齿目动物，如豪猪、竹鼠和鼠科动物等形成。人工痕迹表明白龙洞直立人在屠宰、剥皮等工作中使用片状工具进行切割，这反映了当时的白龙洞人可能不是食用带有毛皮的动物，而是熟练地掌握了从肢梢骨等部位对动物进行剥皮的技术。一些标本中发现有偶蹄类动物踩踏痕覆盖在人工切割痕之上，这种现象说明在人类对洞穴的利用过程中（或利用后不久），其他偶蹄类动物也曾光顾洞穴[②]（图 2–21）。

---

① 李潇丽等：《湖北郧西白龙洞洞穴发育与古人类生存环境探讨》，《第四纪研究》2012 年第 2 期。

② 武仙竹等：《湖北郧西白龙洞遗址骨化石表面痕迹研究》，《第四纪研究》2008 年第 6 期。

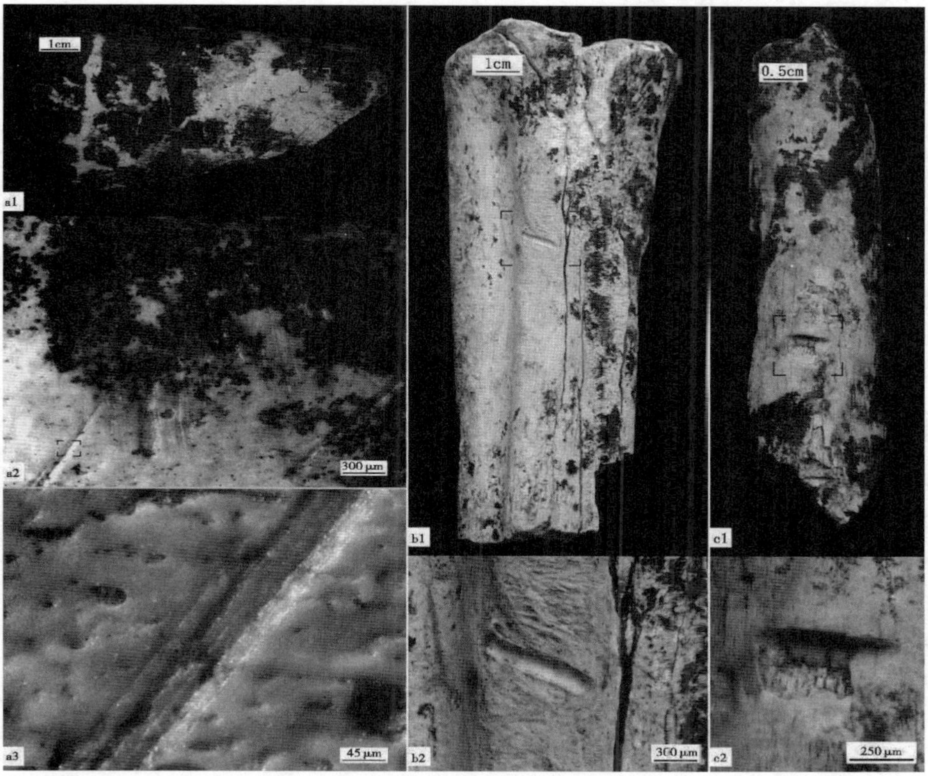

图 2-21　白龙洞遗址动物骨骼表面痕迹
a. 人工切痕（TN2W2 ②：53）　b. 啃咬痕迹（TN1W3 ②：25）　c. 砍斫痕迹（TN1W3 ②：30）

白龙洞遗址出土的化石在洞内呈层状分布，化石层中夹杂有文化遗物（石制品、骨制品），局部堆积灰烬层，有的化石可能具有烧骨特征。同层化石的分布，存在不同形态化石集中堆积的特点。如在发掘区东部（TN1W1），主要埋藏大型哺乳动物管状骨碎片化石。但在发掘区中部（TN1W2、TN2W2），则主要分布有鹿角、偶蹄类掌骨、趾骨、盆骨和上、下颌骨等，该区位的化石形态大多比较完整。这种不同区位堆积不同化石形态的埋藏现象，可能也反映着古人类在该遗址中的行为规律。化石堆积层中还出现一定量的鬣狗粪化石，反映遗址除人类在此地活动外，鬣狗也曾经是该洞穴的经常活动者。

经 26Al/10Be 埋藏测年，白龙洞的三个绝对年代数据为 0.69 ± 0.12Ma、0.70 ± 0.10Ma 和 0.86 ± 0.10Ma，三个样品在误差范围内一致，加权平均值为 0.76 ± 0.06Ma，即距今约 76 万年[①]。

四、大冶石龙头

大冶石龙头遗址位于湖北省大冶市章山街道。1971 年，当地村民在“农业学大寨”活动中在石龙头山南麓的一个洞穴内发现了不少哺乳动物化石。同一年，中国科学院古脊椎动物与古人类研究所等单位对其进行了发掘，收获了一批石器。

（一）堆积情况

石龙头山南临大冶湖，是一处高出湖面 50 米的小山嘴，由二叠纪中厚层灰岩、泥灰岩、硅质层组成。遗址所在的洞穴发育在石龙山南坡的厚层石灰岩中。洞中的堆积可分 3 层。

第 1 层，厚 0.5—1.5 米。主要为坡积物。浅棕色黏土、砂质黏土夹灰岩碎屑。灰岩碎屑风化较浅，黏土质地较粗。未发现石器及动物化石。

第 2 层，厚 0.3—1.0 米。堆积来源除人为作用外，主要为坡积物。黄色砂质黏土，含有大量灰岩碎屑和燧石、石英岩碎片。灰岩碎屑分化比较深。出土石制品及动物化石，石制品分布密集，没有流水搬运痕迹，应是古人类在洞内制作留下。在第 1 层和第 2 层的交界面上发现了几件石器，其上下面的石片疤风化程度、颜色存在很大的差异，这说明这些石器有一半曾长时间暴露在外，经过较长的时间才被第 1 层覆盖。

第 3 层，厚 0.3—1.0 米。主要为溶蚀残留物及地下水化学沉积物。棕红色黏土，夹杂有砂土和钟乳石。黏土质地黏重，钟乳石层褐色到灰黄色均有，一般只有几厘米厚，呈夹层状。由于含硅质和锰质氧化物，

① 刘学彬:《湖北郧西白龙洞遗址 26Al/10Be 埋藏测年研究》，南京师范大学硕士学位论文，2015 年。

硬度较大。出土动物化石及零星石器。第2层和第3层之间是逐渐过渡的，这说明当时地下水水位线逐渐下降，洞穴内位置较高的地方成为适宜人类居住的场所。在第3层上部的钟乳石夹层堆积中，发现了一些鬣狗粪化石，这说明某个时期鬣狗曾占据过该洞穴（图2–22）。

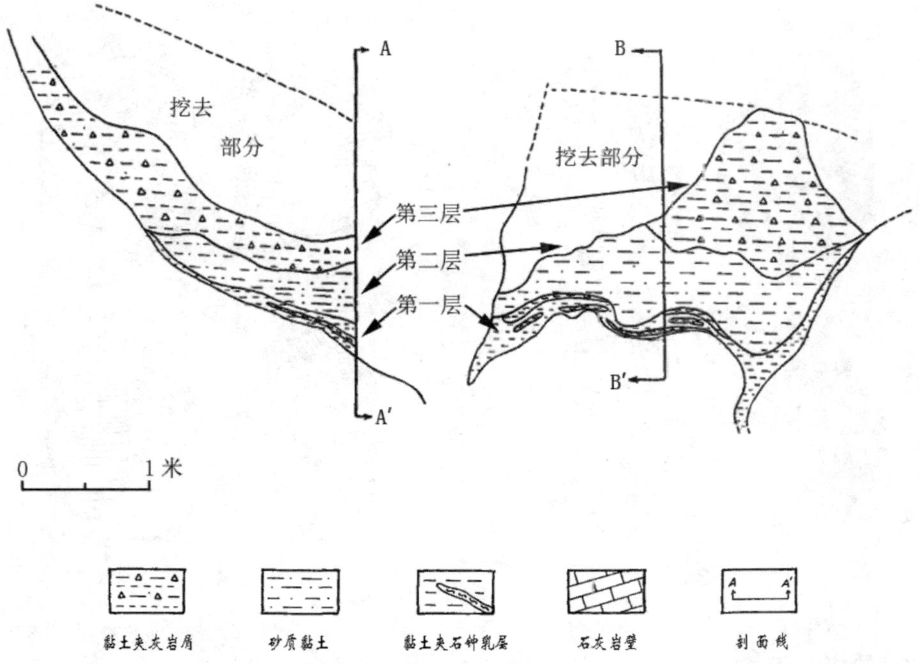

图2–22　石龙头遗址地层堆积

（二）石器工业

石龙头遗址发现的石制品除小断片、废片及半成品外，共发现88件石器。原料大部分为石英岩，部分为燧石，少数为石英、砂岩，极少数为角砾岩。燧石来自遗址附近二叠纪灰岩中所含的结核，风化厉害，易破碎，并非最佳石器原料。除燧石外，其他石料均为砾石，有的磨圆较好，有的则一般。石器类型有石核（34件）、石片（27件）、砍砸器（17片）、刮削器（10件）四类。打片以锤击法为主，有时也用砸击法，第二步加工则采用直接打击法（图 2–23）。

大冶石龙头遗址的石器加工工艺与贵州黔西的观音洞、大洞等遗址既有相似之处，又有差异。从大的范围来看，这三个遗址代表了长江以南地区这一时期的石器加工工艺，与长江以北的旧石器工艺有比较明显的区别[①]。

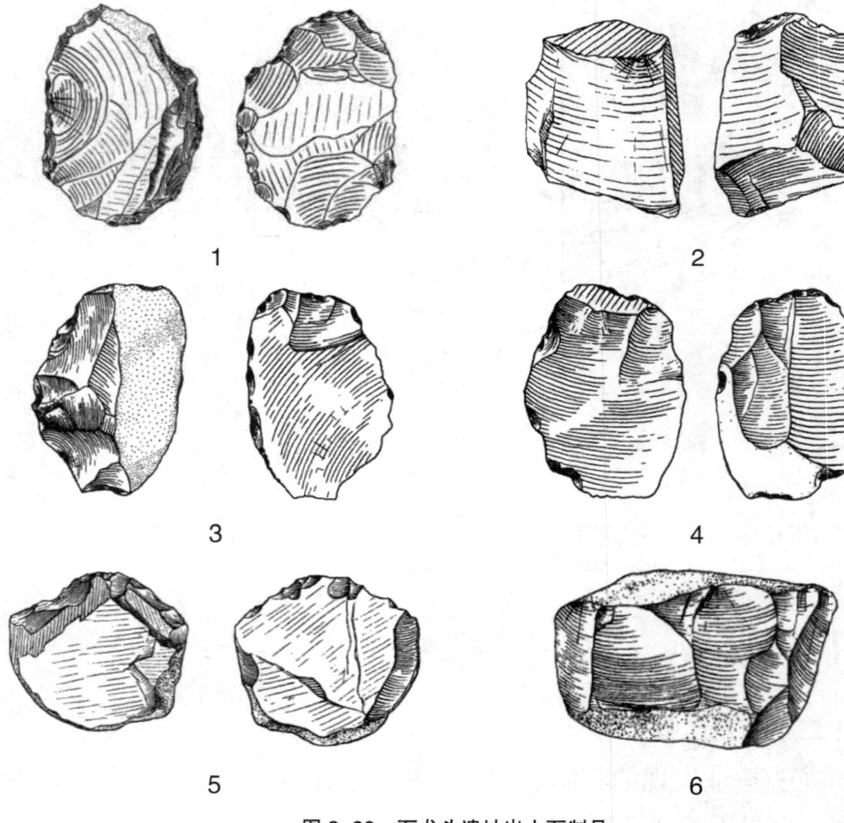

图 2–23　石龙头遗址出土石制品

1. 砍砸器（P3839）　2. 石片（P3827）　3. 砍砸器（P3833）　4. 石片（P3830）　5. 刮削器（P3842）　6. 石核（P3822）

① 李英华：《大冶石龙头遗址石器的新研究》，《江汉考古》2011 年第 2 期。

（三）渔猎经济

石龙头遗址可鉴定种属的动物化石有豪猪、大熊猫、中国鬣狗、虎、东方剑齿象、中国犀、野猪、鹿、斑鹿等。动物种属与盐井沟动物群相同，不见第三纪的残留物种，如剑齿虎、爪兽、乳齿象，也不见早更新世的特色种类，如大熊猫小种，先东方剑齿虎等。因此，其年代为中更新世。

考古工作者对石龙头遗址三个红褐色土块进行了铀系测年，两个闭合数据分别为距今 $31.2^{+6.3}_{-4.2}$ 万年、$25.6^{+3.4}_{-2.6}$ 万年，平均为 28.4 万年左右。另外一个不闭合数据早于 19.6 万年。检测者认为“三个样本均可能出自第一层”①，但未给出确定层位的依据。因此，现在只能笼统地认为石龙头遗址的年代约为距今 28.4 万年。

第二节 旧石器时代中期

通常意义上的人类起源涉及两个问题，第一个问题即古人类的起源，这个问题我们在本章第一节已经介绍了。人类的起源第二个问题是现代人的起源，即与我们有直系血缘关系的晚期智人（现代人）的出现与扩散。对这一问题的研究主要集中在旧石器时代中期。

1960 年，美国人类学家卡尔顿·库恩（Carleton Coon）认为现代人是由五种不同的人类平行演化而来，其中一些种族比其他种族要早演化进入现代人的阶段，导致一些人类的文明要进步于其他文明②。1984 年，美国学者沃波夫（Milford H.Wolpoff）、中国学者吴新智、张银运三人分析了世界各地的古人类，结合有关的遗传学理论，认为现代人是世界各地的直立人经过智人独立发展而来的，各人种在很久之前就已经分道扬

① 原思训等：《华南若干旧石器时代地点的铀系年代》，《人类学学报》1986 年第 2 期。

② Carleton S Coon. The Origins of Race，Perspectives in Biology and Medicine，1963，6（2）：268—27；Carleton S Coon. Living Races of Lan，Bibliography，1965：325—344.

镳，平行发展[①]。这一假说被称为“多地区进化论”或“多地起源说”。

人类的精子与卵细胞结合时，只有精子的头部进入卵细胞，尾部留在外面，不参与受精分裂的过程。线粒体在精子尾部，细胞核在精子的头部，因此，人体内的线粒体全部来自母亲，与父亲无关。从线粒体出发，就可以向上追溯人类的起源。1987 年，美国遗传学家阿伦·威尔逊（Allan Wilson）等选择了来自非洲、欧洲、亚洲等地的 147 名妇女，从她们生产后的婴儿胎盘中提取了线粒体基因。研究发现现代人的基因可以追溯到 20 万年前的一位非洲女性（“夏娃”），今天所有的人都是那个群体的后代。他们的子孙大概在距今 13 万年左右走出非洲，扩散至世界各地[②]。由于他们与当地的古人类属于不同的人种，不能杂交，因此，他们完全取代了生活在当地的古人类。这一假说被称为“近期出自非洲说”“单一地区起源说”“出自非洲说”“夏娃假说”等。1989 年，有学者依据尼安德特人与早期现代人存在形态的混合和镶嵌，据此提出走出非洲的古人类并非完全取代本地古人，对“近期出自非洲说”的“完全取代”进行修正，即“同化假说”[③]。

此后，持不同观点的学者争论不休，莫衷一是。近期的人骨化石和现代生物学的研究都表明，现代人与同时期生活于欧洲范围内的尼安德特人、丹妮索瓦人存在基因交流。因此，“近期出自非洲说”的“完全取代”逐渐被“同化假说”取代[④]。

1990 年，吴新智等人在“多地区进化论”的基础上，依据古人类化石证据，提出“连续进化、附带杂交”的假说，即认为世界范围内的现

---

① Wolpoff M，Wu X Z，Thorne A. Modern Homo Sapiens：A General Theory of Hominid evolution Involving the Fossile Evidence from East Asia. The Origins of Modern Humans，New York：Alna R. Liss，1984：411—483.

② Cann R L，Stone Kingm，Wilson A C. Mitochondrial DNA and Human Evolution. Nature，1987，325（6099）：31—36.

③ Smith F H，Falsetti A B. Moderm Human Origins，Am J Phys Anthropol，1989，32：35—68.

④ 李锋等：《东亚现代人来源的考古学思考：证据与解释》，《人类学学报》2018 年第 2 期。

代人自直立人以来的演化是连续的，未发生过外来人群取代本土人群的过程。东亚的现代人主要来自中国的古人类。同时本土人群与外来人群存在一定的基因交流，且与时俱增，这使得该地区的人类与外界人群作为同一物种得以维系；但这种基因的混合、交流与本土人群的世代相传相比是次要的，本地主体人群与少量外来移民之间是融合而非替代[①]。

从目前的证据来看，走出非洲的早期智人一定与本土人群存在基因交流，"连续进化、附带杂交"假说算是一种折中的认识，它与"同化假说"的区别之处在于，前者认为在这种基因交流中，当地人处于主导地位，而后者则认为来自非洲的现代人处于主导地位。

荆楚地区发现的旧石器时代中期遗址和古人类化石较多，本书着重介绍长阳人和黄龙洞人。

一、长阳人

长阳龙骨洞遗址位于湖北省宜昌市长阳土家族自治县大堰乡钟家湾村。1956 年，当地村民在村子附近的龙骨洞挖龙骨时发现了 1 枚古人类的上颌骨。1957 年，古人类学家贾兰坡等考察钟家湾，并进行考古发掘，发现了 1 颗古人类臼齿和许多动物化石[②]。（图 2–24）

① 吴新智等：《中国远古人类的进化》，《人类学学报》1990 年第 4 期；吴新智：《从中国晚期智人颅牙特征看中国现代人起源》，《人类学学报》1998 年第 4 期。

② 贾兰坡：《长阳人化石及其共生的哺乳动物群》，《古脊椎动物与古人类》1957 年第 1 期。

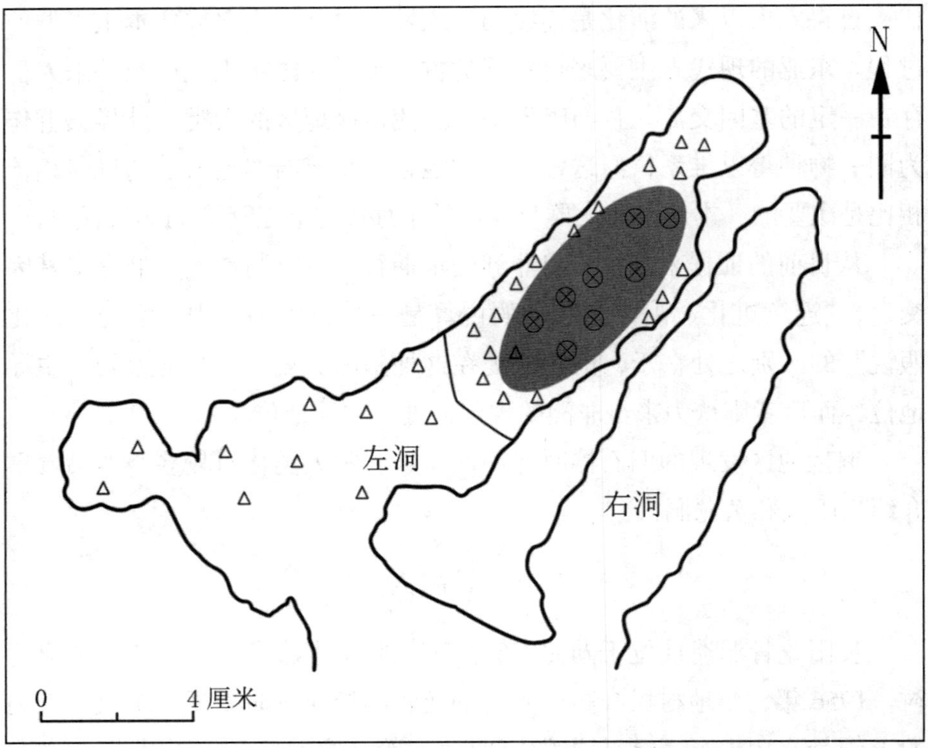

⊗ 牙齿化石 ● 化石区域 △ 角砾和岩石断块

图 2-24 长阳龙骨洞遗址平面图

长阳龙骨洞发现的人类化石包括 1 枚左侧上颌骨、1 颗左侧下第四前臼齿。上颌骨保存较好，附有第三前臼齿、第一臼齿 2 颗牙齿。龙骨洞直立人有一些接近现代人的特征，如上颌前部的倾斜程度不如周口店直立人显著，腭面凹凸不平，门齿孔与上颌间缝下端距离很近（图 2-25）。但也保留有一些原始的特征，如梨状孔下部较宽，鼻腔底部不如现代人显著等等。总体来说，所存在的现代性比原始性要多。

长阳龙骨洞出土的古动物化石属于大熊猫—剑齿象动物群，共有熊猫、犀牛、虎、古豺、巨貘、豪猪、剑齿象、竹鼠、鹿等 19 种。

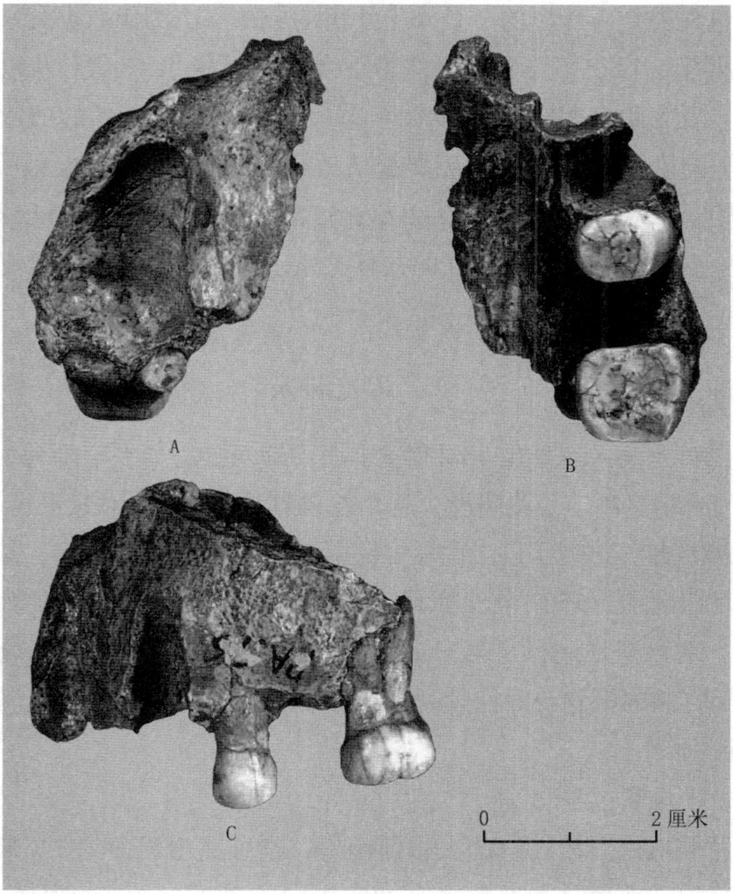

1

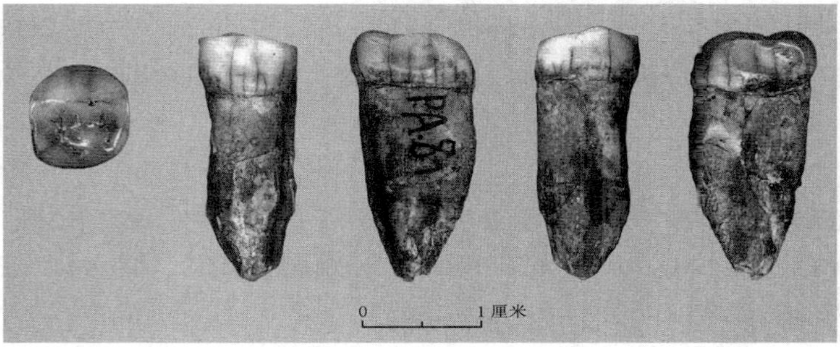

2

图 2-25　龙骨洞遗址出土古人类化石

1. 左侧上颌骨（PA76）（A. 顶面　B. 底面　C. 前面）　2. 左侧下第四前臼齿（PA81）（从左到右依次为咬合面、颊侧面、近中面、舌侧面、远中面）

与古人类化石伴出的 2 颗犀牛牙齿的层铀系法测年数据分别为距今 $19.4^{+2.4}_{-2.0}$ 万年、$19.6^{+2.0}_{-1.7}$ 万年，平均为距今 19.5 万年[①]。8 枚伴出动物化石年代最早者为距今 192.82 ± 0.98ka，最晚者为距今 146.85 ± 0.51ka，8 个数据的平均值为 164ka；2 块碳酸盐结晶的铀系法测年数据校正后的年龄分别为距今 256.21 ± 4.84ka、232.72 ± 5.28ka，平均为距今 244.5ka[②]。考虑到伴生动物与古人类有较强的共存关系，我们认为长阳龙骨洞直立人的生活年代在距今 20 万年左右。

二、黄龙洞人

郧西黄龙洞人遗址位于湖北省十堰市郧西县香口乡李师关村。2002 年，为配合十漫高速公路建设，湖北省文物考古研究所对其进行了调查。2004—2005 年，进行了第二次考古发掘，发掘面积 80 平方米，获得 5 颗古人类牙齿化石，1500 余件哺乳动物化石和大量经过加工的骨制品[③]。2006 年，对该遗址进行了第三次发掘，又发现了 2 颗人类牙齿化石、11 件古人类打制的石制与 6 件骨制工具、1500 余件动物化石以及其他古人类活动证据[④]。

（一）堆积过程

黄龙洞地处秦岭环绕的大水河南岸，遗址高出河面约 7.8 米。为大型管状溶洞，平面分布近东北—西南走向（图 2–26）。洞顶形态多变，或为较平的管道状，或为蚀凹很深的锅底状，有的甚至与地表相通，形成天窗。洞底为碳酸盐岩，略为平缓。洞内堆积的形成可以分为 5 个阶

---

① 原思训等：《华南若干旧石器时代地点的铀系年代》，《人类学学报》1986 年第 2 期。

② 徐行华：《湖北长阳人遗址和柳陂酒厂旧石器遗址的铀系测年研究》，南京大学硕士研究生学位论文，2019 年。

③ 湖北省文物考古研究所：《郧西人——黄龙洞遗址发掘报告》，北京：科学出版社，2006 年。

④ 武仙竹、刘武、高星等：《湖北郧县黄龙洞更新世晚期古人类遗址》，《科学通报》2006 年第 16 期；武仙竹、吴秀杰、陈明惠等：《湖北郧西黄龙洞古人类遗址 2006 年发掘报告》，《古人类学报》2007 年第 3 期。

段。第1阶段，黄龙洞洞口初暴露出地表后，洞穴处于炎热、潮湿的气候环境，洞口附近在水流极为缓慢的情况下，在洞穴底部侵蚀面基础上，沉积18—26厘米的红色粉砂岩质黏土层。第2阶段，距今约10万年以前，黄龙洞处在较为温暖干燥的气候环境，物理风沙演化较盛，洞内广泛沉积了厚约41—66厘米的碳酸盐风化碎屑堆积物。第3阶段，距今约10万年左右，黄龙洞处于温暖、湿润的气候环境，人类活动在洞内形成文化堆积。同时，洞顶可能与地表由裂隙贯通，地表水的渗入使洞内沉积了厚约58—101厘米的红色粉砂质黏土。第4阶段，洞外河流发育处于兴盛期，该阶段气候湿润，变化性大。在季节性洪水的作用下，从洞口向内沉积了厚约2—201厘米的洪积性物质。第5阶段，温暖湿润气候期，洞穴裂隙继续发育，从地表面白渗透水带到洞内较多堆积物，与洞穴化学沉积物一起形成了厚约2—189厘米的顶钙板层。

图2–26 黄龙洞遗址

黄龙洞遗址出土的化石、人类遗物等主要集中在第 3 层底部。第 4 层为碳酸盐化学堆积层，表面平坦，没有发现任何水流搬运的痕迹。动物骨骼上没有发现食肉动物的咬啃痕迹，同时发现少量人类牙齿，这排除了动物聚骨的可能性。因此，这些密集的化石及石制品都为原生堆积。

（二）古人类化石

黄龙洞遗址共发现人类牙齿化石 7 颗，尺寸明显小于直立人。为上颌左侧犬齿 1 颗，上颌左侧第三臼齿 1 颗、下颌右侧第二臼齿 1 颗、下颌左侧第三臼齿 1 颗，上颌右侧中门齿 1 颗、下颌右侧侧门齿 1 颗等。除上颌第三臼齿磨耗较轻，可能代表着年轻的个体外，其余 6 颗牙齿磨耗较为严重，属壮年以上的个体。根据对这些牙齿形态的研究，可以确定它们属于智人（图 2–27）。

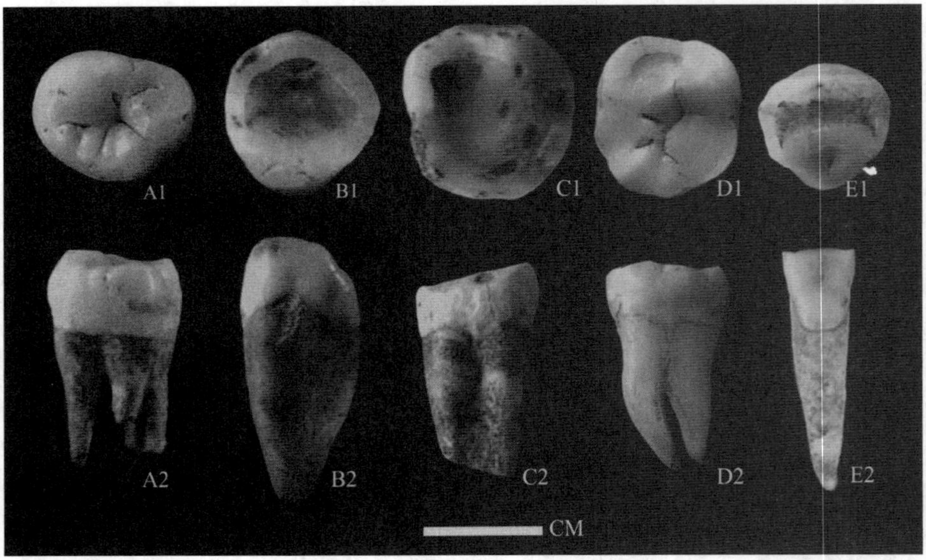

图 2–27　黄龙洞遗址出土古人类牙齿

（三）石器工业

黄龙洞遗址出土的人类遗物共计 60 件，有石制品、骨器、角器三类。其中石制品34件、骨器25件、角器1件。石制品类型有石笋（1件）、石核（3件）、石片（10件）、石锤（2件）、石器（11件）等。石片有锤击石片（7片）、砸击石片（3件）和锐棱砸击石片（1件）3类。石器的类型有刮削器（7件）、手镐（5件）、砍砸器（2件）、尖刃器、雕刻器（1件）、石锥（1件）等。石器毛坯有锤击石片、断块、砾石3种。骨器包括骨片、废品等初期产品以及成品两类，以骨尖状器（13件）为主，骨片（3件）、骨刮削器（3件）次之，骨匕、骨铲等仅有1件。以单刃居多，约占72.73%，双刃和多刃的很少（图2–28）。

黄龙洞遗址出土石制品原料主要有碧玉岩、燧石、红帘石、变质砂岩、石英岩和脉石英等11类。其中以石英岩（10件）居多，脉石英（4件）次之，其余各类均只有1件。骨制品均以大型哺乳动物管状骨为原料。形状一般比较大，加工方式主要为锤击法。角制品仅有1件用水鹿犄角制作的角锥。

（四）渔猎经济

据2004—2005年度所获资料，黄龙洞智人伴出的哺乳动物化石共有6纲18目44科68属83种。若以种属统计，则以偶蹄目（41个）最多，翼手目（36个）、啮齿目（31个）、食肉目（26个）、奇蹄目（11个）次之。这些动物骨骼十分破碎，小于5厘米的碎骨片是其主要形态，约占85.4%。这说明古人对肉食资源的利用非常充分，有可能是在取食肉体后，对动物骨髓进行吸食。

若以个体数量统计，则以水牛最小个体数量最多，为9个，约占整个动物最小个体数的5.14%，水鹿（6个）、中国犀（6个）、东方剑齿象（6个）、赤麂（5个）等次之。依据这些动物的数量，供肉量最多的动物为东方剑齿象，水牛、中国犀次之。这主要是因为剑齿象是当今陆生动物体型最大的哺乳动物之一（图2–29）。

图 2-28　黄龙洞遗址出土石器、骨器

1. 石手镐（TS1E2 ③：52） 2. 石手镐（TN3W2 ③：51） 3. 石锥（TS1W10 ③：51） 4. 石多刃刮削器（TS1E1 ③：57） 5. 石锤击石片（TN1W3 ③：53） 6. 石砍砸器（TS1E2 ③：51） 7. 骨匕（TS1E1 ③：74） 8. 骨尖状器（TN1W1 ③：55） 9. 骨尖状器（TN3W1 ③：57）

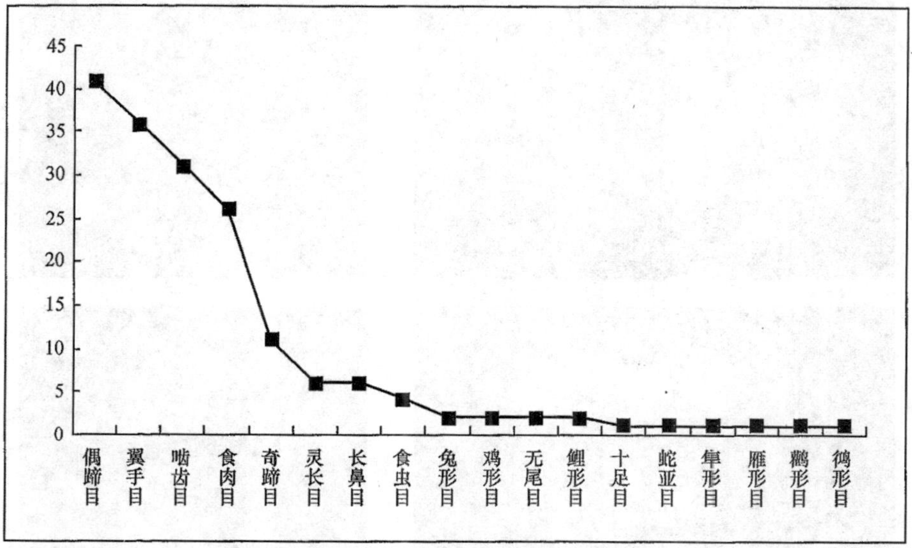

图 2–29　黄龙洞遗址出土动物最小个体数量

水牛、中国犀、华南巨貘、西藏黑熊、大熊猫、丽牛等动物一般活动于相对稳定的区域，它们是黄龙洞智人一年四季最稳定的肉食来源，除鸡形目外，褐冠鹃隼属夏候鸟，天鹅、白鹳、鹬等均属冬候鸟，因此，黄龙洞智人也只能在这些季节捕获候鸟。同时，黄龙洞发现了一定数量的鹿科动物，但却罕见鹿科动物的犄角，这说明古人狩猎鹿科动物的季节，有可能集中在春末夏初。这些动物中，多数动物表现出一种喜水的特征，还有一些水生的，如蟹、鱼、蛙、水獭、水鹿、天鹅等。这说明黄龙洞周围水源充沛。竹鼠、大熊猫的存在，说明遗址周边的森林间杂有竹林。树栖动物长臂猿、金丝猴、灰叶猴等及蝙蝠科动物的存在，说明黄龙洞外有茂密的森林覆盖。

黄龙洞出土动物群，可以分为三类，一类为绝灭动物种，共 16 种，约占动物种属的 19.3%。这与同时期的北京周口店、云南西畴仙人洞、神农架犀牛洞等遗址所见绝灭种所占比例基本一致。第二类为绝见动物种。绝见种指该动物可能是绝灭种，也可能是在本地已经消失不见的现生种。黄龙洞遗址中，绝见种共有 25 种，约占 30.1%。其余均为现生动物种（图 2–30）。

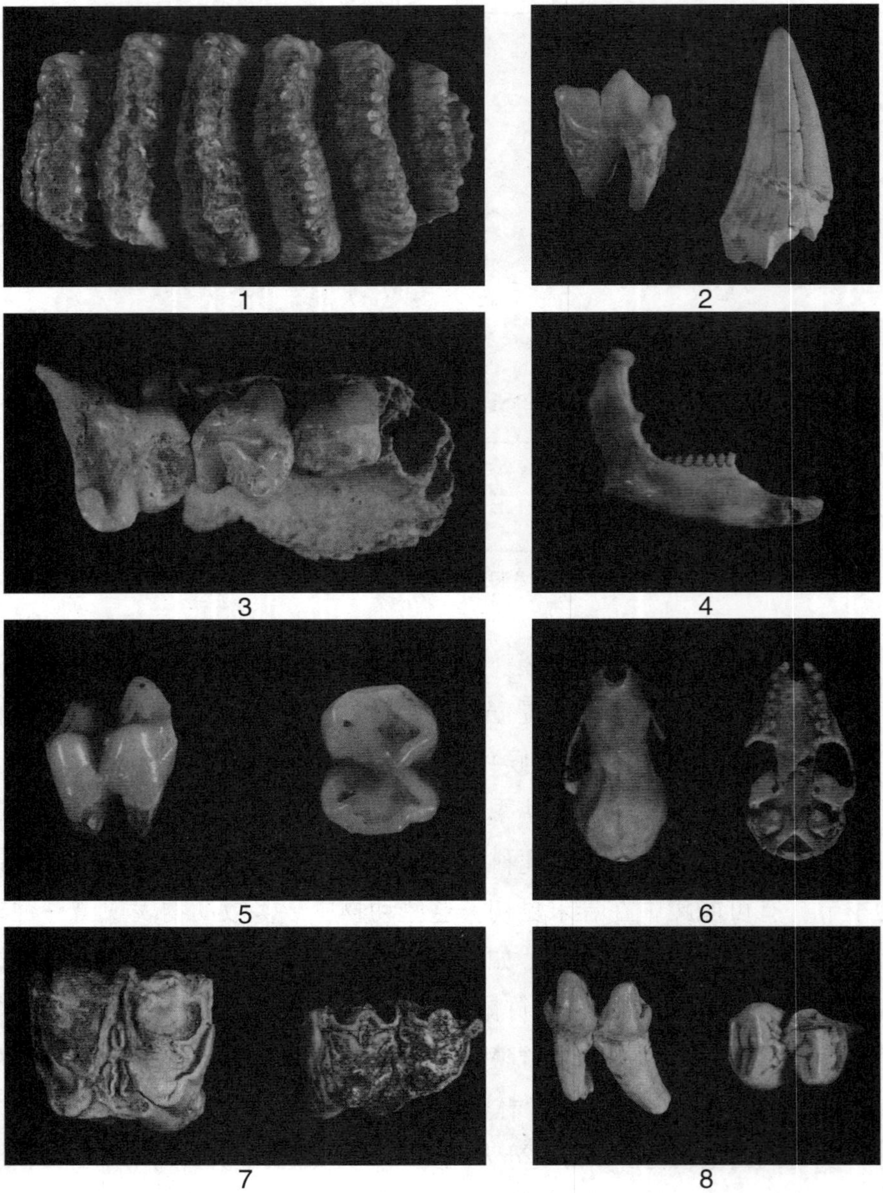

图 2–30　黄龙洞遗址出土动物化石

1. 东方剑齿象牙齿（TS2W3 ③ : 56）　2. 华南虎牙齿（TS1W8 ③ : 55、TN2E3 ③ : 51）　3. 灰叶猴下颌骨（TS1W8 ③ : 61）　4. 藏鼠兔下颌骨（TN1E2 ③ : 53）　5. 金丝猴牙齿（TS1W8 ③ : 52）　6. 白腹管鼻蝠颅骨（TS1E1 ③ : 56）　7. 水牛牙齿（TN2W2 ③ : 55、TS1W6S ③ : 60）　8. 华南巨貘牙齿（TN1W9 ③ : 70）

（五）用火遗迹

黄龙洞智人用火遗留的灰烬堆临近岩壁，分布区域集中在 2 平方米内，共有四个灰烬堆，其中两堆一组，两组之间的距离略大。灰烬堆最大直径为 178 厘米、最厚 10 厘米。灰烬底部较平整，但未发现火塘[①]一类的设施。在灰烬中发现了大量被烧过的骨头和牙齿。牙齿均属于大型哺乳动物，以偶蹄类居多，约占 50%，奇蹄类次之，约占 40%，剩余 10% 为肉食类动物（图 2–31）。

发掘者使用国际科学界公认的人工用火鉴定标准的测试技术，专门采样并分别进行了高倍微观形态分析、碳元素含量分析和岩石磁学地层高温事件检验。高倍微观形态分析，是把采集的燃烧样品放在扫描电子显微镜下观测，对样品的植物解剖结构、植物纤维成分及其燃烧后的变化特征，与现代人将植物燃烧后的标本进行对比。结果显示，采集样品与现代人对植物进行燃烧产生的变化特征完全一致。碳元素含量分析，则是采集灰烬堆与灰烬堆周围的土壤样品，分别进行碳含量测试。测试结果为灰烬堆样品碳元素含量高达 70% 以上，而灰烬堆周围地层样品碳元素仅为 10% 以下。化学分析表明，灰烬堆属于人类控制性用火遗迹（火堆），而周围地层中的碳元素则是人类一般活动造成的碳污染。岩石磁学高温事件检验，是将灰烬堆经过火烤过的地面在实验室使用温度曲线检验，还原其受热历史。检验结果为，灰烬堆地面确实经过突然的短期高温火烤，其受热温度约 400℃。这一地面温度变化值处于国际公认的人工用火火烤地面温度变化值内[②]。

---

① 火塘和灶均为古人的用火遗迹。现在在民俗学意义上，灶仅用于食物加工，而火塘则兼具照明、取暖的功能。本书在行文中，如不能确定为灶，一般都统称为火塘。

② 刘武等：《湖北郧西黄龙洞古人类用火证据》，《科学通报》2008 年第 24 期。

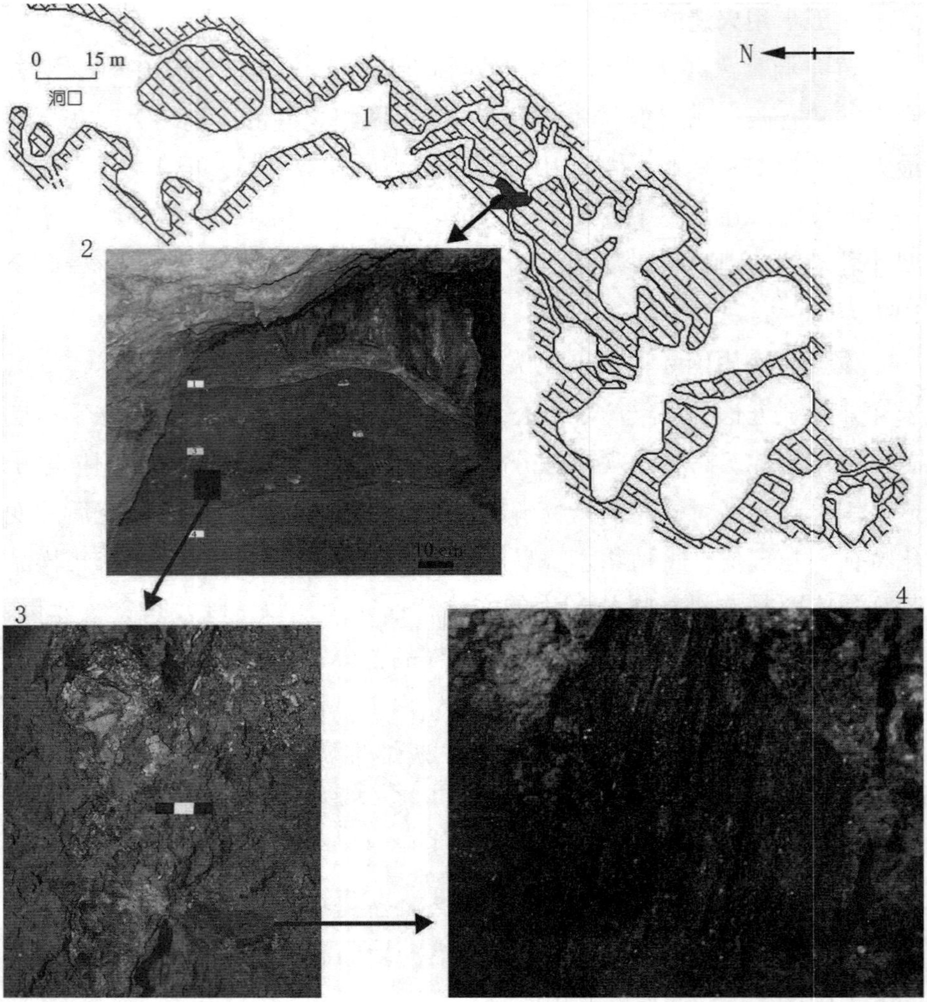

图 2-31　黄龙洞用火遗迹

1. 黄龙洞平面图　2. 黄龙洞地层剖面　3. 黑色地层物质局部观察　4. 黑色地层物质局部放大

目前荆楚地区旧石器时代的用火遗迹仅发现 5 处（表 2-6）。年代最早的为距今 76 万年的郧西白龙洞，这与北京直立人的用火遗迹年代相当。其余 4 处用火遗迹均为智人。鲢鱼山遗址共发现 6 处用火点。面积大小不等，较大的有 2—3 平方米。用火点在洞内的水平位置高低不同，这说明这些用火点有可能不是同时期的。被火烧过的炭屑、烧骨和红烧土块以及部分灰烬的堆积层，薄的有5厘米左右，厚的可达10厘米以上。小洞遗址发现了一片椭圆形，长约80、宽约50、厚约20厘米的红烧土块和比较板结的灰烬层（图2–32）。

表2–6 荆楚地区旧石器时代用火迹象

遗址	年代	用火迹象
郧西白龙洞	距今76万年	烧骨
长阳小洞	距今13万年	烧土、灰烬
长阳鲢鱼山	距今12万年	灰烬、木炭、红烧土、烧骨
郧西黄龙洞	距今10万年	灰烬堆、烧骨
长阳榨洞	距今2.7万年	灰烬、木炭、烧骨

用火，使旧石器时代的人类在生活方式、行为模式、体质变化和分布区域等方面均产生了极大改变。在生活方式和行为模式方面，改变有取暖、照明、驱赶猛兽、聚群而居、加工食物，以及制作和创造新的生活资料等。控制性用火（长期保存火种和控制火源）能够培养早期人类的群居意识和进行群体间的思想交流。因此，火堆是把人群聚集起来并促使人类群体间产生社会属性的重要纽带。火的使用还可以增加人类可食用物质的种类，改变物质营养成分，促进人类体质进化等。人类从温暖、食物丰足的区域向生存环境相对较差的区域迁徙，也是只有在掌握用火之后才能实现的。火的使用，使人类不仅能在温暖的非洲繁衍生息，而且还能在欧亚地区广泛迁徙[①]。

① 武仙竹等：《旧石器时代人类用火遗迹的发现与研究》，《考古》2010年第6期。

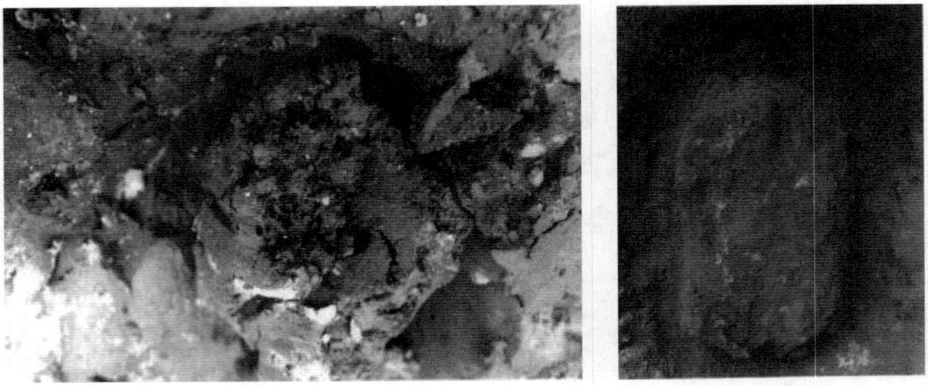

1　　　　2

图 2-32　荆楚地区旧石器时代用火痕迹
1. 小洞遗址　2. 鲢鱼山遗址

与黄龙洞智人化石同探方、同层的犀牛上臼齿化石的铀系法测年结果为距今 9.4 万年，同层的石笋铀系法测年结果为距今 10.3 万年。综合堆积特点与地层资料，发掘者认为黄龙洞出土的古人类和哺乳动物化石约距今 10 万年。最近的测年结果显示，这一年代的下限有可能晚至距今 7.7 万年[①]。而与化石同层的犀牛牙齿的 ESR 法测年数据为距今 4.42 万年，这与以上两个测年数据的偏差较大。

第三节　旧石器时代晚期

旧石器时代，中国南方和北方存在两个不同的石器工业类型，北方为小型石片工艺，南方为粗大砾石工艺（表 2-7）。旧石器时代早中期，二者大致以秦岭—淮河为界。旧石器时代晚期，北方系统扩散至全国范围内[②]。荆楚地区的旧石器时代石器工艺的变化也说明了这点，即从粗大的砾石石器工艺到不典型、小型化的砾石石器工艺，最后到石片石器

① 涂华等:《古人类遗址湖北郧西黄龙洞的铀系年代》,《人类学学报》2011 年第 3 期。

② 张森水:《管窥新中国旧石器考古学的重大发现》,《人类学学报》1999 年第 3 期。

工艺。根据石器组合和加工技术，属于南方砾石工艺的荆楚地区，旧石器时代的石器工业又可以分为两个小区，分别为鄂西北部的砾石—手斧文化区，鄂西南与澧阳平原的砾石—大尖状器文化区[①]。

表 2–7　中国南北石器工业类型

系统	南方	北方
分布范围	北至秦岭南麓，东至沿海地区，向南达到东南亚，西至青衣江、岷江流域	旧石器早中期，西至贺兰、屈吴山、六盘山东麓，东至辽宁千山山脉西麓，南界秦岭北坡，北至大青山南坡；晚期广泛分布于全国
石器原料	原料种类少，均为砾石，以石英砂岩、石英岩为主	原料多达 50 种，以石英、燧石、硅化灰岩、石英岩、砂岩和水晶为主
石器大小	大型为主，长度多在 10 厘米以上，4 厘米以下者很少	小型为主，长度多在 4 厘米左右，超过 6 厘米者不多
打片技法	锤击法、碰砧法	锤击法、砸击法、碰砧法
修整方法	锤击法	锤击法
石器类型	类型少，多重型工具，包括砍砸器、手镐、手斧、手锛、石球	类型多，多轻型二具，包括刮削器、尖刃器、石锥、雕刻器
流行时代	始于距今 70 多万年，结束于旧石器时代晚期（距今 3.9 万—3.6 万年）	可能始于旧石器早期，结束于距今 1 万年左右

汉江流域的气候环境深受秦岭隆起的影响。早更新世时，秦岭已开始抬升，但直到中更新世初期，秦岭的最高海拔不超过 1000 米。目前秦岭主峰太白山海拔为 3771 米，武当山主峰为 1612 米。这种地貌变化使汉江流域旧石器时代不同时期的人群不得不适应不同的生态系统。同时，荆楚地区与北方地区接壤，部分遗址表现出较强的北方石器工艺。距今约 100 万年的郧县人所处的环境是一种亚热带湿润气候环境。不同

① 方梦霞：《长江中下游地区旧石器文化的分期与分区》，浙江大学硕士毕业论文，2016 年。

海拔地区覆盖不同的植被，资源种类较丰富[①]。其石器工艺表现出明显的砾石工业的特点，选择河滩砾石为原料，砾石个体较大，加工的石制品形态也多较大，工具组合以砍砸器为主，出土的石制品有近半数是碎片或碎块。距今约80万年的白龙洞类型代表的是热带、亚热带森林－草原混合性环境，显示出中国北方石片石器工业的特点，石料主要取自洞穴周围变质岩层中的石英岩脉，石制品个体以中、小型居多，锤击法为剥片的基本方法，砸击法也有应用；石器毛坯以片状居多，类型有刮削器、雕刻器和砍砸器，以刮削器居多。

一、汉阳人

1997年1月，武汉市汉南区一居民在汉南纱帽山附近长江沙滩上采集到一些化石和一枚古人类头骨化石。纱帽山地区原属武汉市汉阳区管辖，学术界将这件头骨化石命名为“汉阳人”。

汉阳人头骨化石保存有额骨和左右顶骨，额结节和顶结节明显，眉梢较弱，眉睫较薄，骨质纤细，经鉴定为女性个体，年龄在30岁左右。专家鉴定后认为这件头骨化石有比较明显的原始特征，但比北京人进步，更接近现代人，其年代可能处于晚期智人比较早的阶段，与北京山顶洞人（距今约1.8万年）和四川资阳人（距今约3.5万年）年代相当，即距今5万—1万年左右（图2–33）。

汉阳人头骨化石是在长江边的沙滩上发现的，已经脱离了原生地层，但头骨没有长期冲刷磨损的痕迹，据此分析，头骨的原始埋藏地点应该距此不会太远。湖北省文物考古研究所在附近的断面上采集了数件石器，其中双面石核上有磨蚀痕迹，当时已经出现了磨制技术，其年代为旧石器晚期的最后一个阶段[②]。

---

① 武仙竹：《郧县人遗址的地层和古气候》，《化石》1995年第1期。

② 李天元、冯小波、李文森：《“汉阳人”化石的发现》，《文物世界》2000年第2期。

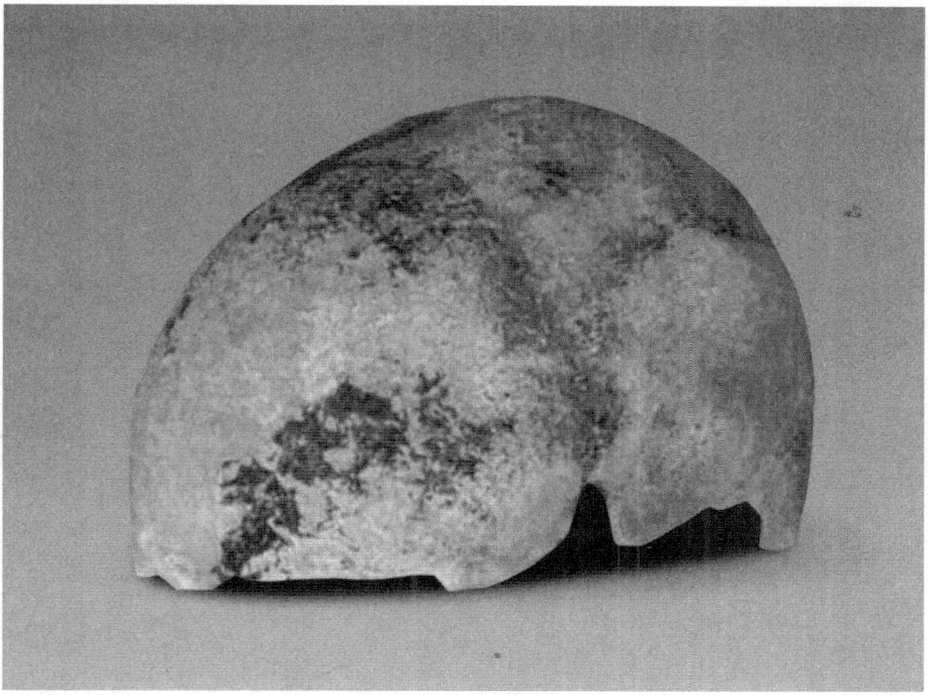

图 2-33　汉阳人头骨

二、丹江口杜店

杜店遗址位于湖北省丹江口市均县镇杜店村，地处汉江右岸的三级冲积阶地前缘（图 2-34）。2008 年，吉林大学边疆考古研究中心对遗址进行了考古发掘，发掘面积 600 平方米。发掘区分Ⅰ、Ⅱ两区。Ⅰ区发现的遗存距今约 1 万年左右，Ⅱ区发现的遗存距今约 70 万年左右。

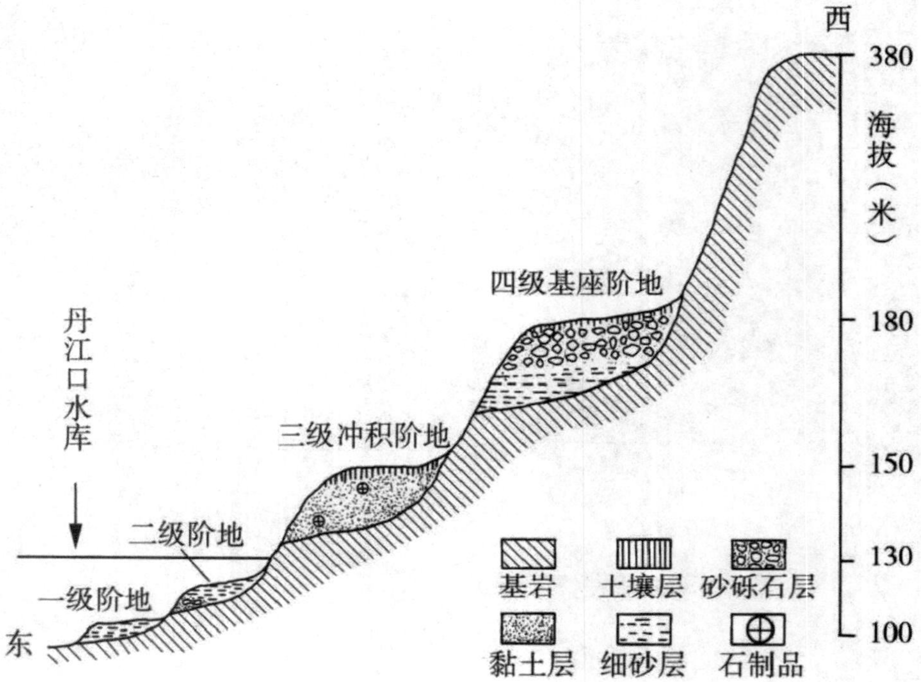

图 2-34　杜店遗址阶地示意图

（一）石器工业

Ⅰ区发现石制品 151 件，包括石核（12 件）、石片（17 件）、断块（70 件）、工具（2 件）、石器（50 件）五类。剥片法为锤击剥片和砸击剥片共用。修整方式为锤击修理。石器类型丰富多样，属于北方小型石片工艺；器形以刮削器（31 件）为主，砍砸器（9 件）、尖状器（8 件）次之，雕刻器（1 件）、端刮器（1 件）的数量较少。

Ⅱ区发现石制品 58 件，包括石核（8 件）、石片（10 件）、断块（13 件）、石器（25 件）四类。剥片法以锤击剥片为主，少量砸击剥片。修理方式均为锤击修理。石器类型相对单一，属于南方砾石石器工艺；器形以砍砸器（14 件）为主，手斧（5 件）次之，手镐（2 件）、尖状器（2 件）、刮削器（2 件）的数量较少（图 2-35）。

图 2-35　杜店遗址出土石器

1. 手斧（ⅡC：1）　2. 手镐（ⅡC：16）　3. 石核（ⅡT5②：3）　4. 刮削器（ⅠT14③：7）　5. 刮削器（ⅠYJ1：17）　6. 石核（ⅠT11③：1）　7. 刮削器（ⅠT7③：1）　8. 石钻（ⅠYJ1：9）　9. 石核（ⅠT5③：3）

根据尺寸（最长径）、重量，可将杜店遗址Ⅰ、Ⅱ区出土石器分为5个等级。重量方面，Ⅰ、Ⅱ区石器均以微型为主，但Ⅰ区的比例明显高于Ⅱ区；且Ⅱ区石器中型、大型、巨型的比例明显高于Ⅰ区。从尺寸来看，Ⅰ、Ⅱ区均以中型为主，但Ⅰ区中型石器的比例明显高于Ⅱ区；Ⅱ区大型石器的比例明显高于Ⅰ区，小型石器明显低于Ⅰ区。同时，Ⅰ区无巨型石器发现，Ⅱ区无微型石器发现。杜店遗址Ⅰ、Ⅱ区出土石器这种尺寸、重量的差异，反映了不同石器工艺在这一地区的历时性变化。（表2–8）

表2–8　杜店遗址出土石器大小

分类	重量（克）			尺寸（毫米）		
	区间	Ⅰ区	Ⅱ区	区间	Ⅰ区	Ⅱ区
微型	≤ 100	74.84%	39.66%	＜ 20	0.66%	0%
小型	100—200	18.54%	13.79%	20—50	37.09%	20.69%
中型	200—400	5.30%	17.24%	50—100	54.30%	39.66%
大型	400—1000	0.66%	17.24%	100—200	7.95%	37.93%
巨型	≥ 1000	0.66%	12.07%	≥ 200	0%	1.72%

杜店遗址距今约70万年的Ⅱ区，石器原料种类共有10种，其中石英岩最多，占41.4 %，其次是角岩、石英砂岩和石英，分别占22.5 %、10.4 %和8.6 %，还有少量花岗细晶斑岩、闪长岩、脉石英等。各类石器与岩性分类统计显示，石英岩、角岩和石英砂岩在各类石器中都有较多利用；而花岗细晶斑岩、闪长岩、脉石英等多出现在个别工具、断块和石片中。距今约1万年左右的Ⅰ区，石器原料共有13种，以角岩（36.4%）和石英岩（34.4%）为主，石英砂岩（12.5%）次之，还有少量砂岩、细晶岩、闪长岩、石英、花岗岩、泥岩等。石英岩多见于石片和

断块，少量用于石核。角岩在石核和工具中使用率提高，在断块和石片中也有一定比例；石英砂岩则多出现于断块和部分工具中。

杜店遗址Ⅰ、Ⅱ区石器原料中，所占比例最多者（石英岩、石英砂岩、角岩）基本相同。不同类型的原料在不同类型的石器中有所差异。石器原料应来自第四级阶地砾石层的砾石，属于就地取材，这说明杜店遗址的古人类从70万年开始，就已经对当地的石料有较清楚的认识。虽然Ⅰ、Ⅱ区的石器类型、石器加工工艺都有很大的差别，但是对石料的这种认识、就地取材等认知得到了延续。

（二）石器加工场所

杜店遗址在Ⅰ区发现一个由399件石块叠压构成，长9.8米、宽0.22—1.22米的遗迹①。根据发掘的情况，此遗迹具有以下特征：

（1）石块以平放为主，约占91.4%；也有少量直立（2.3%）和倾斜（6.3%）者；直立者大多孤立，没有其他石块或者石制品支撑。

（2）砾石和断块的长轴方向无规律，且大小分布零散，没有经过分选。

（3）包含物中断块和工具约为98%。它们的磨圆度很小，这显示它们极少受到搬运腐蚀；有部分工具及砾石与断块共出。

（4）无流水作用的扰动痕迹。

（5）石块分布密集，有多处叠压。

（6）石料与文化层出土的石器基本相同。

这些特征表现出一种原地埋藏的特征，这说明此遗迹非流水等自然因素形成。包含物的石料种类有石英砂岩（46.6%）、砂岩（27.2%）、角岩（16.5%）、石英（8.5%）、页岩（1.3%）和长石斑岩（0.5%）等，这些原料的种类及比例与遗址底部的第四级阶地砾石层中的原料一致。因此，可以推测遗迹中石制品就是来源于第四级阶地砾石层。理想石制品

① 刘扬、贺存定、陈全家等：《湖北丹江口杜店旧石器时代遗址发现的遗迹现象初探》，《江汉考古》2012年第1期。

的原料应具备三种物理性能，即硬度、均质和韧度适当。石料中数量最多的三类也是当地最常见、最理想的石器制作原料。这说明古人类已对各种石料的物理性能有了一定的了解（图 2-36）。

遗址出土的石制品可以分为完整砾石、断块和工具三大类，以断块居多，约占 87%，完整砾石和工具分别为 7.7%、5.2%。同时在发掘过程中，还发现制作石器留下来的少量碎屑。这些说明可能是工具在制作完成后，可使用者被带走，大量断块有可能是制作过程中初级品或者废品，完整砾石应该是未使用完的备料。在遗址的周边未发现活动面、动物化石、红烧土、食物加工遗迹等居住生活所必需的要素，这基本排除了遗址为居址的可能性；也未发现任何与象征性或者仪式性有关的现象和器物，也排除了宗教或者祭祀的可能性。因此，这一遗址有可能是一处石器加工场所的活动面，其原料属于就地取材。

图 2-36　杜店遗址石器加工场

三、江陵鸡公山

鸡公山遗址位于湖北省荆州市荆州区郢北村。1992 年，荆州博物馆与北京大学对其进行了考古发掘[①]。

（一）堆积过程

鸡公山遗址地处江汉平原腹地的长江左岸。西北紧邻长湖的一小支汊，南距长江河床约 8 千米。南北长约 500 米，东西宽仅百余米。旧石器时代遗存主要分布在土岗中部偏西侧。其地层堆积可分 6 层。

第 1 层，浅黄色表土。厚度为 0.1—0.2 米。

第 2 层，黄色亚黏土。可分成两个亚层。2A 层，浅黄色亚黏土，含数量较多黑色片状锰膜，且多富集于石制品之下，发现有数量较多的小型石片石器，厚度约 0.1—0.2 米；2B 层，黄褐色亚黏土，与 2A 层的界限不明显，呈逐渐过渡，包含物同上，但石器数量很少，厚度约 0.2—0.3 米。

第 3 层，红褐色亚黏土，致密，亦含较多的锰膜，不含文化遗物，厚度约 0.2—0.3 米。

第 4 层，红褐色亚黏土，含较多呈大片状锰膜，土质致密坚硬，含数量众多的砾石石器，厚度约为 0.5—0.8 米。

第 5 层，与 4 层呈逐渐过渡状态，主体部分为纯净的红褐色亚黏土，不见文化遗物，厚度为 1—2 米。

第 6 层，褐色细砂，出露部分深 6—7 米。

从堆积情况看 3—5 层的红褐色亚黏土与 6 层的褐色细砂应系河流阶地堆积。在 2、3 层之间的侵蚀面则代表一个较长时间的沉积间断。侵蚀面以上的黄色亚黏土显然应晚于阶地堆积。根据地层堆积的上述特点，可将鸡公山遗址发现的含旧石器的堆积分为两部分，即侵蚀面之下含砾石石器的红褐色亚黏土为下文化层；侵蚀面之上含小型石片石器的

① 刘德银、王幼平：《鸡公山遗址发掘初步报告》，《人类学学报》2001 年第 1 期；田园：《鸡公山旧石器遗址》，《江汉考古》2001 年第 1 期。

黄色亚黏土为上文化层。

（二）石器工业

鸡公山遗址上层石器多集中在同一水平面，上下相差不超过 10 厘米，这说明人类在此活动的时间可能没有持续很久。大部分石器表面没有经过风化，仅有少部分受到中度或者重度风化。这说明大部分石器很快被覆盖埋葬，但仍有一些暴露在露天条件下很长时间。

上层文化石器原料主要有砾石和燧石两类，砾石可能来自附近的河滩，燧石来源可能不在附近。砾石原料中，石英、石英岩所占比例最多，也有部分石英砂岩。石器制作技术比较简单，使用石锤直接打击方法进行打片和修理。部分石片残留有使用痕迹。石器所占比例较低，约为 4.3%，形体较小，长度和宽度多在 2—3 厘米，大于 5 厘米的很少见。

下层为典型的砾石石器工业，原料均为砾石，岩性比较复杂，以石英岩（38%）、火成岩（31%）、石英砂岩（22%）为主，砂岩次之，另有少量燧石、石英等。石器制作主要采用石锤直接打击法，部分石片背面还不同程度地保留有砾石皮。石制品数量和种类居多，石器所占比例很低，约为 2.34%（图 2–37）。

（三）石器加工场所

鸡公山遗址的石器加工场长约 30 米，宽约 20 米（图 2–38）。整个活动面上布满了砾石、石核、石片和各种类型的石制品。中心部分位于遗址的中部和北部，由几个石圈组成，石圈近圆形，直径 1.5—2.5 米不等，圈内是空白区，或有少量加工好的石器。圈外则布满砾石、石核和石片等原料及半成品，形成宽约 1 米的圆圈带。在这个活动面上有几处人工打制石器的工作区，发现有石锤和石砧等石器加工工具，旁边集中分布有数量较多的砾石、石核、石片及大量的废片。成品、半成品和原料数以万计。石器的种类有砍砸器、大尖状器、原手斧、石球、大型和小型刮削器等。其中数量最多，最具特色的为大尖状器。

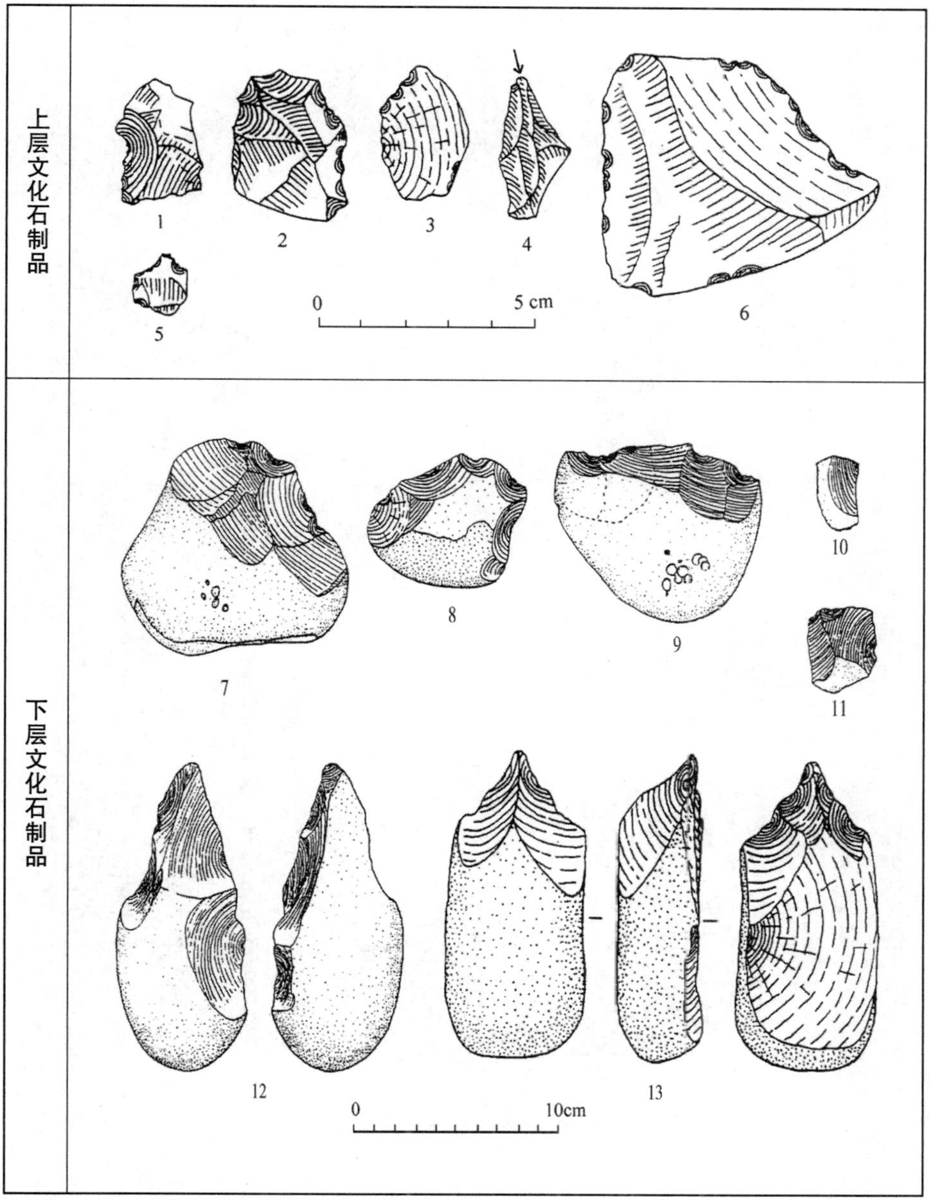

图 2–37　鸡公山遗址出土石器

1. 凹缺刮器（T18 ②：192）　2. 齿状刮削器（T18 ②：40）　3. 边刮器（T18 ②：148）　4. 雕刻器（T18 ②：38）　5. 尖状器（T18 ②：179）　6. 石片（T7 ②：1）　7、8. 砍砸器（T4 ④ A ：76、T7 ④ A ：24）　9. 重型刮削器（T7 ④ A ：92）　10、11. 石片（T7 ④ A ：93、T7 ④ A ：94）　12、13. 大尖状器（T18 ④ A ：36、T4 ④ B ：98）

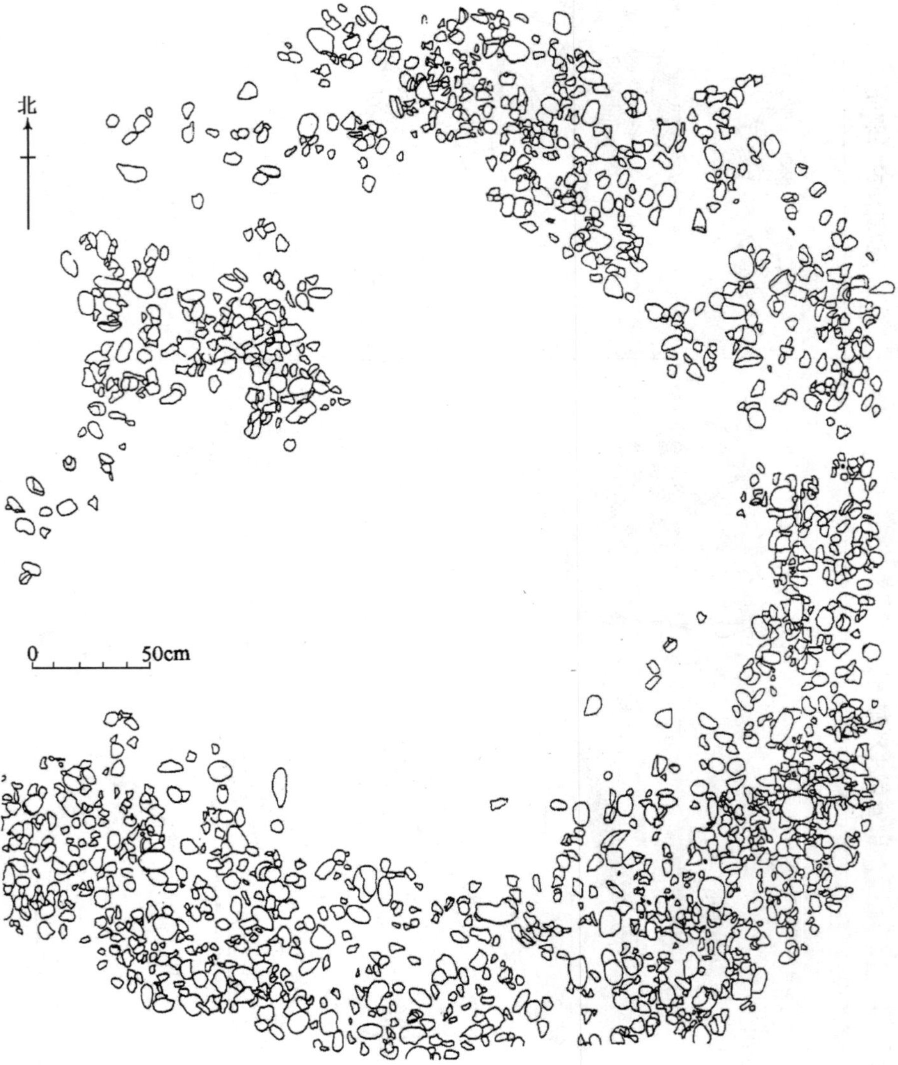

图 2–38　鸡公山遗址石器加工场所

第三章　多元格局

公元前5500—前3000年，荆楚地区呈现一种群星闪耀的多元文化格局，鄂西南、鄂西北、江汉平原、鄂东南存在四个特色明显的文化系统。

公元前5500年左右，洞庭湖平原的彭头山文化向西北进入鄂西南形成了城背溪文化；黄河中游的老官台文化也进入鄂西北，形成了一些孤立的居住点，并一路南下与城背溪文化直接接触。荆楚地区早于公元前5500年的新石器时代遗存仅在长阳桅杆坪遗址发现，年代为公元前8070±190年，并发现了一块陶片。由于其发现遗存较少，我们还不能确定其与后续分布于这一区域的城背溪文化关系如何。

来自洞庭湖平原和黄河中游的人群在荆楚地区形成了完全不同的两种后果。来自洞庭湖平原的城背溪文化在峡江地区实现了本土化，在其基础上形成了柳林溪文化、大溪文化，发展成为新石器早中期长江中游最重要的一类文化。在大溪文化时期，其又向南发展，扩散到洞庭湖地区。来自黄河中游的老官台文化、后岗一期文化在文化面貌上与黄河中游保持一致。在下王岗二期文化、朱家台文化时期，汉水中游才形成了区域特色，实现了文化面貌的本土化。但下王岗二期文化的中原文化属性明显，总体来说仍是黄河中游彩陶文化的重要组成部分。朱家台文化分布范围相对较小，对周邻区域的影响也有限。

这一时期的文化交流，我们可以理解为是两种不同烹饪方式的碰撞。鄂西南的炊具是釜，鄂西北的炊具有罐和鼎两类，以罐为炊具的是老官台文化，以鼎为炊具的是后岗一期文化、下王岗二期文化和朱家台文化。仰韶早期，以罐、鼎为炊具的两个文化圈在我国第二级台地和第三级台地的过渡地带互相博弈，鼎类遗存占有优势，这一互动也深刻地影响了汉水中游地区。在湖北地区釜、鼎两类遗存的互动中，鼎类遗存处于主动地位，在以釜为炊具的城背溪文化、柳林溪文化、大溪文化中我们都观察到了鼎，反之则不然。虽然鼎在釜类遗存发现较少，未成为核心器类，但有一个持续增加的过程，在陶器中所占比例从柳林溪遗址第一期的 1% 增加到关庙山遗址第四期的 4.8%，这说明这种主动性持续了一定时间。其后的仰韶中期，黄河中游半坡文化、庙底沟文化强势扩张，处于南部外围的后岗一期文化逐渐被涵化，鄂西北地区形成了下王岗二期文化，且被不断向南挤压，文化因素传播至汉西地区。朱家台文化时期，中原腹地的西王村文化、秦王寨文化处于相对稳定的发展态势，相应的朱家台文化就缺少向南发展的动力。

黄河中游的半坡文化、庙底沟文化陶器装饰以彩陶为主，后岗一期文化陶器装饰以素面为主；洞庭湖平原的彭头山文化以绳纹为主，汤家岗文化以镂空为主。在文化的这种南北传播、融合过程中，陶器装饰技术也发生了碰撞、融合。鄂西南从柳林溪文化开始就有彩陶发现，虽未成为核心陶器装饰方式，也存在一个持续增加的过程，所占比例从柳林溪遗址第一期的 0.2% 增加到关庙山遗址第三期的 3.4%。与鄂西南发现的鼎类似，我们也看到中原文化的主动、持续影响。同时，在鄂西南陶器装饰方式由绳纹向素面转变的大背景下，彩陶的这种弱势地位，也说明鄂西南文化发展的延续性和文化内部的凝聚力。两者在文化交流的过程中，均沿着各自的轨迹持续发展，文化交流呈现一种融合与浸润的态势，基本未形成博弈的局面。

鄂东南新石器遗存的出现相对较晚，从文化面貌看，其与长江下游有明显的联系，与其他三个地区差异明显。这种文化格局的形成，与湖北九省通衢的地理位置、自然资源有直接的关系。江汉平原南通澧阳平原，汉江中游北接关中平原、南阳盆地，鄂东南北为幕阜山、大别山所阻，长江两岸的丘陵地带素有吴头楚尾之称。这种地理格局使得湖北早期的人群与澧阳平原、长江下游、黄河中游保持着紧密的联系。洞庭湖地区是长江中游稻作农业的发源地之一。城背溪文化、柳林溪文化人群，从平原走进了山地，虽然沿用了陶器，但似乎放弃了农业。直到大溪文化时期，才再一次扩散到了平原地带。

鄂西北是旱作农业区，荆楚地区的后岗一期文化、下王岗二期文化、朱家台文化都有明确的旱作农业证据，现代旱作农业的南界也是在汉水中游地区。所以，鄂西南与鄂西北的交流，可以理解为旱作农业与狩猎采集，旱作农业与稻作农业的交流，不同的生业经济，各有其独特的生活方式和知识体系。历史时期农耕与游牧的碰撞与博弈，是以生业经济的转变为基础的。史前时期，鄂西南、鄂西北均存在大量处女地未开发，两种文化传统的扩散必然是以相同资源和环境地区为首选。这就造成了我们从考古学遗存上观察到两者的文化交流与融合（图 3–1）。

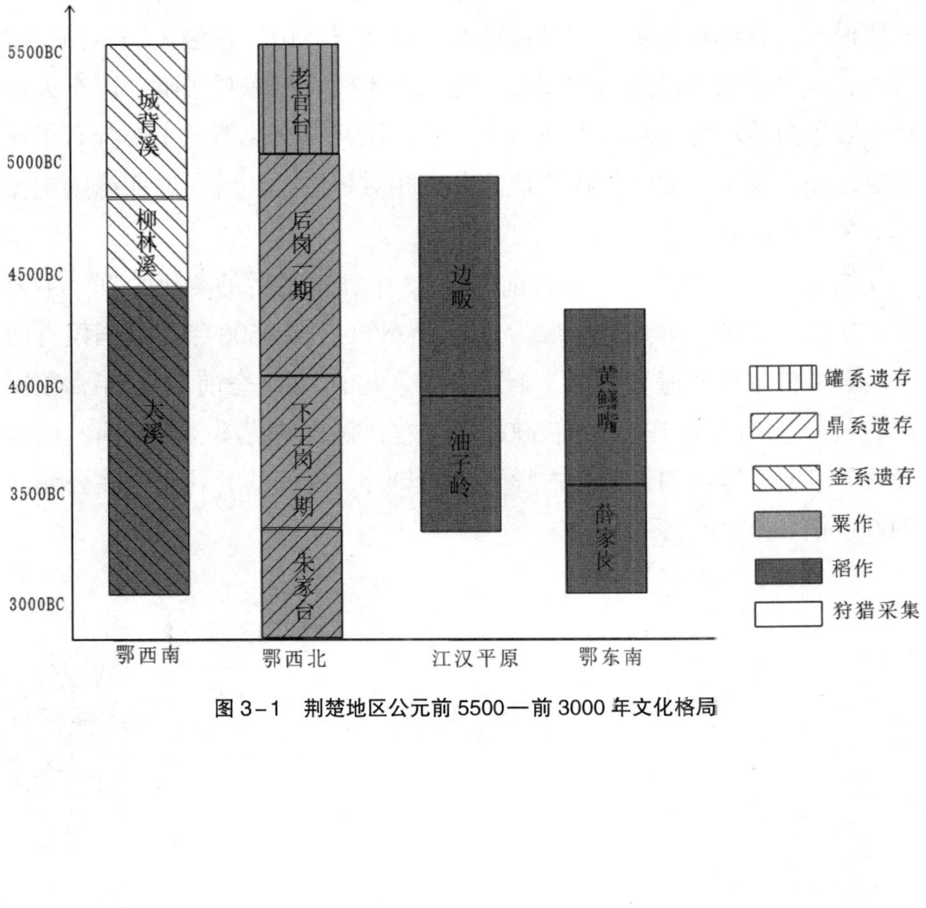

图 3–1 荆楚地区公元前 5500—前 3000 年文化格局

第一节　鄂西南地区

公元前5500年左右，洞庭湖平原以釜作为炊具的彭头山文化向北扩张，抵达了江汉平原西缘和峡江地区，在实现本土化的基础上，先后形成了城背溪文化、柳林溪文化和大溪文化，延续了2500多年。在城背溪文化、柳林溪文化时期，鄂西南与洞庭湖平原各具特色，保持了平行发展的势头。大溪文化时期，大溪文化向南发展，实现了这一地区文化面貌的统一，为后续更大范围的整合奠定了基础。

一、城背溪文化

城背溪文化主要分布于西陵峡与江汉平原西部之间的区域，遗址多位于长江两岸。目前经过发掘的遗址有宜都城背溪、宜都金子山、宜都栗树窝、宜都花庙堤、宜都枝城北、枝江青龙山、松滋关洲、秭归东门头、宜昌路家河、宜昌窝棚墩、巴东楠木园、巴东鸭子嘴、巴东火焰石、巴东白羊坪等。从地形地貌上来看，城背溪文化遗址主要分布于峡江地区和江汉平原西缘。峡江地区分布相对零散，江汉平原西缘则主要集中在宜都附近（图3–2）。

城背溪文化的测年数据目前共有13个，矫正后的测年数据，主要集中在两个区域。第一个区域为公元前7500—前6500年，数据仅有两个，均来自城背溪遗址。第二个区域为公元前5800—前4680年，数据有11个，多数集中在公元前5000年左右，来自城背溪、路家河、楠木园三个遗址。经过和其他考古学文化的契合，我们认为其年代在公元前5500—前4800年（图3–3）。

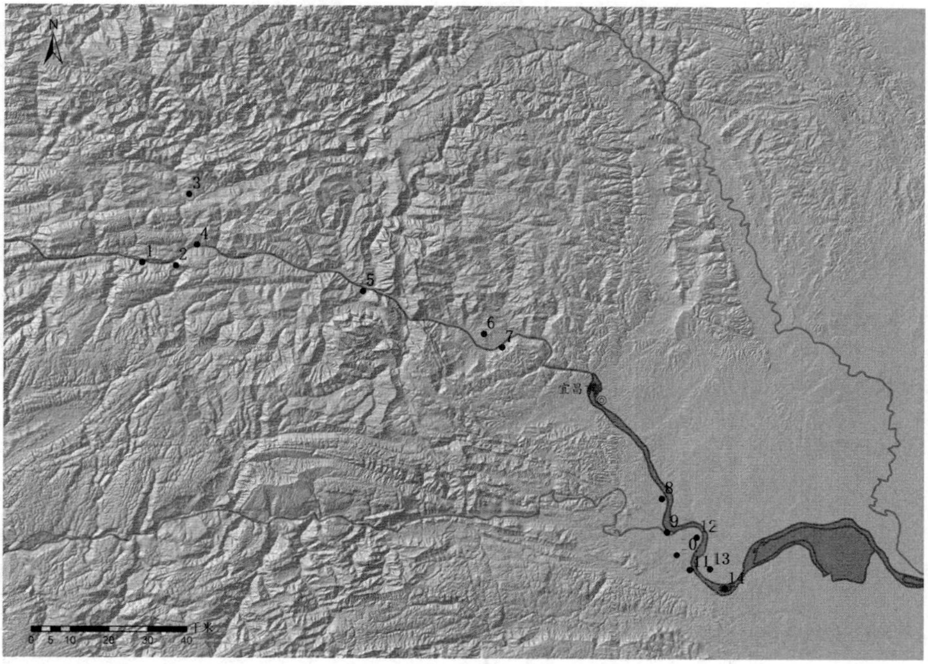

图 3–2　城背溪文化遗址位置图

1. 巴东楠木园　2. 巴东火焰石　3. 巴东白羊坪　4. 巴东鸭子嘴　5. 秭归东门头　6. 宜昌路家河　7. 宜昌窝棚墩　8. 宜都城背溪　9. 宜都花庙堤　10. 宜都金子山　11. 宜都枝城北　12. 宜都栗树窝　13. 枝江青龙山　14. 松滋关洲

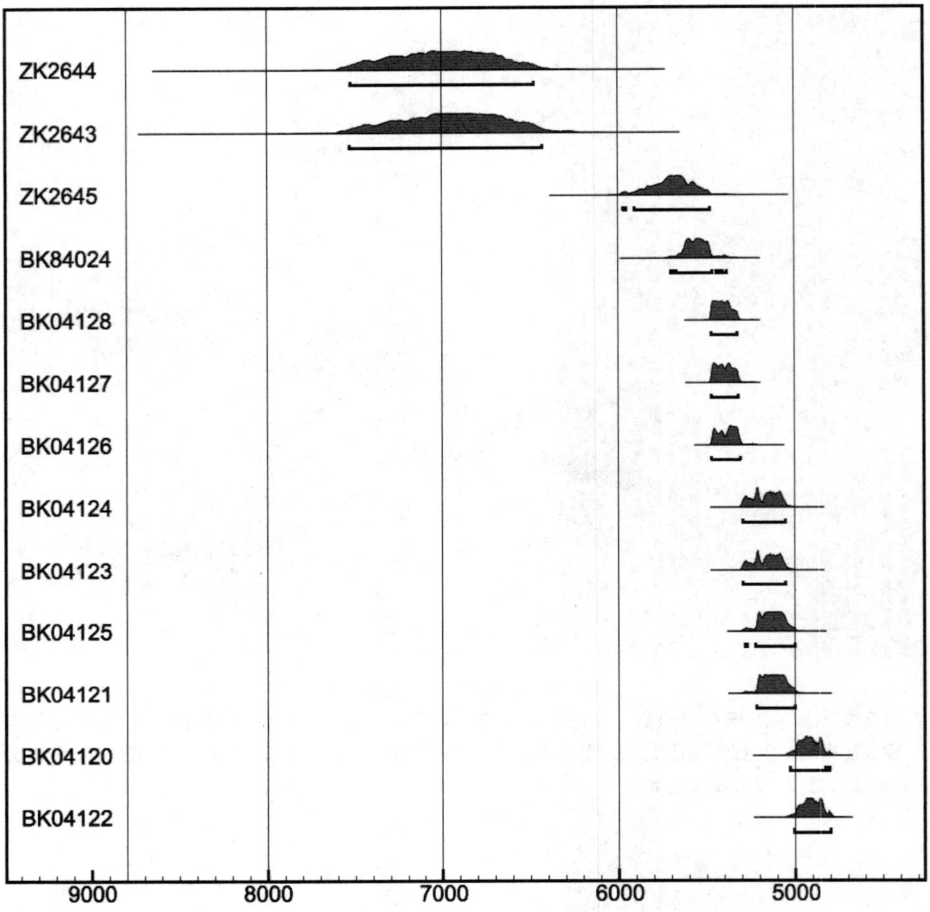

图 3–3　城背溪文化测年数据

（一）陶器面貌

城背溪文化陶器陶质松散、火候较低，烧成温度在 600—700℃。陶器制作水平不高，表面凹凸不平，器形常歪斜不正。制作方法有泥片贴塑法、泥片贴筑法和泥条盘筑法，以第一种为主，支座则采用捏塑法直接成型。许多陶器表面有脱皮或者掉疤的现象，有的壶口沿残片有分层的现象。陶质以夹炭夹砂陶为主，约占 90.57%，多为作为炊器使用的釜、罐等；夹砂陶、夹炭陶次之，均在 4.5% 左右，多为支座、盘、钵等盛储器等；泥质陶的数量极少，仅占 0.59%。由于陶器烧制温度较低，仅经过氧化过程，因此，陶色以褐色为主，约占 74.93%，红色次之，约占 16.46%，灰色最少，约占 8.61%。为改善夹炭夹砂陶的使用舒适度和美观性，城背溪遗址居民在陶器的内、外壁涂抹 1 层泥浆。烧制过程中，由于受热不均，中间夹炭夹砂部分多为黑色，器表泥浆多为红色。城背溪文化陶器在制作过程中，器表常残留有拍印的绳纹（89.95%），有粗、中、细之分，以中绳纹为主，粗绳纹次之，细绳纹最少。素面陶仅占 9.68%，多为盘、钵等器类（图 3–4）。

考古学者通常将陶器的陶质分为泥质和夹砂两种。夹砂陶即是在陶泥中掺入了各种掺杂料，如石英、云母等矿物质，蚌壳、植物等有机物等。这些掺杂物会影响陶器的各种物理性能[①]。第一，抗撞击性方面，无掺和物的陶器强度最高，其次为夹矿物质的陶器，再次为夹有机物的陶器。第二，器物重量方面，掺杂植物的陶器重量最轻。第三，导热性方面，在加热温度为 650℃的实验条件下，夹砂陶器的导热性最佳，并且夹砂陶坯在制作过程中干燥的速度最快[②]。对一些稍晚的遗址如灵宝西坡[③]、张掖西城驿[④]、杭州良渚[⑤]等的研究表明，这种掺杂料是人为加入的。至于城背溪文化陶器中的矿物掺杂料，是人为加入还是陶土未经淘洗，目前还缺乏研究成果。但可以确定的是碳等有机物肯定是人为加入的。这说明城背溪文化人群已经了解并掌握了掺杂料对陶器物理性能的影响。

① 李家治：《中国科学技术史 · 陶瓷卷》，北京：科学出版社，1998 年，第 32 页。

② 鲁晓珂等：《夹砂陶器掺合料的初步研究》，《文物保护与考古科学》2018 年第 5 期。

③ 鲁晓珂等：《夹砂陶器掺合料的初步研究》，《文物保护与考古科学》2018 年第 5 期。

④ 郁永彬：《甘肃张掖西城驿遗址陶器的科技分析与研究》，《考古》2017 年第 7 期。

⑤ LU Xiao–ke，LI Wei–dong，LIU Bin，etal．Analysis of the Potteries from Ancient Liangzhu City–Site．Science China Technological Sciences，2013，56（4）：945 — 951．

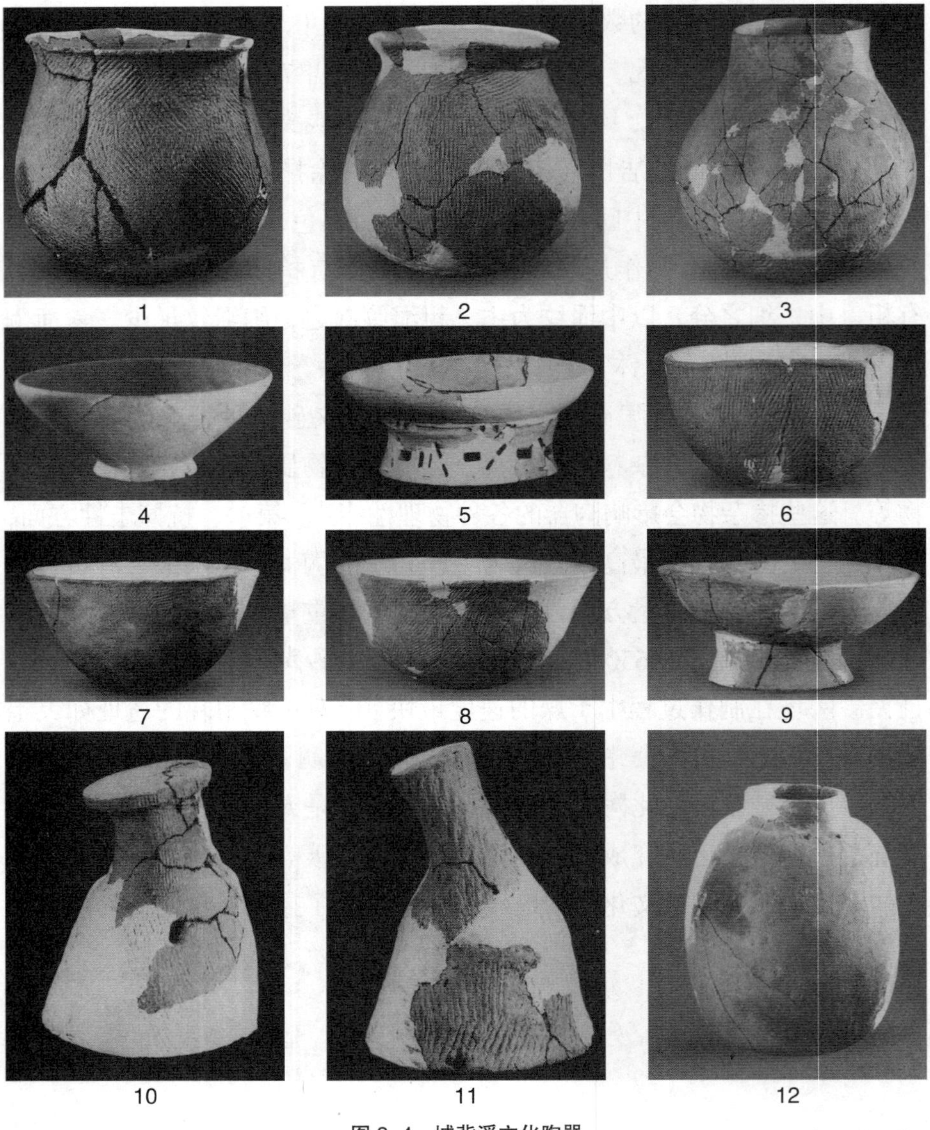

图 3–4 城背溪文化陶器

1. 釜（城背溪 T3 ⑥ ：11） 2. 釜（城背溪 T3 ⑥ ：25） 3. 釜（枝城北 H1 ：11） 4. 碗（朝天嘴 T7E ：147） 5. 圈足盘（城背溪 T6 ③ ：26） 6. 圜底钵（城背溪 T6 ③ ：5） 7. 圜底钵（城背溪 T6 ③ ：6） 8. 圜底钵（城背溪 T8 ④ A ：5） 9. 圈足盘（城背溪 T6 ③ ：9） 10. 支座（城背溪 T6 ③ ：58） 11. 支座（城背溪 T6 ③ ：32） 12. 罐（朝天嘴 T14⑲ ：79）

猪嘴形支座是城背溪文化的典型陶器，也是江汉平原西部、峡江地区新石器时代早中期的典型炊具，它应为圜底釜的支撑物，三个一组，在釜的底部构建了一个空间，有利于柴火的燃烧[①]。现在有些地方，野外生火时，常在锅下垫三块石头，原理即与此相同。以三个支座支撑圜底釜进行炊煮的方式不限于长江中游。正定南杨庄[②]遗址第一期的年代与城背溪文化相当或稍晚，其炊具与城背溪文化大同小异。目前还缺少对二者之间的联系的论证，炊煮方式的相似是人类同理心还是文化交流的结果，目前尚是未解之谜（图 3–5）。

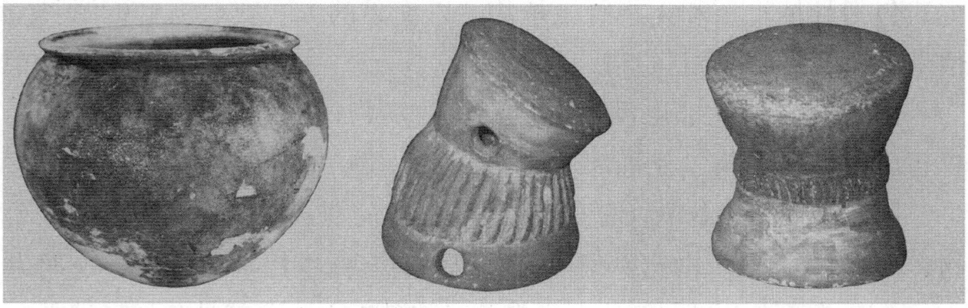

1　　2　　3

图 3–5　南杨庄遗址第一期陶器

1. 圜底釜（T43④：5）　2. 支座（T46④：2）　3. 支座（T46④：13）

（二）生业经济

城背溪文化人群使用的生产工具基本为石器，石料均取材于当地的河漫滩。有打制与磨制之别，以打制为主；磨制石器仅刃部磨光，通体磨制者很少。器类有斧、锛、铲、刀等。楠木园遗址出土的石器石料种类繁多，以来自江边的砾石为主，而砾岩则来自楠木园遗址所在的山坡。石英岩不产于当地，有可能来自长江上游。石器以石片为主，制法几乎全部为锐棱砸击法，石片和以石片为毛坯的石器在整个石器中所占

① 严文明:《中国古代的陶支座》,《考古》1982 年第 6 期。

② 河北省文物研究所:《正定南杨庄——新石器时代遗址发掘报告》，北京：科学出版社，2003 年。

比例为 60.7%。

目前，城背溪文化遗址均没有居住遗迹发现，仅在城背溪遗址发现了 2 个灰坑、1 条灰沟。城背溪遗址南区文化堆积厚约 80—120 厘米，这说明人群曾长期在此活动。遗址出土的动物骨骼有水牛、鹿、鳖甲、青鱼、蚌壳等，缺少驯化动物，以鱼骨和甲鱼的数量为多。陶胎内虽夹杂有大量的炭化稻谷，但目前尚无法判断这些稻谷为野生或驯化。种种的迹象使我们还难以判断城背溪文化人群为农业定居者，或者非农业定居者，抑或非农业非长期定居的人群。有学者认为城背溪文化的“生业方式包括种植水稻和采集野生植物，以渔猎的方式获取肉食资源”[①]，但未对驯化稻的证据进行进一步的说明。

巴东楠木园遗址也没有发现驯化的动物，出土动物种类有草鱼、青鱼、龟、扬子鳄、亚洲象、豪猪、狗、獾、熊、猪、麂、麋鹿、水牛、猴等。鱼类占主导地位，约占动物标本的 90% 以上，其次为哺乳动物，约占 7%。猪所占比例很低，早期可鉴定标本比例为 1.2%，晚期为 4.3%。这说明楠木园人群的肉食来源以狩猎为主，尤其是鱼类。秭归东门头[②]、长阳桅杆坪[③]、长阳沙嘴[④]等遗址的情况与巴东楠木园类似，肉类来源均以野生为主，缺少家养动物甚至没有，这可能是城背溪文化生业经济的一个特点。需要注意的是上述材料均来自峡江地区，分布于江汉平原西缘的遗址，从自然环境、动植物资源来看，应该与峡江地区有一定的差异，但目前缺少资料，我们还难以具体展开。

---

① 袁靖：《中国新石器时代至青铜时代生业研究》，上海：复旦大学出版社，2019 年，第 182 页。

② 武仙竹等：《东门头遗址动物遗骸研究报告》，《秭归东门头》，北京：科学出版社，2010 年，第 415—453 页。

③ 陈全家等：《桅杆坪大溪文化遗址动物遗存研究》，《清江流域古动物遗存研究》，北京：科学出版社，2004 年，第 49—85 页。

④ 陈全家等：《沙嘴大溪文化遗址动物遗存研究》，《清江流域古动物遗存研究》，北京：科学出版社，2004 年，第 102—116 页。

（三）文化来源

城背溪文化有着鄂西南地区最早的陶器遗存，其出现与洞庭湖平原彭头山文化有关[①]。彭头山文化主要见于彭头山、八十垱、黄家园、杉龙岗、坟山堡等遗址，陶器组合以圜底釜、圜底钵为主。城背溪文化核心器类中的圜底釜、圈足碗等与彭头山文化有关，但另一核心器类——圈足器并不见于彭头山文化（图 3–6）。

（四）太阳崇拜

1998 年，湖北省文物考古研究所在秭归东门头遗址采集到了一块太阳人石刻[②]。东门头遗址包含城背溪文化、商代、周代、汉唐等时期遗存。太阳人石刻造型古朴，线条粗犷。从其造型特征、该区域遗物的年代特别是其附着物与城背溪文化石器、陶器上的附着物相同等因素分析，它的年代无疑可归于城背溪文化时期[③]。

太阳人是刻在一块长条形的褐色砂岩上。长 105、宽 20、厚 12 厘米。图像采用阴刻，主体为头顶太阳的男性，太阳光芒四射，芒线合计 23 条。人像头部略小于太阳，锥子脸，五官清晰，眉目清秀，鼻部和口都刻划得很细致、逼真。颈部较长。躯干部分呈细长的倒三角形。四肢短小，两臂自然下垂，末端各有一粗圆点，表示手部。下肢略呈下蹲状，末端略微外突，意在表示足部。躯干部大三角内有一短横线，表示腰部。短横线下有一小三角，有人认为是男根，相较下肢显得粗大，似乎有意突出，或许有男根崇拜之意。腰部左右各有大小不等的 2 个实心圆形。有学者认为太阳人石刻可能与太阳崇拜有关[④]（图 3–7）。

---

① 孟华平：《长江中游新石器时代考古学文化谱系初探》，《长江中游史前文化暨第二届亚洲文明学术讨论会论文集》，长沙：岳麓书社，1996 年，第 74—80 页。

② 国务院三峡工程建设委员会办公室等：《秭归东门头》，北京：科学出版社，2010 年。

③ 孟华平：《“太阳人”与东门头遗址》，《文物天地》2003 年 S1 期。

④ 陈文武：《秭归“太阳人”石刻艺术初探》，《三峡文化研究（第四辑）》，武汉：武汉出版社，2004 年，第 129—133 页。

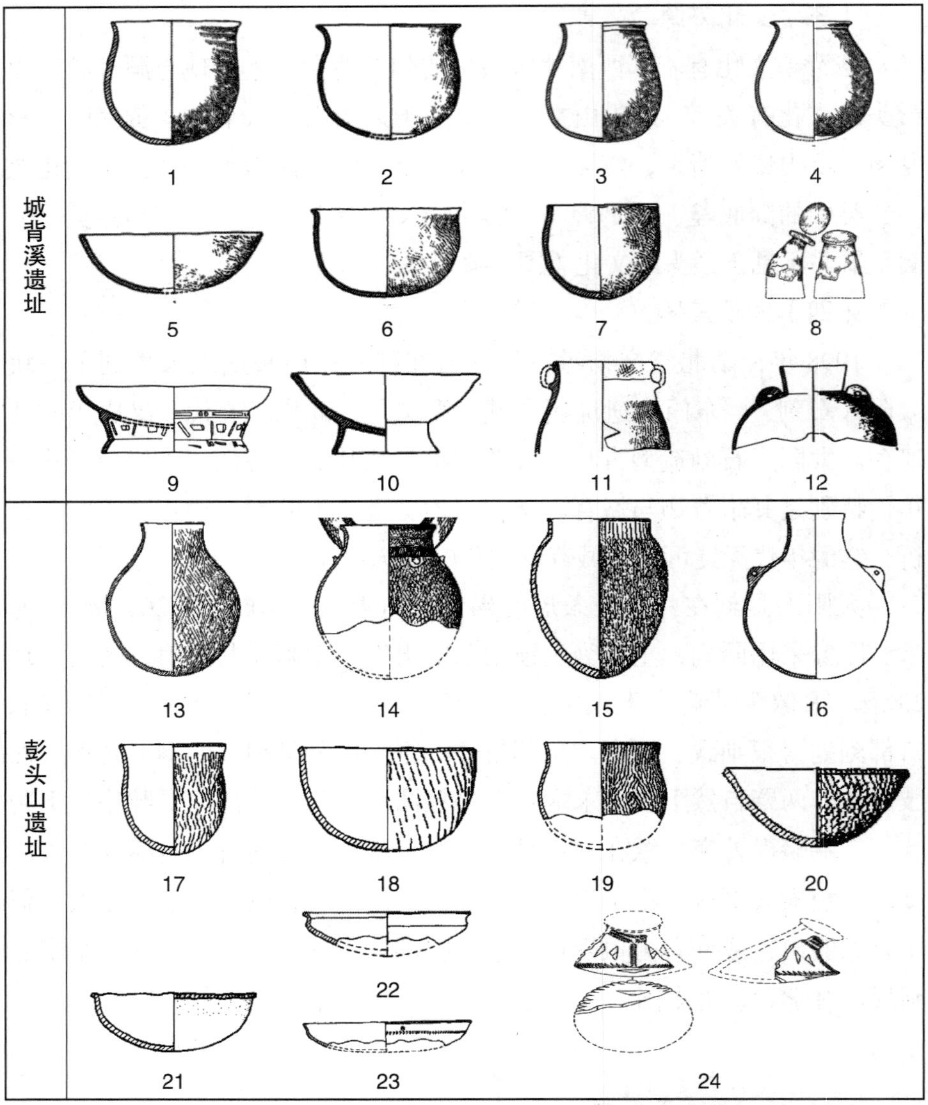

图 3-6　城背溪遗址 T6 ③与彭头山遗址出土陶器对比

1. 釜（T6 ③：15）　2. 釜（T6 ③：92）　3. 釜（T6 ③：94）　4. 釜（T6 ③：48）　5. 圜底钵（T6 ③：50）　6. 圜底钵（T6 ③：14）　7. 圜底钵（T6 ③：7）　8. 支座（T6 ③：28）　9. 圈足盘（T6 ③：23）　10. 圈足盘（T6 ③：9）　11. 双錾罐（T6 ③：33）　12. 双耳罐（T6 ③：73）　13. 圜底釜（H2：47）　14. 圜底釜（H2：1）　15. 圜底釜（H2：8）　16. 双耳釜（H9：1）　17. 圜底釜（H2：44）　18. 圜底釜（H2：46）　19. 圜底釜（H2：18）　20. 圜底钵（H2：42）　21. 圜底钵（H2：41）　22. 圜底钵（H2：4）　23. 圜底钵（H9：11）　24. 支座（H4：24）

图 3–7　东门头遗址采集的太阳人石刻

二、柳林溪文化

柳林溪文化主要分布于东起宜昌、西到巫山的峡江地区。经过发掘的遗址主要有宜昌三斗坪、宜昌伍相庙、秭归柳林溪、秭归朝天嘴、秭归将军滩、秭归龚家大沟、秭归玉种地、秭归砂罐岭、巴东鸭子嘴、巴东火焰石、巴东链子溪、巴东白羊坪、巴东店子头、奉节江东嘴、巫山四龙嘴、巫山大溪等（图 3–8）。与城背溪文化的分布范围相比较，柳林溪文化的分布范围明显缩小。柳林溪文化目前没有测年数据，根据与其他考古学文化的年代契合，我们认为柳林溪文化的年代为公元前4800—前4300年。

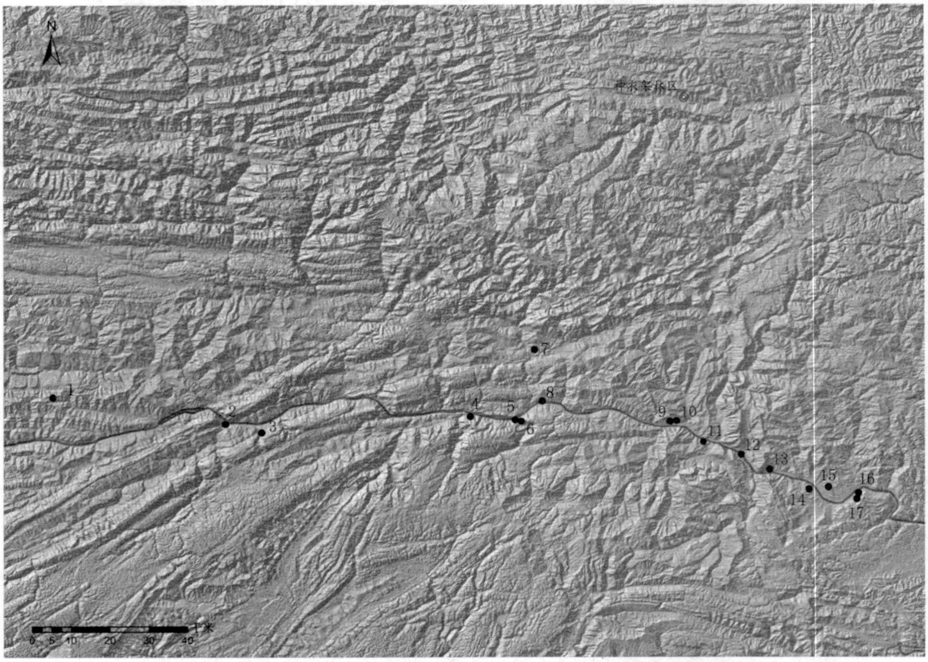

图 3-8　柳林溪文化遗址位置图

1. 奉节江东嘴　2. 巫山大溪　3. 巫山四龙嘴　4. 巴东店子头　5. 巴东链子溪　6. 巴东火焰石　7. 巴东白羊坪　8. 巴东鸭子嘴　9. 秭归砂罐岭　10. 秭归玉种地　11. 秭归龚家大沟　12. 秭归将军滩　13. 秭归柳林溪　14. 秭归朝天嘴　15. 宜昌伍相庙　16. 宜昌清水滩　17. 宜昌三斗坪

（一）陶器面貌

柳林溪遗址陶器以夹砂、夹炭红陶为主，泥质陶部分为黑皮。不少器物上部为红色，下部为灰褐色、黑褐色，且多烟炱，这说明陶器烧制后的本色应为红色，使用时间不同，其颜色才有红褐、灰褐、黑褐之别。制法以泥片贴塑法和泥条盘筑法为主，一部分为捏制。釜、罐等大型器物底部可见多层贴片的痕迹。钵的内壁凹凸不平，外壁常被拍成小块状。圈足盘的圈足单独制作，后套接在一起，有的在套接处加一周篦压纹以加固。器表以绳纹为主，多饰于釜、圜底钵外腹部，领部、沿部的绳纹常被抹平。圈足和器座常镂空。圜底釜和支座常留有烟熏痕迹（图 3–9）。柳林溪文化时期，陶质陶色的一个重要变化就是出现了黑陶或者黑皮陶。陶器在达到烧成温度后，如果窑内处于缺氧的环境，就会形成大量游离在空气中的碳粒，这些碳粒侵入陶胎的孔隙中，即形成黑皮陶[①]。

与城背溪文化相同，柳林溪文化的炊具以釜、支座为主，盛储器主要有圜底钵、圈足盘等。柳林溪文化以柳林溪遗址为代表，发掘者将其分为三期。从第二期开始，柳林溪遗址出现了一些之前不见于本地的文化因素，如盘口釜、刻划纹等。这主要是受到了洞庭湖平原汤家岗文化的影响。

柳林溪遗址的一部分支座，烟熏痕迹位于顶部，这类支座顶部中间常有一孔，有可能是为点火照明插燃料用。从第 8 层开始，大量支座都施以非常整齐、繁缛的纹饰，特别是几件顶部和柱身刻划有类似符号或者文字，其复杂、对称程度超出想象。且这类支座缺少使用痕迹，这类支座可能非实用器，而是当时一种宗教祭祀的产品，是当时人宗教意识的产物[②]。

也有学者认为柳林溪文化支座是先民宇宙观的反映，柱首象征天柱，其上的刻划纹为九宫图[③]。

楠木园遗址与柳林溪遗址均继承了城背溪文化的部分文化因素，但所受影响不同。楠木园遗址受到北方老官台文化的影响，而柳林溪遗址则受到了汤家岗文化的影响，出现了折沿内凹的釜。

---

① 李文杰等：《浅说大溪文化陶器的渗碳工艺》，《江汉考古》1985 年第 41 期；朱铁权等：《双墩遗址黑陶渗炭工艺初探》，《文物保护与考古科学》2005 年第 2 期。

② 陈国庆等：《大溪文化陶支座用途剖析》，《江汉考古》1991 年第 3 期。

③ 冯时：《华夏文明考源　柳林溪先民的宇宙观》，《中国文化》待刊。

图 3–9　柳林溪遗址出土陶器

1. 圜底釜（T0106 ⑦ ：45）　2. 圜底釜（T0915 ⑧ ：24）　3. 圜底釜（T1005 ⑧ ：21）　4. 支座（T1016 ⑧ ：47）　5. 支座（T0916 ⑧ ：199）　6. 支座（T1016 ⑧ ：293）　7. 平底钵（T0915 ⑧ ：47）　8. 圈足碗（T1016 ⑧ ：97）　9. 圈足碗（T1016 ⑥ ：21）　10. 圈足盘（T0714 ④ ：20）　11. 圜底钵（T1216 ⑦ ：22）　12. 平底钵（T1116 ⑧ ：28）

柳林溪文化陶器以绳纹为主，其次为磨光饰红衣的素面陶。除此之外，这一时期出现了两类之前不见于本地的陶器装饰方式。一类为刻划纹，一类为彩绘。刻划纹多见于釜和支座等，以支座最为典型。柳林溪遗址支座的刻划纹主要位于顶面、柱身、座沿三个部位。顶面中心有一个圆点，以圆点为中心的“十”字状符号，将顶面分为4个纹饰单元格，其内填充网格、放射断线、箭头等。柱身构图有三类，第一类以双线纹将柱身分为6或8个纹饰带，两两对称饰相同或不同几何纹饰，从而形成3分或者4分的布局，以4分为主（图3-10，1—5）。第二类以条状纹饰带将柱身分割为4个单元格，每个单元格内饰相同几何纹（图3-10，6—8）。第三类以弦纹将柱身分为上下两部分或三部分，各部分内填饰几何纹（图3-10，9—10）。柳林溪的刻划纹布局合适，疏密有秩。构图追求对称，以四分为主，仅少量整体构图。线条均为直线或者折线，基本不见曲线。

柳林溪文化的彩陶比例相对较低，均为红底黑彩，纹饰以组合构图为主，构图元素有条带、三角、折线、卷云等。从构图元素、构图方式来看，柳林溪遗址的彩陶可以分为两类，一类为阴纹，即以留白的方式表现图案，线条以曲线为主（图3-11，1）；另一类为阳纹，即以彩绘的方式表现，线条以直线和折线为主（图3-11，3—5），少量以曲线构图的花卉纹（图3-11，6）。花卉纹的出现暗示柳林溪文化与黄河中游的庙底沟文化有直接或间接的文化交流。部分第二类彩陶纹样与刻划纹极其相似（图3-11，2），有可能是二者的结合。

（二）生业经济

柳林溪遗址发现的石器一般就地取材，石质主要有粉砂岩、石英石等，其中有磨制痕迹的石器占一半，已超过打制，但磨制多在刃部，通体磨制者很少。柳林溪遗址的陶器中发现了大量的炭化稻壳，但现在还不能确定这些稻壳是人工栽培稻还是野生稻。因此，柳林溪文化目前缺少栽培农业的直接证据。

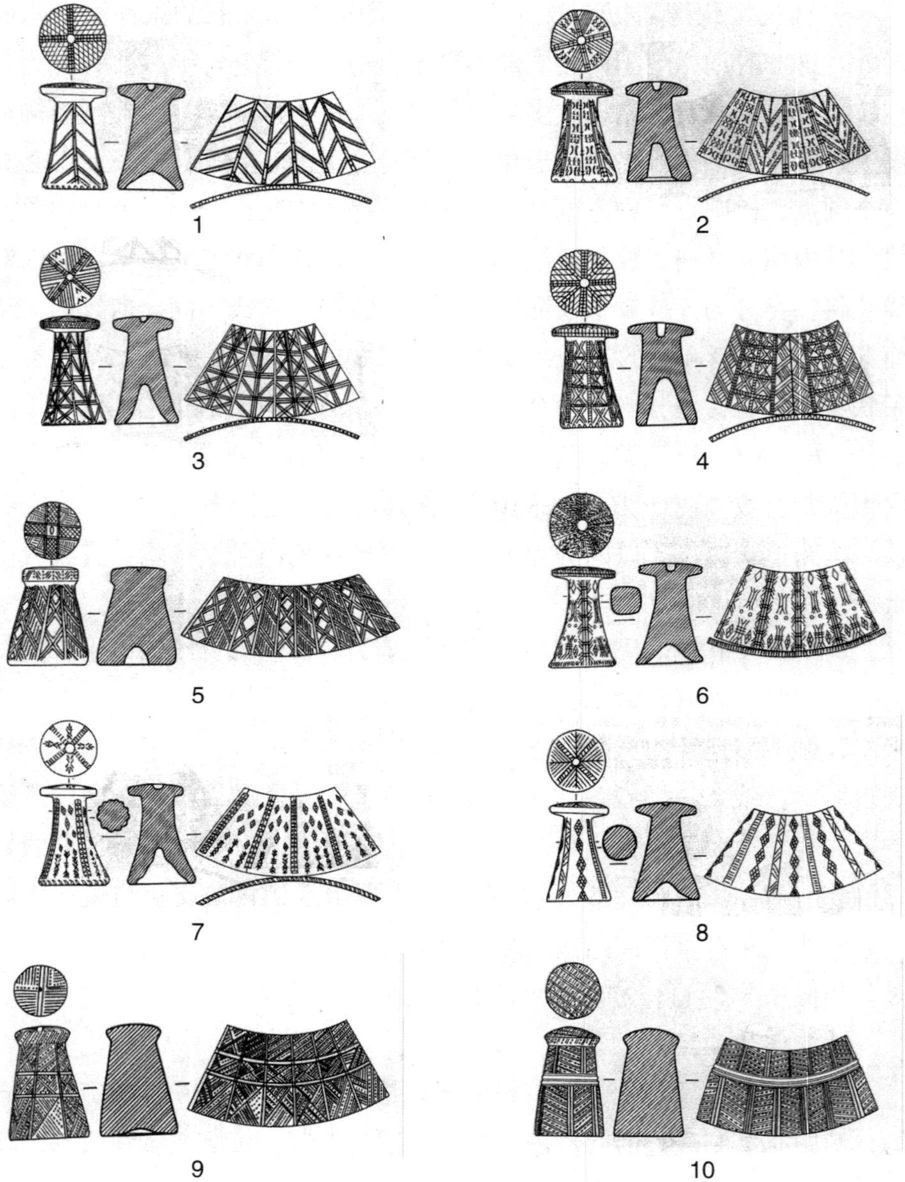

图 3-10 柳林溪遗址陶器刻划纹

1. 支座（T0716⑧：48） 2. 支座（T1016⑦：295 3. 支座（T0916⑧：15） 4. 支座（T1116⑦：201） 5. 支座（T0915⑥：6） 6. 支座（T0916⑧：199） 7. 支座（T1116⑧：196） 8. 支座（T0815⑧：162） 9. 支座（T0906⑥：51） 10. 支座（T0916⑥：48）

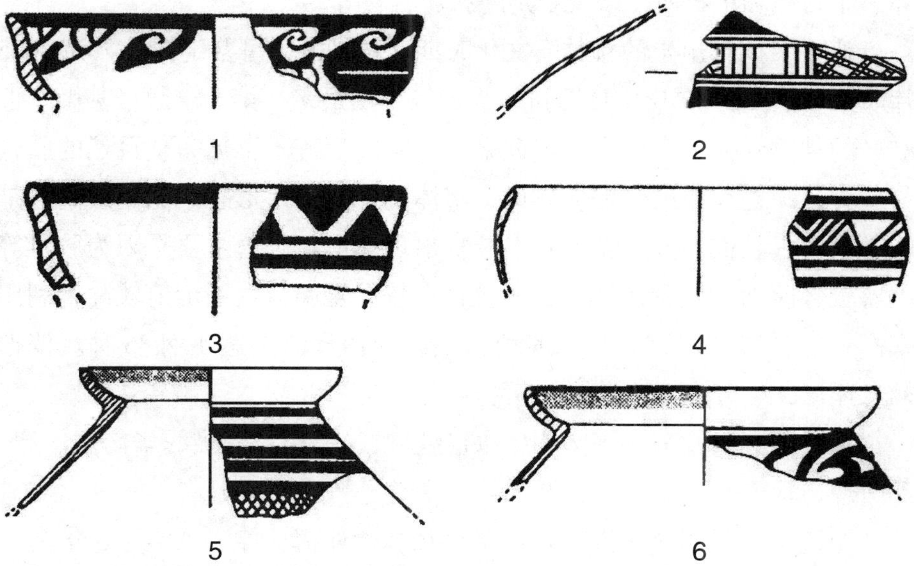

图 3-11 柳林溪文化彩陶纹样

1. 漩涡纹（柳林溪 T1316⑥） 2. 几何纹（柳林溪 T0716⑥） 3. 几何纹（柳林溪 T0816⑥）
4. 几何纹（柳林溪 T1016⑥） 5. 几何纹（朝天嘴 T4⑰ ：84） 6. 花卉纹（朝天嘴 T4⑱ ：92）

店子头遗址属巴东县官渡口镇楠木园管理区肖家坪村三组，地处冷水溪与长江交汇的山前坡地之上，背靠高山，面对长江和冷水溪。遗址所在地坡度在 26° 左右，现代表土层土少石多，水土流失严重，不适合农业耕种。1998 年，湖北省文物考古研究所对其进行了发掘，发掘面积 164 平方米。地层堆积的 6A—9 层属于柳林溪文化时期，出土了大量的动物骨骼、陶片、石器等。店子头遗址柳林溪文化堆积共厚 1 米左右，这说明人群在该遗址上居住的时间较长。

店子头遗址共出土柳林溪文化石制品 211 件，其中工具 20 件、石器 191 件。石制品的制作方法主要为打制，极少磨制。以砾石剥制的石片器为大宗，石片一面往往保留原砾石的光滑面，另一面则为剥裂或打制面，刃部多缺损。种类有石斧（23.7%）、砍砸器（22.3%）、刮削器（14.7%）、尖刃器（12.3%）、石锤（7.1%）、石锛（4.7%）、石刀（1.9%）、石凿、雕刻器、石楔、砺石。还有极少经过精心磨制的小石斧、小石锛和小石凿，以及个别磨石、石料等。

店子头遗存出土的柳林溪文化时期动物骨骼，可鉴定标本数为8005片。第6A、6B、7层中埋藏量较大，第7层最多，第8层数量甚微。近87%的动物骨骼上存留有人工砍砸、切割的痕迹。不见完整自然的肢骨与肋骨，缺乏完整的骨骼横切面，整体呈片状碎片形态。比例最高的是肢骨、肋骨、椎骨、颅骨，其中肢骨出现率最高。这主要是因为肢骨等附着较多肌肉、脆骨及韧带，还包含有较多骨髓，食用价值较高，利用率高。经种属鉴定，店子头遗址出土的动物骨骼多达4纲35种。依据栖息环境，可分以下几类。

第一类，为山地森林动物，如金丝猴、黑熊、豹猫、华南虎、麝、苏门羚、青羊、岩羊、金雕等。

第二类，为森林边缘坡地、草地动物，如梅氏犀、爪哇犀、华南巨貘、豪猪、猪獾、果子狸、椰子猫、原猫、獐、赤麂、小麂、黑麂、鸡等。

第三类，为亲水动物，如水獭、水鹿、水牛、钉螺、蜗牛等。

第四类，为水生动物，如青鱼、草鱼、鲤鱼、鲶鱼、鲟鱼等。

第五类，为适应性较强的动物，如狼、野猪、青鼬等[①]。

巴东县属于亚热带季风区，温暖多雨、湿热多雾、四季分明。光、热、水分布垂直差异明显，形成各种不同的山地型小气候。店子头遗址所在地，下临河流等淡水资源，背靠山地森林，野生资源丰富，居民很好地利用了这一自然环境资源。店子头遗址发现了墓葬、灰坑等居住遗迹，这表明他们可能已经实现了定居。遗址所在区域坡度大，土壤贫瘠，不适宜农业的发展。石器多为打制，极少磨制。遗址中发现的动物遗存表明人群在一个相当大的范围内狩猎，移动性很强。种种迹象似乎表明，店子头遗址的居民可能过着一种定居狩猎采集的生活。

（三）聚落

目前发现的柳林溪文化的居住遗迹主要有房屋、灰坑、灰沟、墓葬

---

① 胡雅丽：《店子头早期遗存人类食物浅议》，《江汉考古》2011年第2期。

等，但数量很少，基本只能确定这一时期的人群已经实现了定居，但关于居住形式、人群居住的基本单位等信息知之甚少。

柳林溪文化房屋仅在朝天嘴遗址发现2间，破坏严重。F2为圆形，直径4.5—5.0米，面积约为18平方米。底部残留有一层厚约0.2米的纯净黄褐色垫土。室内四周均匀地分布有5处石块，有可能为柱础垫石。北部发现3堆红烧土，用途不明。F2面积和其他地区同时期房屋比起来，明显偏大。因此，这一类房子的居住者可能不限于一个核心家庭。F3平面为刀把形，仅保存垫土。垫土厚0.2—0.5米，长5.5、最宽5.8、最窄2米左右，面积为30平方米左右。未见夯筑痕迹，估计为建造房屋时平整场地形成，局部保留有活动面。垫土上保存有5个柱洞，其中D1、D2底部有石块发现，D2除石块外，还有石斧1件（图3–12）。

墓葬在柳林溪、朝天嘴、三斗坪等遗址均有发现。这一时期的墓葬，除了柳林溪遗址发现的三座墓葬均为仰身直肢外，其余墓地均为屈肢葬。三斗坪遗址发现的8座墓葬可以分为两排，每排大致在一条直线上，在M2骨架周围发现了鱼骨，有可能是用来随葬的。朝天嘴遗址M1为唯一一座双人合葬墓，且发现了残石斧1件、骨锥1件等少量随葬品。其他遗址发现的墓葬，均为单人葬，且没有随葬品发现。从仅有的墓葬来说，死者在随葬品方面的社会等级分化并不明显。

（四）刻划符号

在柳林溪遗址的80件陶器中发现了232个、63种刻划符号。有刻划符号的陶器器类有罐（1件）、支座（8件）、碗（71件）三类，以碗最多。符号的位置相对固定，陶罐位于口沿外侧，碗均位于圈足外底部。支座位于顶部（5件）或者柱身（2件），另外一件顶部和柱身均有。232个符号可以进一步分为十三类：

第一类，单笔刻划符号，是构成所有符号的最基本构图单元（图3–13，2、63）；

第二类，由两笔呈一定角度连续成“V”或“X”形的几何状符号（图3–13，6、10）；

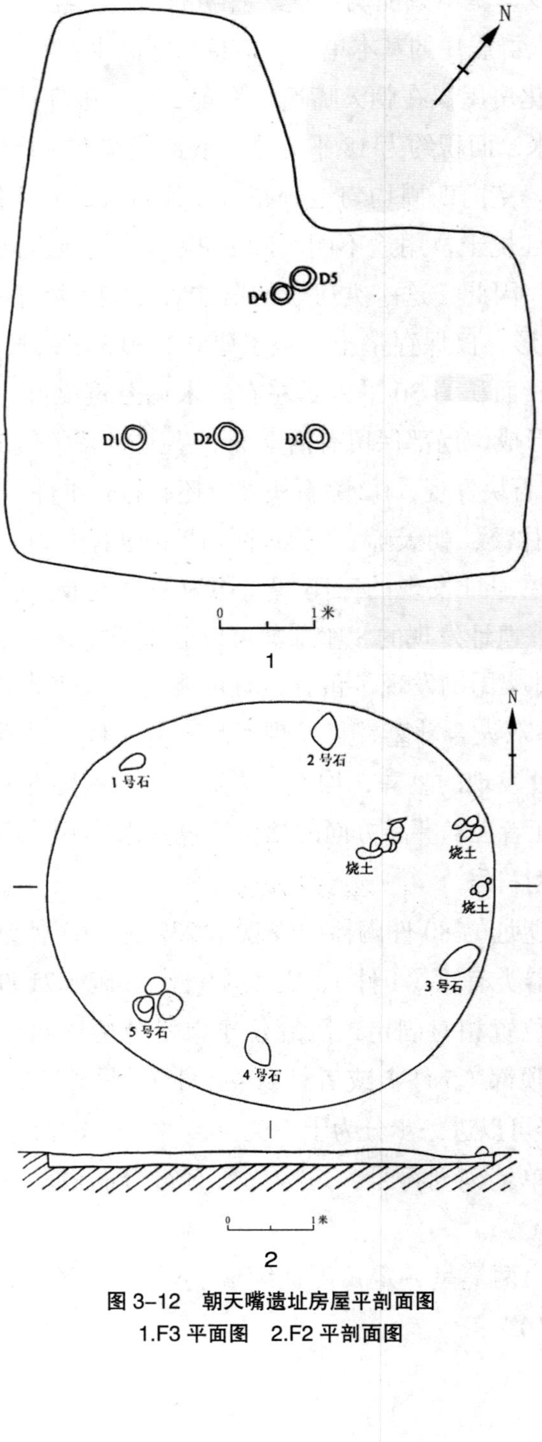

图 3-12　朝天嘴遗址房屋平剖面图

1.F3 平面图　2.F2 平剖面图

第三类，由简单线条、“X”构成的闭合菱形或者方块（图 3–13，1、3、4、7、15）；

第四类，由线条、“V”复合组成波浪符号（图 3–13，5、14、16、17、18、19、20、21、22、23、23、24）；

第五类，由“V”和线条组成的外张形符号（图 3–13，29、30、31、32、35、44、45、46、52）；

第六类，由“X”和线条组成的闭合三角形符号（图 3–13，9、49、50、51、55、56）；

第七类，由单线条组成的笔画相连符号（图 3–13，25、26、27、28、33、34、43、62）；

第八类，由线条组成的闭合长方形符号（图 3–13，36、37、38）；

第九类，由线条、“V”组成的复杂多边形符号（图 3–13，39、40、41）；

第十类，由不相连平行线组成的符号（图 3–13，47、48）；

第十一类，由线条和“X”组成的笔画交叉符号（图 3–13，11、57、58）；

第十二类，由线条组成的复杂符号（图 3–13，53、54）；

第十三类，由线条、弧折线、圆圈组成的复合符号（图 3–13，59、60、61）；

至于这些符号的意义，目前我们还难以确定，发掘者认为第二类符号可能与记事有关，10、12、63 等也许是一些计数符号；第三类符号好像成块的田地；第四类符号呈波浪形，可能与江或者山地有关；第五类符号更像动物的爪子；第六类也许与土丘和木质农具有关；第七类应该来自于植物根茎；第八类符号似乎代表了某种工具或者家具；第九类符号可能是玩具；第十类符号像是生长在地里的植物；第十一类可能与树枝有关联；第十二类也许是一种杂草；第十三类更像是石器等生产、狩猎工具[①]。

① 周国平：《柳林溪遗址出土的刻划符号及初步研究》，《2003 三峡文物保护与考古学研究学术研讨会论文集》，北京：科学出版社，2003 年，第 115—124 页。

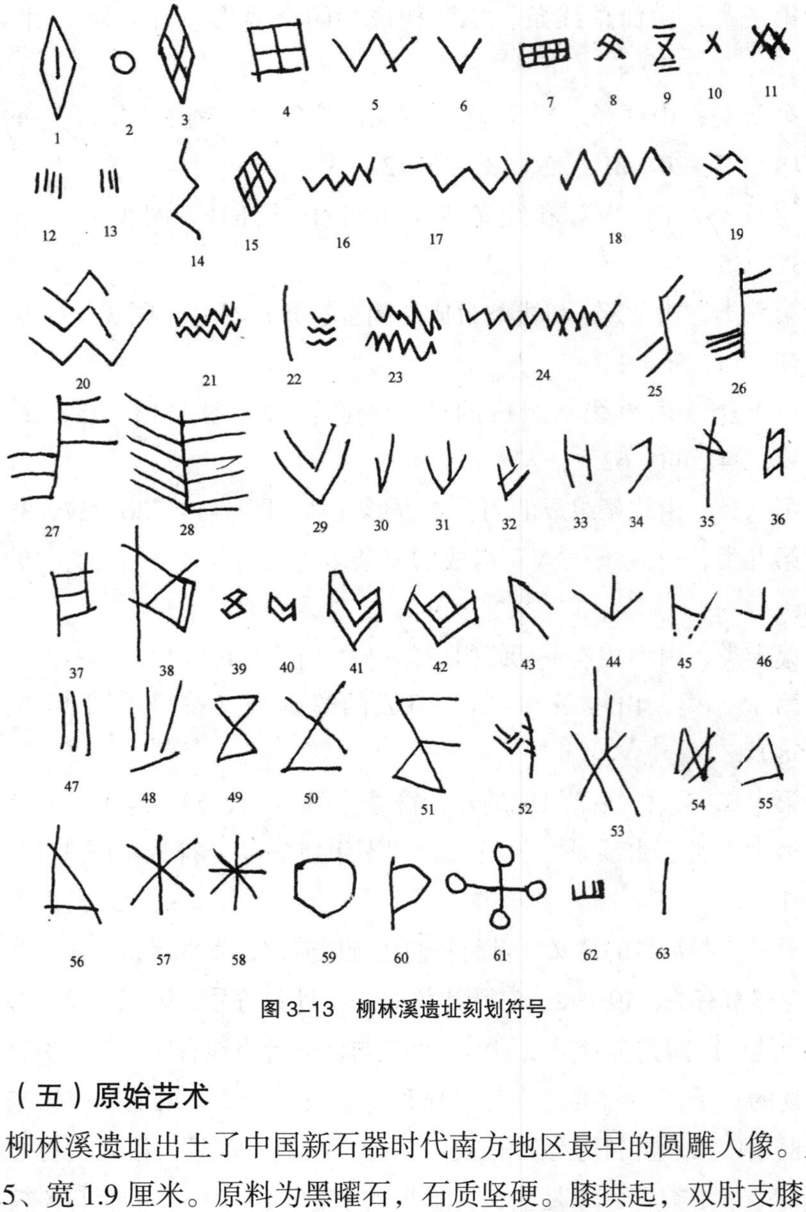

图 3-13　柳林溪遗址刻划符号

（五）原始艺术

柳林溪遗址出土了中国新石器时代南方地区最早的圆雕人像。人像高 4.5、宽 1.9 厘米。原料为黑曜石，石质坚硬。膝拱起，双肘支膝。手掌和左耳残。人像整体失真，身体与头部比例失调。整个脸呈半圆形，头顶近平，片状双冠耸起，下颚尖圆，眼部呈三角形，四周凹陷，瞳孔突起，鼻宽扁，小口圆张，写实性很强。腰部较细，双手做合十状，蹲坐于石盘之上。这件雕刻应非一般的工艺品，可能与当时的原始宗教信仰或者神灵崇拜有关（图 3–14）。

图 3–14 柳林溪遗址出土圆雕人像

三、大溪文化

大溪文化以重庆巫山大溪遗址命名。主要分布于峡江地区、鄂西南及洞庭湖平原。经过正式发掘的有巫山大溪、巫山大水田、宜昌中堡岛、宜昌伍相庙、宜昌清水滩、宜昌杨家湾、宜昌白狮湾、秭归龚家大沟、秭归独石子、秭归大沱湾、秭归何家坡、秭归何家坪、秭归台丘、秭归将军滩、秭归旧州河、巴东李家湾、巴东鸭子嘴、枝江关庙山、宜都红花套、松滋桂花树、江陵毛家山、江陵荆南寺、江陵朱家台、当阳杨木岗、长阳西寺坪、长阳桅杆坪、长阳沙嘴、长阳深潭湾、江陵阴湘城、澧县三元宫、澧县丁家岗、临澧太山庙、安乡汤家岗、公安王家岗、华容车轱山等（图 3–15）。

大溪文化是鄂西南文化系统中分布范围最广者，最东到了江汉平原腹地荆州，最西到了巫山，最南到了湖南澧阳平原。遗址的分布地貌与城背溪文化相同，只是从已有资料来看，峡江地区的遗址密度明显高于江汉平原西部。

大溪文化的测年数据共有 43 个，主要来自宜都红花套、枝江关庙山、安乡汤家岗、长阳深潭湾、长阳桅杆坪、长阳西寺坪、江陵朱家台等遗址。测年数据主要集中在公元前 4000—前 3000 年，仅有一例晚于这一年代，因此大溪文化的年代下线当在公元前 3000 年左右；也有少量数据介于公元前 6500—前 4000 年，但这一区间跨度大，数据少。经过与其他考古学文化的年代契合，我们认为大溪文化的年代在公元前 4300—前 3000 年（图 3-16）。

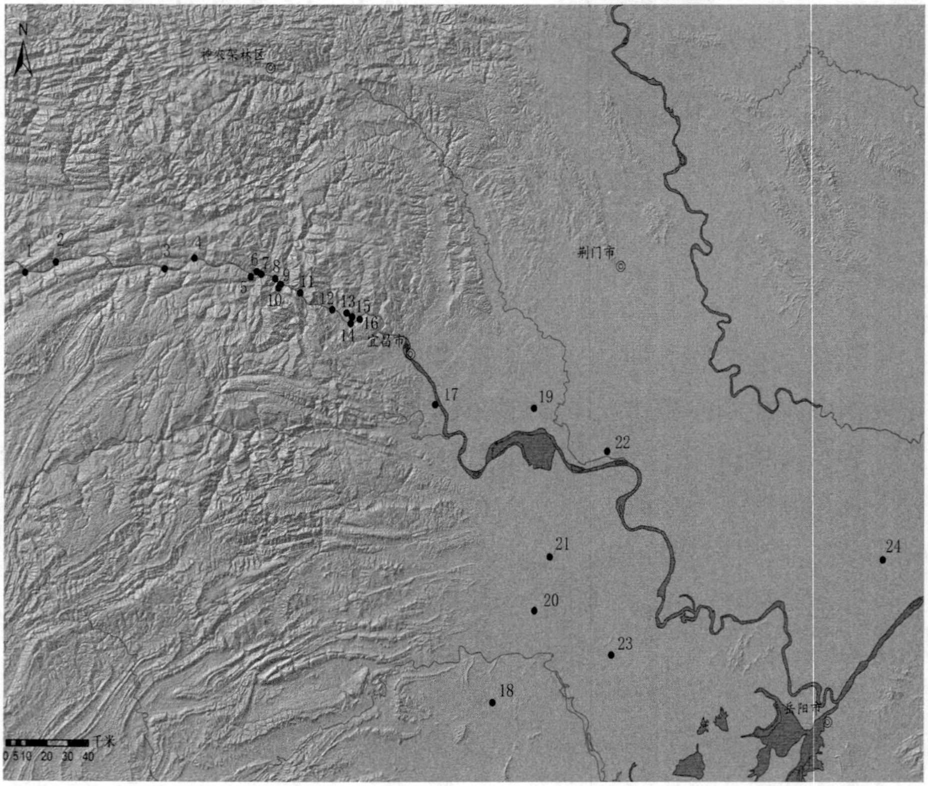

图 3-15　大溪文化遗址位置图

1. 巫山大溪　2. 巫山大水田　3. 巴东李家湾　4. 巴东鸭子嘴　5. 秭归何家坡　6. 秭归大沱湾　7. 秭归独石子　8. 秭归何家坪　9. 秭归龚家大沟　10. 秭归旧州河　11. 秭归将军滩　12. 秭归台丘　13. 宜昌伍相庙　14. 宜昌中堡岛　15. 宜昌白狮湾　16. 宜昌杨家湾　17. 宜都红花套　18. 临澧太山庙　19. 枝江关庙山　20. 澧县三元宫　21. 松滋桂花树　22. 江陵荆南寺　23. 安乡汤家岗　24. 江陵阴湘城

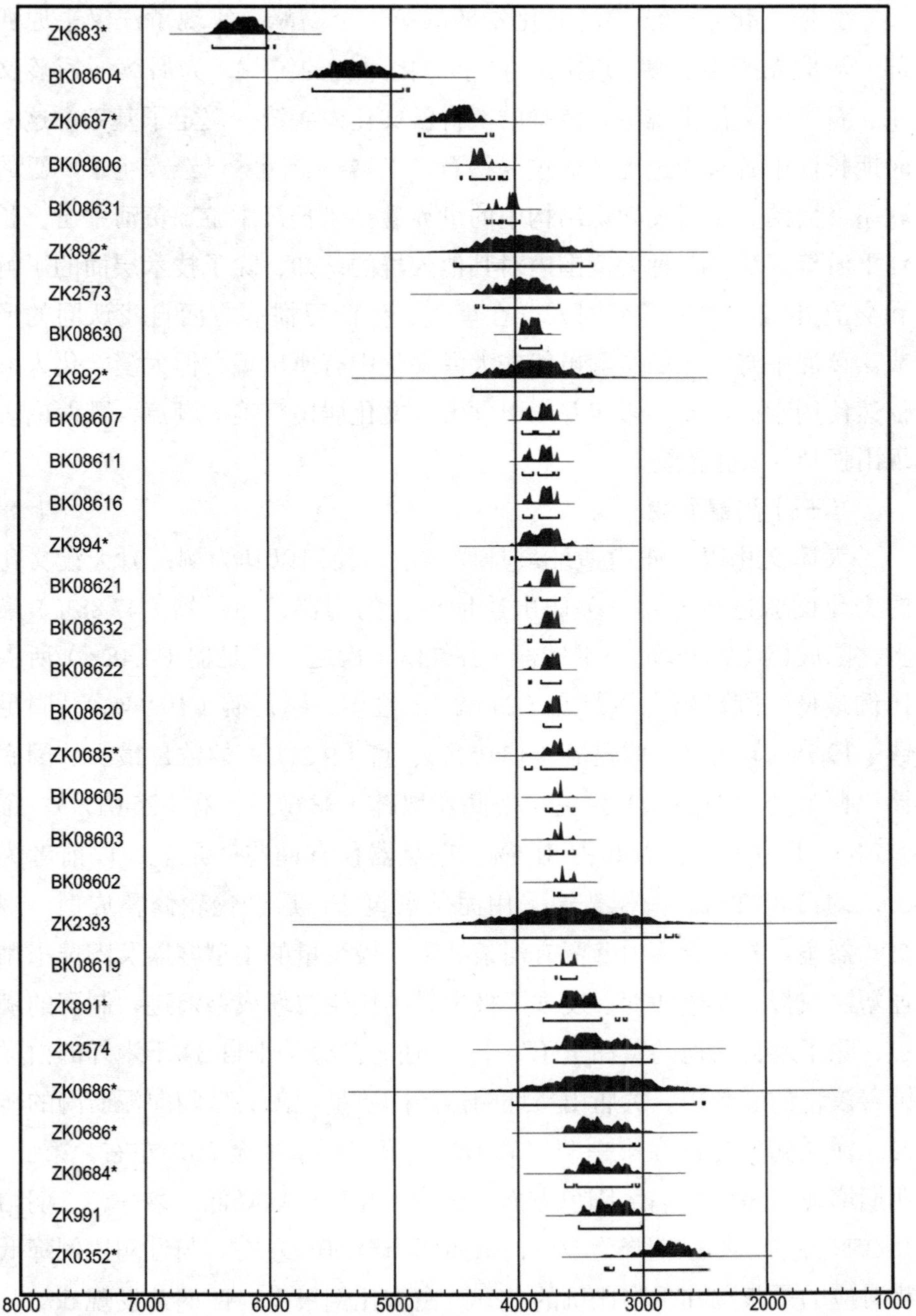

图 3-16　大溪文化测年数据

大溪文化是长江中游文化发展的第一个高峰，实现了江汉平原西部、洞庭湖平原、峡江地区考古学文化面貌的统一，为后续屈家岭文化、石家河文化实现更大范围的考古学文化面貌统一奠定了基础。这一时期长江中游与周边地区通过绿松石、玉器、彩陶等已经产生了广泛的联系，大溪文化居民知识结构中的世界囊括了长江中游、黄河中游、长江下游等区域。这种大范围内对其他人群的认知，除了技术层面的了解和交流外，也增进了不同人群在审美、生活习惯等方面自我认同的形成。黄河中游流行的彩陶虽然在大溪文化中有所出现，但大溪文化人群依然使用素面陶器，彩陶并未引领大溪文化居民审美的潮流，鄂西南表现出强烈的文化传统。

（一）陶器面貌

大溪文化以关庙山遗址最具代表性，我们以其为例，对大溪文化的文化面貌进行介绍。关庙山遗址出土的陶器，圈足器（47.88%）最多，圜底器（22.98%）、平底器（18.73%）次之，三足器（4.48%）所占比例最低。圈足器以圈足盘（27.62%）最多，圈足碗（19.94%）、圈足钵（19.78%）次之，圈足罐（13.05%）、簋（9.21%）的数量最少。圜底器以圜底釜（93.26%）为主。平底器以钵（38.6%）、盆（25.01%）、罐（17.89%）为主，三者共占 81.5%。三足器仅有鼎与三足盘，以前者为主，约占 88.20%。陶器普遍采用泥条盘筑法，后经慢轮修整成型。陶缸、器座、筒形瓶等内壁留有泥条缝隙。极少量的小型容器及陶球采用捏塑法成型。在第四期，发现了极少量的快轮拉坯成型痕迹。制陶的陶土，除了来自当地的黄黏土（生土），还有部分是来自 34 千米外的白洋镇善溪窑的红黏土。关庙山遗址陶器的陶质呈现出夹砂陶向泥质陶的转变。泥质陶的比例在第一期仅为 18%，第二期增加至 50% 左右，第三、四期增加至 80% 左右。陶色方面，红陶的比例大幅降低。第一、二期均在 95% 左右，第三期降为 80%，第四期降至 60% 左右。与红陶比例降低相对应的是灰陶和黑陶比例的上升。白陶比例极少，四期共发现 66 片，其化学组成有高岭土和硅酸盐两类（图 3–17）。

图 3-17　关庙山遗址大溪文化陶器

1. 圜底釜（G1 ∶ 76）　2. 圜底釜（W145 ∶ 1）　3. 豆（T6 ④ 5 ∶ 34）　4. 豆（T65 ⑤ B ∶ 55）　5. 豆（T65 ⑤ AS35 ∶ 83）　6. 器座（H149 ∶ 1）　7. 圈足盘（H144 ∶ 1）　8. 圈足盘（H101 ∶ 3）　9. 平底钵（T53 ⑤ A ∶ 161）　10. 圈足钵（H104 ∶ 2）　11. 豆（H93 ∶ 3）　12. 器盖（H87 ∶ 1）

关庙山遗址的陶器以素面为主，约占 85.38%。装饰主要有戳印、镂空、彩陶等。戳印纹和镂空的艺术风格相似，均为几何状纹饰线性构图，常满饰器表。彩陶比例较低，仅占 1.66%。以黑彩（91.69%）为主，红彩（2.27%）和棕彩（5.79%）很少，灰彩（0.25%）非常罕见。依据纹饰构图元素、构图方式，可将关庙山遗址发现的大溪文化彩陶分为三类。第一类为鸟纹、花瓣纹、花卉纹。此类纹饰主要见于黄河中游的半坡文化、庙底沟文化，构图以弧边三角等弧线构图元素为主（图 3-18，1—7）。这一类彩陶纹样的出现当与文化交流有关。第二类为绳索纹，以线性构图为主。绳索纹在中国新石器时代分布范围较广，可能是众多考古学文化的共有纹饰（图 3-18，8—11）；第三类为各种几何纹组合的多重线性构图，构图元素有三角纹、条带纹、菱形纹等（图 3–18，12—18）。第一、第二类彩陶与第三类彩陶在艺术风格上有很大的区别。前者以曲线为主要构图元素，尚留白，很少饰满彩；而后者恰好相反，往往从口沿至器底通体装饰，构图元素以直线或直边的几何纹为主。在一些彩陶中，两种彩绘风格表现出了融合之势（图 3–18，6）。从装饰布局来看，第三种彩陶风格与戳印纹、镂空的风格极其相似——满饰器表，几何纹线性构图。第三类纹饰可以看作大溪文化陶器的核心装饰风格。

（二）生业经济

关庙山遗址大溪文化石器所用石料，以岩浆岩为主（78%），沉积岩次之（13%），有刃工具的硬度普遍在 6 以上。制作工艺有磨制、琢制、打制、钻孔等，以磨制为主，可细分为普通磨制和精细磨光等，前者以大中型石器为主，后者以小型石器为主。为节约磨制时间，一些不易剥片较多的半成品往往采用过琢制工艺，采用此种工艺的石器，器身上留有密集的琢制痕迹。打制石器以蚌壳形器居多，约占石器总数的 16%。钻孔仅在穿孔石刀、石钺等少数器物上发现，从残留的痕迹判断，均为双面钻，从半成品看，已经存在成熟的管钻技术（图 3–19）。石器制作是大溪文化人群整个聚落的普遍产业[①]，关庙山大溪文化人群日常各类生产活动几乎都依赖石器，如农业种植、粮食研磨、肉类加工、树木砍伐、木器加工等。

关庙山遗址大溪文化发现的驯养动物仅有家猪，其余动物骨骼均来自野生动物，可分陆生和水生两类，陆生动物有猕猴、野猪、马鹿、鹿、牛、獴、亚洲象；水生动物有青鱼、草鱼、白鲢、龟、鳖、蚌、螺等。关庙山大溪文化除了在房屋构件、陶器中发现了大量稻草截段、稻壳、炭化稻壳外，最直接的农业证据是在 F30 的红烧土块中发现了稻谷的植硅体（图 3–20）。同时，发现了石磨盘、石磨棒等谷物加工工具。这说明大溪文化人群已经存在农业种植。

① 张弛、林春：《红花套遗址新石器时代的石制品研究》，《南方文物》2008 年第 3 期。

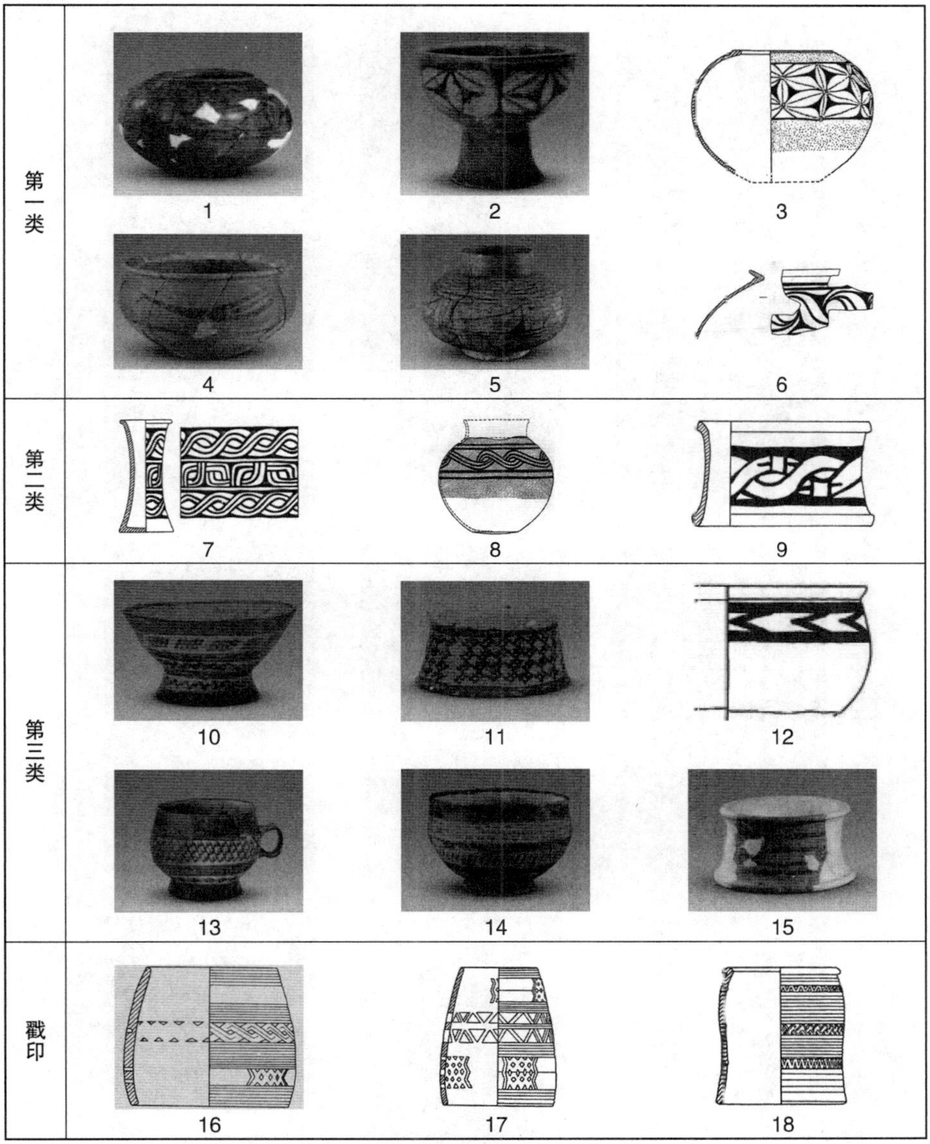

图 3–18　关庙山遗址大溪文化陶器装饰

1. 花卉纹（F30 ：22）　2. 花瓣纹（T51⑤A ：192）　3. 花瓣纹（T37④A ：9）　4. 鸟纹（T52④A ：107）　5. 几何纹（T51⑤A ：171）　6. 花卉纹（T67④D ：133）　7. 绳索纹（T34④A ：6）　8. 绳索纹（T73③B ：87）　9. 绳索纹（T53④ ：246）　10. 几何纹（H43 ：5）　11. 几何纹（T64⑤B ：160）　12. 几何纹（T64③A ：137）　13. 几何纹（T64⑤A ：53）　14. 几何纹（H102 ：46）　15. 几何纹（T75④C ：62）　16. 镂空（T75⑥：186）　17. 镂空（H57 ：3）　18. 镂空（H117 ：6）

图 3–19　关庙山遗址大溪文化石器

1. 石铲（T74⑤B：94）　2. 石斧（T74④B：75）　3. 穿孔石刀（EZG采：05）　4. 石钺（T36④C：24）　5. 蚌壳形器（T53⑤A：232）　6. 石磨盘（T5③B：64）　7. 石凿（T74④A：115）　8. 石杵（T57③B：114）　9. 石锛（T74④A：33）　10. 石砧（H149：2）　11. 石锉（T23④：40）　12. 尖状器（G5：24）

图 3–20　关庙山遗址中夹杂稻壳的红烧土

从已有各方面的证据来看，在大溪文化的不同区域，人群的生计类型存在很大的差异。

1. 目前，大溪文化关于生计最直接的证据为农作物遗存。在关庙山遗址发现了稻作农业的证据，在大水田遗址发现了粟作农业的证据。农业在产生后，并未迅速成为人类最主要的生计方式，而是一个缓慢增加的过程。目前的证据仅能表明大溪文化的不同地域，种植的农作物种类有差异，无法确定农业在生计类型中的比重——是否存在不同区域的大溪文化都是以狩猎采集为主，农业所占比例都很低的情况？

2. 石器是大溪文化最重要的工具，大到盖房种田，小到缝衣做饭，而不同的生计方式，其使用的工具存在差异。从整体趋势来看，打制石器更多地与狩猎采集相关，磨制石器与农业有关。汤家岗遗址与关庙山遗址、中堡岛遗址等在石质工具的种类和数量方面存在差异[①]。大中型石斧是中堡岛遗址的特点之一，汤家岗遗址以中小型石斧、石锛为主，

① 王杰：《试论湖南地区的大溪文化》，《考古》1990 年第 3 期。

大型者罕见[1]。峡江地区的伍相庙、中堡岛等遗址的石器均是以打制为主，而江汉平原地区则以磨制为主，基于此，有学者认为西部的中堡岛遗址过着定居的渔猎农耕生活，而东侧的关庙山遗址以稻作农业生活为主[2]。这些研究都表明，中堡岛遗址与关庙山遗址、汤家岗遗址在生计类型上不仅种植农作物的种类不同，其主要经济方式方面都存在差异。东部的关庙山遗址、汤家岗遗址有可能是以稻作农业为主，辅以狩猎。而西部的中堡岛遗址是以狩猎采集为主，辅以旱作农业。

3. 峡江地区的大溪文化以狩猎为主的另一个证据是在巫山大溪、秭归柳林溪、宜昌中堡岛、宜昌朝天嘴等发现了大量的鱼类骨骼[3]，经鉴定，品种多达二十几种，而关庙山、汤家岗遗址则明显偏少。充足的鱼类资源为人类的生存和发展提供了稳定的食物来源，缺少大规模农业种植的动力。

（三）聚落

生者所居（居址）与死后的埋葬之所（墓地）是聚落考古两个最重要的研究对象。二者反映的人类社会各有侧重点，居址以反映人群的物质生活、日常生活为侧重点，墓地则以反映人群的精神生活为侧重点。

关庙山、汤家岗等遗址都发现了房屋的倒塌堆积，从这些倒塌堆积中可以看到，经过火烤的木骨泥墙是大溪文化时期房屋主要的建筑方式，但各遗址存在地面、地穴、高台等差异。以关庙山遗址的建筑技术最为复杂和成熟。这种技术还见于黄河中游，应该是当时普遍流行的房屋修建技术。关庙山遗址共发现房屋 25 座（形状明确者 13 座，不明确者 12 座）、残活动面 5 片，残垫土层 15 片。形状明确的房屋平面形状可以分为长方形（8 座）、方形（2 座）、圆形（2 座）、椭圆形（1 座）四类。其中 F36 无顶，不是供古人居住的建筑物，有可能是饲养牲畜的

① 张绪球:《长江中游新石器时代文化概论》，武汉：湖北科学技术出版社，1992 年，第 134—138 页。

② 孟华平:《长江中游史前文化结构》，武汉：长江文艺出版社，1997 年。

③ 王家德:《试论长江三峡地区大溪文化的原始渔猎》，《江汉考古》1994 年第 3 期。

围栏。可辨形状的 13 座房屋中，以 F22、F30 形制较为复杂，保存情况较好，修建过程最为清楚。我们以 F22、F30 为主，结合其他房屋，可以将关庙山遗址的房屋修建过程分为以下步骤：

1. 平整地基。平整地基是修建房屋的第一步，如果选址相对平坦，则直接修建，否则就需要对房屋的地基进行平整，往往是在房基的范围内铺 1 层乃至数层垫土。此类房屋，屋内垫土与屋外的散水连成一块，且基槽往往打破这层垫土，如 F35、F36 等。F9 为平整地基共铺设了两层垫土，下层为掺和少量陶片的黄褐色黏土；上层为掺和少量黏土的红烧土块。

2. 修建主墙。墙体的修筑过程可以分为挖墙基、竖木骨、抹泥等过程。墙基的修筑方式为先在地下挖宽约 36—74、深约 10—40 厘米的基槽，槽内竖立木柱后，再用掺和大量红烧土渣的黄黏土泥料夯实。有些房屋则直接在垫土之上立柱，未下挖基槽。如 F1 筑墙的方法是在墙脚部位铺设 1 层掺有少量黄褐色黏土的红烧土渣，同时竖立墙壁的木柱。在四个拐角的地方，下挖圆形柱洞，竖立木柱后，柱脚周围用红烧土渣夯实。立柱完成后，古人在已竖立的柱子间用粗 0.7—1.2 厘米的麻绳绑扎、固定木骨。F30 竖立的木骨由 33 根半圆木、3 根圆木及 7 根半圆竹组成，倒塌的墙体中发现的横向木骨有 2 根半圆木、圆竹 1 根、圆木 1 根。木骨纵横交错，互相受力，目前尚无榫卯结构发现。木骨固定好后，再在木骨上涂泥料。F30 墙体下部较厚，上部薄，平均厚度在 20 厘米左右，外壁用抹子略加抹平。其后，在墙体外侧黏贴茅草，其作用是为了防止墙体在干燥过程中干裂。

3. 铺设垫土。完成外墙的修建后，古人在外墙的范围之内用红烧土块掺杂少量黏土铺设了 1 层垫土。F30 的垫土厚 6—32 厘米，红烧土块多为 5 厘米左右大小。

4. 隔梁分室。铺好垫土后，有的房屋会修建隔墙，将房屋分间。F30 的隔墙位于南部，将室内分为南、北两个单间。隔墙下部宽约 15、上部宽约 10 厘米，直接在垫土之上用黏土泥料筑成，未下挖基槽。推测墙体不高，墙头平齐，不到屋顶，为半截子墙。

5. 铺设地面。完成空间分割以后，古人开始铺设活动面。F30 活动面分 4 层，共厚 7—16 厘米。F30 的特殊之处是在活动面之间夹有竹篱笆层。竹篱笆层分 3 块铺设。第一块为南室，竹篱笆层在第 2、3 层之间，篱笆方向为南北向，竹黄朝下。第二块为隔墙和北火塘之间的区域，竹篱笆层位于第 2、3 层之间，东西向，竹青朝下。第三块为北火塘以北的区域，竹篱笆层位于第 1、2 层之间，东西向，竹青朝下。同一圆竹的竹片排列有条不紊，竹节大致对接。因此，铺设竹篱笆可能有两种情况，一种为一人劈完一根圆竹后，铺在地上之后再劈第二根；另一种情况为两人合作，一人劈圆竹，一人铺竹片。竹片的宽度有 1.8、0.4—0.9 等不同规格，这似乎暗示劈圆竹由不同的人员完成（图 3–21）。

4 层活动面是关庙山遗址房屋地面最复杂的修建方式，仅见于 F22、F30，且 F22 没有发现篱笆层。F1 活动面分上下两层，下层厚约 6 厘米，红色，系用黄黏土泥料抹成；上层厚约 0.5 厘米，白色，系用白黏土抹成。这种白色活动面在关庙山遗址仅此一处。F26 的活动面则更为简单，直接用红烧土块掺和少量灰褐色黏土铺成。

6. 火烤房屋。墙壁、隔墙、活动面修筑后，古人对其进行了火烤，质地坚硬如石。F30 墙体各个部分的火烤温度存在差异，因此，墙体的颜色也随之呈现为红褐、深红、橙红、橙黄等差别，烧成温度越高，颜色越深，质地越坚硬。考古发现的墙体以红褐色为主，局部甚至出现了烧流变形，最高温度可能达 900℃左右，吸水率为 79.23%。墙体所用泥料，少数为纯黏土，多数掺和稻草截段或砂砾，有些掺和红烧土渣或红烧土块。稻草截段起筋骨拉力的作用，可以防止墙体在干燥收缩过程中开裂；红烧土是“熟料”，具有一定的强度和硬度，筑墙时防止墙体坍塌，且“熟料”膨胀系数较小，可以防止墙体在火烤过程中开裂；砂粒也可以防止在火烤过程中开裂。

图 3–21 关庙山遗址 F30 竹篱笆痕迹

图 3-22 关庙山遗址 F30 发掘现场

在活动面之间夹竹篱笆的做法，本意可能也是为了防止活动面在干燥过程中干裂而进行的科学尝试。在火烤墙体和活动面的过程中，竹篱笆层被烧为灰烬，不但竹篱笆失去了作用，而且在两层活动面之间形成了缝隙。这些缝隙的存在有损于活动面，导致了火塘以北区域第 1 层活动面开裂、脱落，而火塘以南区域的竹篱笆层位于第 2、3 层之间，活动面保存相对较好——古人在活动面活动时，离缝隙越近，震动越大。

现在还没有证据可以表明外墙、隔墙、活动面是一次火烤还是分开多次火烤。部分房屋的活动面未经过火烤，这说明部分房屋的火烤是在修建活动面之前。各房屋的火烤温度也存在差异。如 F1 抹面为红色，质地较坚硬，但内部呈灰黑色，质地较软，这说明其火烤的温度并不是很高。

7. 修建火塘及储藏室。火塘是关庙山遗址大溪文化屋内常见设施。F30 在屋内南北向的中轴线上修建了 3 个方形的火塘，都可以分为上下两层，这说明这些火塘都经过重修。根据位置，我们分别以中火塘、南火塘、北火塘称之。三个火塘的大小、形制基本相同。中火塘平面呈不规则正方形，边长约为105—115厘米，东、西、北三面有埂，南部以隔墙代替。目前残存高度不一，最高者22厘米，最低者4厘米。三个曲尺形埂将中火塘分为四个小火塘，以西南角最大，东北角、西北角次之，东南角最小。在F30的西北角发现了一个小坑，有2层台阶，外圈直径为15、内圈直径约为8、深23厘米。坑周壁用黏土泥料抹成，内壁光滑，青灰色，留有烟炱，很有可能是火种坑。在中火塘的西北有一个长120厘米，宽80厘米的储藏室，有可能用于储藏食物或者柴草。

火塘仅在少数房屋发现，有单体火塘、三联火塘、四联火塘之别。三联火塘仅在F34西南角发现一例。火塘面略高于活动面8厘米，9个袋形火塘坑东西向排成3排，每排3个。火塘底相连，底部由孔洞联通。火塘口之间由南北向的拱形红烧土横梁相隔，只有西边一个火塘有火塘门，火塘壁和火塘底均用黏土泥料抹成，厚2—3厘米，表面光滑。火塘壁和火塘底经过长时间火烤，火塘壁为橙黄色，火塘底为深红色，质地坚硬（图3–23，1）。

四联火塘也仅1例，位于F33东北角，由操作坑、火塘台、火塘坑组成。操作坑近长方形，位于南部，长190、宽90厘米，低于活动面32厘米。火塘台与地面持平，为不规则长方形，位于操作坑的北部。在火塘台的中间东西向分布有4个袋状的火塘坑。火塘门均向南，火塘之间不联通。烟道和出烟口位于东部的火塘。火塘壁和火塘底均用黏土抹成，厚3—9厘米。火塘壁为深红色，质地坚硬，火塘底为橙黄色，温度低于火塘壁，产生这种差异的原因是火势向上升（图3–23，2）。

这一地区此前的考古学文化中，炊具均为圜底釜，往往与支座配套使用。关庙山遗址中，炊具仍以圜底釜为主，但支座的比例很低，仅为0.21%，这说明这一时期的烹饪方式发生了很大的变化。三联火塘和四联火塘的火塘坑平面为圆形或者椭圆形，最小径多在20—32厘米，而同时期的圜底夹砂陶釜的腹径也多在这一范围之内。这说明，陶釜之类的炊器有可能是直接放置在火塘上使用的。分格火塘的使用可能也与此类似。

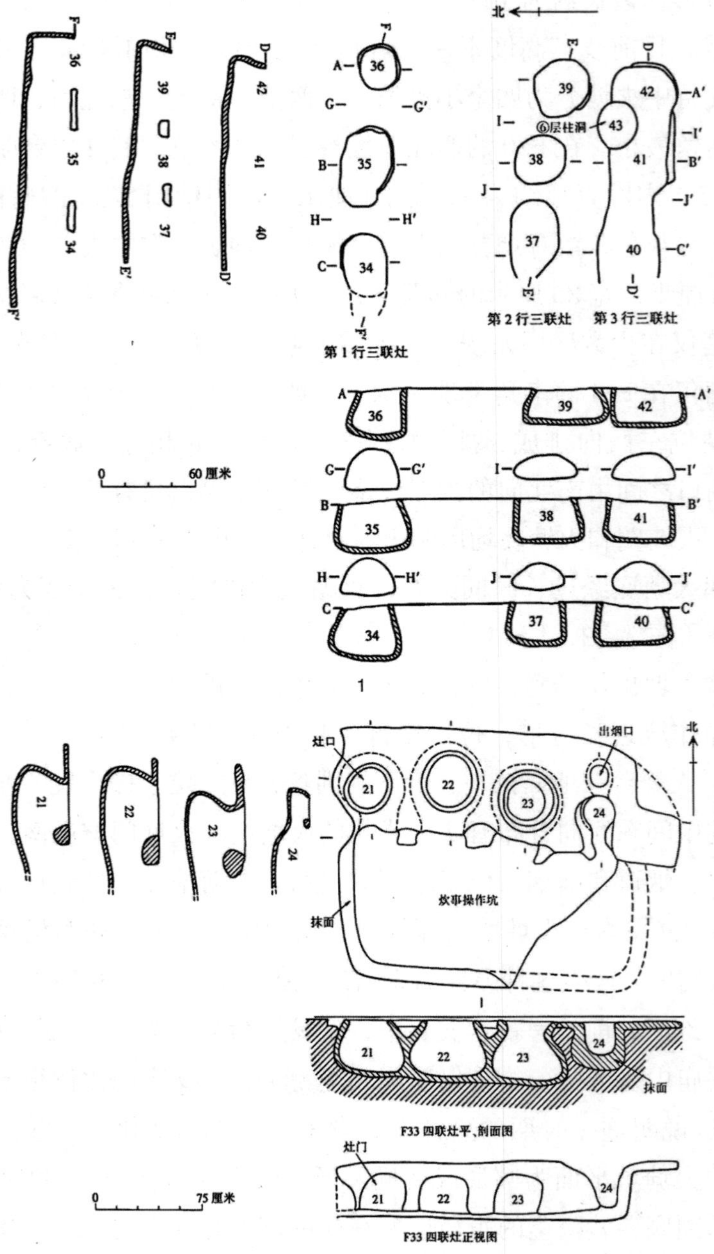

图 3-23　关庙山遗址火塘

1.F34 三联火塘　2.F33 四联火塘

在关庙山遗址共发现了 6 片红烧土场地，其中 S28、S38、S51 均有火塘发现，以 S51 发现 3 组 13 个条形火塘为最多，另有 6 个火塘零散地分布在遗址的房屋之间。这些火塘的发现说明了两点。其一，关庙山遗址的烹饪地点存在户外与室内两种方式，这两种方式是否存在烹饪目的的差别，目前还难以确定。其二，单火塘和多联火塘在室内和户外均有发现，且以多联火塘为主。此两个类型的火塘，烹饪目的肯定存在明显差别，这说明关庙山遗址的烹饪为集体行为，有可能是“大锅饭”。

8. 做梁架铺苫物。关庙山遗址的房屋，除 F36 外均有屋顶，根据柱洞和墙体的承重、出土遗物等推测，屋顶有两面坡、四面坡等不同结构，有红烧土顶和茅草顶等不同形式。F30 门口两侧各有柱洞 1 个，屋内也发现 3 排柱洞，这些柱子应该都起承重作用。根据柱洞的布局推测房屋为人字屋顶，坡度为 17° ，即南北墙中央高，东西两侧低，是山墙，柱洞 3、4、5 所在的位置应该为正脊所在。在正脊和屋檐檩之间，东西两侧各有一排檩条。F30 的这种屋顶结构属于典型的梁柱式。铺设好檩条以后，古人在其上铺设直径 2—5 厘米不等的圆木、半圆木、圆竹、半圆竹等，间距 0.6—2.7 厘米不等，兼具椽子与苫物的功能。而 F22 的椽子排列稀疏，因此，古人需在椽子之上铺 1 层茅草、竹片作为苫物。

9. 修建屋顶。搭建好屋顶梁架和苫物后，古人开始在其上徒手抹 1 层泥，并制作正脊和垂脊。抹泥分段进行，从屋脊开始，至屋檐结束；先抹高处，后抹低处，铺设泥面的泥料多为没有加入羼料的纯黏土，只有少量掺和了砂粒、稻草截段或稻壳，未见红烧土和红烧土块。屋顶抹好泥后，古人在“泥背顶”上面进行火烤，达到更好的防水和保温作用。F30 屋顶的火烤温度大概为 620℃，吸水率 27.99%。

10. 铺设散水。屋顶修建好后，古人在房屋四周用红烧土渣掺和少量黏土铺设散水，散水表面平整，略向外斜，便于排水，保护墙基。F30 的散水宽约 1 米，厚约 10 厘米。

11. 修建台阶。目前发现的房屋有台阶的仅 F30 一座。门东向，无门道。门外侧用红烧土块砌成长 220、宽 42—58、高 4—12 厘米的台阶（图 3-24、3-25、3-26）。

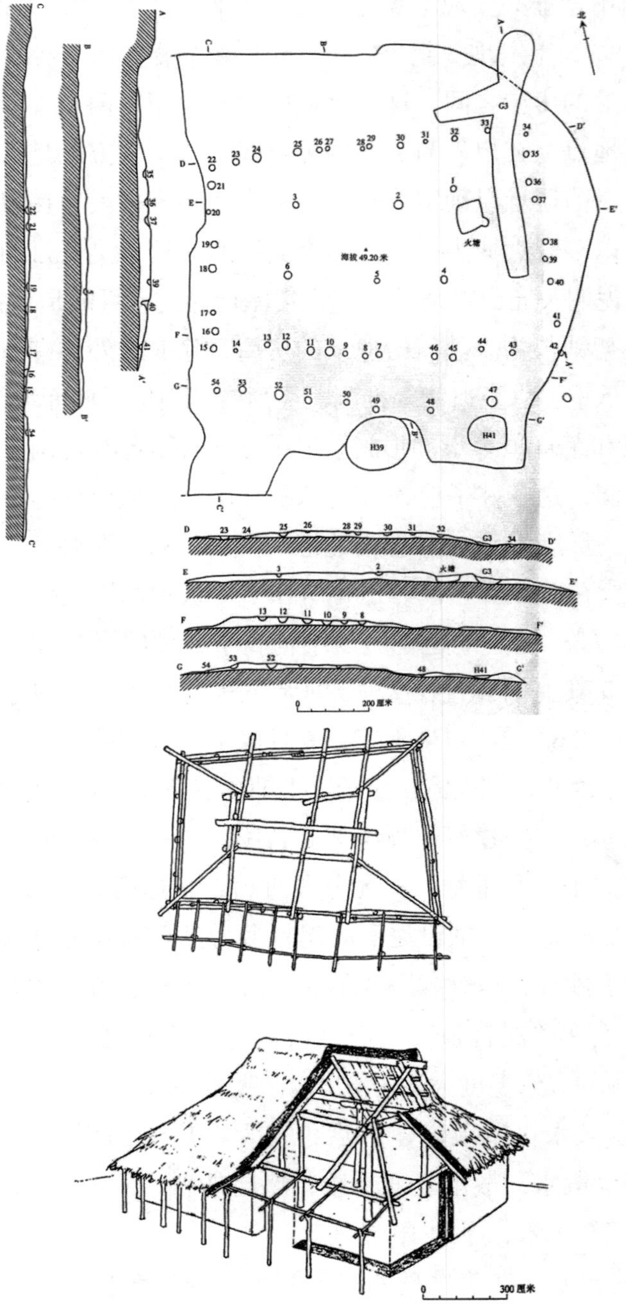

图 3–24 关庙山遗址 F9 复原

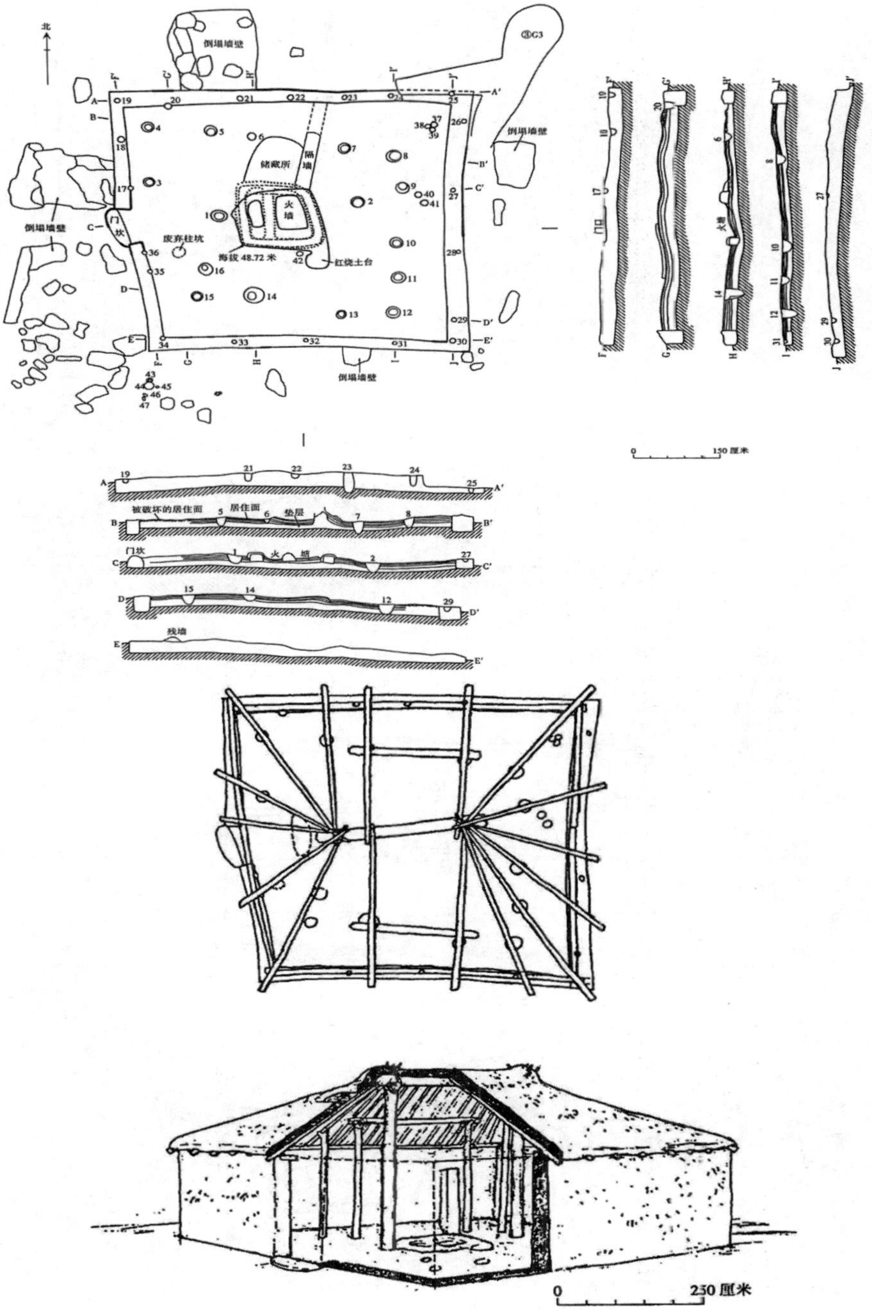

图 3–25　关庙山遗址 F22 复原

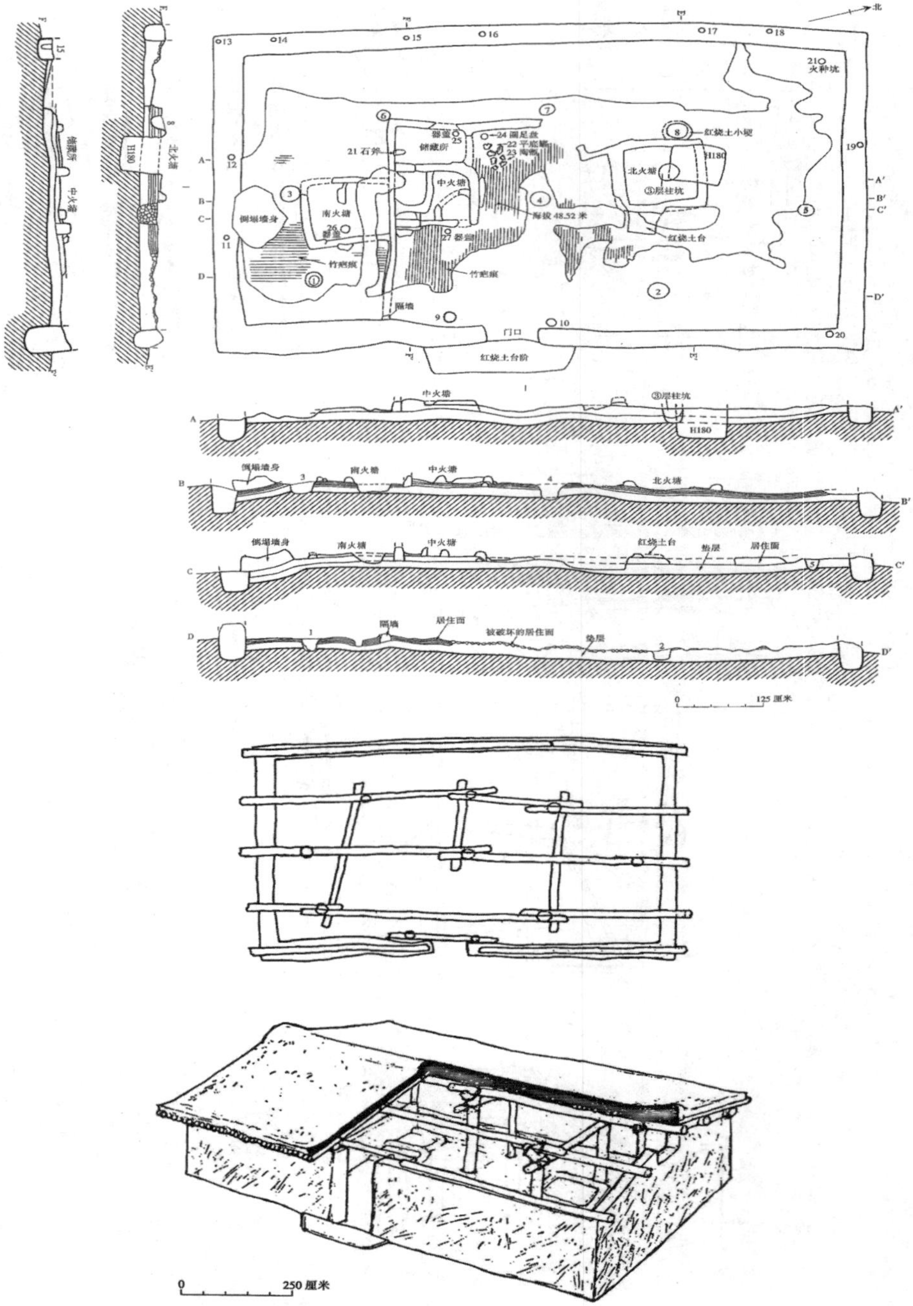

图 3–26　关庙山遗址 F30 复原

关庙山遗址 F1、F26、F36 等房屋发现了奠基遗存。F1 的奠基遗存有两处，一处是在西墙脚埋了 3 件筒形瓶、3 件圭形凿，另外一处是在北墙埋了 1 颗亚洲象的臼齿。筒形瓶仅见于关庙山、中堡岛等遗址，所占比例较低，中堡岛第二期约在 2% 左右，关庙山遗址为 0.1%。这一类的器物可能并非实用器，常用于房屋的奠基[①]，可能与某种宗教活动相关（图 3–27）。

F26 的奠基坑有三处。第一处是在东墙基南端下挖一个椭圆形锅底状奠基坑，坑长 72、宽 52、深 40 厘米，坑内置 1 件圈足罐。第二处是在北隔墙的墙基东端埋了 1 件横置的筒形瓶。第三处位于南部的门口附近，为一个不规则的奠基坑，坑底高低不平，东西长 75、南北宽 66、深 25 厘米。坑内埋有一个人头形红烧土作为奠基物。红烧土表面稍加抹平而非光面，左脸尚残存一层黄泥浆。圆顶，额面部弧形，后脑部齐平，头下方底面较平。脸面部做出眼、鼻而无嘴。两眼微椭圆状，系用鹿角捅成的深洞，往里向下弯曲，鼻尖已脱落，残高 0.7 厘米，红烧土头顶至底面纵高 13.5、脸面至后脑厚 2、左右横宽 27.5 厘米（图 3–28）。

在 F22 室内东北部的活动面上发现了一组陶器，分别为圈足碗 1 个、曲腹杯 2 个、平底罐 2 个，三者均朝上放置在活动面上，陶平底罐内置有小型石锛 1 个、骨针 1 个、鹿角 1 个，这些物品应该是女子缝纫的用具。在屋外的散水上发现了另一组遗物，分别为圈足盘 1 个、器盖 1 个、空心球 1 个、石斧 2 个，这有可能是加工食物的工具。这些工具组合向我们大致勾勒了 F22 的生活场景——房屋中央是用于取暖、防潮、烹饪食物的火塘，有人坐在火塘边缝制衣服，也有人在屋外加工食物（图 3–29）。

① 高蒙河:《长江中游的史前器座及其相关问题》,《江汉考古》1992 年第 3 期。

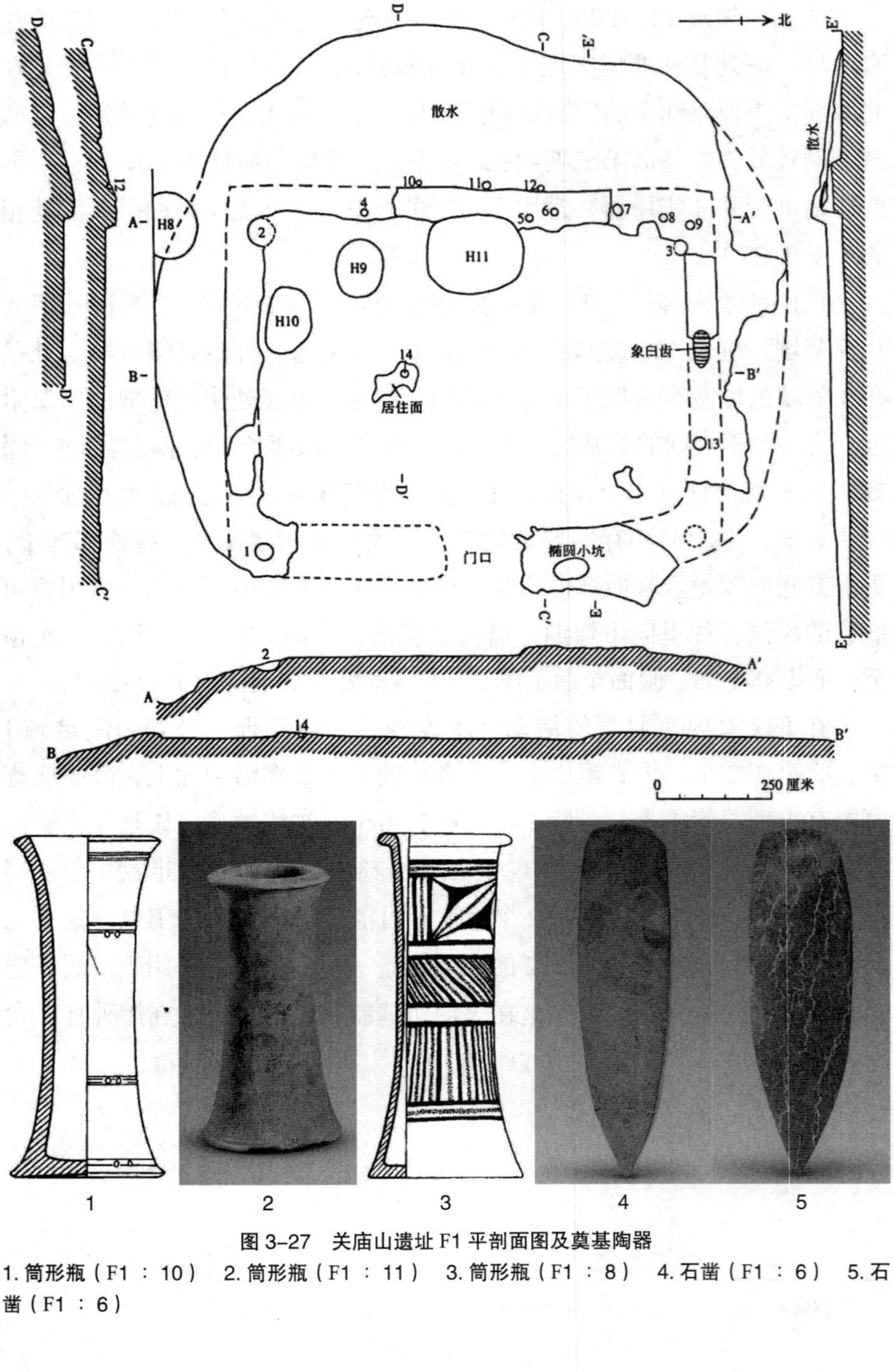

图 3-27 关庙山遗址 F1 平剖面图及奠基陶器

1. 筒形瓶（F1 ∶ 10） 2. 筒形瓶（F1 ∶ 11） 3. 筒形瓶（F1 ∶ 8） 4. 石凿（F1 ∶ 6） 5. 石凿（F1 ∶ 6）

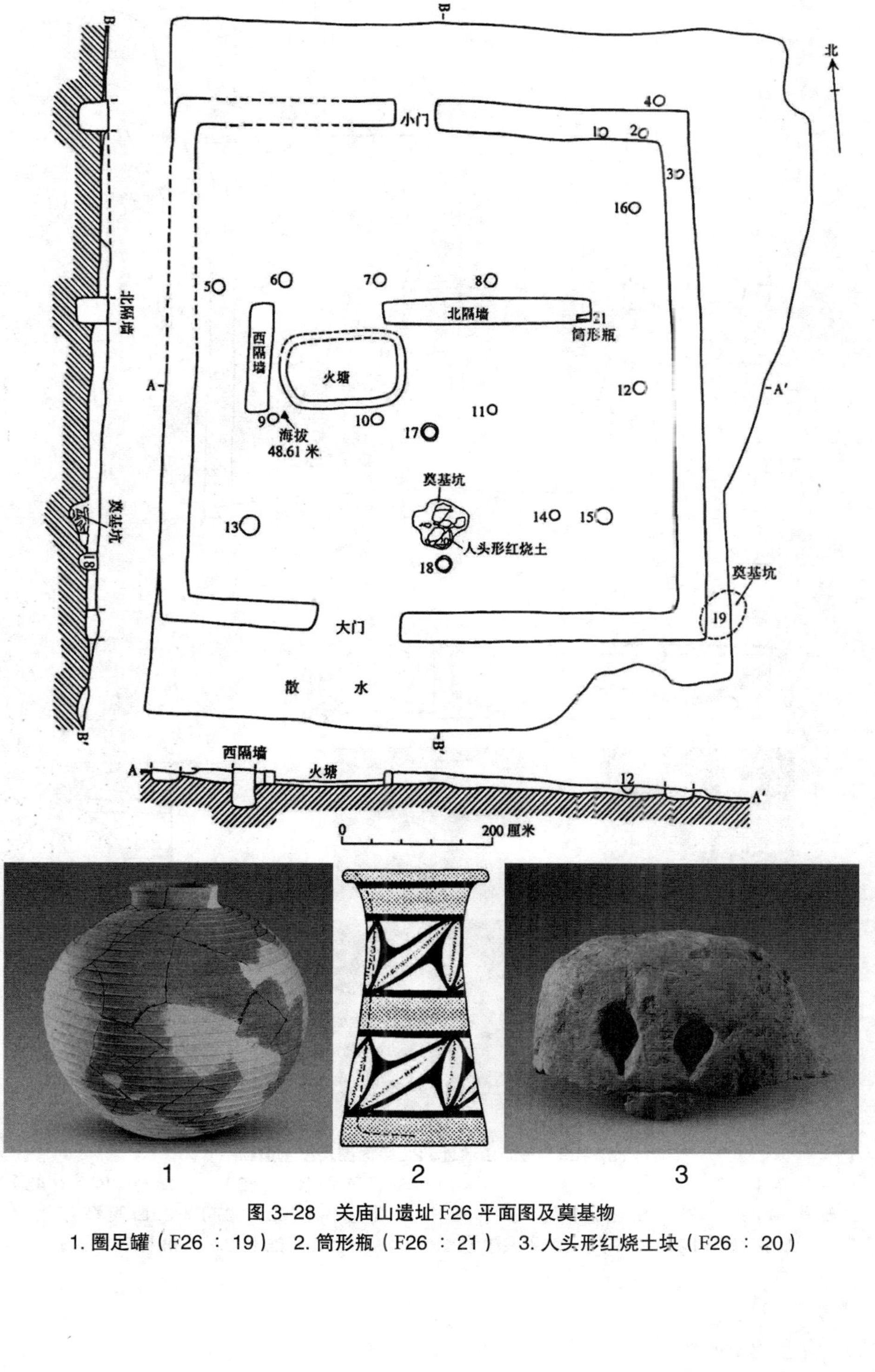

1　2　3

图 3–28　关庙山遗址 F26 平面图及奠基物

1. 圈足罐（F26 ：19）　2. 筒形瓶（F26 ：21）　3. 人头形红烧土块（F26 ：20）

图 3–29　关庙山遗址 F22 平面图及出土遗物

1. 圈足盘（F22 ：44）　2. 器盖（F22 ：43）　3. 石斧（F22 ：46）　4. 陶球（F22 ：45）　5. 石斧（F22 ：47）　6. 圈足碗（F22 ：38）　7. 曲腹杯（F22 ：37）　8. 曲腹杯（F22 ：41）　9. 平底罐（F22 ：39）　10. 平底罐（F22 ：40）　11. 石钺（F22 ：48）

（四）葬俗

大溪文化的墓葬可以分为瓮棺葬和土坑竖穴两类，前者以枝江关庙山遗址为代表，后者以巫山大水田遗址为代表。

关庙山遗址

关庙山遗址共发现墓葬110座，其中土坑竖穴3座，其余107座均为瓮棺葬。除了3座土坑竖穴及1座瓮棺葬位于居住区外，其余瓮棺葬均密集地分布于遗址的东北部。这一区域应该是关庙山遗址大溪文化古人集中埋葬儿童之所，但前三期瓮棺葬的数量较少，仅发现33座，第四期数量最多，达到了74座。根据葬具，关庙山遗址大溪文化瓮棺葬可分两类，第一类为单件陶葬具，共计80座，除1座为陶鼎外，其余均为陶圜底釜。第二类为两件陶器的组合葬具，即在陶釜的口部盖一件陶器，如盆、碗、圈足盘、钵、器盖等。W15即属于此类，比较特殊的是W15在葬具（圜底釜、器盖）底部凿了一个孔，仅此一例。107座瓮棺葬中，有8座有随葬品，约占7.48%，其中6座随葬品置于葬具内，1座置于埋葬坑内，1座置于葬具口之上的填土中。

从房屋的面积来看，这时期人群的社会地位已经有了一定程度的分化。从随葬品的数量来看，瓮棺葬并未产生明显的等级分化。由于小孩没有劳动能力，其随葬品均来自于父母。小孩缺少随葬品说明这一时期可能还不存在继承性财富。结合多联火塘及室外火塘，我们似乎可以推测这一时期的人群可能仍然不是以核心家庭形式来居住。

根据陶器分期，发掘者将关庙山遗址大溪文化聚落分为四期，以第三期的聚落最具有代表性。第三期聚落有房屋9座、灰坑43个、瓮棺葬11座、土坑竖穴墓3座，可以明显地分为居住区与墓地两部分。第三期是关庙山遗址大溪文化的繁荣期，发现的房屋也比较多，但瓮棺葬的数量却明显偏少。居住区以F30为中心，可以确定有储藏功能的灰坑有H94、H103、H104、H105、H109、H110、H119、H128、H189。在第三期墓地的西部发现了7具完整的猪骨架，占地约50平方米。均先挖浅坑，然后侧身埋放整只成年或幼年的家猪，四肢并靠一起或是前后肢分别并靠，猪的头向不一，当系多次埋入。其有可能是作为整个墓地所埋葬婴幼儿的随葬品，也有可能与某种宗教或者祭祀活动有关。小孩夭折后，以瓮棺葬的形式埋葬在居住区的东北部，除特殊情况外，成年人死后不葬在居住区范围内。

大水田遗址

大水田遗址发现的灰坑、房屋、墓葬混杂在一起。H79 为直径在 125 厘米左右的圆形坑，坑底发现 1 具完整的狗骨架。H217 为直径 80 厘米左右的圆形灰坑，在灰坑底部南北向扣置陶碗、陶盘各 1 件，陶器周围发现了一组制作精美、有规整刻划符号的骨簪。除了这两个灰坑可能与祭祀活动有关外，其余灰坑可能与生活有关，这说明大水田的大溪文化居民并未将茔地与居址分开。

墓葬以土坑竖穴为主，另有少量瓮棺葬发现。葬式有仰身直肢、仰身屈肢、侧身屈肢、俯身屈肢等，以仰身屈肢为主，屈肢又可分跪屈和蹲屈两类，以跪屈居多。从入葬人数上看，有单人葬和合葬之别。合葬墓以双人合葬居多，另有 3 人、5 人、7 人合葬墓各 1 座（图 3–30）。

大水田遗址发现的墓葬有两座比较特殊，均为仰身直肢，且以陶器覆面。陶器覆面的现象在长江下游①、淅川马岭遗址后岗一期文化②等均有发现，大溪文化这一习俗的出现可能与文化交流有关。大水田遗址另外与文化交流有关的遗物是绿松石。目前国内探明的绿松石矿主要分布于秦岭东段的湖北十堰，陕西白河、安康、平利，安徽马鞍山，河南淅川等地，新疆哈密、云南安宁、江苏、青海德令哈和乌兰等地也有少量矿床分布。大水田遗址发现的绿松石，最有可能的来源是鄂西北与南阳盆地。

---

① 高江涛：《长江下游及相邻地区史前红陶钵覆面葬初探》，《考古》2014 年第 5 期。

② 李默然：《马岭遗址后冈一期文化聚落与社会》，武汉大学博士学位论文，2017 年。

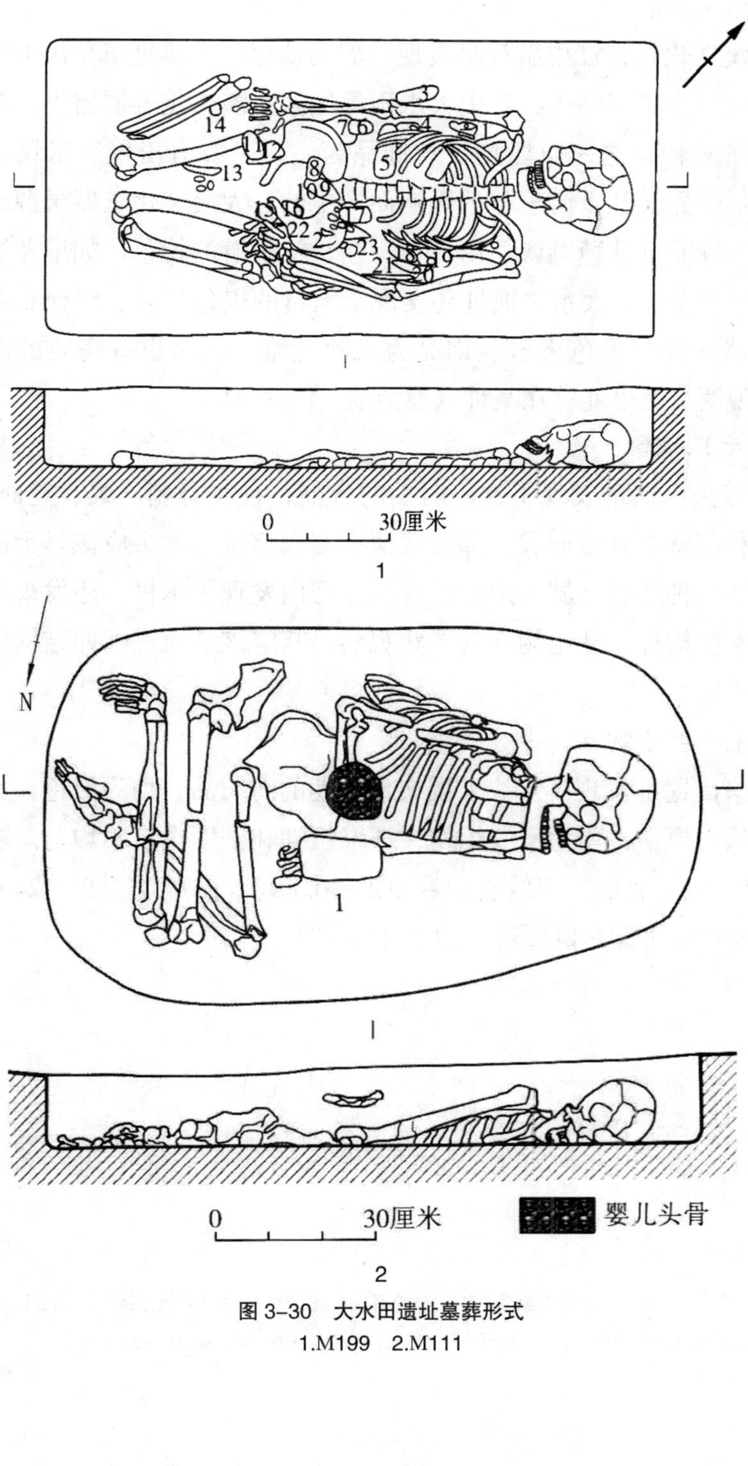

图 3-30　大水田遗址墓葬形式
1.M199　2.M111

（五）玉器

大溪文化是长江中游最早发现玉器的遗存，主要见于巫山大溪、松滋桂花树、华容车轱山、巫山大水田等地。大溪文化玉器器类、器形与长江下游相似，这一阶段均以装饰品为主，主要有玉璧、玉玦、玉环等，应是受到长江下游玉器的影响而产生的。大溪文化玉器虽源于长江下游，但并非依葫芦画瓢，出现了一些长江中游的特色，如玉器边缘锯齿状的装饰等[①]。大水田遗址还发现了大量的黑色板岩、绿松石装饰品以及玉器。部分黑色板岩装饰品为人脸造型，同时也有陶质的面具发现，这说明当时可能存在某种宗教活动（图 3–31）。

（六）木器

在城头山遗址发现了这一时期的木器，种类有艄、桨、凳面、刀、矛。多利用整木修整而成，部分残留有制作痕迹。木头应该是大溪文化最重要的一种原料。城头山遗址在护城河内发现了木桩，还发现了一些建筑的木质构件。从木构件的形状观察，其应该是通过榫卯结构固定的（图 3–32）。

（七）纺织物

城头山遗址发现了 5 块大溪文化时期的纺织品，均为黑色，大小不一，形状不规整，均为平纹织物，纤维粗细和密度也多不均匀。粗线直径在 0.5—0.7 毫米，细线直径在 0.2—0.3 毫米，密度为 9—24 根 / 厘米，原材料有可能是麻纤维（图 3–33）。

---

① 杨建芳:《大溪文化玉器渊源探索——兼论有关中国新石器时代文化传播、影响的研究方法》,《南方民族考古·第一辑》，成都：四川大学出版社，1987 年，第 15—21 页。

图 3–31　大溪文化玉器

1. 板岩饰（大 M92 ：8）　2. 板岩饰（大 T0912 ④：6）　3. 玉璜（大 M77 ：1）　4. 玉饰（大 M199 ：1）　5. 板岩饰（大 M36 ：3）　6. 玉玨（城 M680：9）　7. 板岩饰（大 M250 ：2）　8. 板岩饰（大 M204 ：2）　9. 板岩饰（大 T0912 ⑤：1）　10. 玉玦（大 M67 ：1）　11. 玉环（大 M94 ：2）　12. 绿松石坠（城 T3125 ④：3）　13. 玉璜（城 M678：1、2）　14. 玉玨（城 T5054 ⑥：1）

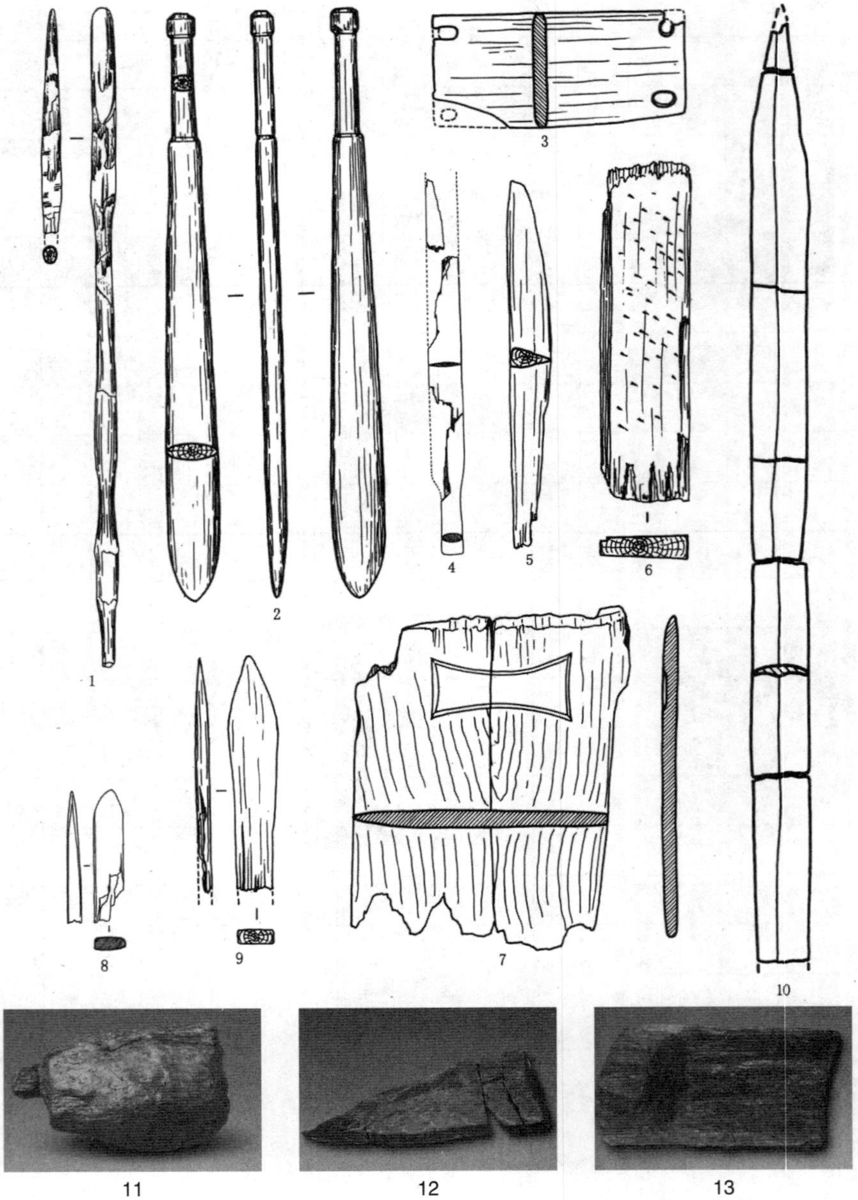

图 3-32 城头山遗址大溪文化木器

1. 艄（T645117 ：28） 2. 桨（T645117 ：15） 3. 凳面（T440117 ：5） 4. 刀（T44017 ：15） 5. 刀形器（T64017 ：20） 6. 板状器（T645117 ：37） 7. 燕尾榫板状器（T645117 ：36） 8–10. 矛（T640519 ：2、T645117 ：17、T640418 ：） 11. 木锤（T645118 ：8） 12. 木楔（T645118 ：21） 13. 木瓦形器（T645118 ：21）

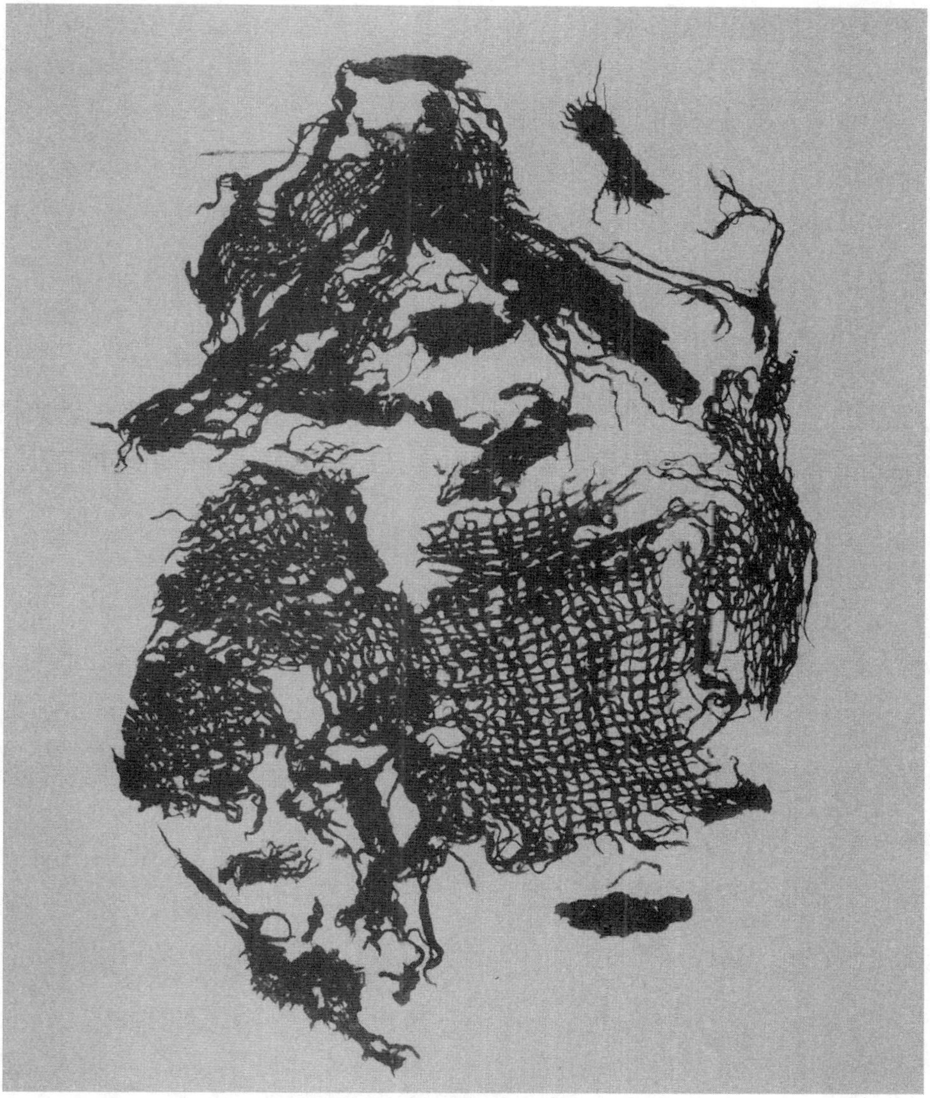

图 3-33　城头山遗址大溪文化纺织品（T060417：8）

（八）音乐

大溪文化最吸引人的是在关庙山遗址发现了一批乐器，有空心陶球、带把双圆响铃、铃铛等（图 3-34）。空心陶球共 408 件，完整者 230 件，残破者 178 件。直径在 2—9 厘米，以 2—5 厘米的最多，约占93.3%。球体规整，仅1/4左右不浑圆，纵横直径相差最大者为0.4厘米。球壁厚度依陶球大小而定，一般约在0.5厘米左右。在捏窝时体内一般放置砂砾或者细泥丸。放砂砾者有的内装五六十颗，大小如绿豆，摇动时发出沙沙响声。放细泥者有的内装约20颗，大小如赤豆或豌豆，摇动时发出咯咯的响声。80%陶球表面刻划有各种纹饰。关于空心陶球的制作方式，目前有不同的认识。有学者认为其制作方式类似包包子，先捏制，后搓圆[①]。也有学者认为其先采用压模方法制作成两个半球状，然后再粘接成球状[②]。现代陶艺工作者也经常制作这一类的铃铛，其制作方法一般是先捏塑两个半球，再粘接。目前关庙山遗址还没有发现制作空心陶球的模具。因此，其是采用模具还是捏塑，有待更多的证据。有学者认为空心陶球是作为乐器使用[③]，也有学者认为陶球的声音较小，有可能是小孩子的玩具[④]。

铃铛发现3件。两件为实柄铃铛，器形较大，高约10厘米。为泥质灰陶，柄实心，肩部对称置双孔，可能用于悬挂铃舌。腹体呈梯形，中空。另一件为双角铃铛，器形较大，复原高度为10厘米左右。泥质灰陶，平顶，顶部有2个孔，可能用于悬挂铃舌，顶部两侧对称置弯角。腹体为椭圆形，中空。

带把双圆响铃仅发现一件。为泥质黑陶，在圆柱体实心把的两端粘贴空心陶球。把体通长10.7、球体直径3.5厘米。陶球内置小泥丸，摇之咯咯作响。球面和把手上戳印篦点连线纹，把手中间有一圆孔。

---

① 中国社会科学院考古研究所：《枝江关庙山》，北京：文物出版社，2017年，第531页。

② 汤斌等：《四川博物院藏巫山大溪遗址出土彩陶球制作工艺研究》，《四川文物》2015年第6期。

③ 严福昌：《巴蜀古代乐器精品图鉴》，重庆：西南师范大学出版社，1997年，第5页。

④ 任桂园：《巫山文化简论》，《四川三峡学院学报》2000年第4期。

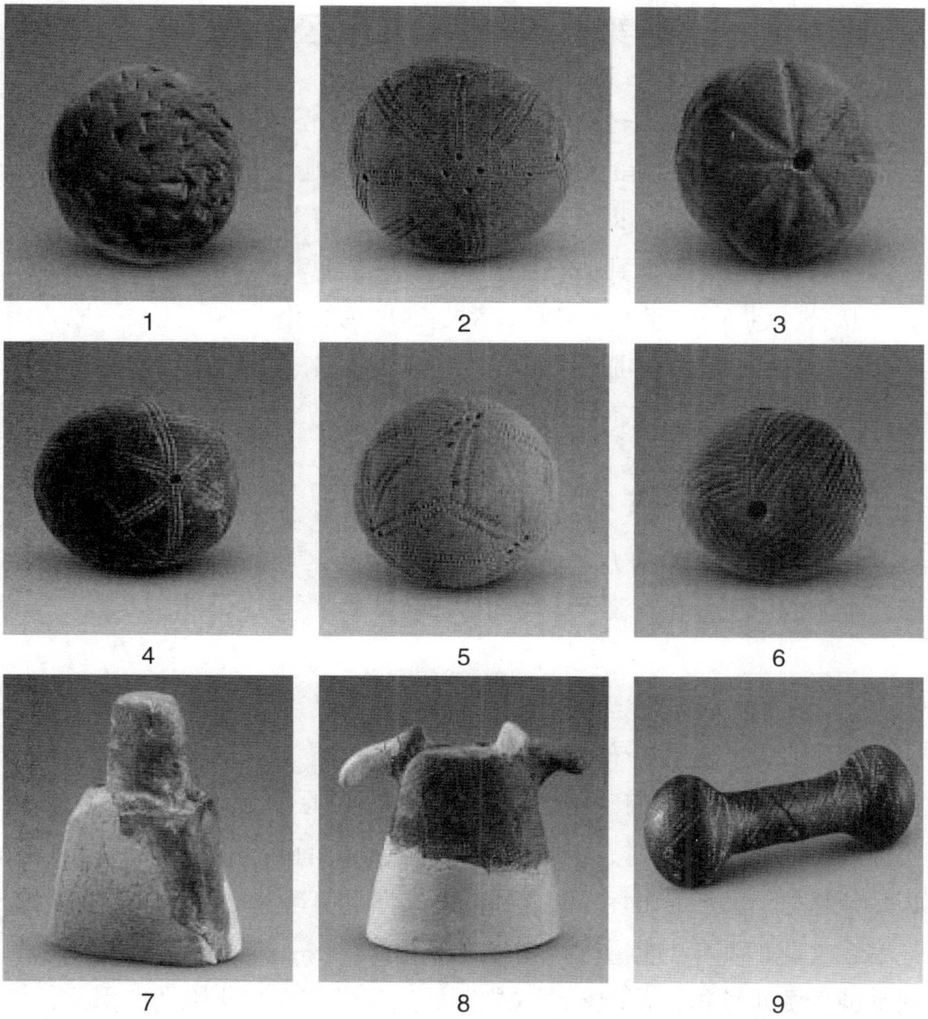

图 3-34　关庙山遗址出土大溪文化乐器

1. 空心球陶（T70⑤：4）　2. 空心陶球（T70④B：29）　3. 空心陶球（T65④B：39）
4. 空心陶球（T57④：67）　5. 空心陶球（T57⑤：91）　6. 空心陶球（T51④A：214）
7. 实柄铃（T51wu5A：249）　8. 双角铃（T69③A：17）　9. 带把双圆响铃（T53④：108）

第二节　鄂西北地区

汉水中游自古以来便是沟通黄河中游与长江中游的文化走廊，也是南北文化拉锯式博弈的焦点区域。从关中盆地，沿着秦岭山间狭窄河谷，向东南翻越秦岭，即可直达汉水上游；向东穿越秦岭，就可以进入南阳盆地东北缘，继而到达襄宜平原和江汉平原。

从公元前5500年左右开始，荆楚地区的文化中心在江汉平原西缘和峡江地区，汉水中游成为鄂西北文化不断向南传播的前沿阵地。关中盆地的老官台文化、黄河中游的后岗一期文化、半坡文化、庙底沟文化都先后传播至这一地区。公元前3300年以后，江汉平原成为长江中游的文化中心，屈家岭文化、石家河文化处于强势地位，开始向四周传播，汉水中游又成为南方文化向北扩张的主要区域。本节我们主要介绍黄河中游的中原文化对汉水中游的传播和经略。

一、老官台文化

老官台文化主要分布于渭水流域和汉水上游。经过发掘的遗址有陕西西乡李家村、西乡何家湾、紫阳马家营、汉阴阮家坝、南郑龙岗寺、临潼零口、临潼白家村、宝鸡关桃园、宝鸡北首岭，甘肃秦安大地湾、天水师赵村、天水西山坪，湖北郧县庹家洲[①]等遗址（图3-35）。目前，老官台文化的测年数据主要集中在公元前6000—前5000年[②]。庹家洲遗址缺少测年数据，从陶器面貌判断其属于老官台文化晚期。因此，我们推测其绝对年代应该在公元前5500—前5000年左右。

---

① 武汉大学考古学系等：《湖北郧县庹家洲遗址老官台文化遗存》，《考古》2016年第1期。

② 中国社会科学院考古研究所：《中国考古学·新石器卷》，北京：中国社会科学出版社，2010年，第123页。

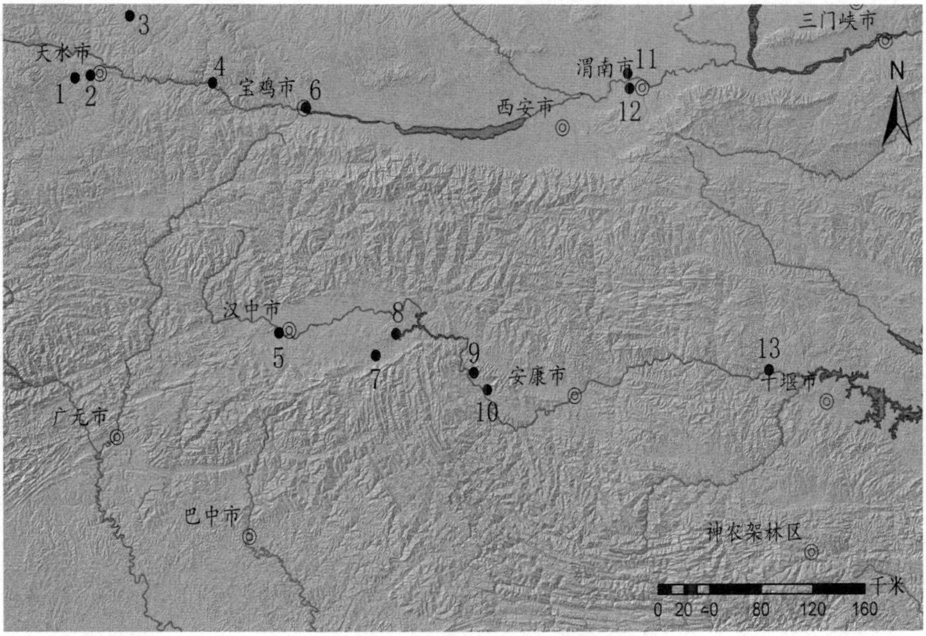

图 3–35 老官台文化遗址位置图

1. 天水西山坪 2. 天水师赵村 3. 秦安大地湾 4. 宝鸡关桃园 5. 南郑龙岗寺 6. 宝鸡北首岭 7. 西乡李家村 8. 西乡何家湾 9. 汉阴阮家坝 10. 紫阳马家营 11. 临潼白家村 12. 临潼零口 13. 郧县庹家洲

（一）陶器面貌

南水北调工程中，在郧阳区庹家洲遗址发现了一处老官台文化遗址，这是目前鄂西北最早的新石器时代遗存。庹家洲遗址发现的老官台文化陶器均手制，很多有片状剥落，应为泥片贴塑法制成。烧制火候不均，表面颜色往往斑驳不纯。以夹砂红陶、红褐陶为主，约占 74.8%，其次为泥质红陶、红褐陶，约占 11.9%，大部分陶片内壁为黑色，还有少量夹蚌、夹云母陶。陶器表面大多施绳纹，约占 55%，有粗绳纹、细绳纹、交错粗绳纹和交错细绳纹等；素面陶约占 44%，有少量篦纹和乳丁纹（图 3–36）。

图 3–36 庹家洲遗址出土陶器

1. 鼓腹罐（T0103⑨：1） 2. 圆腹罐（庹家洲 H60 ：1） 3. 柄足钵（T0103⑨：2） 4. 饼足钵（H60 ：12） 5. 饼足钵（H60 ：2） 6. 饼足钵（H60 ：8）

（二）文化交流

庹家洲遗址人群的日常生活用陶器主要有筒腹罐、圆腹罐、鼓腹罐、圜底钵、平底钵、三足钵、碗、小口广肩壶、器盖等。关中盆地的老官台文化人群采取定居农业的生活方式，种植的农作物有粟和油菜，但农业并不发达，家养动物有猪、水牛、狗、鸡等①。庹家洲遗址的陶器与关中盆地的老官台文化陶器如出一辙，其生活方式、生计类型应该有一定的相似性，但目前我们还缺少对庹家洲遗址人群的生计方式进行探讨的材料。

老官台文化进入鄂西北山地以后，并未停下南下的步伐。在宜都枝城北、枝江青龙山、巴东楠木园等遗址均有典型陶器发现。庹家洲、楠木园、枝城北三个遗址中老官台文化因素各有不同。庹家洲整体面貌与

① 中国社会科学院考古研究所：《中国考古学 · 新石器卷》，北京：中国社会科学出版社，2010 年，第 123 页。

老官台文化接近，应直接归入老官台文化。楠木园遗址发现的老官台文化因素以圈足碗为主；枝城北 H1、青龙山遗址两个遗址中城背溪文化陶器占绝对优势，老官台文化因素以三足器为主（图 3–37）。

值得注意的是枝城北遗址、青龙山遗址发现的三足器，其器形与老官台文化有一定的差异。但此类陶器不见于鄂西南及周边其他遗存，因此，我们还是推测其与老官台文化有一定的关联。老官台文化三足器的足均比较矮，三足构成的空间很小，几乎不能用于燃烧。三足的功能可能与支座相同，仅为稳定器身。枝城北、青龙山等遗址发现的三足器，足明显增高，其构成的空间也有所增大，但这类三足器的足除了稳定器身之外，其构筑的空间是否可以用于燃烧，现在还不得而知。如果这一空间具备燃烧的可行性，那就与鼎的功能基本一致了。

二、后岗一期文化

荆楚地区后岗一期文化遗存主要集中在鄂西北山地，经过发掘的遗址有郧县胡家窝、郧县店子河、郧县刘湾、郧县三明寺、郧县上宝盖、均县朱家台、均县乱石滩、郧西张家坪、十堰犟河口等遗址（图 3–38）。后岗一期文化共有 5 个测年数据，主要集中在郑州大河村、安阳后岗、翼城枣园等遗址。测年数据主要集中在公元前 5000 — 前 4000 年。

（一）陶器面貌

后岗一期文化陶器以泥质红陶为主，约占 58.4%，夹砂红褐陶次之，约占 27.9%，泥质灰陶、泥质黑陶较少。泥质红陶、泥质灰陶多饰有陶衣。泥质陶主要器类有钵、碗、支座、盆、罐、鼓等；夹砂陶主要器类有鼎、罐等。陶器基本素面，约占 99.9%，有极少量饰篮纹、绳纹。陶器的口沿、饼足多分开制作，然后再粘贴在一起，常可以观察到粘贴痕迹。

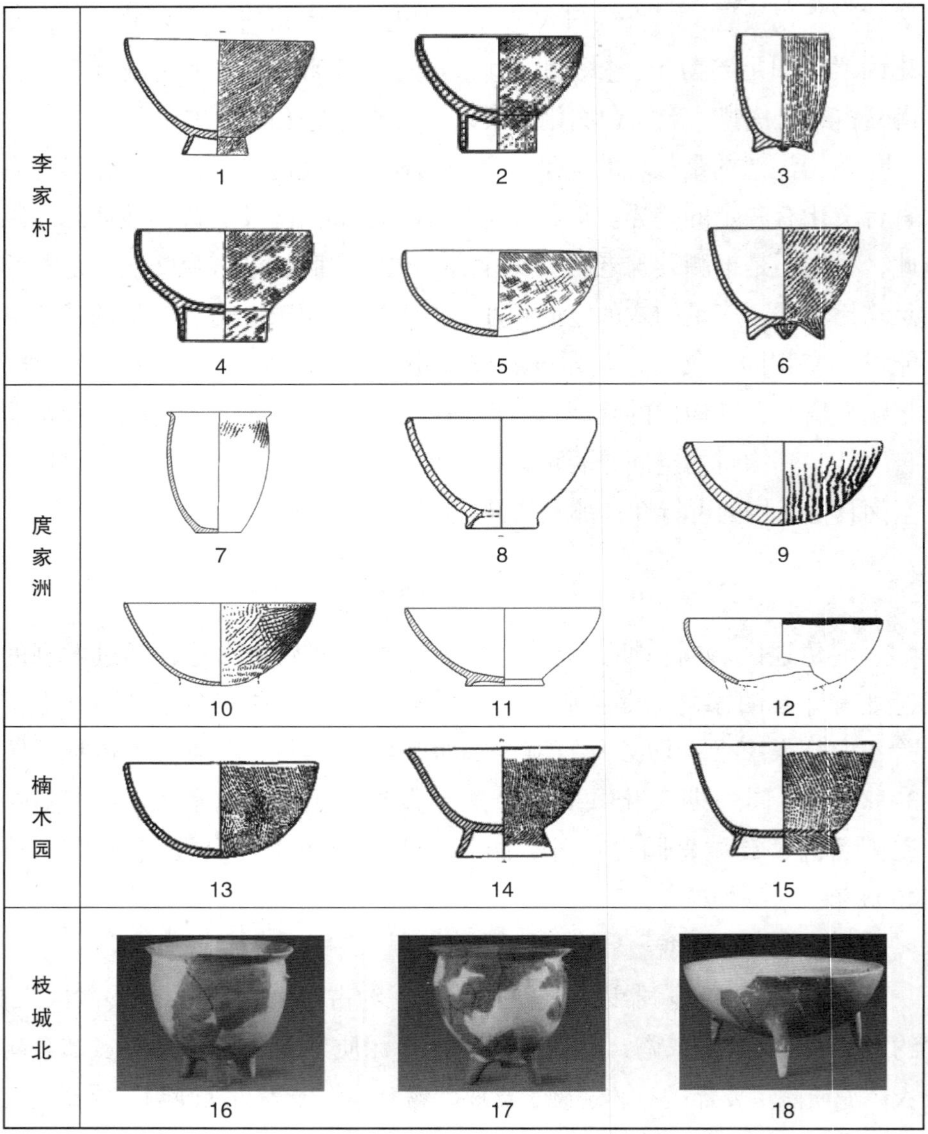

图 3-37 荆楚地区老官台文化陶器

1. 圈足碗（H17 ：5） 2. 圈足碗（M4 ：11） 3. 三足罐（T2 ③ ：2） 4. 碗（H6 ：4） 5. 钵（T2 ③ ：1） 6. 三足钵（H10 ：1） 7. 鼓腹罐（T0103 ⑨ ：1） 8. 圈足碗（H60 ：14） 9. 圜底钵（H60 ：10） 10. 钵（H60 ：11） 11. 圈足碗（H60 ：8） 12. 鼎（H60 ：24） 13. 圜底钵（L Ⅱ T0101 ⑦ ：12） 14. 圈足碗（L Ⅱ T0101 ⑦ ：46） 15. 圈足碗（L Ⅱ T0101 ⑦ ：43） 16. 三足罐（H1 ：22） 17. 三足罐（H1 ：14） 18. 三足钵（T4 ②：1）

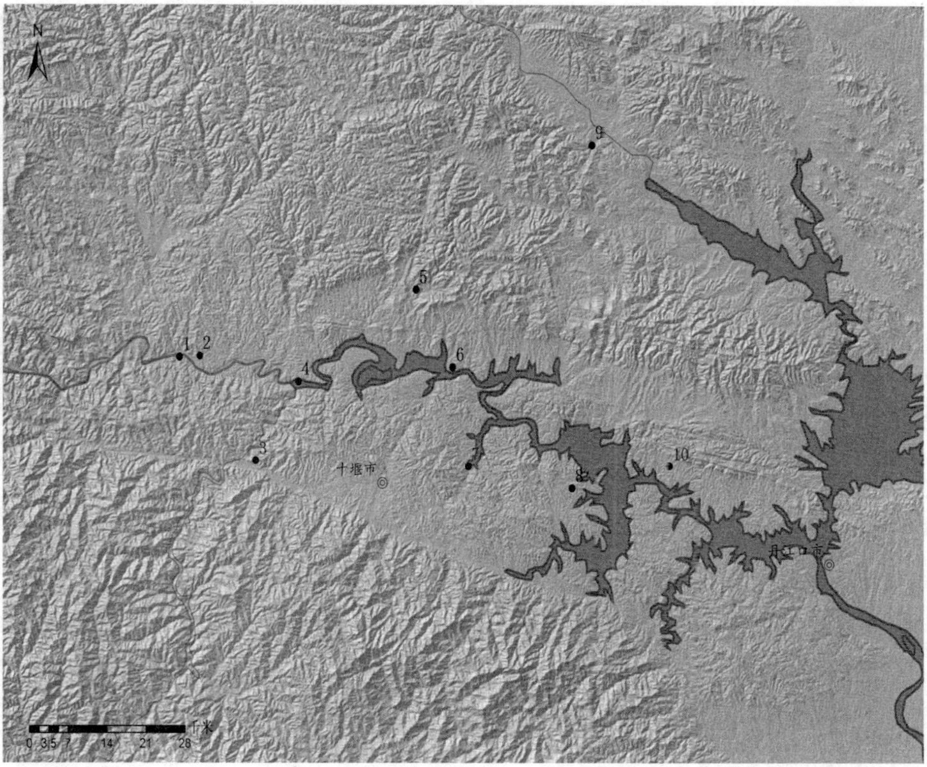

图 3–38　荆楚地区后岗一期文化遗址位置图

1. 郧县上宝盖　2. 郧西张家坪　3. 十堰犟河口　4. 郧县店子河　5. 郧县庹家洲　6. 郧县刘湾　7. 郧县三明寺　8. 均县朱家台　9. 郧县胡家窝　10. 均县乱石滩

石器多通体磨制，仅有少量为打制和刃部磨制。岩性以沉积岩为主，超过 80%。器类有石斧、石凿、石锛等。店子河遗址还发现大量石磨盘，其中间一般下凹，这说明使用时间较长（图 3–39）。

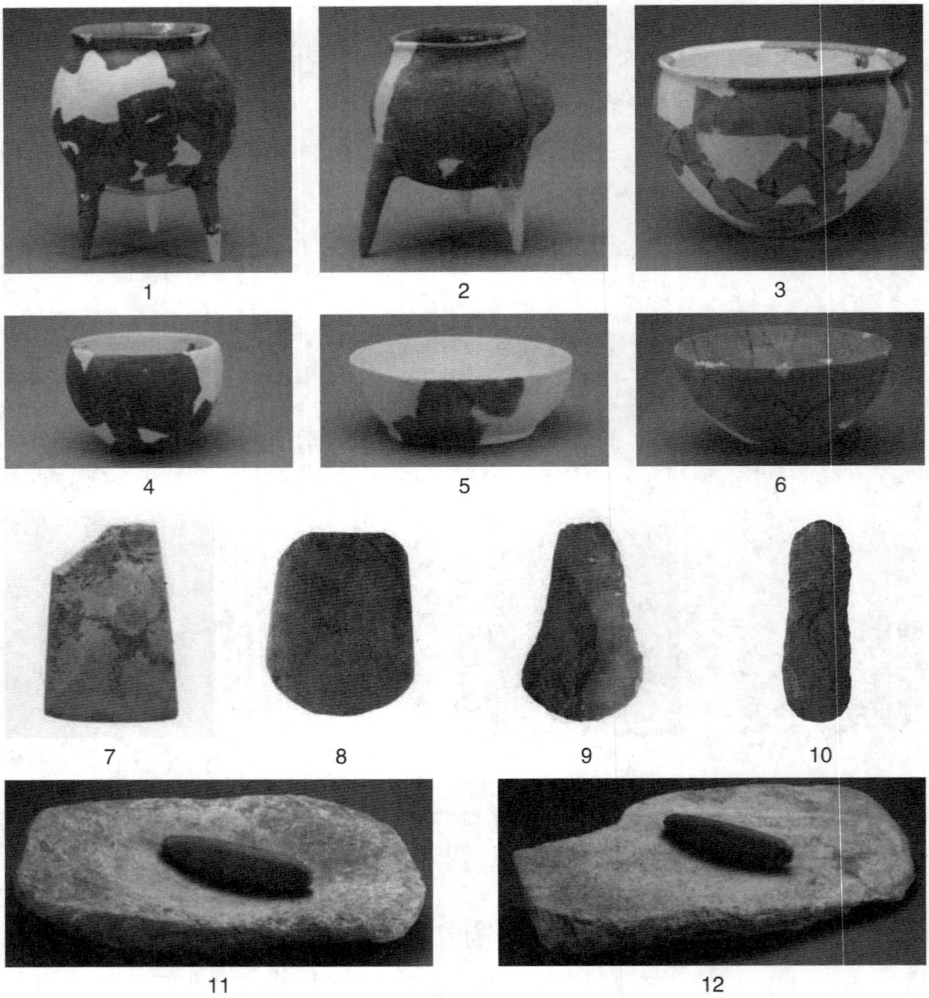

图 3-39 店子河遗址后岗一期文化遗物

1. 鼎（H98 ：11） 2. 鼎（T1001 ⑧：1） 3. 罐（H70 ：2） 4. 钵（T1002 ⑥：1） 5. 钵（T0801K ⑦：15） 6. 钵（T0802K ⑨：2） 7. 石凿（T0503 ⑨：12） 8. 石斧（T0703 ⑨：15） 9. 石斧（H91 ：1） 10. 石斧（H98 ：5） 11. 石磨盘、石磨棒（T0703 ⑨ ：1-1、T0703 ⑨：1-2） 12. 石磨盘、石磨棒（T0501 ⑧：3-1、T0501 ⑧：3-2）

（二）生业经济

考古工作者对店子河遗址后岗一期文化时期 8 个单位的 11 份样品进行了浮选，其中 9 份发现了植物种子，共 25 粒。各样品包含植物种子数量都极少，谷物仅有粟、黍两种。这说明店子河遗址后岗一期文化人群的生业经济模式中已经有旱作农业，同时期发现的磨盘、磨棒等谷物加工工具也间接说明了这一点。出土的杂草种子中不见莎草科、蓼科等水生环境中常见的杂草，也没有稗属等稻田常见杂草。这一点与谷物遗存中基本不见水稻的结果相吻合[①]。店子河遗址、刘湾遗址后岗一期文化时期居民的肉食来源基本相同，均以猪为主，另有少量鹿科动物。

（三）陶器生产

荆楚地区后岗一期文化发现的陶窑等遗迹种类上与其他文化相同，但数量偏少。值得一提的是鄂西北地区早于后岗一期文化的老官台文化仅发现一个灰坑，后岗一期文化陶窑、墓葬的发现让我们对这一时期的陶器生产规模、葬俗等有了一定的了解（表 3–1）。

表 3–1　荆楚地区后岗一期文化遗迹统计

遗址	陶窑	墓葬	灰坑	灰沟	烧土
郧县店子河	1	1	/	1	/
郧县刘湾	/	82	/	/	/
郧县三明寺	/	/	1	/	/
郧西张家坪	/	/	10	/	2
十堰犟河口	/	/	3	3	/
郧县上宝盖	/	/	1	/	/

陶窑仅在店子河遗址发现一座，为升焰式，由操作坑、火口、火塘、窑室组成。操作坑位于南部，直径 90—110、深 10—25 厘米。火

① 武汉大学历史学院考古系等：《郧县店子河遗址》，北京：科学出版社，2020 年。

塘位于操作坑与窑室的中间，平面形状为长方形，底部为斜坡状，长73、宽50—55、高20—28厘米。火塘四周有4—6厘米厚的烧结面。窑室内由窑箅、火道、窑床组成，窑室顶部已塌陷，现残高约100厘米，无烟囱。窑室平面形状为椭圆形，窑室直径120、窑壁残高40—45、有厚4—8厘米的烧结面。火道有两条，一条环绕于窑室四周，另一条位于窑室中间，火道底部多为圜底，宽14—16、高15—50厘米。火道之间为窑床，为两个半圆形，半径分别为35、45厘米。陶窑的修建利用了天然地势，操作坑地势较低，窑室地势较高，根据现有情况推测，应该为馒头窑。在窑室的顶部可能有烟囱一类的设施，这样就能利用空气的自然吸力（图3-40）。

店子河遗址发现的陶窑，窑室面积有近1平方米左右，其生产规模并不大。同时，陶窑利用了自然地形形成空气吸引力，但火塘和窑室的水平落差并不大。

（四）葬俗

墓葬见于刘湾、店子河等遗址。刘湾遗址共发现后岗一期文化时期墓葬82座，其中土坑竖穴79座，瓮棺葬3座。土坑竖穴均为单人一次葬。单人葬墓平面绝大多数为长方形，大小基本一致，长在160—200、宽在50厘米左右，仅可一人容身。可辨明葬式的65座墓葬中，仅有2座为侧身屈肢，其余63座均为仰身直肢。可鉴定性别者20座，其中男性15座，女性仅有5座[①]。年龄以成年为主，多集中在40岁左右，未成年仅有M34、M58两例。瓮棺葬葬具以瓮、罐为主。

① 此处将疑似男性统计为男性，疑似女性统计为女性。

图 3–40　店子河遗址 Y1
1. 坍塌堆积　2. 陶窑全景　3. 窑室

墓葬随葬遗物较少，一般均随葬 1—2 件（图 3–41），有陶器、石器、饰品等。陶器以钵为主，石器仅有石锛 1 件、石凿 1 件，装饰品有水晶 1 件（图 3–42）、石珠 1 件。陶钵多位于死者的脚部或者头部，可以分为黑（灰）陶与红陶两类。淅川马岭遗址后岗一期文化墓葬随葬的陶钵均为黑陶，且均覆于脸部。这些黑陶钵仅用于覆面，不具有经济属性，应当是一种仪式物品。它们的口径变化很小，生产可能由固定的陶工（或家户）完成，并且整个生产过程有一定的规范和控制[①]。

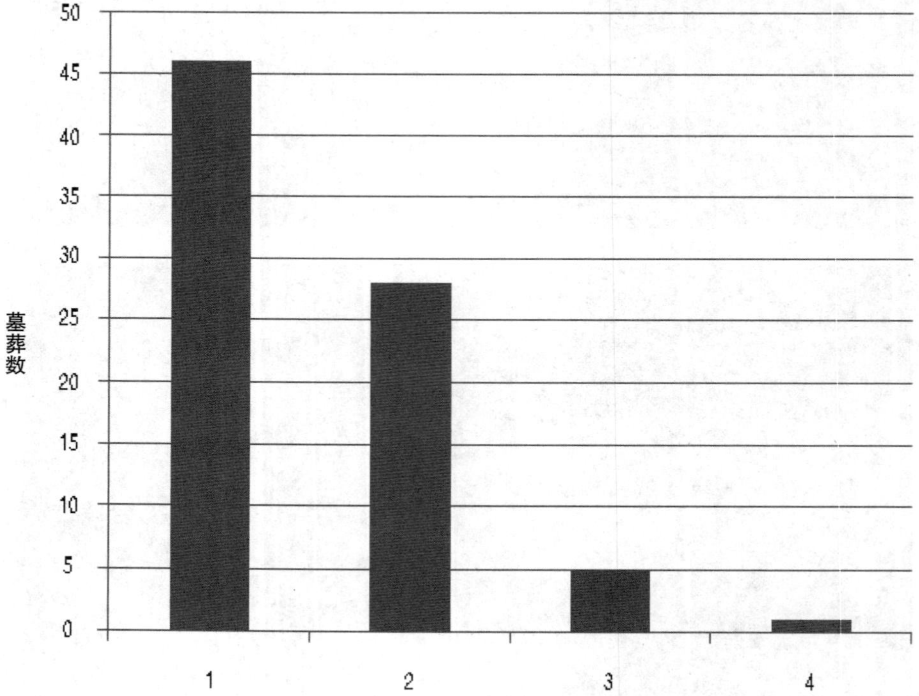

图 3–41 刘湾遗址后岗一期文化墓葬随葬品数量

① 李默然：《淅川马岭遗址仰韶早期居址和墓葬陶器的不同生产方式》，《南方文物》2019 年第 6 期。

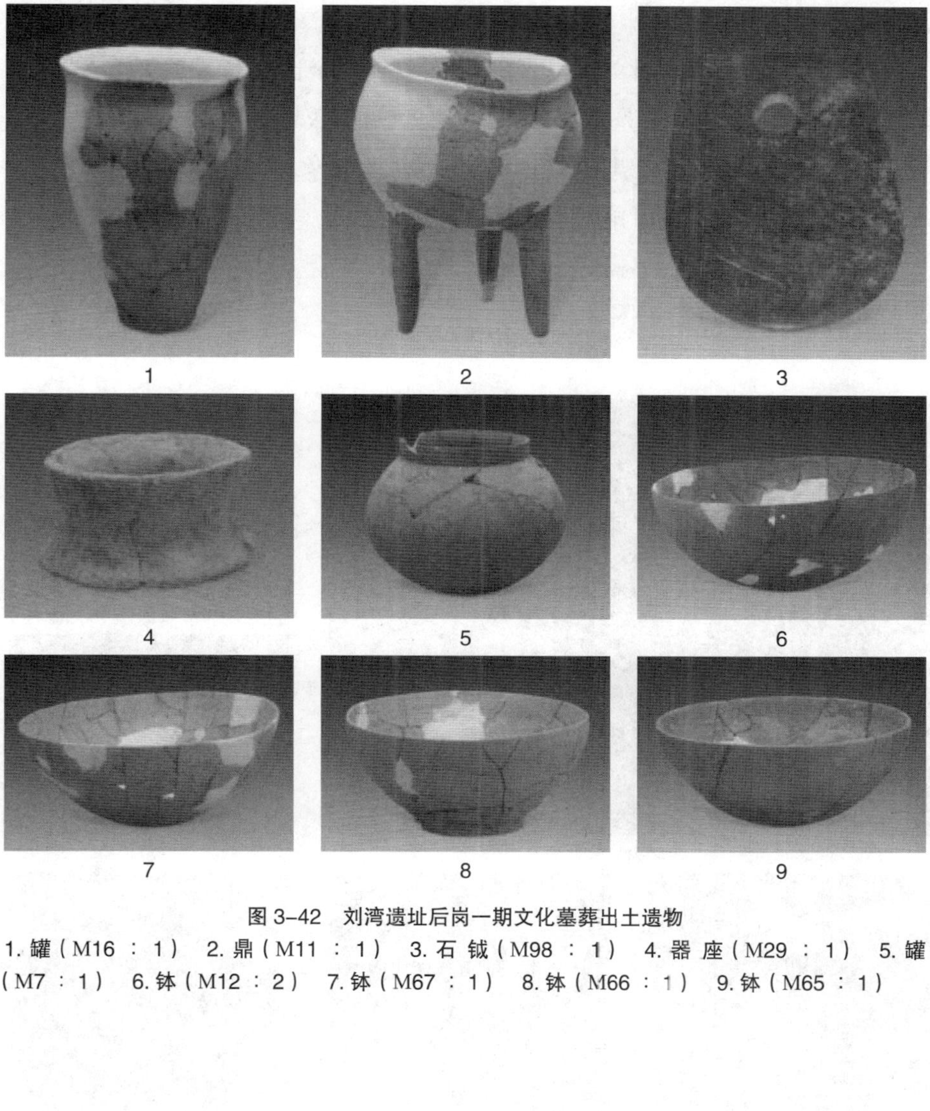

图 3–42　刘湾遗址后岗一期文化墓葬出土遗物

1. 罐（M16 ：1） 2. 鼎（M11 ：1） 3. 石 钺（M98 ：1） 4. 器 座（M29 ：1） 5. 罐（M7 ：1） 6. 钵（M12 ：2） 7. 钵（M67 ：1） 8. 钵（M66 ：1） 9. 钵（M65 ：1）

（五）祭祀遗存

荆楚地区后岗一期文化发现的灰坑中有两个比较特殊，一个是店子河遗址 H98，另外一个是上宝盖遗址 K1，两个灰坑底部都出土了一组完整器。店子河遗址 H98 出土陶器有鼎、罐、钵等，陶器周围有灰烬，说明当时有用火现象，可能和祭祀活动有关（图 3–43）。上宝盖遗址 K1 出土了盆、鼎、碗、小口壶、石球、水晶，其是否是特殊行为的产物，我们现在还不得而知（图 3–44）。

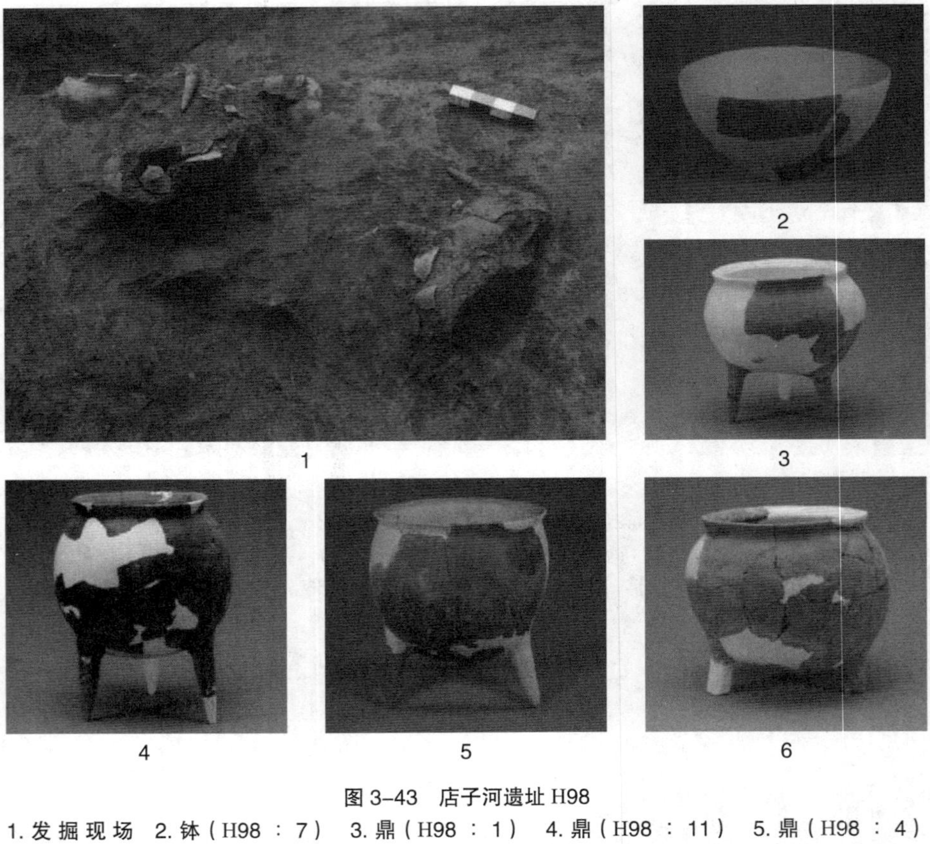

图 3–43　店子河遗址 H98

1. 发掘现场　2. 钵（H98 ： 7）　3. 鼎（H98 ： 1）　4. 鼎（H98 ： 11）　5. 鼎（H98 ： 4）　6. 鼎（H98 ： 3）

图 3-44　上宝盖遗址 K1

1. 发掘现场　2. 钵（K1 ：7）　3. 盆（K1 ：1）　4. 鼎（K1 ：2）　5. 鼎（K1 ：2）　6. 罐（K1 ：4）　7. 小口瓶（K1 ：8）　8. 陶球（K1 ：9）　9. 钵（K1 ：5）

三、下王岗二期文化

下王岗二期文化主要发现于鄂西北、豫西南地区。目前经过发掘的遗址有湖北郧县大寺、郧县三明寺、郧县刘湾、枣阳雕龙碑，河南淅川下王岗、淅川下寨、淅川沟湾、南召二郎岗、邓州八里岗、镇平赵湾、唐河茅草寺、内乡香花寨、内乡朱岗、南阳后英庄等遗址（图 3–45）。

下王岗二期文化的测年数据主要集中在枣阳雕龙碑、淅川下王岗两个遗址。测年数据集中在公元前 5000—前 3000 年，其中雕龙碑遗址的数据集中在公元前 4200—前 3000 年，下王岗遗址的一个数据跨度较大，为公元前 3000—前 2300 年。通过与其他遗存的年代契合，我们认为下王岗二期文化的年代在公元前 4000—前 3300 年（图 3–46）。

图 3–45　下王岗二期文化遗址位置图

1. 郧县庹家洲　2. 郧县大寺　3. 郧县刘湾　4. 郧县三明寺　5. 淅川下寨　6. 淅川黄楝树　7. 淅川下王岗　8. 淅川沟湾　9. 内乡香花寨　10. 内乡朱岗　11. 邓州八里岗　12. 镇平赵湾　13. 南召二郎岗　14. 唐河茅草寺　15. 枣阳雕龙碑

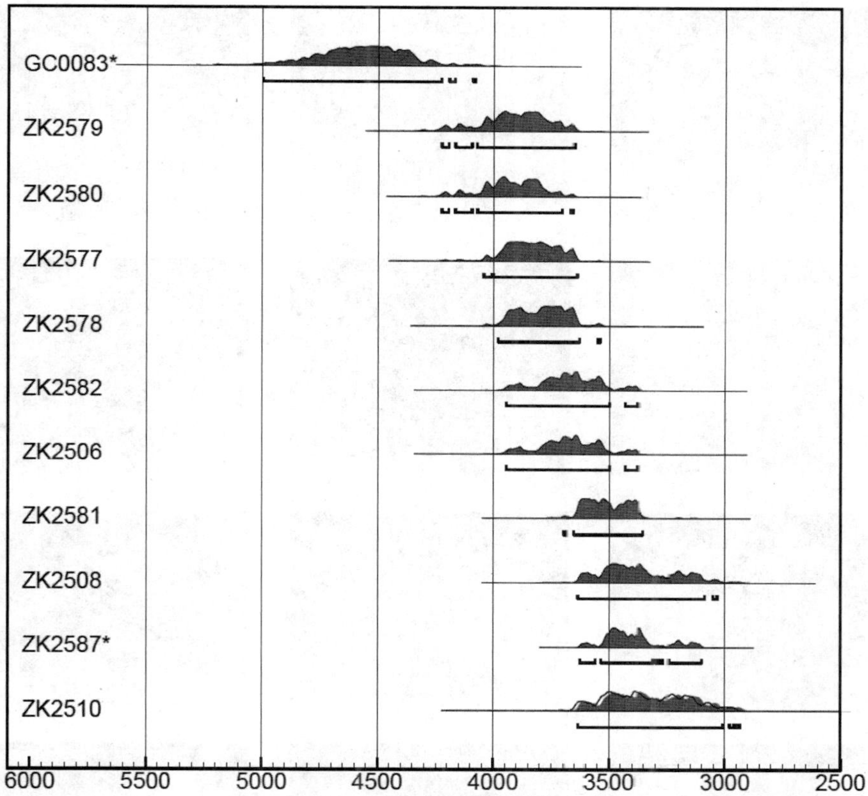

图 3-46　下王岗二期文化测年数据

（一）陶器面貌

下王岗二期文化以郧县大寺、枣阳雕龙碑两个遗址的遗存最为丰富，且陶器面貌也有一定的差异。

大寺遗址

大寺遗址下王岗二期文化陶器以夹砂陶为主，泥质陶稍少。夹砂陶大量掺杂有白色蚌粉，少量器表施黑皮并掺杂有云母。夹砂陶的陶色以褐、红褐、红为主，灰陶极少。泥质陶以红陶为主，灰陶少量。纹饰以斜向绳纹最多，彩陶较常见，另有凹弦纹、线纹、附加堆纹、指甲纹等。器形以小口尖底瓶、鼎、深腹罐、瓮、盆、钵、陶铿、器座、器盖等为主（图 3–47）。

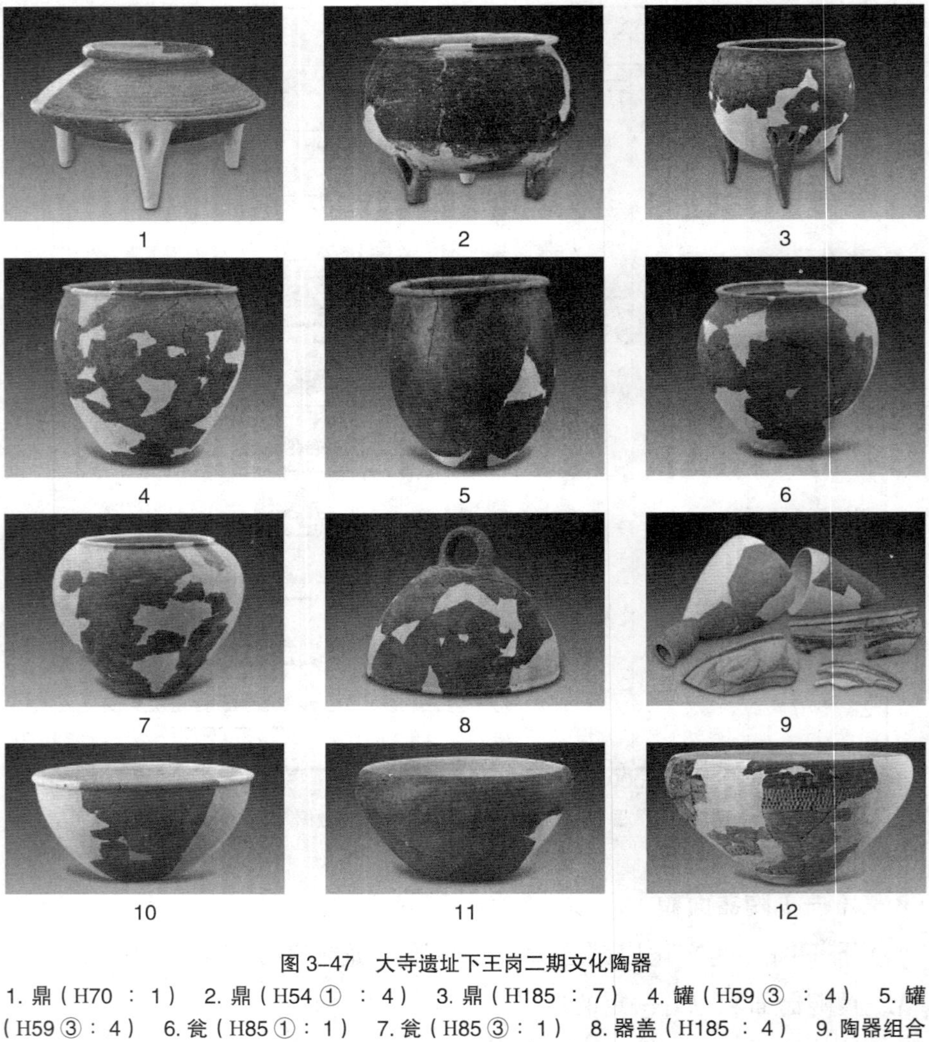

图 3-47　大寺遗址下王岗二期文化陶器

1. 鼎（H70 ：1）　2. 鼎（H54 ①：4）　3. 鼎（H185 ：7）　4. 罐（H59 ③：4）　5. 罐（H59 ③：4）　6. 瓮（H85 ①：1）　7. 瓮（H85 ③：1）　8. 器盖（H185 ：4）　9. 陶器组合（H32 ②）　10. 盆（H64 ①：1）　11. 钵（H94 ②：2）　12. 钵（Y1 ：1）

大寺遗址的发掘者将其下王岗二期文化分为三期，第一期的年代相当于半坡文化晚期偏晚阶段；第二期的年代为庙底沟文化早期，但依然可以观察到半坡文化因素的残留，即庙底沟文化进入这一地区后，半坡文化因素并未消失，而是与其共存；第三期相当于庙底沟文化中期。三期在器形方面延续性强，但彩陶纹样明显地可以分为两类，第一类与半坡文化有关（图 3–48，1、4），仅见于第一期；第二类与庙底沟文化有关（图 3–48，2、5、6），三期均有发现（图 3–48）。

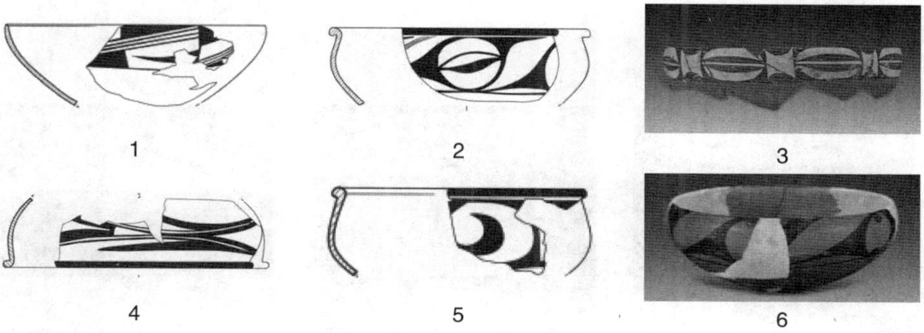

图 3–48 大寺遗址下王岗二期文化彩陶纹样

1. 彩陶钵（H206②：4） 2. 彩陶盆（H32②：2） 3. 彩陶钵（H98：4） 4. 彩陶盆（H32②：3） 5. 彩陶盆（H117：3） 6. 彩陶钵（H182：1）

雕龙碑遗址

枣阳雕龙碑遗址地处随枣走廊与南阳盆地的接壤地带，是长江中游、黄河中游考古学文化南来北往的十字路口。发掘者将雕龙碑遗址分为三期，其面貌呈现一种多元考古学文化共存的局面，但三期又各有变化。

雕龙碑遗址第一期遗存的组合以鼎（21.7%）、深腹罐（23.9%）为主，器盖（10.9%）、盆（8.7%，N=46）次之。鼎足有锥足和宽扁足两种；器盖共 5 件，器类比较复杂，有无钮、桥形钮等各种，实际每类差不多就一两件；盆也仅有 4 件，且有不同器形（图 3–49）。因此，器盖、盆不具备探讨陶器组合的实际意义。需要说明的是这一期可用于分析器类比例的陶器不到 70 件，这种比例是否如实反应了实际，有待进一步验证。彩陶的构图元素有弧边三角、粗线条带纹、圆点、弧线等，这与庙底沟文化的构图元素基本相同。发掘者认为这一期的文化面貌与下王岗第一期、第二期遗存比较类似。下王岗第一期遗存不见彩陶，而雕龙碑第一期有典型的庙底沟文化彩陶发现，因此，其与下王岗第二期遗存更接近，即与大寺遗址早期仰韶文化、朱家台遗址早期遗存属同一类，我们将其归入下王岗二期文化。在第一期中，发现了一件素面的圜底釜（T2618⑤：94）。这说明其与江汉平原西缘的大溪文化可能存在微弱的联系。

图3–49 雕龙碑遗址第一期陶器

1. 鼎（T2206⑤：16） 2. 鼎（T2309⑥：18） 3. 盆（T2215⑤：49） 4. 鼎（T2116⑤：16） 5. 罐（T2208⑥：22） 6. 罐（T2309⑥：20）

雕龙碑遗址第二期遗存以鼎（17.8%）、罐（16%）为主，钵（11.8%）次之。在计算器类时，我们未将彩陶钵、彩陶盆计算在内，主要是这一期彩陶片共48件，而报告中报道了18件，这大大高于其他器类的样本比例。如计算在内，钵的比例为12.9%，盆的比例为23%。这种以鼎、罐、钵等为主要陶器组合的特点，与雕龙碑第一期基本相同。第二期新出了一些不见于第一期的器类，如筒形器（1.8%）、甑（0.6%）、三足器（3.0%）、附杯圈足盘（5.3%）、缸（4.1%）等。这些器类的比例均比较低，未超过5%。筒形器见于大溪文化，其在大溪文化中所占比例也仅在3%左右。而缸均是作为瓮棺葬的葬具使用。第二期报告中的完整陶器多为瓮棺葬的葬具，以罐、鼎为主，这可能会影响其所占的比例（图3–50）。

值得注意的是，在第一期和第二期都发现了少量陶灶。陶灶在史前其他考古学文化中也有发现，庙底沟文化中常与折腹釜配套使用，大溪文化中与鼓腹釜配套使用。雕龙碑遗址目前有鼓腹釜发现，无折腹釜发现。如此，雕龙碑遗址第一、二期就有陶鼎、陶灶两类炊具，鼎占绝对优势。目前对这两种炊具所代表的生活方式是否存在烹饪食物种类、生活习惯方面的差异，我们还知之甚少。

雕龙碑第二期发现的彩陶从技法上来说，有三种。第一种是直接在黄褐色的陶胎上用黑彩彩绘（图3–50，8），这是庙底沟遗址常见的彩绘技法。第二种是在白色的陶衣上饰黑彩，这种技法不常见于庙底沟遗址，而见于豫中的郑州大河村等遗址（图3–50，9）。第三种为通体饰彩，且构图以线性为主，这种彩绘技法见于油子岭文化等长江中游同时期遗存（图3–50，7）。雕龙碑遗址三期的陶器制作技术基本相同，红色颜料的显色剂为Fe_2O_3，即赭石。黑色颜料的显色剂为含锰化合物和含铁化合物。白色颜料是以$CaCO_3$为主的混合物。

从陶器器类和彩陶来看，雕龙碑遗址第二期最少集合了下王岗二期文化、油子岭文化、大溪文化、大河村文化等多种文化因素。从各种文化所占比例来看，仍以下王岗二期文化为主。因此，这一期遗存仍可归入下王岗二期文化。

图 3–50　雕龙碑遗址第二期陶器

1. 鼎（T2016 ④ A ： 8）　2. 鼎（W43 ： 2）　3. 鼎（W13 ： 1）　4. 钵（T1806 ④ A ： 51）　5. 钵（JS37 ： 15）　6. 罐（W56 ： 1）　7. 彩陶钵（T2214 ④ A ： 16）　8. 彩陶盆（T2314 ④ A ： 121）　9. 彩陶罐（T2215 ④ A ： 51）

雕龙碑遗址第三期遗存，以圈足瓮（21.9%）为主，圈足碗（13.5%）、罐（11.8%）、圈足盘（10.1%）、钵（10.7%）次之，鼎的比例较低，仅为 6.7%。这种陶器组合，已经与第一、第二期遗存相比发生了质变。另发现了少量的曲腹杯（2.2%）、刻槽盆（1.7%）、圈足罐（6.7%）等（图 3–51，1—9）。这一时期，除罐形鼎外，出现了与油子岭文化有关的盆形鼎、曲腹杯、圈足罐，与黄河中游文化有关的刻槽盆。雕龙碑第三期的彩陶纹样可以明显地分为两种风格，一种为多重线性构图，构图元素以菱形等几何纹饰为主（图 3–51，10）；一种为典型的庙底沟文化彩陶（图 3–51，12）。同时这两种纹饰出现了融合的局面，多重线性构图中，有一周纹饰为庙底沟的弧边三角与圆点（图3–51，11）。从陶器面貌来看，雕龙碑第三期既有自身特色，如陶器占比最多的圈足瓮，又有庙底沟文化的影响，更有油子岭文化的影响。

图 3–51　雕龙碑遗址第三期陶器

1. 鼎（F13 ：17）　2. 鼎（W3 ：2）　3. 鼎（T1909 ③ ：8）　4. 钵（F19V ：66）　5. 圈足碗（M39 ：1）　6. 圈足盘（F19V ：66）　7. 圈足瓮（F13 ：45）　8. 罐（F15 Ⅵ ：82）　9. 曲腹杯（F15 Ⅱ ：33）　10. 彩陶罐（F18 ：6）　11. 彩陶罐（H5 ：1）　12. 彩陶罐

（T2208③：1）

有学者将雕龙碑遗址第三期单独命名为雕龙碑第三期文化[①]，目前经过发掘的遗址仅有雕龙碑一处。是否有必要将其命名为一个独立的考古学文化，实际上是考古学文化的接触、博弈、融合地带，遗存如何分类的问题。从泛文化的角度来思考，任何文化同与其空间接壤、时间延续的其他文化都会有或多或少的联系。考古学文化也是如此，这是考古学文化的一般性联系。对于雕龙碑这样地处文化交流十字路口的遗址，其第三期时自身特色、庙底沟文化、油子岭文化的影响已难分轻重，如果将这一时期的遗存命名为一个单独的考古学文化，那其他情况类似的遗址是否也都可以单独命名为考古学文化？同时，这一类遗存仅见于雕龙碑遗址，而考古学文化是考古学者用来概括一定空间、一定时间内，文化面貌相同或相近的一类遗存的一个概念，一定时空是必备条件。同时，雕龙碑第三期与前两期在葬俗、房屋修建技术、生业经济等方面有较强的一致性。鉴于此，本文笼统地将雕龙碑第三期归入下王岗二期文化一并介绍，待将来遗存增多，形成一定的空间分布后，再单独命名不迟。

（二）生业经济

雕龙碑遗址第一期可鉴定脊椎动物标本 13 件，其中猪 7 件，约占 54%；梅花鹿 5 件，约占 38%；鳖 1 件，约占 8%。第二期可鉴定脊椎动物标本 35 件，其中猪 31 件，约占 89%；梅花鹿 3 件，约占 9%；狗 1 件，约占 3%；第三期可鉴定脊椎动物标本 107 件，其中猪 98 件，约占 92%；梅花鹿 5 件，约占 5%；小型鹿科动物 2 件，约占 2%；黄麂 1 件，约占 1%；狗 1 件，约占 1%。另在第三期发现了圆田螺 22 件、蚌 1 件、鱼刺 1 件。从动物鉴定的结果可以看出，雕龙碑的家养动物仅有猪、狗两类，而且猪占有绝对的优势，是雕龙碑人群主要的肉食来源，同时野生动物对肉食的贡献以梅花鹿为主，但与家猪相比比例明显偏低。

---

① 何强、赵宾福：《雕龙碑遗址第三期遗存的性质、年代与渊源——兼论“雕龙碑三期文化”》，《江汉考古》2014 年第 6 期。

（三）聚落

下王岗二期文化房址见于大寺、三明寺、下王岗、雕龙碑等遗址。这一时期的房屋均为地面式建筑，房屋有圆、方之别，间数有单间、多间之别，以雕龙碑遗址为代表（表 3–2）。

表 3–2　下王岗二期文化遗迹统计

遗址	陶窑	墓葬	灰坑	灰沟	祭祀坑	窖穴	房址
郧县大寺	1	15	140	1	/	1	11
郧县三明寺	2	0	37	3	/	0	4
郧县刘湾	/	√	√	/	/	/	/
淅川沟湾	√	√	√	√	/	/	√
淅川下王岗	2	472	72	0	/	0	4
淅川下寨	√	/	√	√	/	/	/
枣阳雕龙碑	/	113	45	/	8	/	20

雕龙碑遗址共发现 20 座房子，其中第一期 1 座．第二期 8 座，第三期 11 座。建筑形式有地面、半地穴式两类，以地面式为主；平面形状有圆形、方形、长方形，以长方形为主；可辨识间数者 16 座，可分单间（8 间）、双间（4 栋）、多间（4 栋）三种[①]。大部分房屋内都有火塘和厨房，这说明这些房屋是基本的生活单位（图 3–52）。其修筑过程大致如下：

① 关于新石器时代的多间房屋有多种称呼，如双间、多间、大房子等。本书将不与其他房屋共用外墙者称为单间，共用外墙的 2 间房屋称为双间，3 间以上者称为多间。单间房屋的量词采用间，双间和多间的量词采用栋。

1. 平整地基。地基的铺垫面积一般情况下均大于房屋修筑面积，均经过夯打。除 F17、F18 是直接平整 F19 的倒塌堆积外，其余房屋平整地基的方式基本相同，均是在原始地面上铺设数层材料，各房屋存在明显的差别。F13、F14 为两间相连的房屋，其地基的平整方式为先在房屋范围内初步铺垫一层厚 0.08—0.2 米厚的纯净黄土，再铺设一层厚约 0.03 米的黑色灰烬，再在其上铺垫一层厚约 0.1—0.25 米的大小不等的杂乱红烧土块。F5 则是在灰烬层上铺垫一层厚约 0.025 米的纯净黄土。F6 则仅为 2 层黄色垫土。F9 则为一层含红烧土碎块的三合土。

图 3–52 雕龙碑遗址 F15 发掘现场

2. 修建主墙。主墙的修建方式有两种。第一种见于 F1、F6、F7，为红烧土与黏合剂堆砌，黏合剂有草拌泥（F1）、石灰泥（F6）、黏性白灰泥（F7）。学者多认为这类用于修建房屋的红烧土为烧砖，是为了修建房屋而专门生产的建筑材料。雕龙碑遗址第二期的 H30、H31、H32、

H36 等灰坑填满了这一类的烧砖。在雕龙碑遗址中，烧砖是最重要的建筑材料，使用范围非常广，用料也较多。据估算，每建筑 100 平方米的房屋，奠基需要的红烧土就达 50 多立方米[①]。第二种为木骨泥墙，为先在地基上下挖基槽，然后竖立木柱修建木骨泥墙。F15“田”字形主墙四周基槽较浅，中间“十”字形主墙基槽较深，共发现柱洞 147 个，加工规整，多为长方形，少数为方形，个别为椭圆形；长方形柱洞长 0.15—0.2、宽 0.06—0.12 米；方形柱洞边长为 0.08 或 0.12 米；椭圆形柱洞长径为 0.1—0.3、短径为 0.08—0.18 米。柱洞的尺寸表明主墙的柱子多在 0.06—0.18 米（图 3–53）。从 F14 解剖的墙体来看，木骨泥墙的修筑方式为先将柱子按照一定的间距竖栽在基槽内，填土固定后，再在其两面横架粗细和长度不等的木棍或者枝条，横架与木柱的交接处用藤条之类捆绑，捆绑方式为从左下到右上，从右下到左上，形成十字交叉点。修建好木骨后，在其外部用红烧土块掺和粘泥或者石灰泥砌筑墙体，墙体厚度 0.3—0.9 米不等。墙体内外壁使用粘泥涂抹，平整光滑。

F15 的主墙起承重作用，山墙应该在南北两侧，可能为两面坡。东西向的主墙比南北向距离短 2.7 米，屋脊应该在中间“十”字状主墙南北向的墙体上，这样屋顶两面坡的坡度较小，房顶的自重减轻，房屋不易倒塌，符合建筑力学原理。F15 西北角的外墙厚达 0.9 米左右，其他地方的外墙近 0.25—0.35 米厚，且北部的山墙不在同一条直线上。这说明较厚的山墙可能是房屋承重出现问题后，进行了重修。

① 王杰：《湖北枣阳雕龙碑遗址的考古收获》，《江汉考古》1997 年第 4 期。

图 3–53 雕龙碑遗址 F15“十”字状主墙

3. 修建隔墙。根据房屋分间的不同，屋内的隔墙数量、长度、宽度存在差异，但修建方式基本相同。有的是在地基上下挖一个浅槽，然后在槽内竖立木柱后修建木骨或者篱笆骨泥墙，有的则是直接在地基上下挖柱洞立柱。木骨两侧涂一层草拌泥。第三期的房屋墙壁内外壁多涂抹一层白灰泥，装饰房屋。F15 平面呈长方形，长 11.5 米，宽 8.8 米，建筑面积 101.2 平方米。长方形内部先用“十”字形主墙分为四间。其中东半部两个单间（F15 Ⅰ、F15 Ⅶ）直接作为一个房间使用，使用面积相同，均为 5×2.5 平方米。西半部采用隔墙细分为 5 个单间，分别为 F15 Ⅱ（5×1.08 平方米）、F15 Ⅲ（3×2.7 平方米）、F15 Ⅳ（2.7×1.85 平方米）、F15 Ⅴ（5×2.4 平方米）、F15 Ⅵ（5×2.7 平方米）。隔墙的修筑方式为在垫土之上直接砌墙，修筑方式也为木骨泥墙或者篱笆骨泥墙，木骨外不加红烧土或者加少量红烧土，其厚度一般为 0.08—0.1 米，仅有主墙的二分之一甚至三分之一。可以确定的用于修建房屋的木料有麻栎、杜仲等。

4. 铺设地面。在主墙和隔墙修建完成后，古人在室内的区域铺设活动面。活动面以较细的泥浆比较常见，厚度一般在 1—3 厘米。

5. 修建门框。每个单间房屋的出入口都设有门框。第二期的 F6 内外两间的门道宽 0.4—0.45 米，分别高出两侧房屋 0.1、0.3 米。在门道一侧的墙体上发现了一段长约 0.65、宽 0.05、深 0.1 米的沟槽。沟槽与墙体平行，可能是安装门板的设置。第三期的多间房屋多发现了推拉门。门框和出入口是在建造主、隔墙时预留的。门框直接在墙体内挖塑而成，比一般的墙体稍薄，四周为凹槽状。凹槽内壁光滑坚硬，方便推拉。有的门框凹槽内存留一些朽木，说明门扇为木质。以 F15 发现的 8 处推拉门保存最为完整。门框的宽度在 1.14—1.44 米，推拉门的沟槽残存左右两侧与地面 3 条，沟槽宽 0.02—0.07、深 0.03—0.09 米（图 3–54）。推拉门在南阳盆地的邓州八里岗、淅川沟湾、镇平赵湾、唐河茅草寺等遗址也有发现，年代与雕龙碑遗址第三期相当。与普通门相比，推拉门有效地节约了室内空间。

6. 铺设屋顶。从现有结构看，雕龙碑遗址发现的房屋屋顶均为木构，即在屋顶架设椽檩，中间有“十”字形主墙的房屋，其檩条可能为分段架设。从 F19 屋顶残片来看，椽子大小一致，剖面均为长方形，宽度在 0.03—0.06 米，远比墙体中的木骨细小（图 3–55）。铺设好椽檩后，在椽檩的上下部涂抹泥皮，包裹椽檩，F19 共抹有 3—5 层，一般每层的厚度为 0.03—0.05 米，仅最下面的一层厚约 0.15 米。

7. 火烤房屋。雕龙碑遗址发现的房屋的活动面和四壁均经过火烤，F19 发现的屋顶两面均为红烧土，这说明烘烤可能是在屋顶修好以后进行。活动面未经过烘烤，其铺设可能是在房屋烘烤以后完成的。

8. 修建门厅。雕龙碑发现的半地穴式房屋多为斜坡门道，门道两侧未见柱洞。地面式建筑除 F15 有明确的门厅外，其余的房屋多在门外铺设红烧土块。F15 西面主墙中门门道两侧有近 1 米长的短墙基，其上有大型柱洞，有可能是门楼或者长廊的支柱。

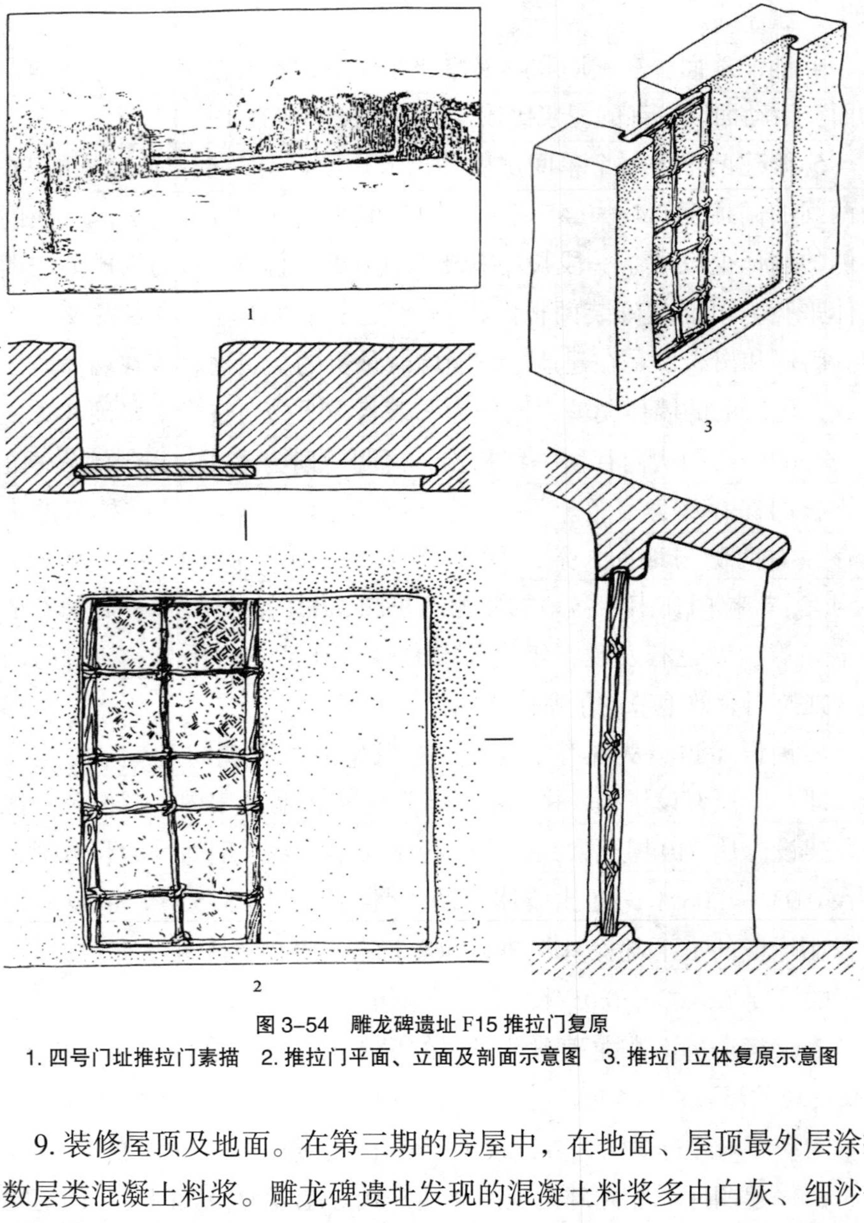

图 3-54　雕龙碑遗址 F15 推拉门复原

1. 四号门址推拉门素描　2. 推拉门平面、立面及剖面示意图　3. 推拉门立体复原示意图

9. 装修屋顶及地面。在第三期的房屋中，在地面、屋顶最外层涂抹有数层类混凝土料浆。雕龙碑遗址发现的混凝土料浆多由白灰、细沙合成，颜色、质地与现代水泥类似，原始材料为石灰（图 3-56）。这一类的材料没有发现火烤的痕迹，因此，其应该是在房屋墙体、屋顶经过火烤以后，铺设的活动面和屋顶，起到美化、加固、防水的作用。

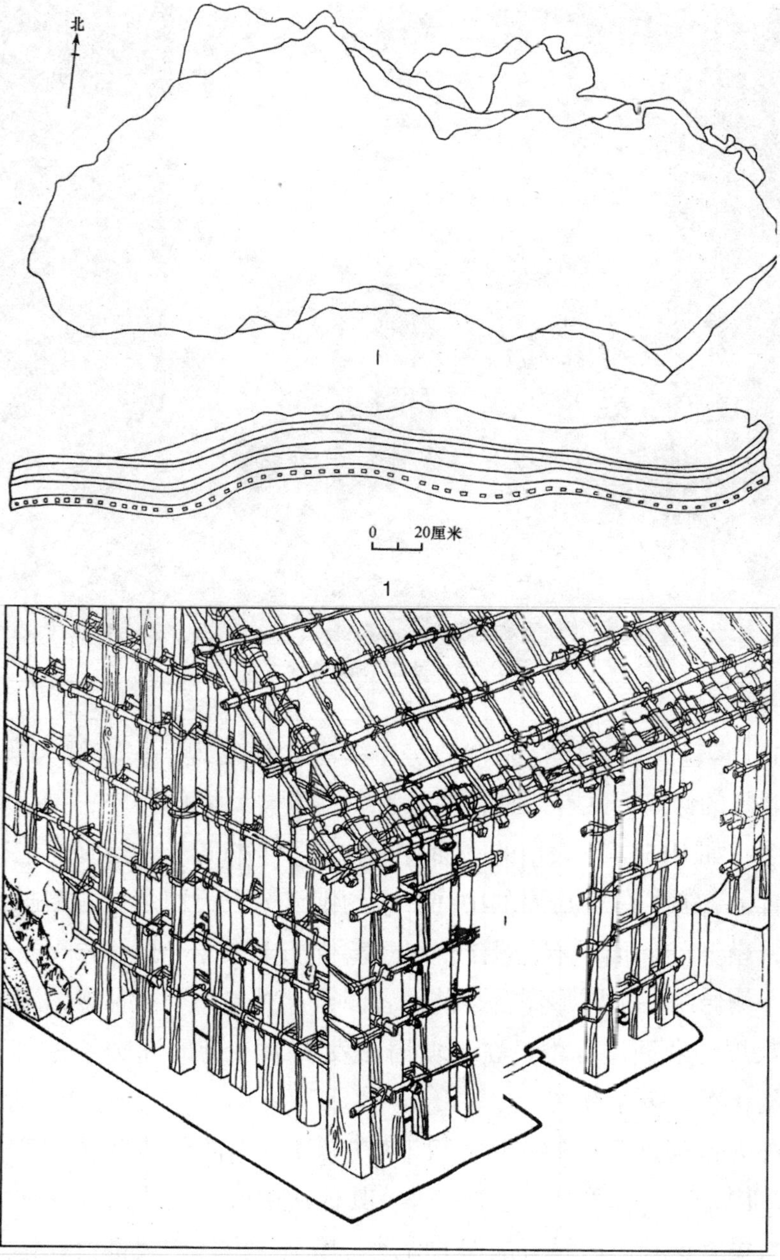

图 3-55　雕龙碑遗址 F19
1. 屋顶碎块　2. 复原

图 3–56　雕龙碑遗址房屋地面

10. 修建火塘。保存完整的房屋多有火塘发现。火塘均为矮围式，四周矮围的修筑方式有两种，一种为细泥围筑，如 F1、F5；另一种为木骨泥墙，如 F15 等。火塘的平面有长方形、半椭圆形、簸箕形三种；空间位置上，有的位于房屋的中间，有的则靠墙。火塘多三面围起，一面敞开，敞开的一面常有门槛或者凸棱。在 F1、F15 Ⅵ、F15 Ⅶ、F20 火塘的一侧修筑一个圆形泥台，前两者泥台上放置一个火种罐，罐内积满黑色灰烬。发掘过程中，在火塘周围发现了一组日常炊煮的陶器，以鼎、盆、罐、碗等为主。

雕龙碑遗址房屋的火塘，仅 F7 在紧靠火塘的北墙上修建了一个边长 0.2 米的正方形烟囱，直通室外。其他房屋的火塘均未发现烟囱。现代少数民族这种屋内没有烟囱的火塘，屋顶或山墙一般都留有排烟的天窗。限于考古资料，现在还不能确定史前这一类没有烟囱的房子如何排烟（图 3–57、3–58、3–59）。

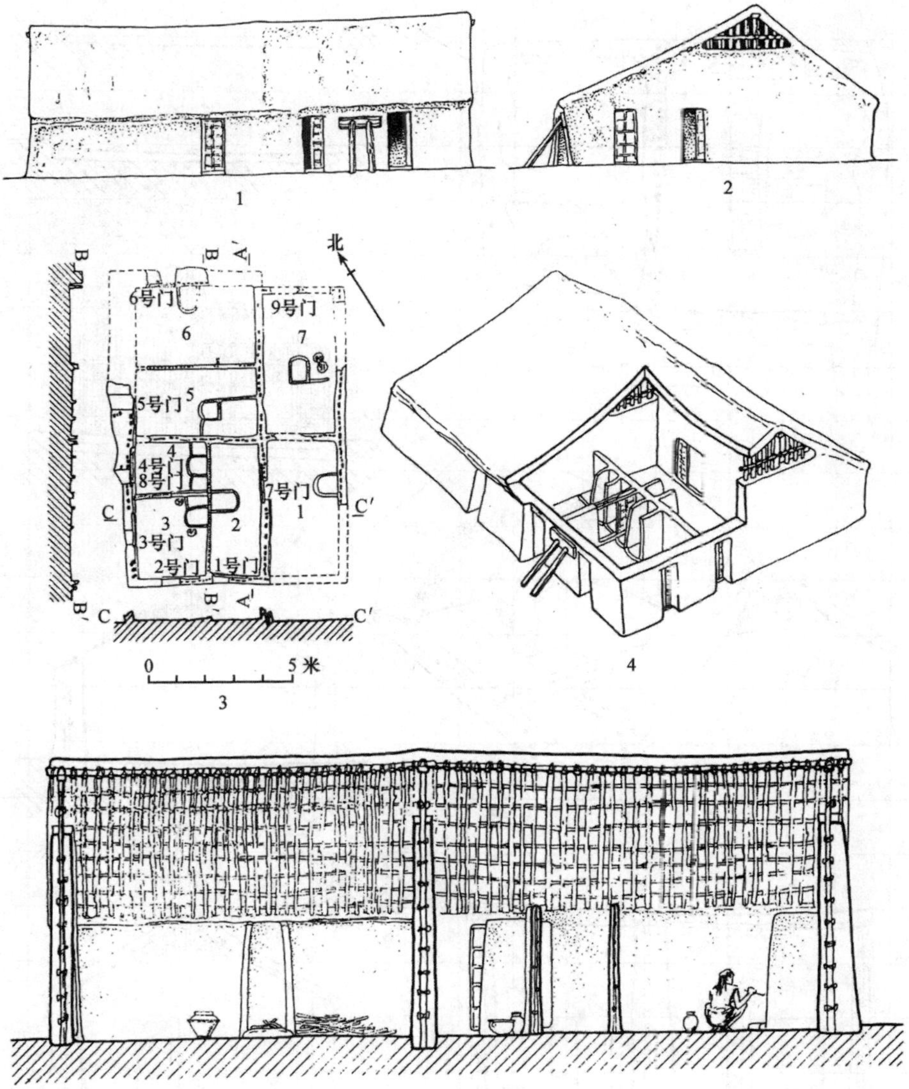

图 3–57　雕龙碑遗址 F15 复原

1. 西立面复原示意图　2. 南立面复原示意图　3. 平剖面图　4. 立体复原示意图　5.AA' 剖面示意图

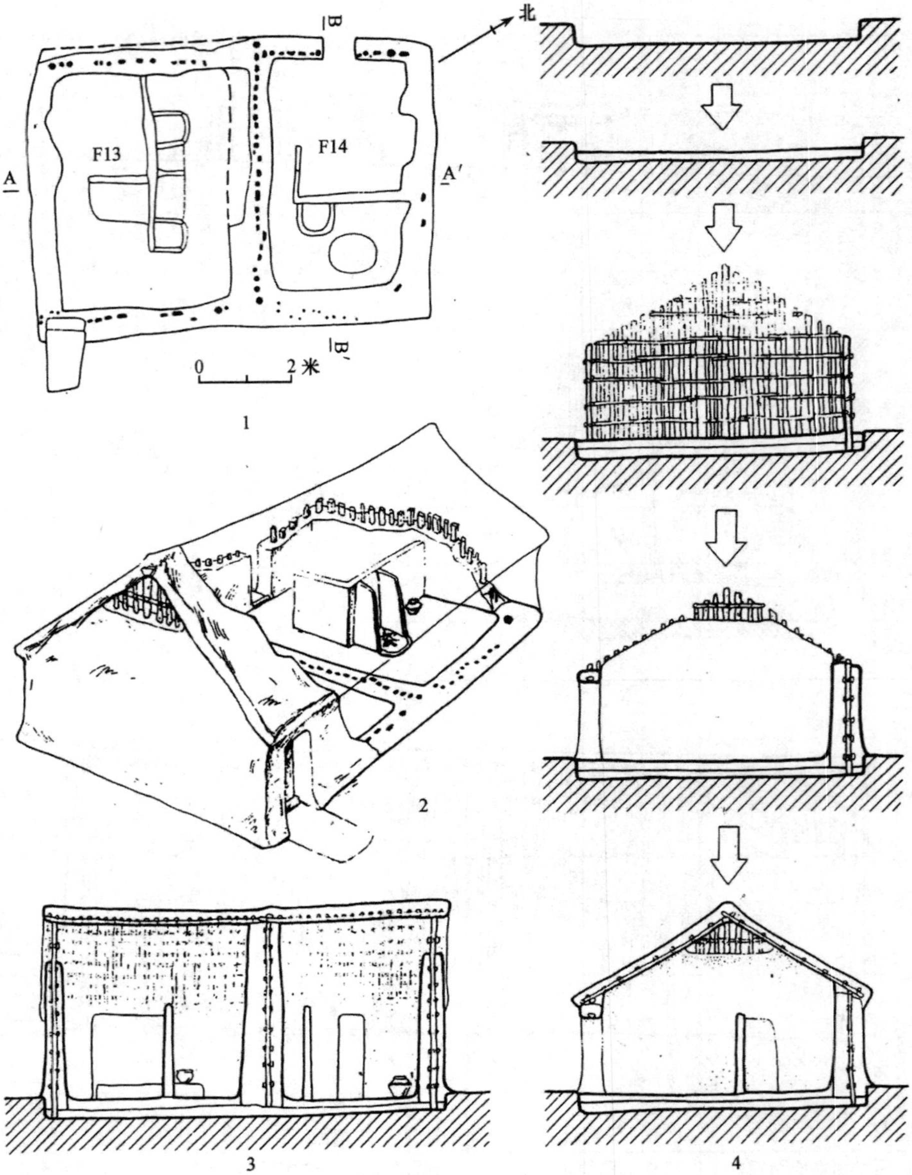

图 3-58 雕龙碑遗址 F13、F14 复原
1. 平面复原示意图 2. 立面复原示意图 3.AA' 剖面示意图 4. 修建过程示意图

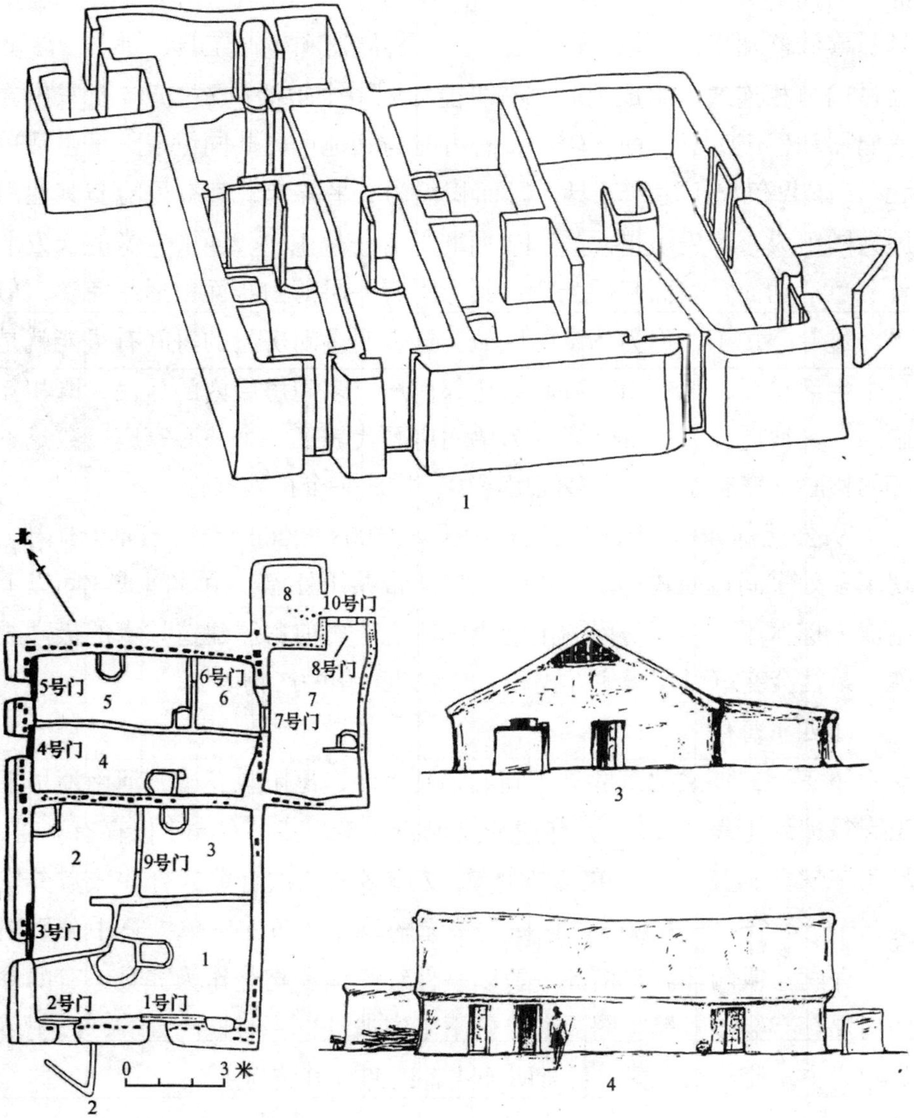

图 3–59　雕龙碑遗址 F19 复原

1. 墙体结构复原示意图　2. 平面结构复原示意图　3. 南立面复原示意图　4. 西立面复原示意图

雕龙碑遗址发现的多间房屋一般都有多个出口，仅有少量 2 间房屋只有一个出口；每个单间内一般都有灶、储藏室等基本生活设施。F15

的7间房屋均有火塘发现，F15 Ⅱ、F15 Ⅴ、F15 Ⅵ、F15 Ⅶ出土了炊具、盛储器和生产工具；F15 Ⅰ只出土盛储器和生产工具，其与F15 Ⅱ通过门道相连通，组成套间，有可能为同一个生活单元；F15 Ⅲ只出土盛储器和生产工具，面积较小，有可能与其他房屋共同组成一个生活单元。F15 Ⅳ仅出土生产工具，且面积仅为5平方米，其有可能与其他房屋共同组成一个生活单元[①]。F1西北部有一块1.1×2.4平方米的长方形青灰色活动面，表面坚硬光滑，其上附有一层薄白灰面，形状完整，似乎经过专门加工，作为休息的区域。这表明多间房屋的每间有可能就是一个生活单元，他们由某种联系比邻而居。多间房屋内的居民，既相互联系，又彼此独立。有学者认为单间房屋代表了一个核心家庭，数量不等的核心家庭居住于一个多间房屋中，构成一个扩展家庭[②]。

从公元前4000年起，尤其是距今3500—2000年，全国范围内出现了多处多间地面式房屋。这些房屋通常共用外墙，由3间或3间以上组成一栋房屋。多间房屋的出现集中体现了史前房屋建造技术的最高成就，是社会变革引发居住方式和公共活动变化的产物。

（四）葬俗

下王岗二期文化墓葬见于湖北郧县大寺、枣阳雕龙碑，河南淅川下王岗等遗址（表3-3）。大寺遗址发现的6座墓葬中有5座保存有人骨，均为二次葬，其中3座单人二次葬，2座多人二次合葬，合葬人数分别为7个、4个（图3-60）。墓葬大多无随葬品，只2座单人墓中分别出土1件陶盆或陶杯。瓮棺葬一般以一件红陶钵和陶瓮作为葬具，有的瓮内尚保存有婴孩骨骼（图3-61）。下王岗遗址这一时期的墓葬，以土坑竖穴为主，流行二次葬，可辨明葬式者以仰身直肢为主。

---

① 杨建华：《浅析中国史前多间房屋的出现与功能分析》，《东北亚古代聚落与城市考古国际学术研讨会论文集》，北京：科学出版社，2014年，第151—156页。

② 张弛：《长江中下游地区史前聚落研究》，北京：文物出版社，2003年，第36—39页。

表 3–3　下王岗二期文化墓葬统计

遗址	总数	墓葬形制		葬俗				葬式
		瓮棺葬	土坑	二次葬	一次葬	单人葬	合葬	仰身直肢
郧县大寺	15	9	6	6	0	4	2	0
淅川下王岗	472	21	451	289	162	360	91	151
枣阳雕龙碑	196	63	133	3	130	129	4	129

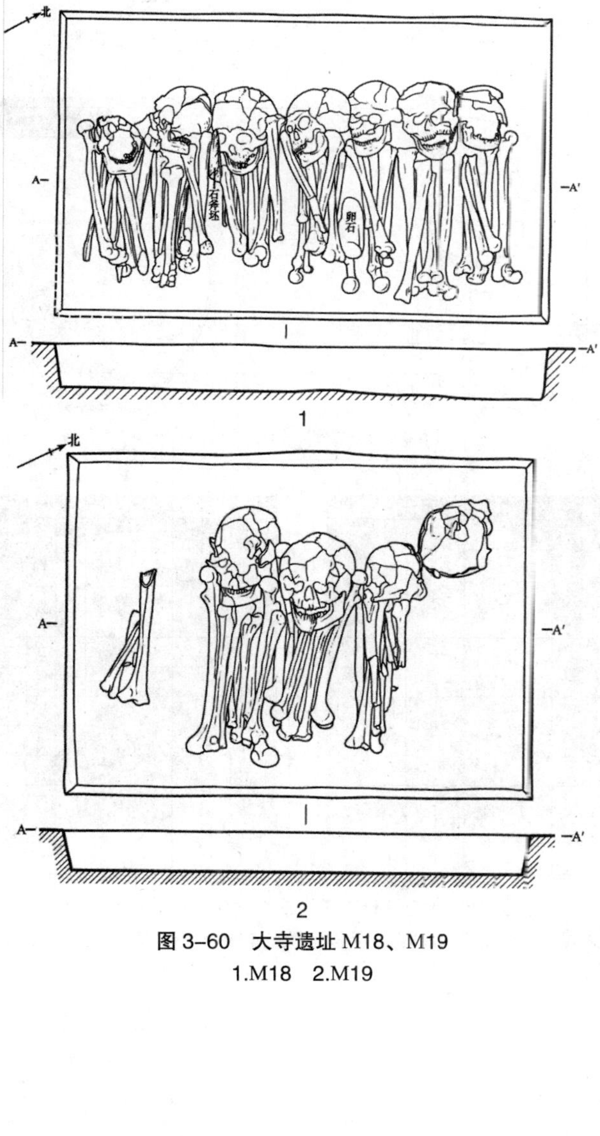

图 3–60　大寺遗址 M18、M19
1.M18　2.M19

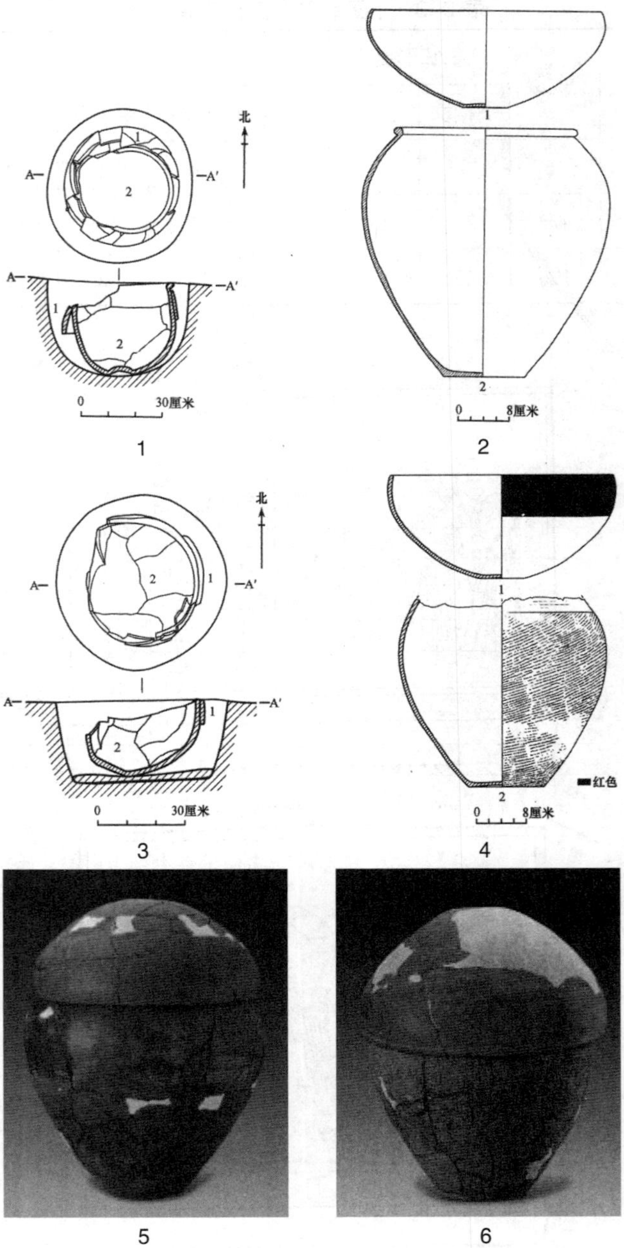

图 3-61　大寺遗址下王岗二期文化瓮棺葬出土遗物

1.W8 平剖面图　2.W8 出土遗物　3.W11 平剖面图　4.W11 出土遗物　5.W8 出土遗物　6.W11 出土遗物

雕龙碑遗址发现墓葬196座。其中土坑竖穴133座、瓮棺葬63座。土坑竖穴墓葬排列有序，同期的墓葬打破关系较少，且同时期的居址与茔地互补重合，这说明这些墓葬可能经过简单的规划。葬式以单人一次葬为主，约占98.5%，仅有3座墓葬为二次葬。葬式以仰身直肢为主，约占96.9%。随葬品陶器极少，仅有少量墓葬随葬一两件工具，大量的墓葬没有随葬品。

雕龙碑遗址中，有32座墓葬有猪下颌骨随葬。少者一副或三四副，多者10副、20副，最多者达到了72副（图3-62）。墓葬中随葬猪下颌骨，在新石器时代的舞阳贾湖、秦安大地湾、临潼姜寨、华县（今陕西渭南华州区）元君庙、南郑龙岗寺、西乡何家湾、淅川下王岗、邓州八里岗、永靖大何庄、永靖秦魏家、郫县大墩子、兖州王因、枣庄建新、曲阜西夏侯、泗水尹家城、蒙城尉迟寺、泰安大汶口等遗址也有发现。涉及裴李岗文化、老官台文化、半坡文化、庙底沟文化、齐家文化、大汶口文化等。前仰韶时期主要集中在黄河中游，仰韶时期主要集中在黄河中下游，龙山时期主要集中在黄河上游。对于墓葬中随葬猪下颌骨所蕴含的社会文化意义，目前有各种认识。有学者认为随葬猪下颌骨是私有制和阶级起源的表现[①]，也有认为其是作为财产[②]，也有学者认为猪在一定历史条件下被人们认作“护卫灵”，因此随葬猪骨不是作为财富的象征，而是具有宗教意义[③]。

① 佟柱臣：《从考古资料试探我国的私有制和阶级的起源》，《考古》1975年第4期。

② 王吉怀：《试析史前遗存中的家畜埋葬》，《华夏考古》1996年第1期。

③ 王仁湘：《新石器时代葬猪的宗教意义》，《文物》1981年第2期。

图 3-62 雕龙碑遗址墓葬
1.M16 2.W19 葬具 3.M16 出土猪下颌骨

雕龙碑遗址墓葬头向以 290°—330° 为主，值得注意的是 25°—50°

之间的都属于第二期（图 3-63）。埋葬的方向，在原始人的意识里，具有一定的意义……现在的后进部落在埋葬死者的方向问题上，基本有三种不同的信仰，一种认为人死后，灵魂要回到原来的（或者传说中的）老家去，因此头向就朝向老家的方向；第二种信仰认为世界有一个特殊的域界，人死后，就到那里去生活，因此，埋葬死者的时候头就朝着这个特殊域界的方向；第三种信仰把人从生到死比作太阳东升西落，人死就如太阳西落，因此，在埋葬的时候头向一般为太阳西落的方向[①]。

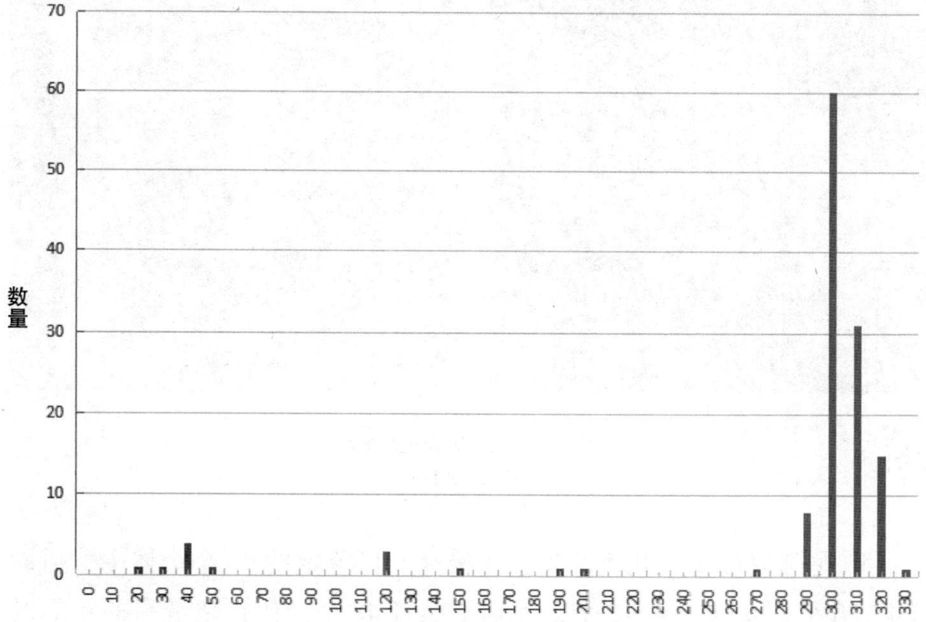

图 3-63　雕龙碑遗址墓葬头向分布图[②]

雕龙碑遗址瓮棺葬仅见于第二、三期。葬具以罐为主，约占 80.7%（N=119）；鼎次之，约为 10.9%。从葬具组合上，以罐＋罐为主。同时，

---

① 西安半坡博物馆：《西安半坡》，北京：文物出版社，1982 年，第 219 页。

② 墓葬头向分布图中，横轴上的 0 表示墓葬头向在 0°—9° 之间，10 表示墓葬头向在 10°—19° 之间，以此类推。下同。

雕龙碑遗址发现了 37 座祭祀坑，其中 19 座位于瓮棺葬附近。祭祀坑的平面形状有圆形（4 个）、长方形（8 个）、椭圆形（19 个）三种，以椭圆形为主。在这些坑内一般埋葬一头整猪（图 3–64）。

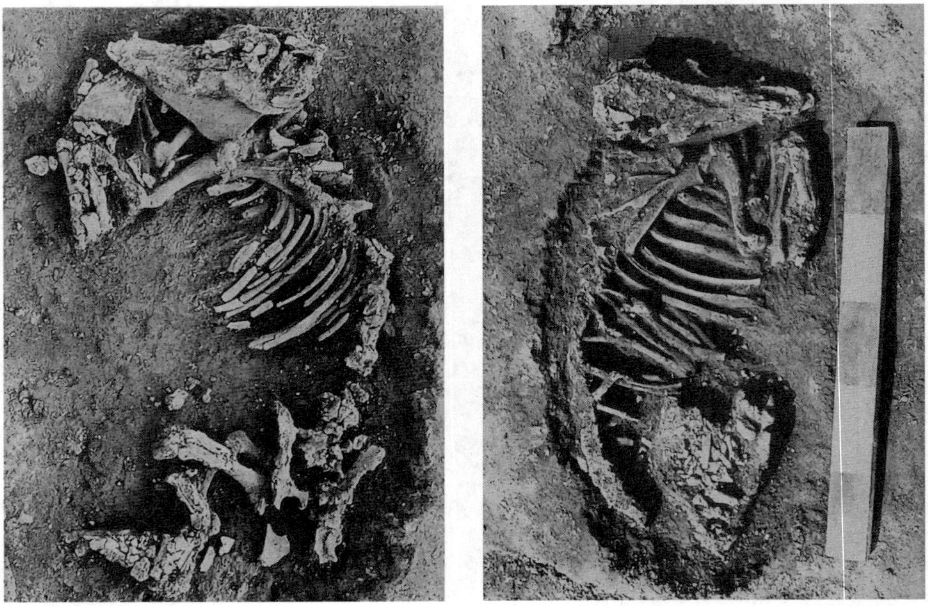

1　　2

图 3–64　雕龙碑遗址祭祀坑
1.JS16　2.JS26

雕龙碑遗址中，儿童的死亡率极高。可鉴定的 90 个个体中，男性个体 30 个，女性个体 12 个，性别不明者 48 个，死亡率最高的年龄段为未成年（14 岁以下），约占 44.4%；其次为壮年（24—35 岁）和青年（15—23 岁），分别为 18.3%、15.5%；中老年（36—55 岁）最低，为 9.9%。目前还未发现老年（大于 56 岁）个体。未成年个体中，又以 3—6 岁居多（35.1%），6 岁以后的死亡率明显下降，仅占 13.5%[①]。

① 张君：《湖北枣阳市雕龙碑新石器时代人骨分析报告》，《考古》1998 年第 2 期。

（五）陶器生产

下王岗二期文化陶窑见于大寺、下王岗、三明寺等遗址。均为升焰式，保存较好者可以分为两类。

第一类火塘低于窑床，以大寺 Y1 为代表。大寺 Y1 平面形状呈不规则“L”形，由火门、火塘、窑床组成。火门位于东北部，近“八”字形。火门横截面呈沟槽状，两侧为红烧土壁，残长 76.4、宽 30—47 厘米。火门与火塘连接处有一堵红烧土墙相隔。火塘位于中部，呈椭圆形，斜直壁，平底。坑口长 1.4、宽 1 米，坑底长 1.24、宽 0.8 米，深 0.45 米。火塘周边残存烧土壁较厚，东北角有一缺口与火门相连。窑床位于西部，呈长条形，袋状，平底。长 1.2、宽 0.7—0.92 米，残深 0.14 米。窑床两侧均为较厚的烧土壁。窑床后部有一缺口，应为烟道口。窑顶已残缺，从窑床的袋状结构来看，推测应为弧顶。窑壁表面大部分残留厚 4—8 厘米的烧土层，应是先挖好坑再在表面涂抹一层搅拌泥，后经长期火烧而成。在 Y1 的西北、东南两侧各有 1 个方形柱洞。洞内填红烧土块，底铺有柱础石（图 3–65，1）。

第二类火塘与窑室平齐，以下王岗 Y1、Y3 为代表。下王岗 Y1 由火塘、火道、窑室三部分组成。火塘位于窑的南部，平面呈椭圆形，长 0.6、宽 0.5、壁厚 0.01—0.04 米。火塘通往窑室的火道，短而宽，长 0.3、宽 0.48、高 0.18 米。窑室平面为圆形，底部平坦，直径 0.63—0.85、壁残高 0.58 米。窑室北壁上有一个内低外高的排烟斜道，口宽 0.1、长 0.14 米。窑壁的烧结层外呈红色，内呈灰色，厚约 4 厘米。窑内填土呈灰色，夹杂有钵、盆、罐、鼎等碎片，其中有少数器物已烧制变形（图 3–65，2）。

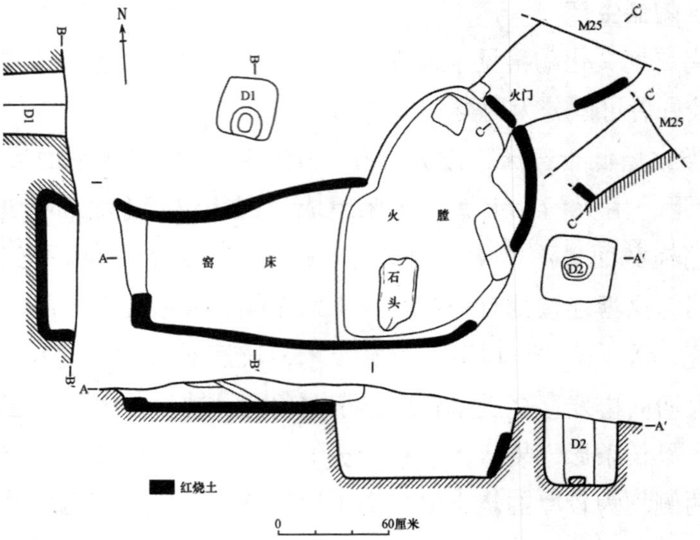

1

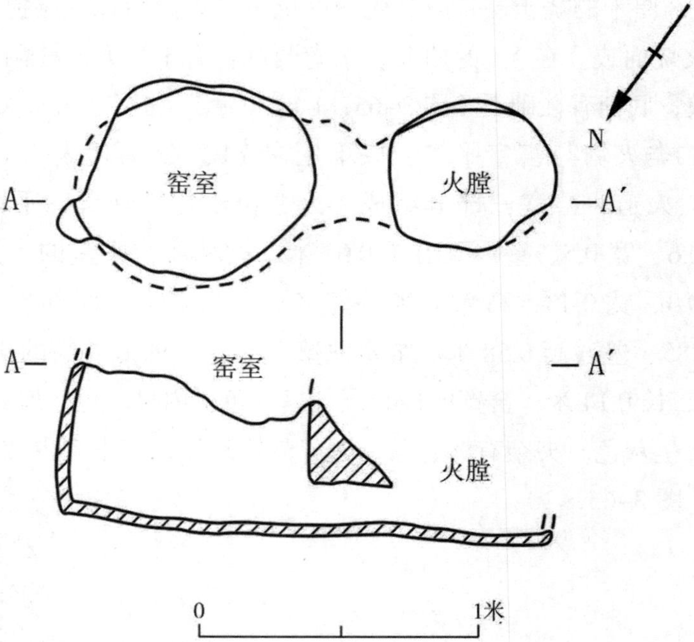

2

图 3-65 下王岗二期文化陶窑

1. 大寺遗址 Y1 2. 下王岗遗址 Y1

从葬俗、葬式等来看，雕龙碑遗址与大寺、下王岗遗址存在明显的差别，前者流行单人一次葬，而后者流行二次葬。从文化面貌来看，前者仅有庙底沟文化因素，而后者有半坡文化因素，这会是造成这种差别的原因吗？大寺遗址地处鄂西北地区，文化面貌有自己的特色，但也不乏较多的外来文化因素。在下王岗二期文化早期，主要是来自半坡文化晚期的文化因素，与部分来自豫中地区大河村文化的因素，两个文化的合力作用，才促使丹江口库区后岗一期文化在保留自身用鼎传统的情况下，开始并完成了向下王岗二期文化的转变。这一文化变迁，也改变了丹江口库区后岗一期文化时期以单人葬为主的埋葬方式，多人二次合葬墓开始出现并流行。而新葬俗的出现，说明不止是文化因素层面的交流，此时的丹江口库区应该还伴随有较多的关中、晋南甚至豫中地区人群的南下。至大寺下王岗二期文化中晚期时，早期的文化因素继续稳定地延续下来并且一直居于主导的位置。而特别值得注意的是，早期一些源自半坡文化的文化因素如葫芦口与杯形口尖底瓶、变形鱼纹与半月形纹彩陶纹饰、多人二次合葬墓等，都延续了很长时间，至大寺下王岗二期文化第三期时，这些文化因素仍顽强地存在，而同期的关中和陕晋豫邻近地区，已经由半坡类型发展至庙底沟类型了。在保持自身主要文化因素的情况下，大寺下王岗二期文化第二、三期时，也继续不断吸收来自周边地区多个文化类型的因素，这些文化类型包括庙底沟文化、大河村文化、大溪文化等，但并未引发文化性质的改变[①]。

四、朱家台文化

朱家台文化主要分布于鄂西北、豫西南。经过发掘的遗址有湖北郧县青龙泉、郧县店子河、宜城曹家楼、均县朱家台，河南淅川马岭、淅川沟湾、淅川下王岗、淅川黄楝树、邓州八里岗等遗址（图 3-66）。朱家台的测年数据仅见于八里岗遗址，综合研究表明，其年代为公元前

① 湖北省文物考古研究所：《郧县大寺遗址》，北京：科学出版社，2020 年，第 577—578 页。

3300—前 2800 年。

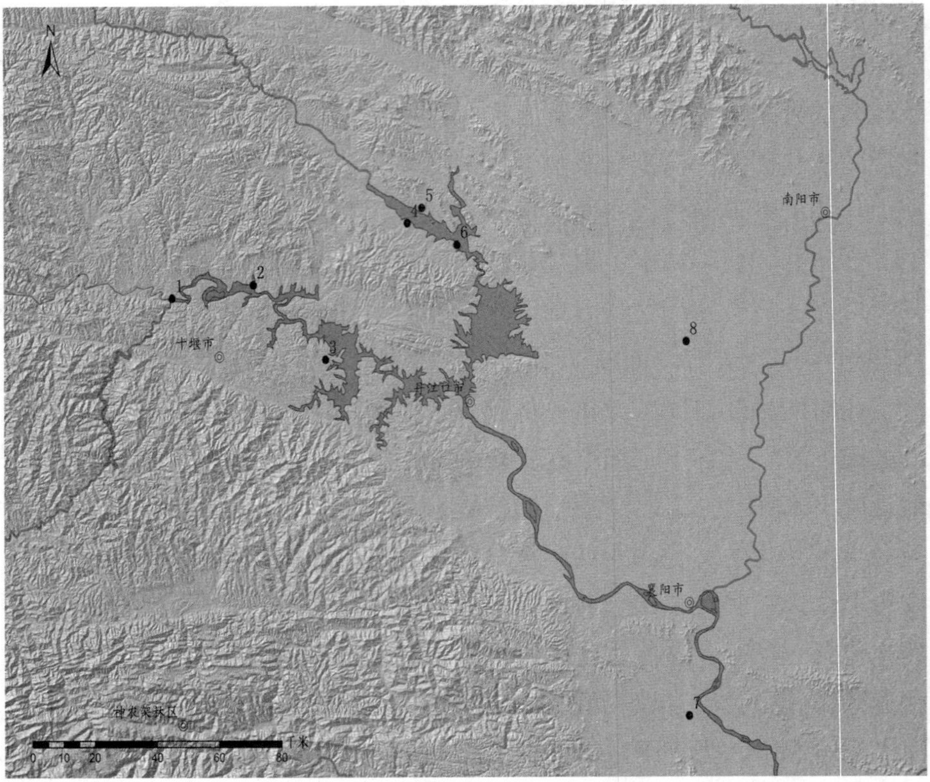

图 3-66　朱家台文化遗址位置图

1. 郧县店子河　2. 郧县青龙泉　3. 均县朱家台　4. 淅川黄楝树　5. 淅川下王岗　6. 淅川马岭　7. 宜城曹家楼　8. 邓州八里岗

（一）陶器面貌

郧县青龙泉遗址出土朱家台文化陶器多为夹砂陶，其次为泥质陶，以灰陶为主。器表多素面，纹饰有弦纹、附加堆纹、乳突纹、按窝纹等，以弦纹最多，见有少量彩陶。河南淅川马岭遗址泥质陶与夹砂陶相当，以泥质红陶（45.5%）为主，夹砂红陶（26.5%）、夹砂黑陶（21.2%）次之，泥质灰陶（3.0%）、泥质黑陶（1.2%）、夹砂黑陶（2.6%）的比例最低。陶器器类有鼎、罐、钵、盆、瓮、器盖等（图 3-67）。

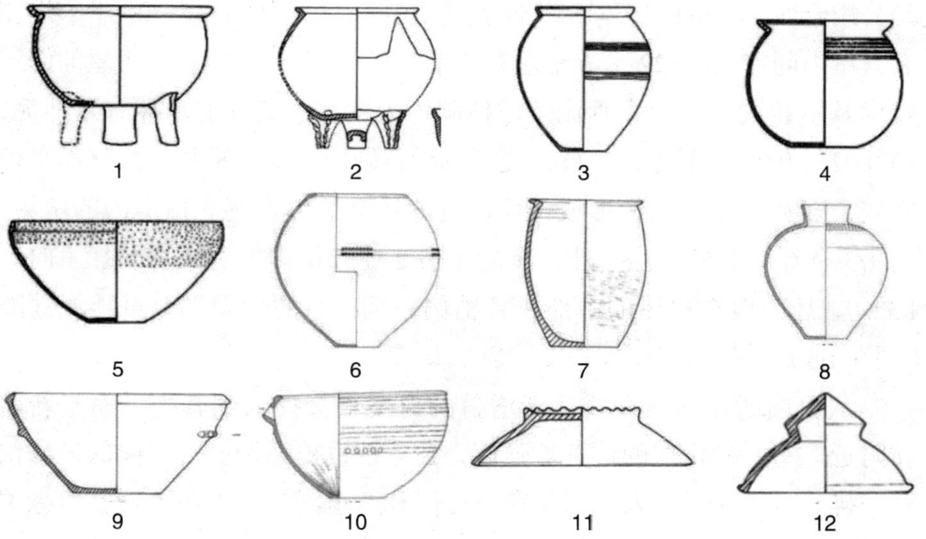

图 3-67　朱家台文化陶器

1. 鼎（青龙泉 T0207⑥：15)）　2. 鼎（青龙泉 T0207⑥：22）　3. 罐（青龙泉 W64：2）　4. 罐（青龙泉 W69：1）　5. 钵（青龙泉 T0207⑥：14）　6. 敛口瓮（马岭 H178：1）　7. 缸（马岭 H854④：6）　8. 高领瓮（马岭 F20：1）　9. 盆（马岭 H59：1）　10. 带流盆（马岭 H178：2）　11. 器盖（马岭 H744：14）　12. 器盖（马岭 T5833⑤：1）

（二）聚落

朱家台文化房屋各遗址多有发现，以邓州八里岗遗址最具特色。整体来看，朱家台文化发现的房屋可以分为单间与多间两类。单间又可分为圆形与方形；多间房屋均为长方形，有 2 间、5 间等，甚至出现了 33 间的排房。朱家台文化发现的排房以大、小间配置构成单元式房屋，每个房屋的结构整体划一，排列规则。以邓州八里岗、淅川下王岗两个遗址发现的最具代表性。我们以下王岗为例介绍。

下王岗遗址发现的排房平面呈曲尺形，坐北朝南，全长 85 米，进深 7—8 米，共由 20 间房屋组成，有单内间（5 套）、双内间（12 套）、单间（3 套）之分。单间均位于东端南边，有可能是分房后加盖的。排房西侧发现了 19 个柱洞组成的圆圈，应该是排房的附属建筑，有可能是公用仓库[1]。20 间房屋面积不等，双内间面积一般在 15—38 平方米左右，单内间在 13—22 平方米左右，单间在 19 平方米左右。房屋的修筑技术基本相同，均为木骨泥墙，柱洞均为壁柱。墙壁上涂抹有草拌泥，厚 0.02—0.05 米不等，已被火烧烤成红色硬面，光滑平整。居住面平坦坚实，多数经过烘烤，形成硬面，有的还有竹编痕迹。排房内的房屋，约 1/3 有灶，有的 1 房 1 灶，有的 1 房 2 灶，最多的为 1 房 6 灶（F13、F32）。灶一般在房屋的中部或者稍偏一侧，有的灶周围有草拌泥灶圈（图 3–68）。

八里岗的排房有两排，新增盖的房屋不会插入到其中，而是新盖在附近。每一栋排房的位置被强调，独立性也被强调。下王岗的排房仅有一排，可居住近百人。居住在下王岗和八里岗排房中的人群，血缘关系、社会组织形式可能都存在差异[2]。

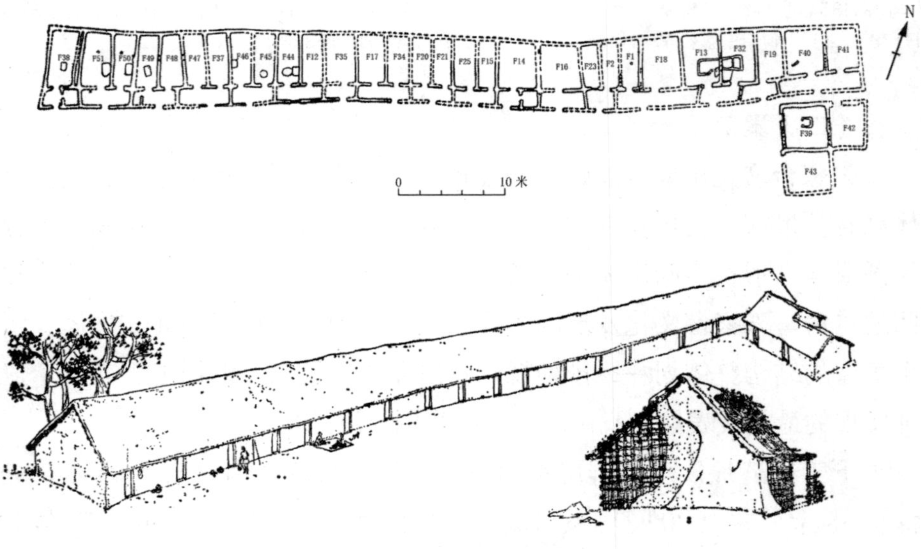

图 3–68　下王岗排房平面及复原图

① 白寿彝主编：《中国通史》第二卷，上海：上海人民出版社，1994 年，第 253 页。

② 张弛：《长江中下游地区史前聚落研究》，北京：文物出版社，2003 年，第 36—39 页。

这一时期的墓葬与下王岗二期文化既有相同之处，亦有差别。相同之处是均有土坑竖穴和瓮棺葬两种，以土坑竖穴为主，葬式以仰身直肢为主。不同之处是，目前发现的墓葬多以一次葬的单人葬为主，不见二次葬和合葬墓（表 3–4）。

表 3–4　下王岗二期文化遗迹统计

遗址	墓葬	灰坑	灰沟	房址
郧县青龙泉	/	/	/	1
郧县店子河	/	2	/	/
均县朱家台	4	3	/	3
淅川马岭	√	√	√	√
淅川下王岗	1	3	/	2
淅川黄楝树	8	8	/	5
邓州八里岗	√	√	√	√

第三节　鄂东南地区

1979 年，潜山县文化馆在考古调查时，在薛家岗村发现了一处新石器时代遗存。1979—1980 年，安徽省文物考古二作队对其进行了三次发掘[①]，并对整个皖西南地区进行了大规模的调查和试掘。限于材料，薛家岗遗址发现的遗存在发现之初被归入北阴阳营文化[②]。1981 年，有

① 安徽省文物工作队：《潜山薛家岗新石器时代遗址》，《考古学报》1982 年第 3 期。

② 苏秉琦等：《关于考古学文化的区系类型问题》，《文物》1981 年第 5 期；谷建祥：《对宁镇皖南新石器时代文化的初步认识》，《江苏省考古学会第四、五次年会论文选》，江苏省考古学会编，1985—1986 年。

学者指出薛家岗类遗存应是独立于其他地区的一种新的考古学文化[①]，发掘者直接提出了薛家岗文化这一命名[②]。李家和还将赣北地区的相关遗址纳入到薛家岗文化，并以薛家岗文化江南类型称之[③]。至20世纪90年代，薛家岗文化的命名基本成为学界的共识。

1981年，安徽省文物考古研究所在宿松县调查时，发现了黄鳝嘴遗址。1981—1984年，对其进行了三次发掘。发掘者认为黄鳝嘴遗址不同于安徽省已知的同时期文化遗存[④]，代表了一种新的文化类型[⑤]。1989年，向绪成提出了黄鳝嘴文化这一概念[⑥]，由于材料较少，后续研究者多以黄鳝嘴类型称之[⑦]。1986—1988年，中国社会科学院考古研究所湖北队对黄梅塞墩遗址进行了考古发掘，发现了一批文化面貌与黄鳝嘴遗址类似的遗存，发掘者也提出了塞墩文化的命名[⑧]。

至此，鄂皖文化圈完成了基本的遗存分类，即黄鳝嘴文化、薛家岗文化。目前，学界对这两类遗存的划分基本没有争议。从目前的测年数据来看，这一地区尚未发现距今6300年以前的遗存，而且在文化的谱系方面，自成系统。

一、黄鳝嘴文化

黄鳝嘴文化主要分布于皖西南与鄂东南。目前经过发掘的遗址有湖

① 纪仲庆：《宁镇地区新石器时代文化与相邻地区诸文化的关系》，《中国考古学会第三次年会论文集》，北京：文物出版社，1984年，第34—43页。

② 杨德标：《谈薛家岗文化》，《中国考古学会第三次年会论文集》，北京：文物出版社，1984年，第44—49页。

③ 李家和等：《江西薛家岗类型文化遗存的发现和研究》，《东南文化》1989年第3期。

④ 贾庆元等：《宿松县黄鳝嘴遗址发掘简介》，《文物研究》1985年第1期。

⑤ 安徽省文物考古研究所：《宿松黄鳝嘴新石器时代遗址》，《考古学报》1987年第4期。

⑥ 向绪成：《试论黄冈地区新石器时代文化》，《鄂东考古发现与研究》，武汉：湖北科学技术出版社，1999年，第155—163页。

⑦ 朔知：《皖西南新石器时代文化的变迁》，《南方文物》2006年第2期。

⑧ 中国社会科学院考古研究所：《黄梅塞墩》，北京：文物出版社，2010年。

北黄梅塞墩、黄冈螺蛳山，安徽宿州黄鳝嘴、安庆墩头、枞阳小柏墩、怀宁孙家城、太湖王家墩等（图 3–69）。黄鳝嘴文化目前仅有 9 个测年数据，均来自塞墩遗址。经矫正后，测年数据主要集中在两个区间，一个为公元前 4300—前 3700 年，另一个为公元前 3700—前 2500 年。经过与其他遗址的契合，我们认为黄鳝嘴文化的年代在公元前 4300—前 3500 年（图 3–70）。一个值得注意的现象就是第二类测年数据均为人骨，第一类为木炭。不同的材料会对测年数据有影响，但是否如此之大，还有待进一步确定。

图 3–69 黄鳝嘴文化遗址位置图

1. 黄冈螺蛳山 2. 黄梅塞墩 3. 宿州黄鳝嘴 4. 太湖王家墩 5. 怀宁孙家城 6. 安庆墩头 7. 枞阳小柏墩

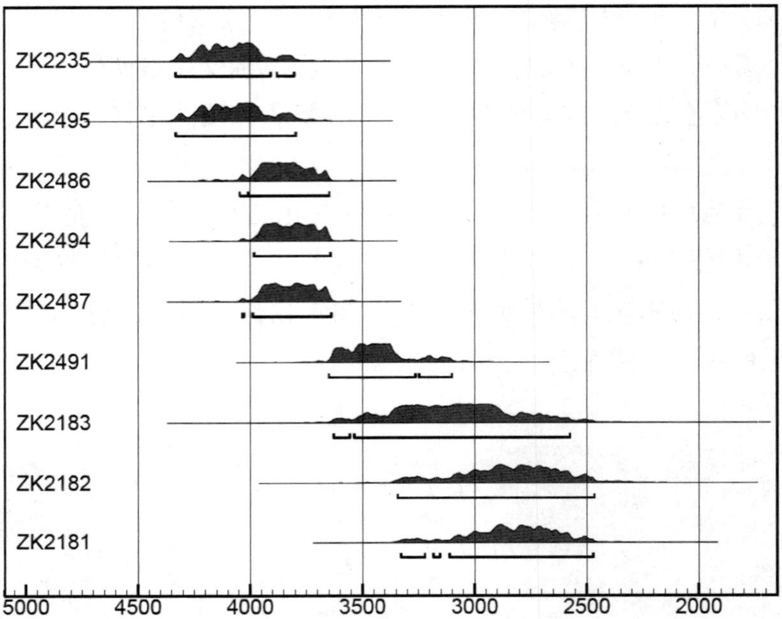

图 3–70　老黄鳝嘴文化测年数据

（一）陶器面貌

塞墩遗址居址和墓葬中出土的陶器，其制作技术基本相同，普遍采用手制与轮修相结合，器形一般都比较规整，外壁一般经过磨光，有些陶器外壁饰有红色陶衣（图 3–71），偶见红陶上饰白陶衣。但在陶质、陶色、器类方面存在一定的差异。居址出土陶器的陶质有泥质（48%）、夹砂（49.1%）、夹碳（2.9%），以前两者为主。陶色以红色为主，约占60.9%，灰色次之，约为 36%，黑陶（3%）和白陶（0.1%）所占的比例很低。纹饰以素面为主，约占 86%，少量装饰有刻划纹、镂空、彩绘等。墓葬出土陶器的陶质也可分为泥质（82.5%）、夹砂（17.2%）、夹碳（0.3%）三类，但以泥质为主。陶色有黑（17.3%）、灰（63.4%）、红（19%）、白（0.3%）四种，以灰陶为主，黑陶、红陶所占的比例相当，白陶最少。装饰方面的差异最大，素面陶仅占 18%，有纹饰者占82%，但二者的装饰方式基本相同。墓葬出土陶器以圈足器（55%）、鼎

（23.8%）为主。鼎有罐形、盆形、壶形之别。圈足器有圈足盘、圈足杯、圈足罐、圈足碗等，以高柄圈足盘居多（图 3–72）。发现的石器均系磨制，普遍周身磨制光滑，形制规整，刃部锋利。器类有穿孔石斧、斧、锛、凿、刀、磨石等。黄鳝嘴文化地处长江中下游，陶器面貌受到了长江中游和长江下游相关遗存的影响[①]。

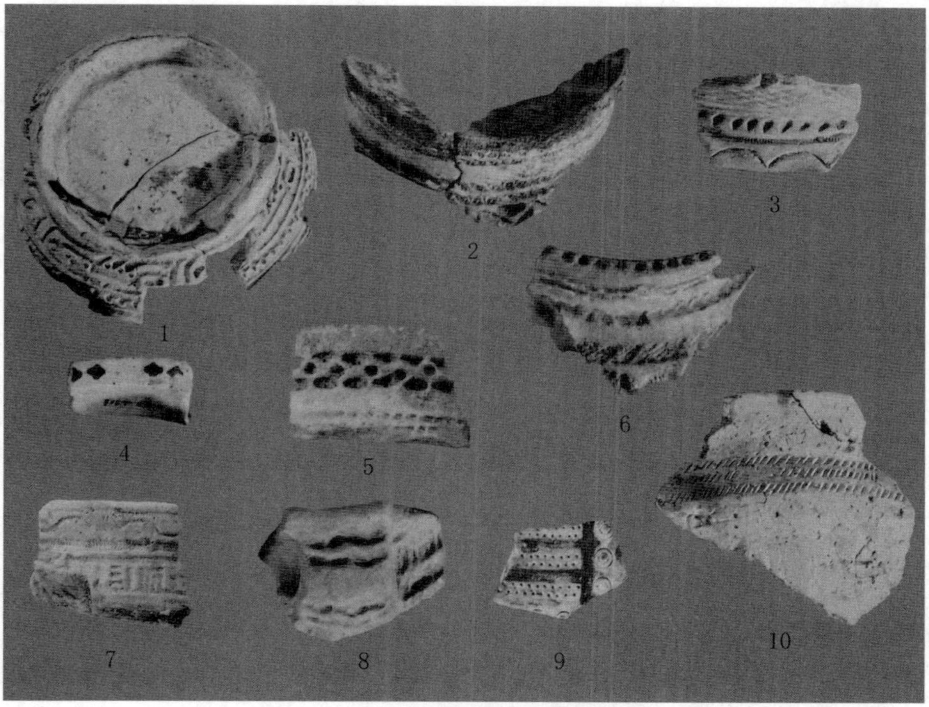

图 3–71　塞墩遗址出土黄鳝嘴文化白衣陶

1. 圈足盘（H5：1）　2. 圈足盘（T22②：6）　3. 圈足碗（T22②：8）　4. 大口尊（T114③：15）　5. 矮领罐（T14③：7）　6. 矮领罐（T22②：11）　7. 矮领罐（T22②：12）　8. 双耳罐（T22②：9）　9. 陶片（T114②：8）　10. 大口尊（T4②：6）

塞墩遗址居址和墓葬中陶器的制作技术、装饰方式相同，这说明所有的陶器可能为技艺相同的人群制作，但陶质、陶色、纹饰等比例的

① 朔知：《皖西南新石器时代文化的变迁》，《南方文物》2006 年第 2 期。

这种差异，说明陶工在制作陶器时，考虑到了陶器的不同使用场景（日用、随葬）。同时，墓葬中发现的一些陶器有明显的使用痕迹，如底部边缘、盖扭的磨损痕迹，陶器的修补痕迹等。这说明墓葬的随葬品中也有一部分陶器为日用陶器。

（二）生业经济

塞墩遗址发现黄鳝嘴文化时期的家养动物以猪为主，另有少量狗。猪多是在青壮年阶段宰杀。狗的数量较少，不可能提供大量肉类。因此，其可能用来狩猎。野生动物以梅花鹿、亚洲象、水牛为主，另有少量獐、麂等。还有少量的水生动物，如鱼、鳖、龟等[①]。

（三）玉器

塞墩遗址黄鳝嘴文化在居址和墓葬中均发现了一定量的玉器，种类基本相同。这说明这些玉器具有实用意义，死后可能作为象征物品随葬。玉器的种类有璜、玦、簪等。玉簪位于死者头骨下。璜均位于颌骨下方及上胸部，同出 2 件的墓葬小件在前大件在后。玦除 M26 一座位于脚部外，其余均在头部；3 座各出 2 件的墓葬，分别位于头骨的左右耳部。2 座各出 1 件的均位于头骨左边。佩戴者男女儿童均有。从出土位置判断，这些玉器是作为装饰品使用的（图 3–73）。

① 一般研究塞墩遗址动物骨骼时，未将黄鳝嘴文化与薛家岗文化分开。根据陶器特征，地层和遗迹均属黄鳝嘴文化，墓葬中发现的动物骨骼以薛家岗文化为主。因此在此处的讨论我们排除了墓葬。

图 3–72　塞墩遗址黄鳝嘴文化墓葬随葬陶器

1. 鼎（M232 ：4）　2. 鼎（M147 ：1）　3. 鼎（M168 ：2）　4. 豆（M232 ：12）　5. 豆（M39 ：1）　6. 盖　豆（M35 ：5）　7. 碗（M232 ：3）　8. 杯（M203 ：6）　9. 杯（M144 ：1）　10. 杯（M232 ：9）　11. 豆（M203 ：17）　12. 杯（M48 ：35）

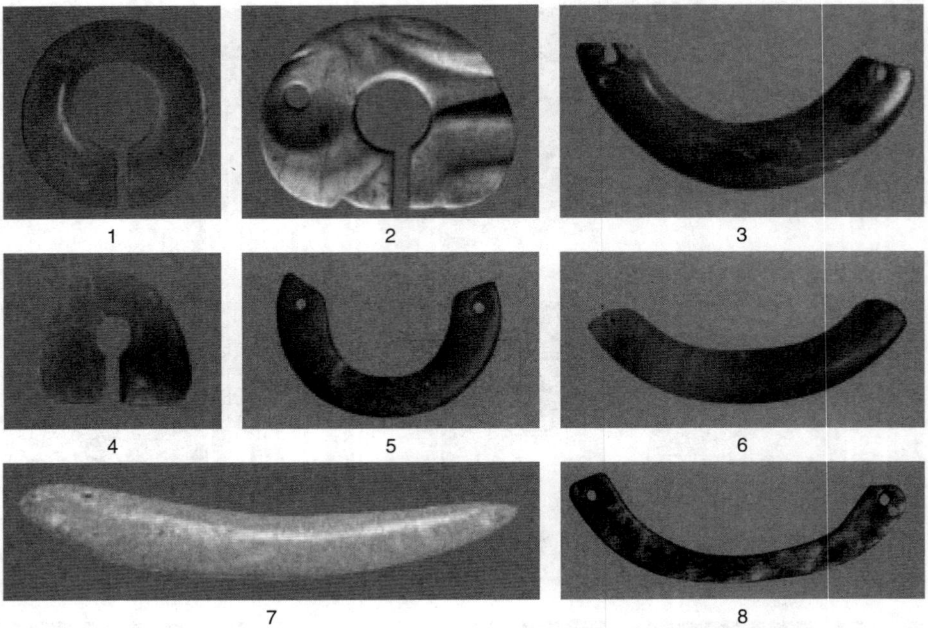

图 3-73　塞墩遗址黄鳝嘴文化墓葬随葬玉器

1. 玦（M166 ∶ 8）　2. 玦（M48 ∶ 1）　3. 璜（M124 ∶ 1）　4. 玦（M26 ∶ 1）　5. 璜（M117 ∶ 3）　6. 璜（M7 ∶ 6）　7 簪（M49 ∶ 1）　8. 璜（M142 ∶ 1）

（四）葬俗

塞墩遗址黄鳝嘴文化的墓葬均为单人土坑竖穴，近一半的墓葬在墓圹四周涂了一层青膏泥或者黄胶泥。有的墓葬有葬具，如独木棺、木棺等。葬式以仰身直肢二次葬为主。早期可能存在集中埋葬夭折儿童的现象①。方向除一座为逆向外，其余均在 9° —50° 之间，72% 的墓葬在 9° —22° 之间。塞墩遗址位于北纬 30° 左右，其日出的角度正好在东偏南 7° —23° 之间（图 3-74）。因此，我们可以确定塞墩墓地头向为太阳升起的垂直方向。

① 李铭扬：《黄梅塞墩遗址研究》，武汉大学硕士学位论文，2019 年。

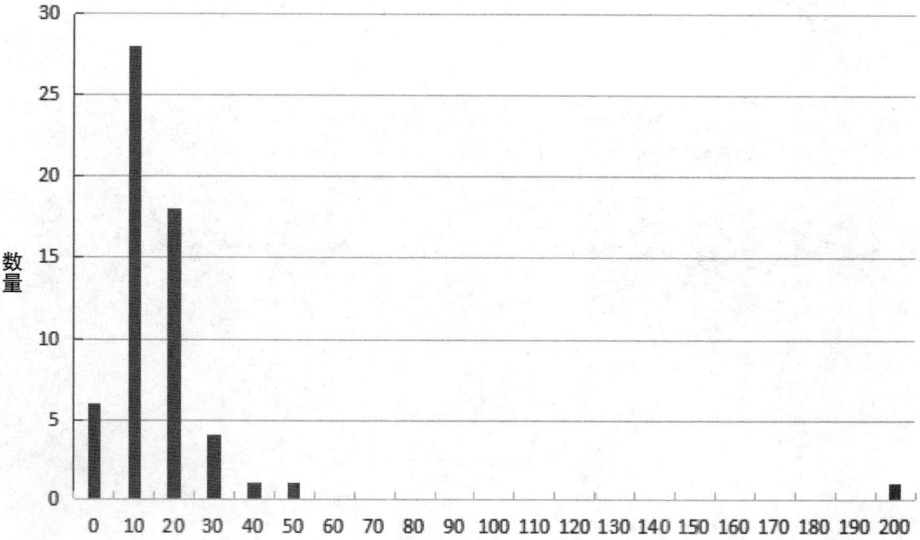

图 3–74　塞墩遗址黄鳝嘴文化墓葬头向分布图

二、薛家岗文化

薛家岗文化主要分布于鄂东南、皖西南、赣北三个区域，这也代表了薛家岗文化的三个类型，即皖西南的薛家岗类型、鄂东南的鼓山类型、赣北的郑家坳类型[①]。目前经过发掘的遗址有湖北黄梅陆墩、黄梅塞墩、武穴鼓山，安徽潜山薛家岗、潜山天宁寨、太湖何家凸、太湖王家墩、望江汪洋庙、望江汪家山、望江麻圆墩、望江黄家堰、安庆夫子城、怀宁黄龙、怀宁孙家城、枞阳小柏墩、岳西祠堂岗，江西靖安郑家坳等遗址（图 3–75）。薛家岗文化主体部分以皖河流域为中心，在西起蕲水以东、东至枞阳以西、北止于大沙河流域的长江两岸的平原和大别山东南麓的两翼山前地带呈“V”字形分布，这样的分布形态说明它的分布既受大别山和长江的限制，也说明它与长江的关系十分密切，甚至

① 罗运兵：《薛家岗文化研究》，武汉大学硕士学位论文，2004 年。

整个文化的形成和生业经济特点都与长江有密不可分的联系[①]。

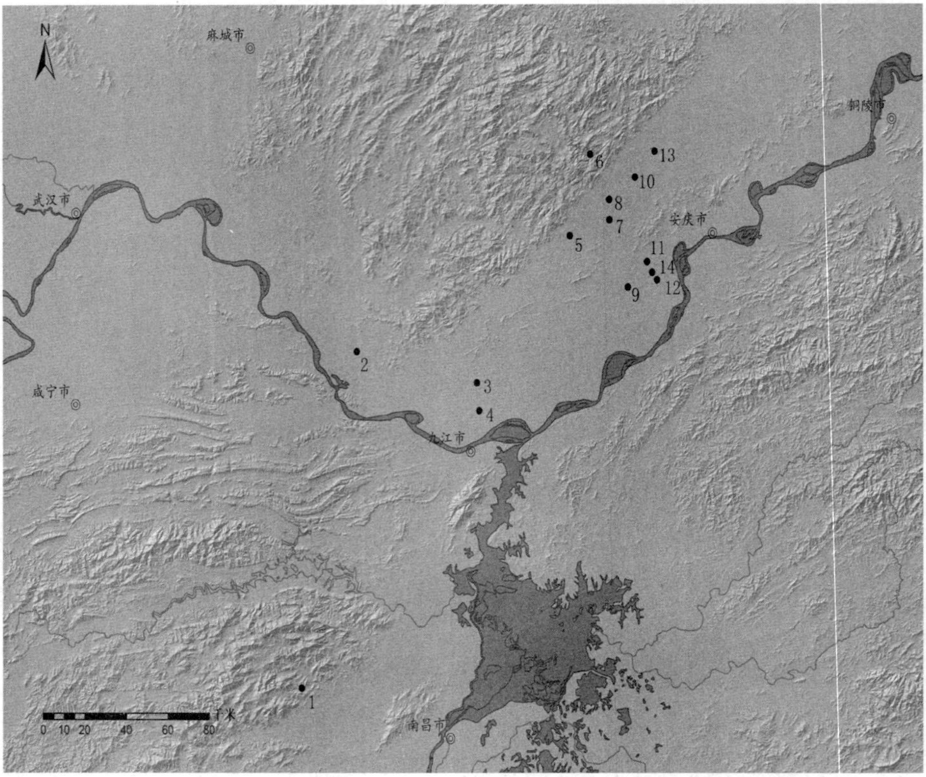

图 3–75 薛家岗文化遗址位置图

1. 靖安郑家坳 2. 武穴鼓山 3. 黄梅陆墩 4. 黄梅塞墩 5. 太湖王家墩 6. 岳西祠堂岗 7. 潜山薛家岗 8. 潜山天宁塞 9. 望江黄家堰 10. 怀宁黄龙 11. 安庆夫子城 12. 望江汪洋庙 13. 怀宁孙家城 14. 望江汪家山

薛家岗文化的形成与黄鳝嘴文化、崧泽文化、北阴阳营文化都有一定的关系，发展过程中，西边的影响微弱，东边的影响明显，晚期时北方的影响则相对增加，同时薛家岗文化的若干因素也开始向外传播[②]。

① 安徽省文物考古研究所：《潜山薛家岗》，北京：文物出版社，2004 年。

② 朔知：《皖西南新石器时代文化的变迁》，《南方文物》2006 年第 2 期。

薛家岗文化的测年数据共有 8 个，来自潜山薛家岗、武穴鼓山、望江汪洋庙、武穴尺山等遗址。矫正后的数据，可以分为三个区间。第一个区间为公元前 4150—前 3850 年，仅有 1 个数据；第二个区间为公元前 3600—前 2800 年，有 5 个数据；第三个区间为公元前 2250—前 1900 年，有 2 个数据。经过与其他遗址的契合，我们认为薛家岗文化的年代在公元前 3500—前 3000 年左右（图 3–76）。

（一）陶器面貌

塞墩遗址薛家岗文化墓葬出土陶器均为手制轮修。器表普遍经过打磨。陶质以泥质为主（73%）；陶色以灰陶（49.3%）为主，黑陶（35.1%）、红陶（15.6%）次之；各类纹饰陶约占 75.5%，常见的纹饰有凹弦纹（39.9%）、窝纹（17%）、凸弦纹（15.8%）、刻纹（9.1%）、镂空（8.3%），戳印纹、圆圈纹、锥刻纹等所占比例很低，均少于 1%。器类以圈足器（47.5%）、鼎（29.4%）为主，平底钵（6.7%）次之，其他器类如圜底釜、圜底罐、平底罐、觚形杯、甑、器盖[①]等所占比例较低，均低于 5%（图 3–77）。

（二）石器

薛家岗文化发现的石器以磨制为主，制作原料以岩浆岩、变质岩为主，如橄榄岩、橄长岩、纯橄岩、板岩、石英岩等，其硬度多在 5°—7° 之间。石料多来自附近的大别山。塞墩遗址薛家岗文化石器似有实用与明器之别，铲、刀、砾石等均有实用痕迹，应为实用器；锛、凿、斧有一部分器形较小，有的宽度不超过 1 厘米，极有可能是随葬的明器。薛家岗遗址发现的石刀绝大多数为多孔，以 3 至 7 孔比较多见；石钺磨制光滑（图 3–78）。这些精美的石钺、石刀有可能不是实用器。

（三）玉器

薛家岗文化的武穴鼓山、潜山薛家岗、黄梅塞墩等遗址均有玉器发现。器类以璜、镯为主，另有少量三联璧、佩饰、珠、琮等。器物表

---

① 报告统计中，未将三足器、圈足器等器物的盖计入器盖。

面常留有线切割留下的椭圆形或者抛物线状线条，切割的表面也不十分平整。钻孔以实心双面对钻为主，少数玛瑙料玉器发现有管钻的痕迹。上述遗址在玉料方面存在很大的差异。薛家岗遗址发现的127件玉器的玉料以闪石类（88.1%）为主，另有少量绢云母类（5.5%）、滑石类（2.4%）、蛇纹类（1.6%）、玛瑙类（1.6%）等。鼓山遗址发现的34件玉器的玉料以长英质角岩（29.4%）、石英岩（26.5%）、软玉（20.6%）为主，另有少量变质长石石英岩（5.9%）、硅化高岭土岩（5.9%）、长石石英岩（2.9%）、石英岩（2.9%）、青玉（2.9%）等（图3–79）。

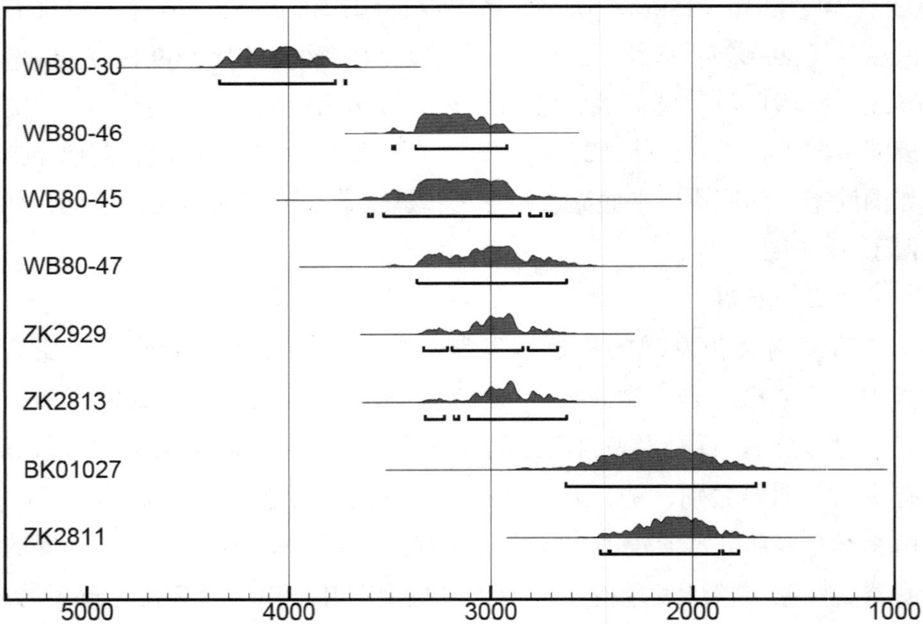

图3–76　薛家岗文化测年数据

图 3–77　塞墩遗址薛家岗文化墓葬随葬陶器

1. 盖鼎（M5 ：2）　2. 盖鼎（M29 ：1）　3. 盖鼎（M8 ：10）　4. 鼎（M128 ：2）　5. 鬶（M5 ：1）　6. 鬶（M108 ：4）　7. 壶（M33 ：3）　8. 壶（M91 ：2）　9. 豆（M34 ：1）　10. 豆（M91 ：1）　11. 盖豆（M133 ：5）　12. 豆（M70 ：3）

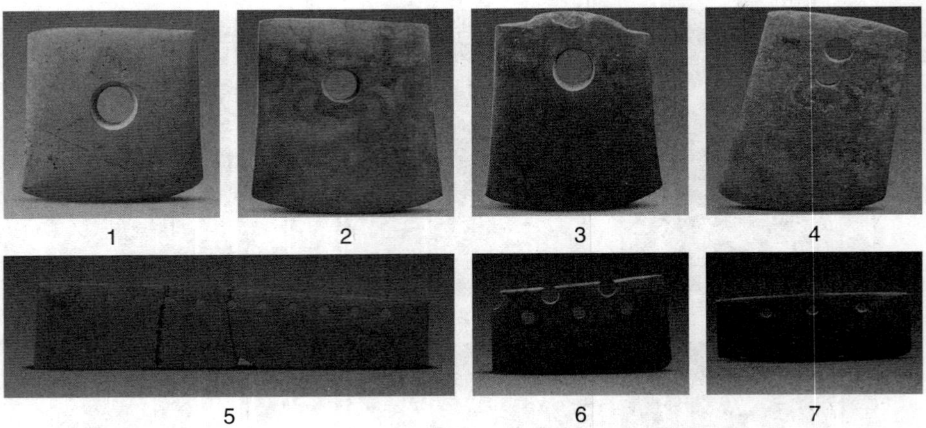

图 3–78 薛家岗文化石钺与多孔石刀

1. 石钺（薛 M37 ：9） 2. 石钺（薛 M44 ：7） 3. 石钺（薛 M40 ：15） 4. 石钺（薛 M58 ：8） 5. 多孔石刀（M15 ：1） 6. 多孔石刀（M44 ：14） 7. 多孔石刀（M68 ：2）

（四）葬俗

塞墩墓地发现薛家岗文化墓葬 108 座，均为长方形竖穴土坑，墓向在 0°—46° 之间，约 80% 在 4°—21° 之间（图 3–80）。大约有一半的墓葬在墓圹四周或者葬具四周涂一层厚约 3 厘米的青膏泥或黄胶泥或棕黄胶泥。葬式以单人仰身直肢二次葬为主，约占 80%。仰身直肢一次葬仅有 7 座，合葬墓仅有一座。武穴鼓山的薛家岗文化墓葬头向与塞墩遗址相近，约 84.9% 的墓葬集中在 0°—44° 之间。陶器等多置于足端，生产工具如石铲、石锛等多置于腰部。玉质装饰品发现于头部、胸部；陶环、石环大多在手臂的位置。

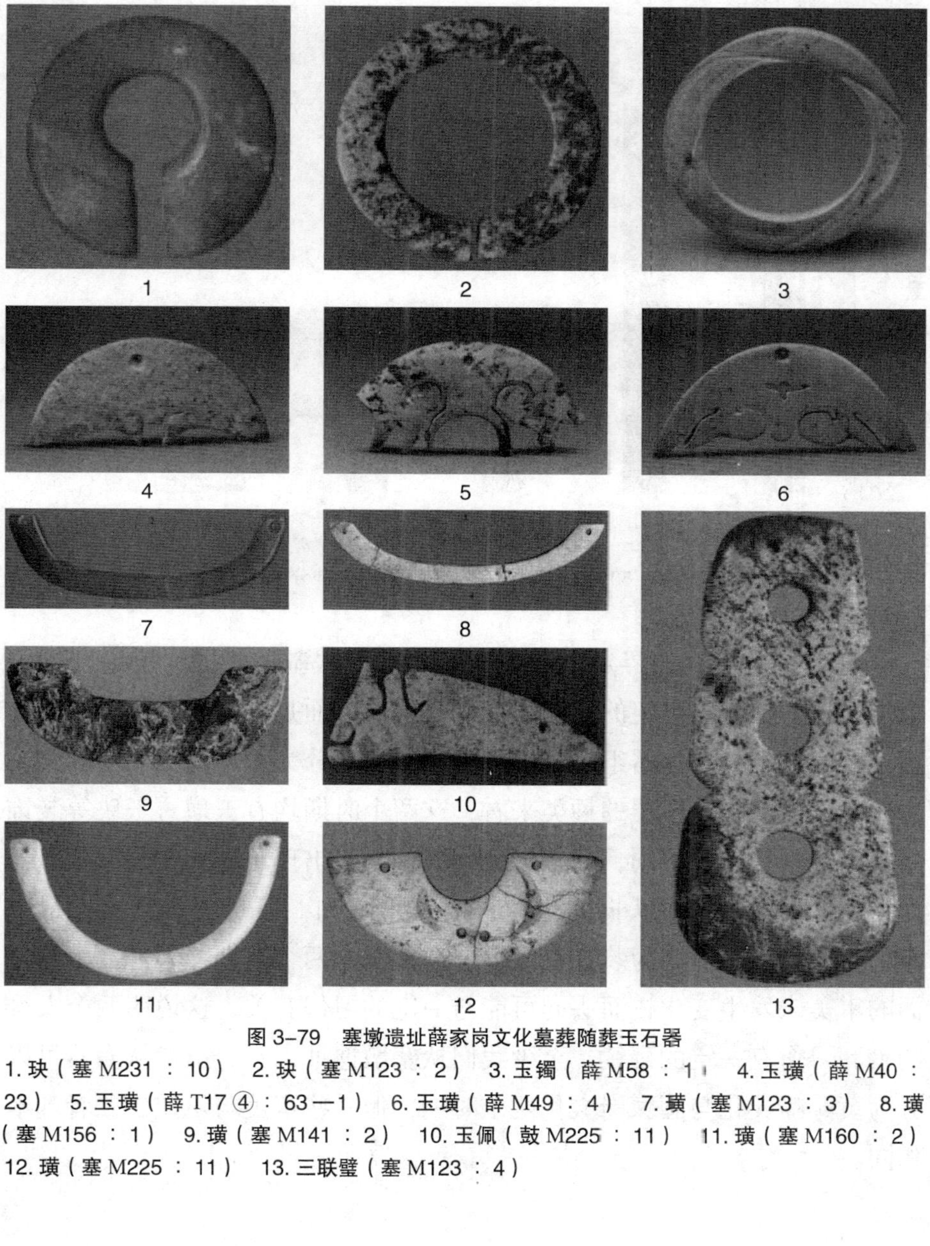

图 3-79　塞墩遗址薛家岗文化墓葬随葬玉石器

1. 玦（塞 M231 ：10）　2. 玦（塞 M123 ：2）　3. 玉镯（薛 M58 ：1）　4. 玉璜（薛 M40 ：23）　5. 玉璜（薛 T17 ④ ：63—1）　6. 玉璜（薛 M49 ：4）　7. 璜（塞 M123 ：3）　8. 璜（塞 M156 ：1）　9. 璜（塞 M141 ：2）　10. 玉佩（鼓 M225 ：11）　11. 璜（塞 M160 ：2）　12. 璜（塞 M225 ：11）　13. 三联璧（塞 M123 ：4）

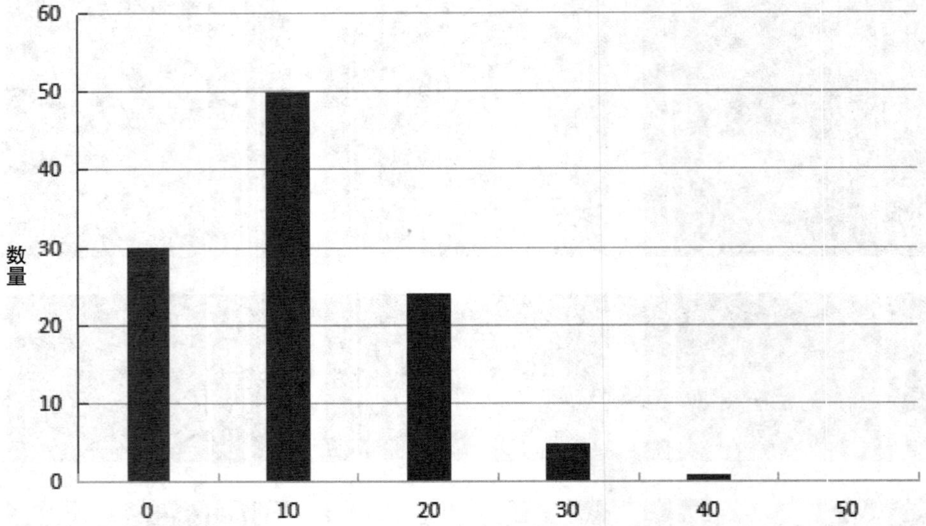

图 3-80 塞墩遗址薛家岗文化墓葬头向分布图

对考古学文化的界定，本书与学界的方法基本相同，均以陶器为依据。那根据陶器界定的考古学文化在其他方面是否相同，是一个需要探讨的问题。根据陶器组合，我们将塞墩遗址分为黄鳝嘴文化与薛家岗文化两个时期。从玉器的种类来看，这两个时期均有玉璜、玉玦等装饰品，而且形状基本相同，薛家岗文化时期，新出现了钺、三联璧等新器形。两个时期的墓葬头向均是在0°—45°之间，以9°—25°之间最为集中。玉璜、玉玦均为装饰性玉器，这说明这两个时期，人群在玉器方面的审美未发生变化；而头向可能与一定的习俗有关，这说明两个人群的丧葬习俗有一定的延续。至少我们从塞墩遗址来看，虽然从陶器可以分为黄鳝嘴文化与薛家岗文化两个时期，但一些审美与习惯，二者基本相同。

第四节　江汉平原

从公元前 5000 年开始，江汉地区的本地文化开始蓬勃发展，先后形成了边畈文化、油子岭文化。油子岭文化以江汉平原为中心，实现了这一地区文化面貌的第一次统一，为后续文化的发展奠定了基础。

一、边畈文化

边畈文化目前仅见于边畈遗址[①]。边畈遗址位于湖北省钟祥市九里回族乡边畈村余家山头。1984—1986 年，荆州地区博物馆对边畈遗址进行了两次发掘，发掘面积 1100 平方米。发掘者将该遗址新石器时代的遗存分为三期，并认为第三期遗存的年代相当于关庙山大溪文化的一期或二期初，命名为大溪文化边畈类型；第一、二期的年代可能在关庙山大溪文化一期之前，命名为边畈文化。

边畈遗址目前有 2 例测年数据，经数据论证后，数据年代比较分散，一个测年数据的年代跨度为公元前 4850—前 2500 年，一个为公元前 4900—前 3900 年。经过与其他遗址契合，我们认为边畈文化的年代为公元前 4900—前 3900 年左右（图 3-81）。

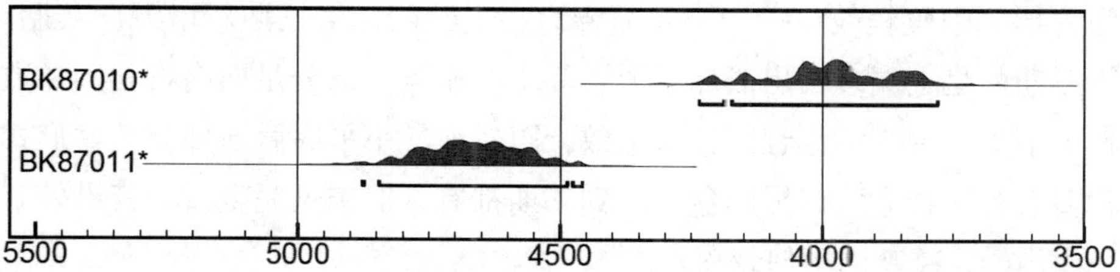

图 3-81　边畈文化测年数据

① 张绪球：《汉江东部地区新石器时代文化初论》，《考古与文物》1987 年第 4 期；张绪球：《长江中游新石器时代文化概论》，武汉：湖北科学技术出版社，1992 年，第 108、164—166 页；郭伟民：《新石器时代澧阳平原与汉东地区的文化和社会》，北京：文物出版社，2010 年，第 68 页。

（一）陶器面貌

边畈遗址一到三期均属于红陶系遗存。从陶质来看，三期都以粗泥陶为主，一、二期夹炭陶占有较大的比例，第三期夹炭陶比例下降，夹砂陶始终很少。陶色中红色约占 80%—90%，大部分涂红衣，其次为黑色。纹饰简单，三期变化明显。主要纹饰有细绳纹、按窝纹、镂孔、弦纹、刻划纹、戳印纹。细绳纹第一、二期较多，第三期少见，主要饰于鼎、釜的腹部。按窝纹是边畈遗址最有特点的纹饰，饰于鼎足的上端，第一期少见，且窝坑很浅。第二期流行，绝大部分鼎足都饰，而且一个足根上的按窝数比之前增多，窝坑明显加深。第三期鼎的数量减少，按窝纹也相应减少，但窝坑更深，两个窝坑间常被挤得凸出来。镂孔数量较少，一到三期逐渐增加。弦纹一、二期较少，第三期流行。刻划纹和戳印纹只见于第三期。一到三期均无彩陶。器形方面，第一期很简单，主要是鼎、釜、钵、盆、罐等；第二期包括一期的器形，但有变化，另外，豆、碗、器座出现较多；第三期器形变化较大，有鼎、敛口圜底盆、卷沿盆、扁腹罐、豆、圜底碟、喇叭形器座、碗等器形。鼎是边畈数量最多最有特色的器形，在一、二期约占半数，第三期明显减少。鼎身皆为釜形。一期多为小口，沿面接近直立，下腹直径较大，足绝大部分为细圆锥形和细扁锥形，舌形少见。第二期鼎口径增大，足绝大部分为舌形、中腹较鼓。一、二期鼎皆为夹炭红陶，第三期新增泥质灰胎。第三期鼎足上端多凸出成鼻梁形，其中有相当一部分足向内弯斜。钵数量也不少，皆为细泥红陶，口微敛，腹较深，小平底微向外鼓。盆形式较多，有一种大敛口黑陶盆，一到三期都有，但未见完整器，其沿外有一周沟槽，越晚沟槽似越深[①]。

（二）文化源流

边畈文化陶器可以分为三类。第一类以釜、圈足碗为代表，这一类陶器的来源当与大溪文化有关；第二类以器座、圈足罐为代表，器座通

① 张绪球：《汉江东部地区新石器时代文化初论》，《考古与文物》1987 年第 4 期。

常装饰有镂孔，这一类遗存的来源当与汤家岗文化有关；第三类以鼎、盆为代表，这一类遗存的来源当与后岗一期文化有关[①]（图 3-81）。

囿于已有材料，我们对边畈文化其他方面知之甚少，比如：（1）大溪文化、汤家岗文化、后岗一期文化三类文化因素的共存关系，是三足鼎立还是以其中一种或两种为主，这涉及对其形成机制的判断。（2）边畈文化除了以上三种文化因素，哪些是其特有的文化因素？这涉及我们对其命名合理性的再检讨。（3）在空间分布上，边畈文化是否有独立的区域？与大溪文化在空间上处于何种关系？（4）就我们目前了解的资料，大溪文化、汤家岗文化的生计方式是稻作农业，而后岗一期文化是旱作农业。江汉平原适宜稻作农业，后续的文化也是以稻作农业为主，后岗一期文化的介入，对这一地区的生计方式有何影响？

二、油子岭文化

江汉平原地区，边畈文化与屈家岭文化之间的遗存依次有龙嘴、谭家岭二期、谭家岭三期。关于这三类先后相继的遗存的考古学文化属性，存在各种认识（表 3-5）。其分歧主要有以下几个。第一，龙嘴陶器面貌的独特性是否足以使其从大溪文化中分出来？第二，龙嘴与谭家岭二期的相似性是否足以将二者归入同一个考古学文化？目前从陶器面貌（组合、比例、陶质陶色、纹饰、器型特征）来看还难以对此有定论。方便一般读者起见，本书笼统地将这些遗存称之为油子岭文化。

---

① 孟华平：《长江中游新石器时代考古学文化谱系初探》，《长江中游史前文化暨第二届亚洲文明学术讨论会论文集》，长沙：岳麓书社，1996 年，第 74—80 页。

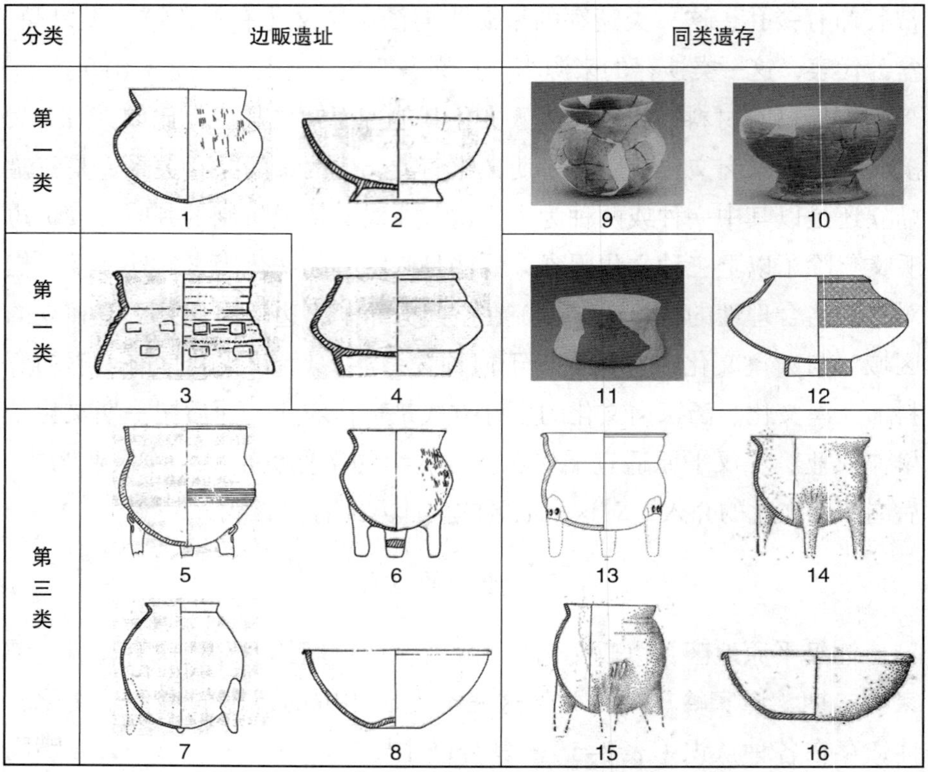

图 3–82　边畈遗址遗存分类

1. 釜（T5 ④）　2. 碗（T4 ③）　3. 器座（T30 ⑧）　4. 罐（T5 ③）　5. 鼎（M6）　6. 鼎（M9）　7. 鼎（M14）　8. 盆（M7 ：8）　9. 釜（关庙山 W50 ：1）　10. 碗（关庙山 W79 ：2）　11. 器座（店子河 T1001 ⑧：15）　12. 罐（关庙山 T11 ④ G1 ：55）　13. 鼎（沟湾 F43 ：1）　14. 鼎（下王岗 M57 ：1）　15. 鼎（下王岗 M424 ：1）　16. 盆（下王岗 M256 ：2）

表 3–5　油子岭文化内涵简表

<table>
<tr><th>代表学者</th><th>孟华平</th><th>余西云</th><th>郭伟民</th></tr>
<tr><td>龙嘴</td><td rowspan="3">油子岭文化</td><td>油子岭文化</td><td>大溪文化油子岭类型</td></tr>
<tr><td>谭家岭二期</td><td rowspan="2">屈家岭下层文化</td><td rowspan="2">油子岭文化</td></tr>
<tr><td>谭家岭三期</td></tr>
<tr><td>谭家岭四期</td><td>屈家岭文化</td><td>屈家岭文化</td><td>屈家岭文化</td></tr>
</table>

油子岭文化以京山油子岭遗址命名，主要分布于江汉平原的天门、京山一带。目前经过发掘，发现油子岭文化遗存的遗址有京山油子岭、天门龙嘴、京山屈家岭、天门谭家岭、京山朱家嘴、武昌放鹰台等（图3–83）。

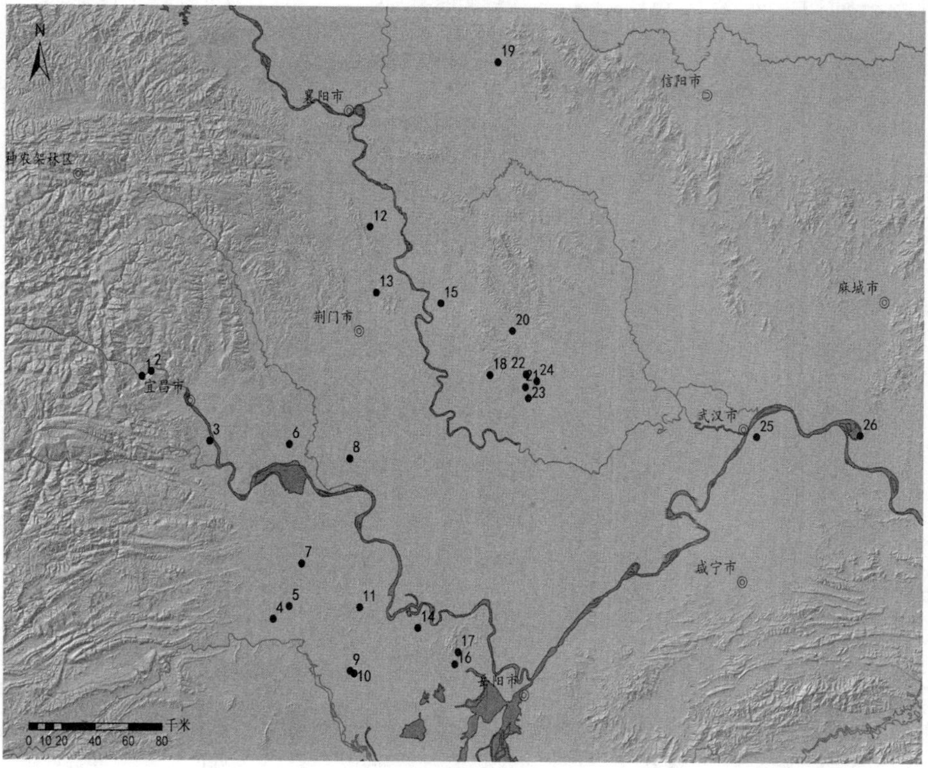

图 3–83　油子岭文化遗址位置图

1. 宜昌中堡岛　2. 宜昌清水滩　3. 宜都红花套　4. 澧县丁家岗　5. 澧县三元宫　6. 枝江关庙山　7. 松滋桂花树　8. 江陵朱家台　9. 安乡划城岗　10. 安乡度家岗　11. 公安王家岗　12. 宜城顾家坡　13. 荆门龙王山　14. 石首走马岭　15. 钟祥六合　16. 华容车轱山　17. 华容长岗庙　18. 京山屈家岭　19. 枣阳雕龙碑　20. 京山朱家嘴　21. 天门谭家岭　22. 京山油子岭　23. 天门龙嘴　24. 天门张家山　25. 武昌放鹰台　26. 黄冈螺蛳山

从目前材料看，天门龙嘴遗址是其中心。龙嘴遗址地处大洪山南麓向江汉平原过渡的山前地带，位于龙嘴岗地的南端，海拔在 25.6—31.6

米，面积约 8.2 万平方米。油子岭文化的测年数据主要集中在京山屈家岭、天门龙嘴两个遗址。经树轮校正后，主要集中在公元前 3900—前 3300 年（图 3–84）。

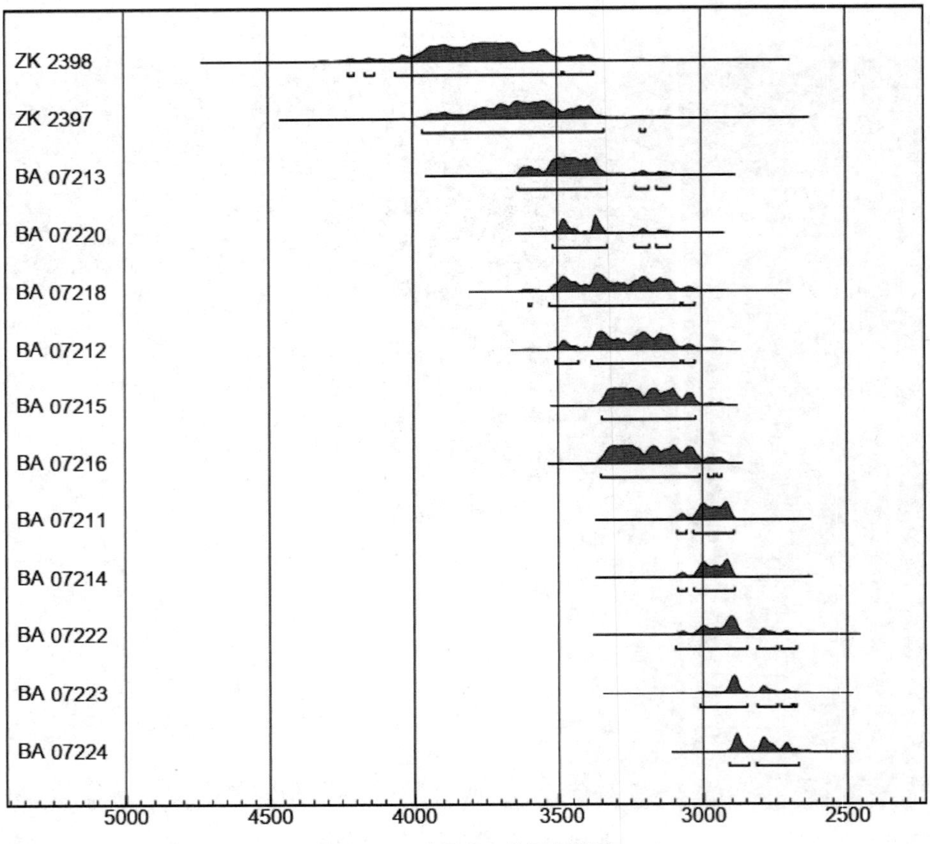

图 3–84 油子岭文化测年数据

（一）陶器面貌

龙嘴遗址出土陶器以泥质红衣红陶为大宗，泥质黑陶次之，泥质灰陶、红陶和夹砂红陶较少，红衣的呈色剂为铁红（Fe_2O_3）。谭家岭遗址出土的油子岭文化陶器也以泥质红陶为主，约占 50.3%，泥质黑陶、泥质灰陶次之，分别为 26.4%、20.6%，夹砂红陶最少，仅占 2.6%。陶器以素面为主，纹饰以弦纹、棱纹、戳印纹、镂空纹、按窝纹为主，篮纹、附加堆纹、压印纹次之，且多为复合纹饰。其中，弦纹、按窝纹等主要饰于鼎的腹部、足部，戳印纹、镂空纹、按窝纹等多饰于盘、豆、簋等器类的口沿部、圈足部；附加堆纹、压印纹、刻划纹多见于罐、盆、缸等器类（图 3–85）。

彩陶在整个油子岭文化陶器中所占比例不高。龙嘴遗址的彩陶主要见于薄胎碗、杯类器物，以红衣黑彩为主，少量红衣红彩。红彩的主要呈色剂是朱砂（HgS）和铁红（Fe_2O_3）。纹饰多网格纹、条带、圆点、漩涡。谭家岭遗址还出现了一些白衣黑彩。饰彩的陶碗，其器壁非常薄，因此被学界称为蛋壳彩陶，它是这一时期高超制陶工艺的体现（图 3–86）。

油子岭文化陶器兼具大溪文化、屈家岭文化特征。从年代上看，油子岭文化早于屈家岭文化，因此二者的相似是文化继承发展的结果。同时，油子岭文化曾与大溪文化并行发展，二者的相似是文化传播影响的结果。本文所称油子岭文化，可以笼统细分为龙嘴、屈家岭下层两类早晚相继的遗存。目前，学术界对这两类遗存的文化性质仍有争议，有学者认为龙嘴遗址的文化面貌更接近大溪文化，故以大溪文化龙嘴类型称之；也有学者认为屈家岭下层与屈家岭上层（本书的屈家岭文化）、油子岭文化面貌都有差异，故单独命名为屈家岭下层文化。

（二）生业经济

石器多磨制，器类有斧、钺、凿、锛等生产工具，亦有杵等食物加工工具和装饰品。钻孔多采用对钻的工艺。龙嘴遗址发现的动物骨骼以家猪居多。以 TG2 北部的 H18 发现最多，且猪骨骼多见啮齿类动物的咬痕。

图 3-85　龙嘴遗址出土油子岭文化陶器

1. 鼎（M7 ： 4）　2. 鼎（M4 ： 1）　3. 圈足壶（ⅢT1106④C ： 730）　4. 圈足罐（M14 ： 12）　5. 曲腹杯（M5 ： 11）　6. 圈足盘（M13 ： 8）　7. 豆（ⅣT2211⑧ ： 15）　8. 豆（ⅣT2211⑧ ： 14）　9. 器盖（ⅢT1006⑥ ： 13）　10. 器盖（M17 ： 3）　11. 圈足盘（M13 ： 5）　12. 器盖（ⅣT2211⑧：4）

图 3–86 龙嘴遗址出土油子岭文化彩陶

1. 杯（Ⅳ T2211 ⑧ ： 6） 2. 杯（Ⅲ T1106 ⑥ ： 95） 3. 杯（Ⅲ T1106 ⑤ D ： 136） 4. 杯（M7 ： 10） 5. 杯（M7 ： 10） 6. 杯（Ⅲ T1107 ⑤ C ： 41） 7. 杯（M4 ： 2） 8. 纺轮（Ⅲ T907 ⑤ A ： 18） 9. 纺轮（Ⅳ T2211 ⑥ B ： 10） 10. 杯（Ⅲ T1107 ⑥ ： 121） 11. 杯（Ⅲ T1107 ⑤ A ： 171） 12. 杯（Ⅲ T1107 ⑥ ： 127） 13. 杯（Ⅲ T1106 ： 123） 14. 罐（Ⅲ T1107 ④ A ： 201） 15. 杯（Ⅲ T1106 ⑤ A ： 86）

（三）玉器

油子岭文化玉器仅在龙嘴遗址发现4件。玉料有岫玉（ⅡT0905④：1、ⅠT2106③：1）、云母质玉（H37：1）、石英岩质玉（TG1⑦：7）等三种，其中一件岫玉含有绿泥石。玉料的多样似乎说明这几件玉器的来源不止一处，甚至是4处。器类均为装饰品，有牌饰和玉玦两类（图3–87）。

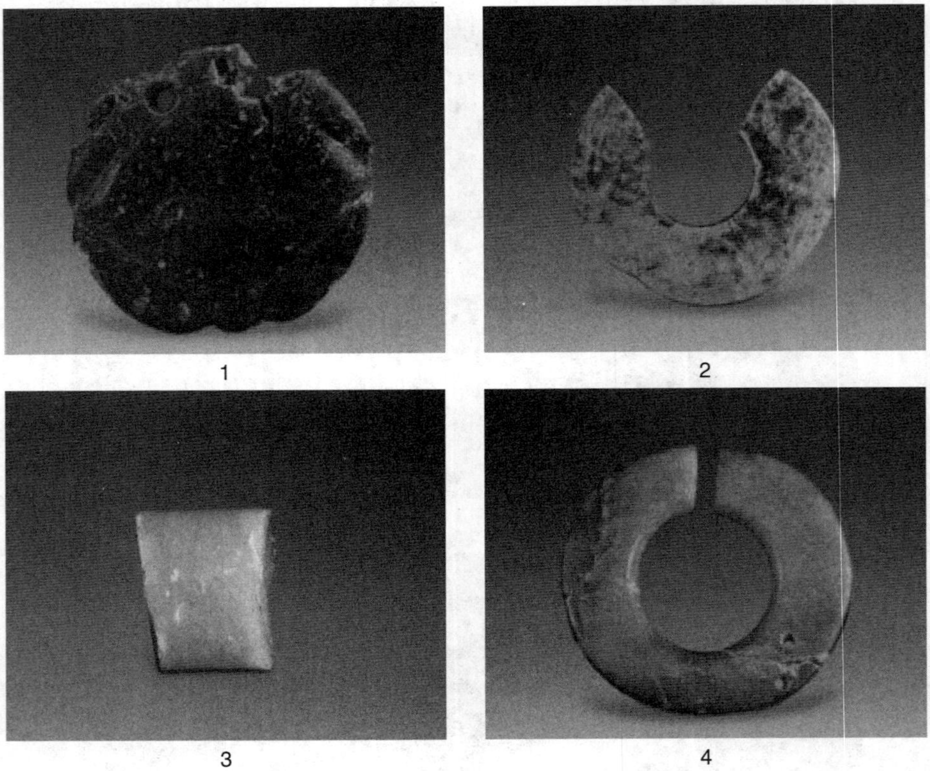

图3–87　龙嘴遗址出土油子岭文化玉器

1.玉牌饰（ⅠT2106③：1）　2.玉玦（T0905④：1）　3.玉器（TG1⑦：7）　4.玉玦（H37：1）

（四）聚落

龙嘴遗址的城垣是在勘探过程中发现的，地表并无城垣痕迹。勘探结果显示，城垣依地势而建，残高 1—3.2 米，底部宽约 17 米。城垣平面近圆形，南北长约 305 米，东西宽约 269 米，面积约 8.2 万平方米，城内面积约 6.0 万平方米。整体为三面环湖、一面为壕，为相对封闭的城垣结构，遗址的文化堆积多分布于城垣范围之内。北城垣中部的墙体预挖深约 1.8 米的基槽。城垣由若干层堆积而成，基本上能确定墙体的结构。南城垣中西部的墙体保存较差，整体结构不明，仅残存底部两层堆积。东城垣南部的墙体保存最好，其墙体结构清楚。东城垣、南城垣和西城垣分别建筑在龙嘴岗地边缘的缓坡地带，北城垣建筑在龙嘴岗地的中段，而北城垣北侧的一条东西向壕沟将整个岗地人为切断。东城垣、南城垣和西城垣外侧的地势较低，系灰褐色淤土，深度超过 2.7 米，可能系古湖汊区。壕沟南距北城垣约 12 米，宽约 18 米，其上部堆积为淤积层，底部为灰白色淤泥，一般深 1.5 米左右，最深的地方超过 2.7 米（图 3–88）。

东城垣和南城垣接合处的城垣由护坡、主墙体和淤积层组成，均未发现夯筑痕迹。东城垣墙体并非一次堆筑而成，而是多次堆筑的结果。城垣的附属堆积第 8 大层可能与城垣主墙体第 9 大层基本同时，第 6 大层可能与城垣主墙体（护坡）第 7 大层基本同时。

护坡位于墙体外侧，即堆积第 4 层，高 2.04、宽 3.5 米。由 7 小层堆积组成，A、B、C 三小层呈斜坡状，坡度为 45 度，D、E、F、G 四小层呈水平堆积。土色以黄褐色为基调，结构较硬。从土质土色观察，其主要来源于文化层。主墙由三部分组成。第一部分即第 5 层，位于主墙体外侧，可分 4 小层，A 层呈水平分布，B、C、D 三层呈坡状堆积。土色以灰褐色为基调，结构较硬。第二部分即第 7 大层，高 1.9、宽 2.65 米。位于主墙体的中部，分三小层，呈坡状堆积。土色以黄褐色为主，结构较硬，夹大量锈斑和青灰色斑点。从其堆积特点分析，与墙体护坡类似，可能是第三部分主墙体的护坡。第三部分即第 9 大层，位于主墙体内侧，直接叠压在生土之上，分六小层，呈水平状堆积。土色以黄褐色为主体，夹灰白斑点与黑褐色沙粒，结构较硬。淤积层分两部分。第一部分即第 6 大层，厚 0.6、宽 7.05 米。位于第二部分主墙体的外侧，分两小层。结构疏软，呈黑灰色淤泥状，内含大量红烧土块和炭粒。第二部分即第 8 大层，厚 0.6、宽 4 米，位于第三部分主墙体的外侧，直接叠压在生土之上（图 3–89）。

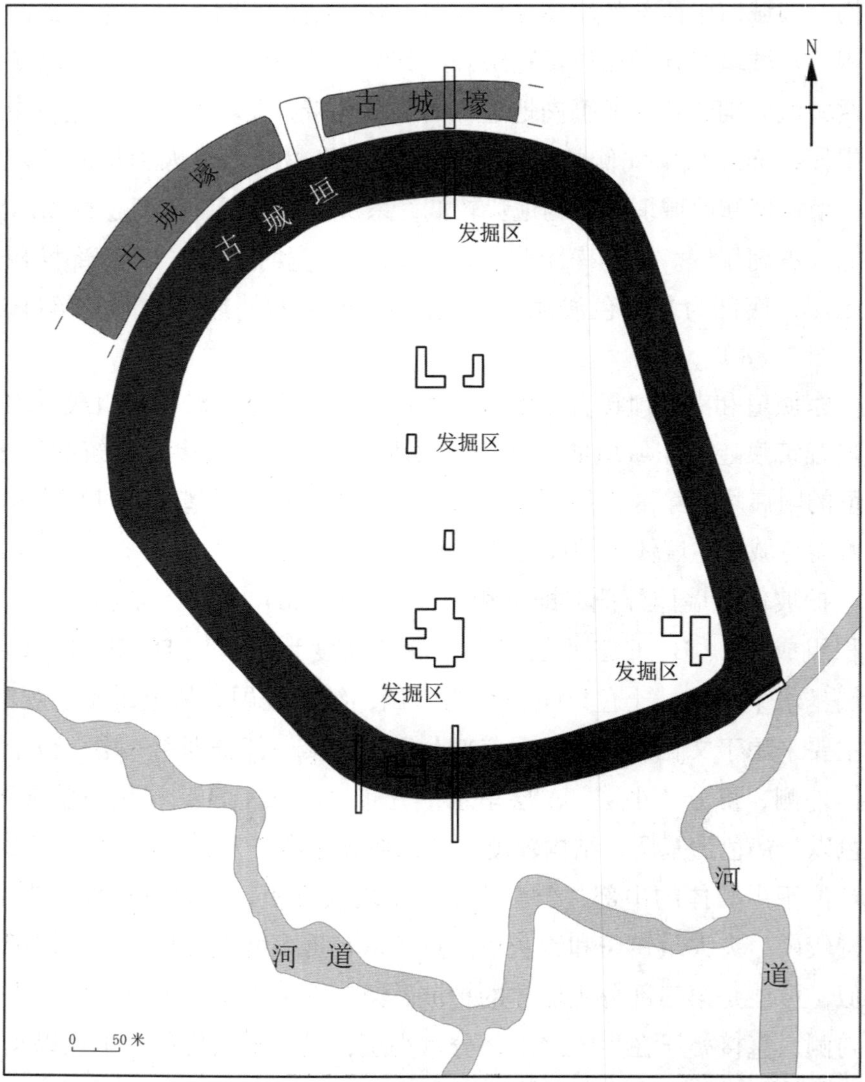

图 3–88　龙嘴遗址布局图

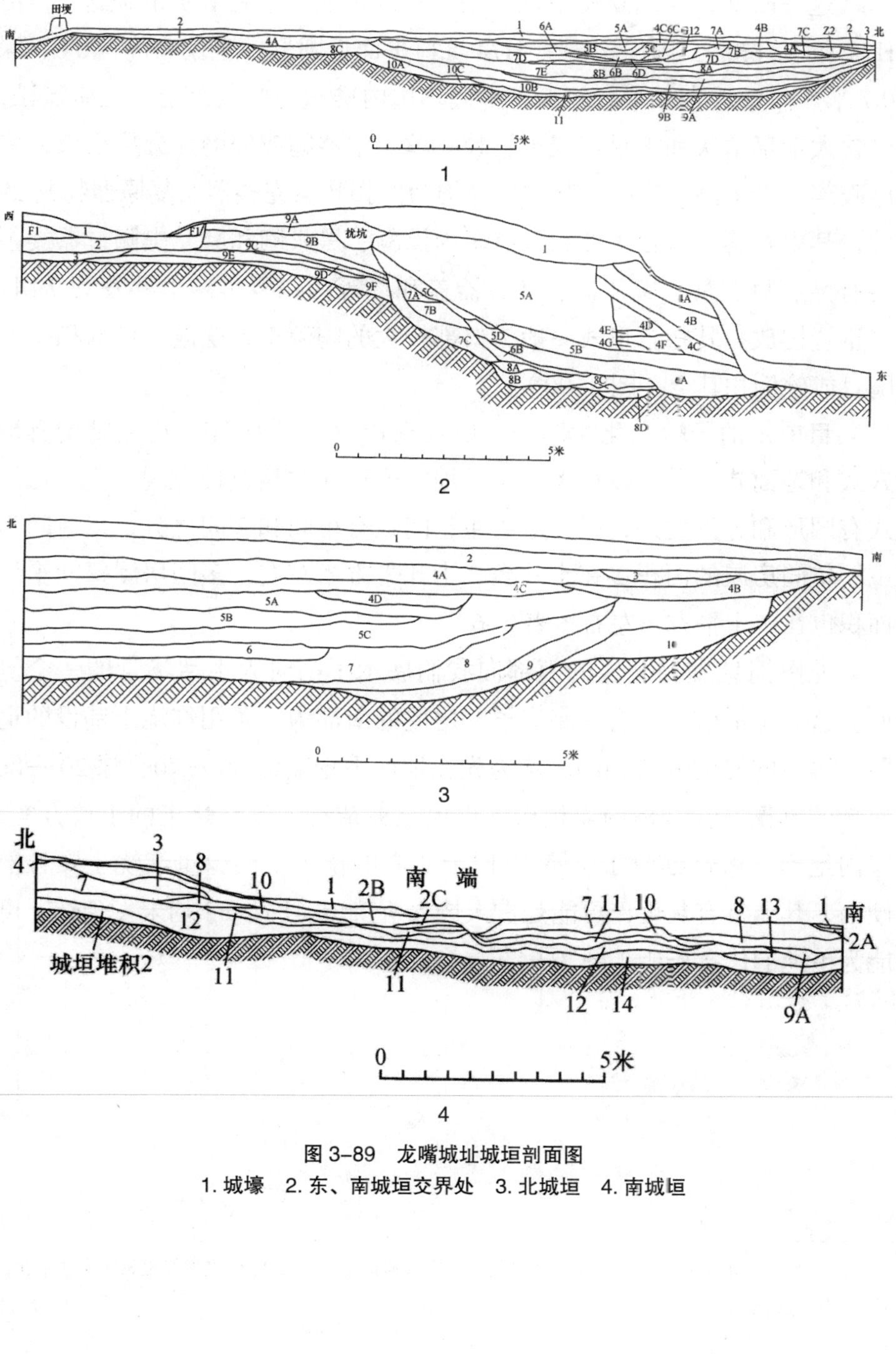

图 3–89　龙嘴城址城垣剖面图

1. 城壕　2. 东、南城垣交界处　3. 北城垣　4. 南城垣这一时期，在屈家岭遗址发现了一处可能和祭祀有关的遗迹[①]，由H74和一组扣豆（碗）组成。H74坑口平面近圆形，直径0.77—0.8、深0.7米。西壁近直，东壁斜弧，平底。坑内堆积为黑灰色土，土质疏松，内含大量草木灰和零星红烧土颗粒。填土中器物或碎陶片分层摆放，多已破碎，出土位置集中，其中陶鼎均为倒扣状。完整器及复原器物共29件，其中石锛、刀各1件。陶器多为黑陶、黑灰陶和磨光黑陶，器类主要有鼎、豆、簋、碗、盆、杯、器盖和环等。扣豆（碗）共发现7组，多正置摆放。其扣合形式一般为口部较大的陶碗正置摆放，口部稍小的陶豆或碗倒扣其上（图3-90）。

目前，油子岭文化时期的房屋发现较少，仅18座。房屋结构有地穴式和地面式两种，以后者为主，地穴式仅在龙嘴遗址发现1座。地面式有圆形和方形之别，以方形为主；间数有单间和多间之分，以单间为主。单间房屋的面积多在十几至二十几平方米左右，多间房屋每间平均面积也在二十平方米左右（表3-6）。

龙嘴遗址发掘Ⅱ区的南部向我们展示了当时人生活场景的一个侧面。这一生活区分布有3座房子，房屋的南部为一条用红烧土铺设的道路。房屋的修建方式相同，均为先在地面下挖宽约30—70、深20—80厘米的基槽，在基槽内立柱后，再填充夹杂有大量红烧土的土壤夯实。屋内地面一般都铺设1层厚10厘米左右的掺黄土夹少量红烧土颗粒的硬面，其上常有灰烬，可能是古人烧火所遗留。F7、F2均未发现灶，可能为单纯的休息场所（图3-91）。

① 湖北省文物考古研究所等:《湖北荆门市屈家岭遗址2015—2017年发掘简报》,《考古》2019年第3期。

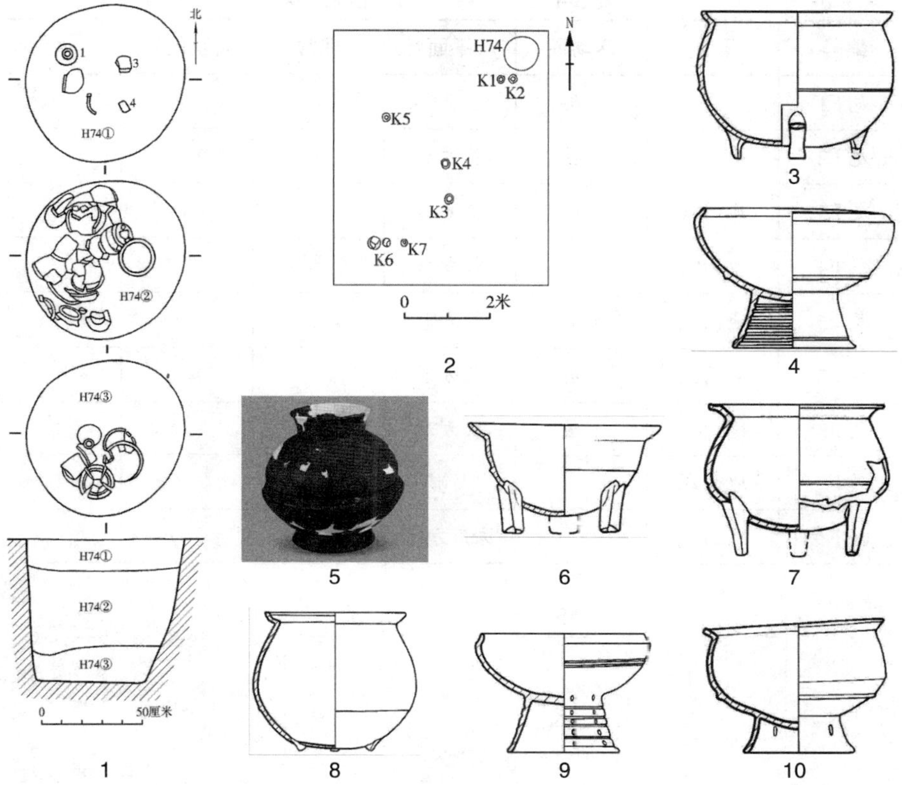

图 3-90　屈家岭遗址油子岭文化祭祀遗存

1.H74 平剖面图　2. 祭祀遗存平面图　3. 鼎（H74 ：6）　4. 豆（H74 ：11）　5. 扣豆（K1）　6. 鼎（H74 ：14）　7. 鼎（H74 ：23）　8. 鼎（H74 ：15）　9. 豆（H74 ：9）　10. 豆（H74 ：2）

从 F3 的遗迹遗物来看，其应该有一定的功能分区。F3 的东间东北部发现了一个平面为椭圆形的灶坑，东半部和底部有厚约 3 厘米的烧结面，因此，其使用方向为面对东墙，且使用时间较长。F3 东南角的墙体向外突出，室内形成了一个内凹的空间。在这一空间内发现了一个扣着器盖的泥质陶釜，其表面陶色一致，没有烟熏痕迹。因此，F3 的东南角有可能是储藏区。除去用火空间、储藏空间，F3 东西向仍有 2 米左右的空间，从空间来说，也能容纳下古人居住。

表 3-6　油子岭文化房屋统计表

编号	形式	活动面	平面	间数	面积（m²）	灶
龙 F1	/	1 层	/	/	/	/
龙 F2	地面式	1 层	长方形	1	27.7	0
龙 F3	地面式	1 层	长方形	3	86	1
龙 F4	地面式	1 层	长方形	/	/	/
龙 F5	地面式	1 层	长方形	2	/	/
龙 F7	地面式	1 层	长方形	1	26.6	0
龙 F8	地穴式	1 层	长方形	1	13.1	0
屈 F9	地面式	/	圆形	1	18	0
殷 F1	地面式	/	抹角方形	1	/	/

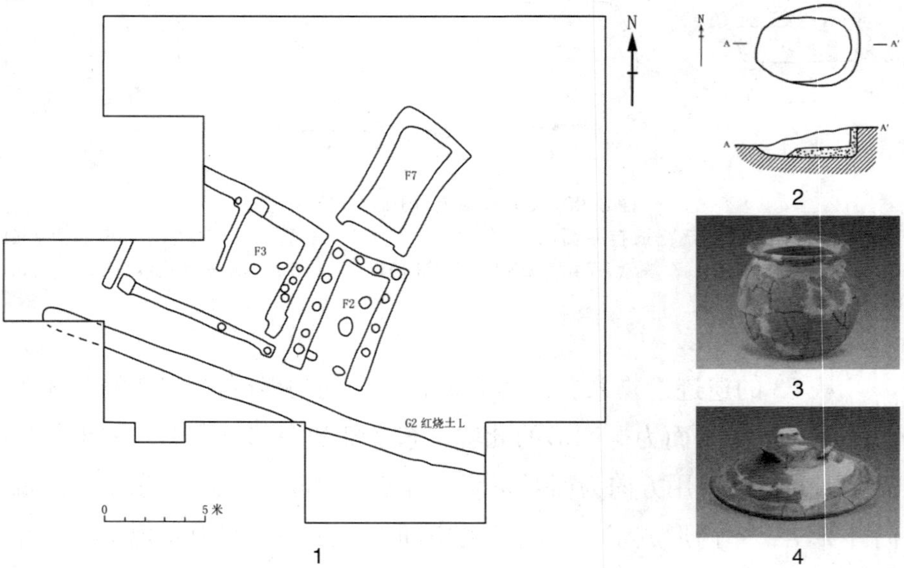

图 3-91　龙嘴遗址居住场景

1.F2、F3、F7　2.F3 火塘　3. 釜（F3 ：2）　4. 器盖（F3 ：1）

值得注意的是，龙嘴遗址发现的陶釜和陶鼎均为泥质陶。考古学界常认为炊具以夹砂陶为主，因为其导热性好，可以防止陶器在受热的过程中炸裂。但龙嘴遗址的炊具均为泥质陶，这至少有两种解释：其一，泥质陶也可以用于炊具；其二，这些陶鼎、陶釜不是作为炊具使用的。与之相关的现象主要有：一，龙嘴遗址陶鼎、陶釜器表陶色均匀，与内壁一致，不似有使用痕迹；二，谭家岭遗址陶鼎外壁有烟炱痕迹；三，其他遗址发现的陶灶内外壁陶色基本一致，不知是未使用还是使用痕迹在埋藏过程中消失；四，除鼎、釜之外，遗址中发现的其他器类均无法发挥炊具功能。现象一与现象二、四存在矛盾之处，而现象三似乎暗示了另一种合理的解释——龙嘴遗址中，釜、鼎为炊具，使用痕迹在埋藏过程中消失。至于真实情况如何，我们还需要更多的线索。

油子岭文化发现的墓葬资料较少，可以分为土坑竖穴和瓮棺葬两类。土坑竖穴墓葬平面形状以长方形为主，目前葬式仅见仰身直肢，在谭家岭发现了二次葬。其他遗址骨骼保存较差，是否存在二次葬还难以确定。瓮棺葬的葬具有鼎、罐、釜、盆，以釜、鼎为主。瓮棺葬均不见骨骼，无法对其年龄做出分析。

第四章　文明浪潮

公元前 3300 年左右，屈家岭文化在继承油子岭文化的基础上，融合了大量周边文化，特别是大汶口文化因素的基础发展而来。屈家岭文化第一次真正意义上完成了长江中游史前文化的整合。在公元前 2500 年左右，又在屈家岭文化的基础之上，发展成为石家河文化（公元前 2500—前 2200 年）。石家河文化时期，长江中游的社会复杂化进一步加剧和加速，有了比较成熟的农业和手工业，也可能出现了手工业的分工。以城址为中心的聚落迅速发展起来，出现了城址聚落和普通聚落的分化、明显的贫富差别和等级划分，玉器和家畜都可能成为私有财产，巫术和原始宗教盛行，奠定了长江文化在中华文明多元一体格局中的重要地位。

油子岭文化、屈家岭文化、石家河文化是前后接续、一脉相承且有发展变化的三个考古学文化。特别是进入屈家岭文化晚期以后，直至石家河文化晚期，长江中游的文化影响力向北渗透至黄河两岸、向东发展至大别山、向西延伸至巫峡、向南扩展至湘西、湘中地区。在文化发展态势上，屈家岭文化和石家河文化代表了长江中游史前文化发展的最高水平，堪称长江中游的第一次文明浪潮。

第一节　文化内涵

一、屈家岭文化

屈家岭文化过去或称“屈家岭文化晚期”[1]、“屈家岭晚期文

① 中国科学院考古研究所：《京山屈家岭》，北京：科学出版社，1965 年。

化”[①]、“典型屈家岭文化”[②]、“屈家岭上层文化”[③]。其中，后两种称谓分别从器类组合与谱系源流的不同对屈家岭文化的上限作了明确区分，这为我们判断屈家岭文化内涵特征提供了明确的标尺。

（一）发现与研究

1954 年，为配合石龙过江水库工程干渠建设，湖北省文物管理委员会在京山屈家岭和天门石家河调查发现了大量的新石器时代遗存[④]。1955 年，湖北省文化局组织成立石龙过江水库指挥部文物工作队，由中国科学院考古所王伯洪、张云鹏担任领队，对屈家岭遗址进行了首次发掘。1956—1957 年，又对屈家岭遗址开展了第二次发掘，发掘面积 858 平方米。1965 年出版的《京山屈家岭》是对第二次发掘的全面介绍，因出土遗物（如彩陶纺轮、朱绘黑陶、蛋壳彩陶等）有别于其他新石器时代考古学文化，提出“屈家岭文化”的命名。《京山屈家岭》是长江中游第一部考古学报告，“屈家岭文化”是长江中游第一个被确认的考古学文化[⑤]。

1958—1962 年，为配合丹江口水利枢纽工程建设，在鄂西北和豫西南库区范围内，中国科学院考古研究所长江工作队与湖北省文物管理委员会、襄阳专署文化局等单位，在湖北郧县（今十堰市郧阳区）、均县（今丹江口市）、河南淅川县库区淹没区进行了考古调查与试掘。青龙泉、大寺等遗址的发掘，首次从层位上确立了“仰韶文化—屈家岭

① 石家河考古队：《石家河城址群调查报告》，《南方民族考古·第五辑》，成都：四川科学技术出版社，1993 年，第 213—294 页。

② 向绪成：《屈家岭遗址下层及同类遗存文化性质讨论》，《考古》1985 年第 7 期。

③ 余西云：《三元宫遗址的分期及其性质》，《江汉考古》1992 年第 2 期。

④ 湖北省文物管理委员会：《湖北京山发现新石器时代遗址》，《文物参考资料》1955 年第 2 期；王劲等：《湖北京山县石龙过江水库工程中发现的新石器时代遗址简报》，《文物参考资料》1955 年第 4 期。

⑤ 中国科学院考古研究所编著：《京山屈家岭》，北京：科学出版社，1965 年。

文化—龙山文化”的发展序列[①]。20世纪70年代初，河南省淅川下王岗、黄楝树等发掘，再一次从地层关系上确立了“仰韶文化—屈家岭文化—龙山文化”的发展序列[②]。

20世纪70年代中期到90年代中期，为配合农田基本水利工程、葛洲坝水利枢纽工程等建设，相继对湖北松滋桂花树等遗址进行了发掘，确定了大溪文化与屈家岭文化的早晚关系，拓展了对屈家岭文化分布范围的认识。20世纪80年代，屈家岭文化与大溪文化的关系及分界问题成为当时谈论的热点[③]。与此同时，在苏秉琦先生区系类型理论[④]的指导下，学术界展开了对屈家岭文化地域类型划分的探讨[⑤]。20世纪90年代，在张忠培先生谱系理论[⑥]的指导下，学术界进而对长江中游的文化谱系进行了系统梳理[⑦]。

20世纪90年代中期至今，随着长江中游地区新石器时代时空框架

① 长办文物考古直属工作队：《一九五八至一九六一年湖北郧县和均县发掘简报》，《考古》1961年第10期。

② 河南省博物馆长江流域规划办公室文物考古队河南分队：《河南淅川下王岗遗址的试掘》，《文物》1972年第10期。

③ 李文杰：《大溪文化与屈家岭文化、仰韶文化的关系》，《考古》1979年第2期；何介钧：《长江中游原始文化初论》，《湖南考古辑刊·第1集》，长沙：岳麓书社，1982年，第47—67页；王劲：《江汉地区新石器时代文化综述》，《江汉考古》1980年第1期；张之恒：《试论大溪文化》，《江汉考古》1982年第1期；王杰：《屈家岭文化与大溪文化关系中的问题探讨》，《江汉考古》1985年第3期；向绪成：《屈家岭遗址下层及同类文化遗存性质讨论》，《考古》1985年第7期。

④ 苏秉琦等：《关于考古学文化的区系类型问题》，《文物》1981年第5期。

⑤ 何介钧：《长江中游原始文化初论》，《湖南考古辑刊·第1集》，长沙：岳麓书社，1982年，第47—67页；沈强华：《试论屈家岭文化的地域类型》，《考古与文物》1986年第2期；祁国钧：《试论屈家岭文化的类型与相关问题》，《江汉考古》1986年第4期。

⑥ 张忠培：《研究考古学文化需要探索的几个问题》，《文物与考古论集》，北京：文物出版社，1986年，第177—185页。

⑦ 余西云：《长江中游新石器时代的陶鼎研究》，《华夏考古》1994年第2期；孟华平：《长江中游史前文化结构》，武汉：长江文艺出版社，1997年。

的建立，在聚落考古与文明起源的学术思潮引领下，关于早期社会复杂化的研究提上日程。基于石家河等一大批屈家岭文化古城址的发现，学术界就屈家岭文化城址的出现背景、特征、形成机制、功能及社会性质等相关问题进行了持续关注与深入探讨①。2000年以来，随着石家河、城头山等重要发掘资料的陆续公布，聚落形态与社会复杂化成为屈家岭文化研究的重点与热点②。

以上三个阶段反映了屈家岭文化经历了以文化命名与明确文化序列、构建区系类型与谱系结构、开展聚落考古与社会复杂化研究为目标，研究认识不断深化的大致过程。

（二）地域类型

据不完全统计，屈家岭文化遗址近千处，基本涵盖了长江中游地区，分布范围东至鄂东南的举水流域、西至重庆巫峡、南至洞庭湖北及湘西，东北至桐柏山、西北至汉水中上游与南阳盆地南部（图4–1）。在如此广大的分布范围内，由于受到不同文化传统的影响，屈家岭文化的陶器面貌存在很强的地域特色。综合已有研究成果，我们将屈家岭文

① 张绪球：《屈家岭文化古城的发现与初步研究》，《考古》1994年第7期；杨权喜：《石家河古城社会性质浅析》，《中原文物》1995年第4期；王红星：《长江中游地区早期城址管窥》，《长江中游史前文化暨第二届亚洲文明学术讨论会文集》，长沙：岳麓书社，1996年，第252—260页；中村慎一：《石家河遺迹をめぐる诸问题》，《日本中国考古学会会报》第7号第42页，1997年；孟华平：《试论长江中游古城的兴起》，《青果集》，北京：知识出版社，1998年，第155—161页；任式楠：《中国史前城址考察》，《考古》1998年第1期；张之恒：《长江流域史前古城的初步研究》，《东南文化》1998年第2期；赵辉、魏峻：《中国新石器时代城址的发现与研究》，《古代文明·第1辑》，北京：文物出版社，2002年，第1—34页；刘辉：《长江中游新石器时代城址聚落的新发现与新思考》，《中国聚落考古的理论与实践——纪念新砦遗址发掘30周年学术研讨会论文集》，北京：科学出版社，2010年，第248—262页；裴安平：《聚落群聚形态视野下的长江中游史前城址分类研究》，《考古》2011年第4期。

② 何驽：《长江中游文明进程》，北京大学博士学位论文，2001年；张弛：《长江中下游地区史前聚落研究》，北京：文物出版社，2003年；郭立新：《长江中游地区初期社会复杂化研究4300B.C.—2000B.C.》，上海：上海古籍出版社，2005年；郭伟民：《新石器时代澧阳平原与汉东地区的文化和社会》，北京：文物出版社，2010年。

化分为屈家岭、划城岗、清水滩、青龙泉、放鹰台、金鸡岭等类型（表4–1）。

表 4–1 屈家岭文化类型

学者	鄂西北豫西南	汉西	汉东	随枣走廊	鄂东南	洞庭湖	湘西
何介钧（1982）			屈家岭类型			划城岗类型	
祁国钧（1986）	青龙泉类型	关庙山类型	屈家岭类型				
沈强华（1986）	青龙泉类型		屈家岭类型			划城岗类型	
张绪球（1992）	青龙泉类型	关庙山类型	屈家岭类型			划城岗类型	
孟华平（1997）	青龙泉类型	清水滩类型	屈家岭类型				高坎垅类型
单思伟（2018）	青龙泉类型	杨家湾类型	屈家岭类型	金鸡岭类型	放鹰台类型	城头山类型	高坎垅类型

屈家岭类型　主要分布于江汉平原中心地带，是整个屈家岭文化的核心所在。代表遗址有京山屈家岭、钟祥六合、钟祥油子岭、天门石家河、应城门板湾、应城陶家湖、应城赵家坡、天门笑城。

划城岗类型　主要分布于洞庭湖平原及其北部地区。代表遗址有湖北石首走马岭、公安王家岗、公安鸡鸣城、公安青河城、松滋桂花树、湖南安乡划城岗、安乡子龙庵、澧县城头山、澧县鸡叫城、澧县丁家岗、澧县三元宫、澧县宋家台、华容车轱山、怀化高坎垅、沅江漉湖。

清水滩类型　主要分布于江汉平原西部、峡江地区。这一地区不见双腹鼎，鼎的形态与北部青龙泉相似；豆流行三角形镂空，而江汉地区流行小圆孔。代表遗址有湖北江陵阴湘城、江陵毛家山、荆门荆家城、沙洋城河、沙洋钟桥、宜都红花套、当阳冯山、宜昌中堡岛、宜昌清水滩、宜昌杨家湾、秭归沙湾、秭归渡口、秭归台丘、秭归官庄坪、秭归仓坪、巴东鸽子窝、巴东茅寨子湾、巴东楠木园、巴东李家湾、保康穆林头、重庆巫山大溪、万州涪溪口、忠县哨棚嘴。

青龙泉类型　主要分布于鄂西北。所出高领罐多为磨光黑陶；多瓮；壶形器上的彩陶纹样更为丰富。代表遗址有郧县青龙泉、郧县大寺、郧县郭家道子、郧县郭家院、郧县黑家院、郧县中台子、郧县尖滩坪、郧县三明寺、房县七里河、丹江口观音坪、丹江口明家院、丹江口太山庙、丹江口彭家院、丹江口玉皇庙、襄阳凤凰咀、宜城曹家楼、宜城老鸹仓、宜城顾家坡，河南淅川下王岗、淅川沟湾、淅川黄楝树、淅川单岗、淅川吴营、淅川全岗、邓州八里岗、唐河寨茨岗、镇平赵湾、驻马店党楼。

放鹰台类型　主要分布于鄂东地区。鲜见彩陶，敞口杯一类器物极少；多穿孔石铲。曲腹杯流行的时间特长。代表遗址武昌放鹰台、江夏潘柳村、江夏锣鼓包、大冶蟹子地、阳新大路铺、阳逻香炉山、黄冈螺蛳山、麻城吊尖、麻城黍山岗、罗田庙山岗、大冶上罗村，河南罗山李上湾、罗山方湾。

金鸡岭类型　主要分布于随枣走廊。代表遗址有随州西花园、随州金鸡岭、随州黄土岗、广水四顾台、大悟吕王城、孝感叶家庙、黄陂张西湾。

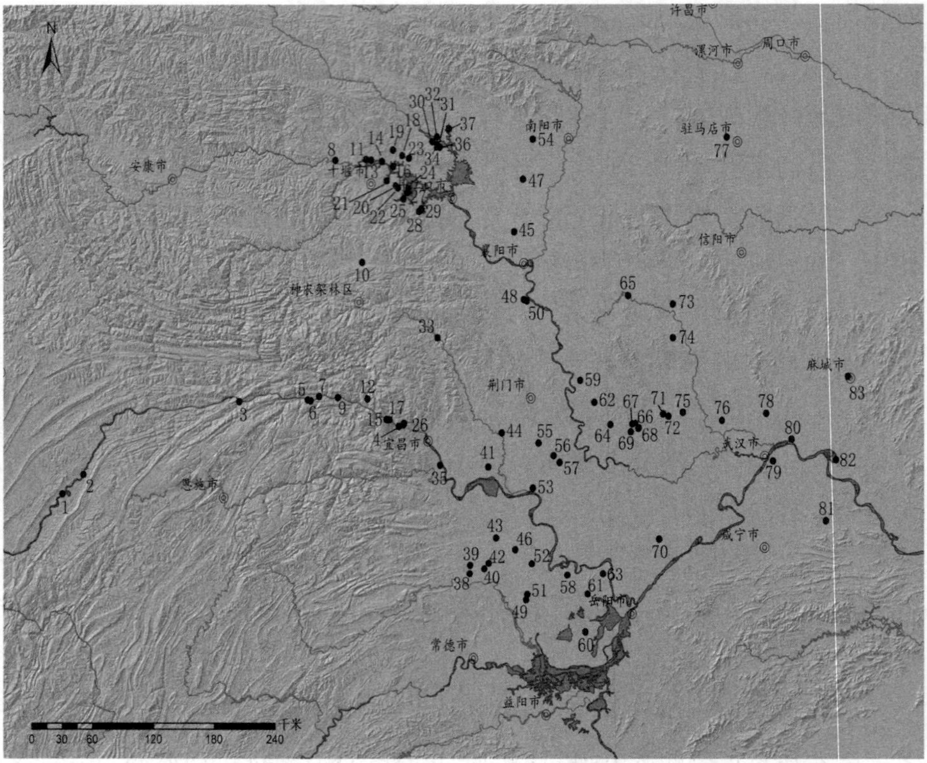

图 4-1 屈家岭文化遗址位置图

1. 忠县哨棚嘴 2. 万州涪溪口 3. 巫山大溪 4. 怀化高坎垅 5. 巴东李家湾 6. 巴东楠木园 7. 巴东鸽子窝 8. 郧县中台子 9. 秭归仓坪 10. 房县七里河 11. 郧县鲤鱼嘴 12. 秭归官庄坪 13. 郧县大寺 14. 郧县青龙泉 15. 秭归沙湾 16. 郧县三明寺 17. 秭归渡口 18. 秭归台丘 19. 郧县郭家道子 20. 郧县尖滩坪 21. 丹江口明家院 22. 宜昌中堡岛 23. 郧县郭家院 24. 宜昌杨家湾 25. 丹江口彭家院 26. 宜昌清水滩 27. 丹江口玉皇庙 28. 郧县黑家院 29. 丹江口观音坪 30. 淅川黄楝树 31. 淅川下王岗 32. 淅川吴营 33. 保康穆林头 34. 淅川单岗 35. 宜都红花套 36. 淅川全岗 37. 淅川沟湾 38. 澧县城头山 39. 澧县宋家台 40. 澧县鸡叫城 41. 枝江关庙山 42. 澧县三元宫 43. 松滋桂花树 44. 当阳冯山 45. 襄阳凤凰咀 46. 公安青河城 47. 邓州八里岗 48. 宜城曹家楼 49. 安乡划城岗 50. 宜城老鸹仓 51. 安乡子龙庵 52. 公安王家岗 53. 公安鸡鸣城 54. 镇平赵湾 55. 沙洋马家垸 56. 沙洋城河 57. 沙洋钟桥 58. 石首走马岭 59. 钟祥六合 60. 沅江漉湖 61. 华容车轱山 62. 京山一百三十亩 63. 华容七星墩 64. 京山屈家岭 65. 随州黄土岗 66. 天门石家河 67. 京山油子岭 68. 天门笑城 69. 天门张家山 70. 江陵阴湘城 71. 应城陶家湖 72. 应城赵家坡 73. 随州西花园 74. 随州金鸡岭 75. 应城门板湾 76. 孝感叶家庙 77. 驻马店党楼 78. 黄陂张西湾 79. 武昌放鹰台 80. 阳逻香炉山 81. 大冶上罗村 82. 黄冈螺蛳山 83. 麻城栗山岗

屈家岭文化第一次真正意义上完成了长江中游史前文化的整合。屈家岭文化自形成之初，便强势向周边辐射扩张。第一，长江中游原本属于北方文化圈的鄂西北、随枣走廊，原本是大溪文化系统的鄂西南、峡江、洞庭湖平原，原本是薛家岗文化影响范围的鄂东南等地区成为屈家岭文化的分布范围。第二，在屈家岭文化晚期，其文化影响力更是波及陕东南、黄河北岸。河南罗山李上湾、泌阳三所楼、泌阳荆树坟、淮滨沙冢、信阳三里店、信阳阳山、桐柏陡坡嘴、桐柏闵岗、驻马店杨庄均能看到屈家岭文化的典型因素。陕西东南的商县紫荆、商州庾原、安康红号、安康张家庄也能看见屈家岭文化的渗透。豫中在吸收屈家岭文化的基础之上有了融合，遗址有禹县谷水河（图 4–2）、郑州大河村、郑州西山、荥阳楚湾、偃师南砦、巩义里沟、登封杨村、临汝煤山、新安县西沃、洛阳王湾、汝州中山寨、孟县许村。晋南天马—曲村的赵南遗址也发现了屈家岭文化因素。屈家岭文化北扩的过程中，既表现出渐进性，也体现出融合性的特点①。

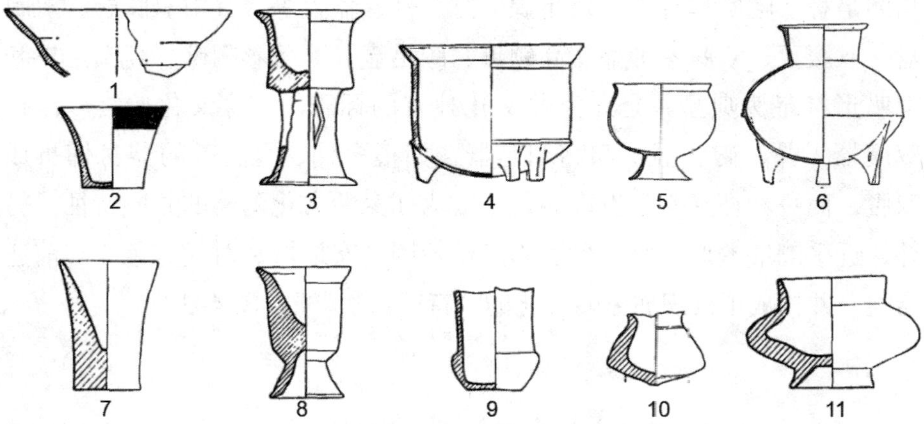

图 4–2　禹州谷水河遗址屈家岭文化、石家河文化陶器

1. 双腹豆（采：38）　2. 红陶杯（采：48）　3. 高柄杯（采：39）　4. 鼎（采：13）　5. 簋（采：36）　6. 鼎（采：15）　7. 红陶杯（采：50）　8. 陶杯（采：45）　9. 壶（采：55）　10. 高柄杯（采：43）　11. 盂形器（采：34）

① 孟原召：《屈家岭文化的北渐》，《华夏考古》2011 年第 3 期。

屈家岭文化的测年数据有 9 个，主要涉及京山屈家岭、郧县青龙泉、天门石家河、黄冈螺蛳山、淅川黄楝树四个遗址。经过树轮矫正，年代主要集中在公元前 3400—前 2300 年和公元前 4000—前 3500 年两个区间，其中前者有 7 个数据，后者仅有 2 个数据。

（三）遗物特征

1. 陶器

屈家岭文化陶器陶质有泥质陶、夹炭陶和夹砂陶三种。泥质陶占多数，夹炭陶次之，夹砂陶为少数。泥质陶的陶土经过淘洗，陶质细腻，器形规整，胎壁均匀。夹炭陶的羼和料主要是稻谷壳和稻草末。陶色以灰陶较多，黑陶次之，黄陶和红陶再次之。大而厚重的炊器和食器为手制，有些轮制的杯和碗胎壁很薄，近似于蛋壳陶。绝大多数陶器均为素面，纹饰主要有凸弦纹、镂孔，还有少量的划纹、压印纹等，篮纹出现于屈家岭文化晚期偏晚阶段。

陶器主要器形有宽扁足双腹盆形鼎、短柱足罐形鼎、甑、高领罐、高领扁腹圈足壶、盆、钵、双腹圈足碗、双腹圈足盘、双腹高圈足豆、高圈足杯、喇叭形杯、三矮足碟、缸、瓮、器盖等。其中双腹碗、双腹盘、双腹豆、双腹盆形鼎、高领罐、圈足壶、薄胎彩陶碗、高圈足杯和喇叭形杯最为典型，是屈家岭文化独有的标志，贯穿文化始终。流行双腹器（鼎、碗、豆）和高圈足器，如很多鼎、豆、碗的器身仰折成双腹，而豆和杯又常见有高圈足，成为屈家岭文化陶器的共同特征。另外，近乎圜底的厚胎缸、盆、彩陶纺轮因具有地域和时代特色，与前述器类一并构成了辨识屈家岭文化的“特征器物群”（图 4–3）。

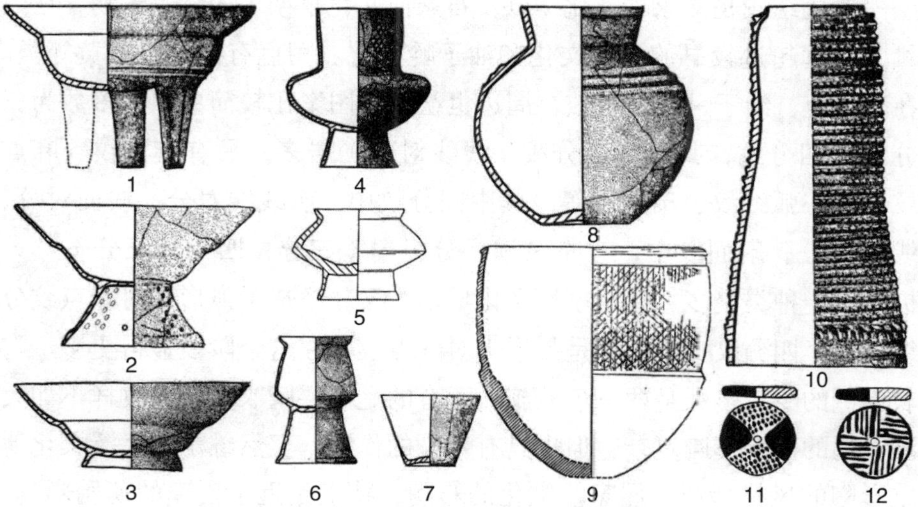

图 4-3 屈家岭遗址屈家岭文化陶器

1. 双腹鼎（T113 ③ A ：1） 2. 双腹豆（T177F2 ：15） 3. 双腹碗（T159 ② ：3） 4. 壶（T197 ④ ：14） 5. 盂形器（T92 ③ ：19） 6. 高柄杯（T138 ② ：77） 7. 斜腹杯（T100 ④ D ：5）） 8. 高领罐（T133 ③ ：15） 9. 缸（T108 ④ ：45） 10. 筒形器（T78 ②：27） 11. 彩陶纺轮（T92 ②：1） 12. 彩陶纺轮（T92 ②：1）

彩绘在壶、斜腹杯、纺轮上常见，系在泥质红陶上施红衣或白衣，再画黑色平行条纹、网格纹、排点纹、菱形纹、水涡纹、弧线三角等，绝大多数为外彩，也偶见内外彩兼饰。此外，还见有极少的朱绘黑陶。网格纹主要见于壶的中部和上部，越往后期，网格纹有上移趋势。就整个屈家岭文化而言，网格纹主要流行于屈家岭文化的早期阶段，比较常见于屈家岭文化的晚期阶段，到之后的石家河文化时期，网格纹已经少见或不见。心形弧带纹主要流行于屈家岭文化早期阶段，主要器形就是敞口杯。装饰特点是饰于器内，在器内的口沿处施两圈黑色条带纹，条带纹与“U”形弧带纹之间饰“心”形纹。敞口杯至屈家岭文化晚期偏晚，基本不见上述纹饰。关于敞口杯外部饰彩，同样在屈家岭文化的早晚期有所不同，早期是整体饰彩，晚期是上半部饰彩。石家河文化的早期，一贯的外侧整体饰彩变为多道横向条带纹。线段组合纹主要见于纺轮。

彩陶纺轮是屈家岭文化（以及石家河文化早期）的特色器物，在数量上远远超过较早的大溪文化和油子岭文化。陶色有橙红、橙黄等类。在工艺上，绘于一面，少数在周边也绘彩。图案比较简单，大多数为三分或者四分纹，其中以四分纹（线线对分）居多，另有漩涡纹、麻点纹、同心弧线纹、扇面纹等。其中四分纹中，有线线对分、线面对分、线点对分。扇面纹中，有整页扇、分组扇（三分、四分和五分）、“太极”扇，种类繁多。到石家河文化早期，又新增加了弧形带对麻点纹分组纹饰，四分纹（不仅仅是弧形带对麻点纹）在这个阶段显得更多。陶衣单色的少，多数是两三色兼施，还有的是两层陶衣重叠。纹样不如大溪文化的薄胎彩陶复杂，但也具有晕染的作风，显然继承了大溪文化薄胎彩陶的风格特征。屈家岭文化的彩陶，特别是近乎蛋壳的薄胎彩陶，都表现了突出的特点。最常见的彩陶有圈足壶和器盖，此外还有彩陶钵、彩陶罐等。彩陶圈足壶和彩陶器盖，均为屈家岭文化所特有。薄胎彩陶多为平底的小杯，同时新出现喇叭形小杯，与大溪文化的薄胎彩陶有明显的区别。其胎厚者约 2 毫米、薄的仅有 0.5 毫米。均饰橙红、灰色或黑色的陶衣（图 4–4）。

2. 玉器

屈家岭文化遗址中，玉器发现较少，仅湖北京山屈家岭、郧县青龙泉、宜昌中堡岛、宜昌白狮湾、保康穆林头，湖南怀化高坎垅、澧县城头山，河南黄楝树等少数遗址中发现 30 余件玉器。多为玉饰品，器形有环、璜、琢、坠等，质地可分软玉、玛瑙、绿松石，器类与质地与此前的大溪文化和油子岭文化基本相同。2017 年湖北保康穆林头出土的一批玉器，数量虽少，但穿孔玉钺、牙璧、斧、管等，属于新增器类，其中牙璧一类可以看出与黄河下游大汶口文化之间的紧密联系（图 4–5）。

图 4–4　屈家岭文化彩陶及彩绘

1. 壶（邓家湾 H11 ： 69）　2. 壶（青龙泉 T10 ⑧ A ： 88）　3. 壶（黄楝树 F11 ： 25）　4. 壶（关庙山 T70 ②： 12）　5. 杯（邓家湾 M13 ： 3）　6. 杯（邓家湾 T508 ④： 8）　7. 杯（邓家湾 T21 ④： 23）　8. 杯（邓家湾 H11 ： 16）　9. 纺轮（邓家湾 T409 ⑤： 9）　10. 纺轮（邓家湾 T4 ⑥： 3）　11. 纺轮（邓家湾 T31 ④： 12）　12. 纺轮（邓家湾 T6 ⑥： 1）　13. 纺轮（邓家湾 T31 ④： 13）　14. 纺轮（邓家湾 T27 ④： 29）　15. 纺轮（邓家湾 T307 ⑥： 14）　16. 纺轮（邓家湾 T12 ⑦： 28）

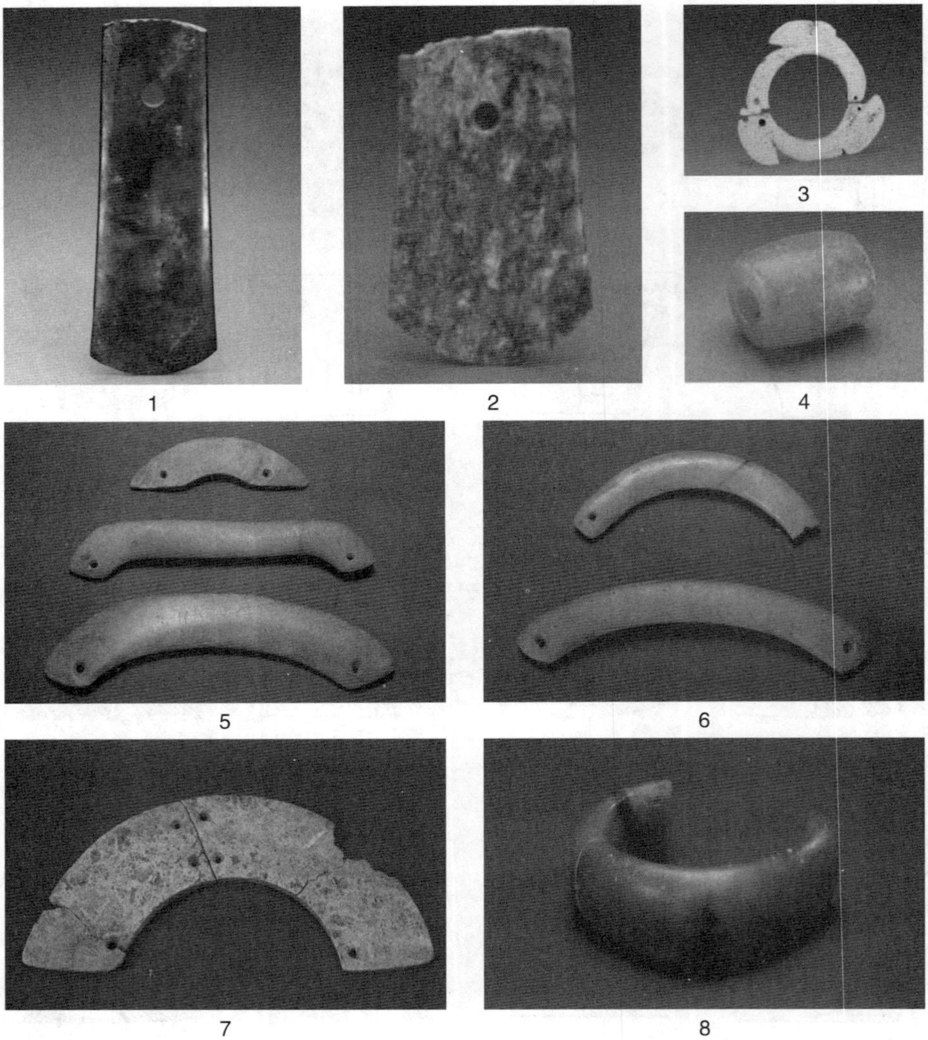

图 4-5 屈家岭文化玉器

1. 石钺（穆林头 M33 ： 1） 2. 玉钺（穆林头 M26 ： 28） 3. 玉牙璧（穆林头 M26 ： 29） 4. 玉管（穆林头 M23 ： 30） 5. 玉璜（中堡岛 J13、J12） 6. 玉璜（中堡岛 T6 ③、T2 ⑥、T3 ⑥） 7. 玉璜（白狮湾 M3） 8. 玉镯（中堡岛 J15）

3. 石器

石器在总量上仅次于陶器，种类有斧、锛、凿、铲、刀、镰、镞、网坠、珠、环、璜、球、锤、棒、杵、砺石等。按通常的分类，斧、锛、凿主要用于砍伐、加工木材；铲、刀、镰主要用于翻耕土地和收割农作物；镞、球、网坠属于渔猎工具；珠、环、璜属于装饰用品；磨棒、杵属于加工粮食的工具；锤、砺石属于加工石器的工具，当然也可以用于加工木器和骨角器。屈家岭文化的石器以斧、锛、凿、刀、箭镞居多，普遍琢磨精细，另有少量的穿孔石铲、石钺等（图 4-6）。

文献记载中，钺多作为王权的象征，如“王左杖黄钺”“汤自把钺以伐昆吾”等。新石器时代考古中，钺的发现遍布大江南北，时代有的已经早到了仰韶早期。长江中游的石钺最早见于大溪文化时期或更早时期的豫西南、鄂东南、峡江地区和沅水中上游。大溪文化晚期，可能与油子岭文化的扩张以及外来文化的介入有关，石钺从上述范围扩散到全境大多数区域，再到屈家岭文化时期有所减少，直至石家河文化时期使用区域和绝对数量骤然降低，体现了出现—兴盛—衰落的一般发展规律。在此过程中，钺从单纯的砍劈工具，发展成为“礼仪性”和“武器性”兼备的特殊器物，展示出双重社会功能。尤其是公元前 3300 年前后，伴随着长江中游地区史前社会的动荡和整合，大量的钺被投入关隘性区域和文化接触地带，它们很多被普通“战士”所持有，充当近战武器。只有少量的普通石钺，或材质特殊、精心装饰的石钺，才被选中作为军权或王权的礼仪性象征。执钺者们的地位等级是不尽相同的，有可能是王者或军事首领，也有可能是普通民众。屈家岭文化时期，钺的礼仪性特征得到进一步强化。其分布与聚落规模之间呈现出一定的关联，并在一些墓地中表现出用钺的规范现象，而且利用钺所带来的天然威慑力以宣扬对偏远地区的开拓。进入石家河文化阶段，墓葬用钺的礼仪性目的继续沿用，出土石钺的墓葬多是所在墓地的最高规格者[①]。

---

① 彭小军：《长江中游史前石钺的功能和社会意义》，《南方文物》2020 年第 5 期。

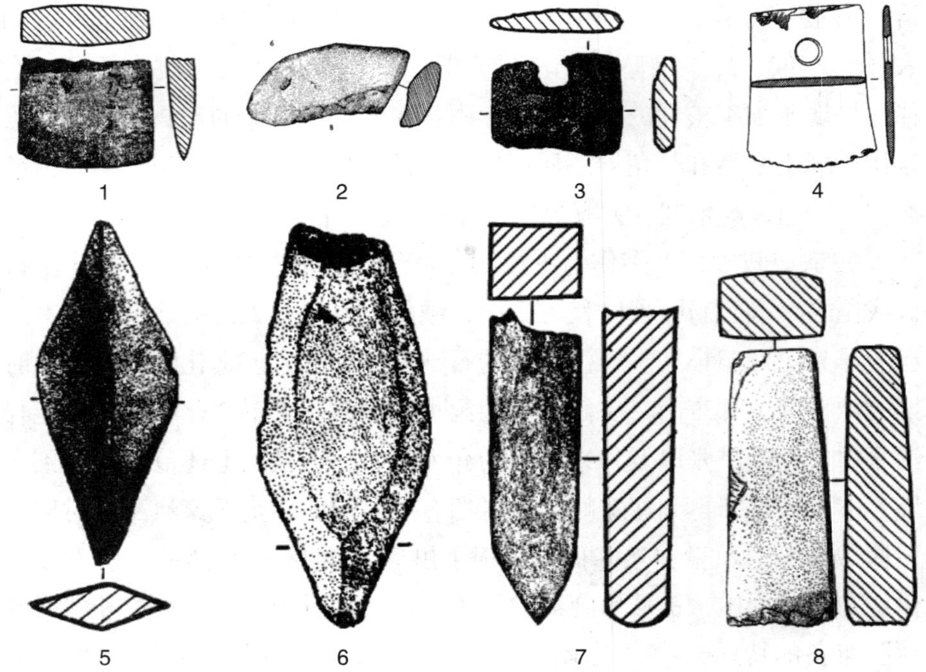

图 4–6 屈家岭文化石器

1. 石斧（屈家岭 T109 ⑤ ：1） 2. 石镰（屈家岭 T74 ⑤ ：6） 3. 石斧（屈家岭 T82 ⑤ B ：2）
4. 石钺（城头山 M394 ：5） 5. 石镞（屈家岭 T89 ⑤ B ：3） 6. 石镞（屈家岭 T74 ⑧ ：1）
7. 石凿（屈家岭 T83 ⑥ E ：9） 8. 石锛（屈家岭 T48 ⑦ A ：7）

4. 骨器

屈家岭文化骨器发现较少，主要见于郧县青龙泉、淅川黄楝树等位置偏北的遗址，这主要与遗址的保存环境有关。可以分为工具与装饰品两类，工具主要有镞、鱼叉、锥、凿、铲、刀，装饰品主要有笄、环、管等（图 4–7）。

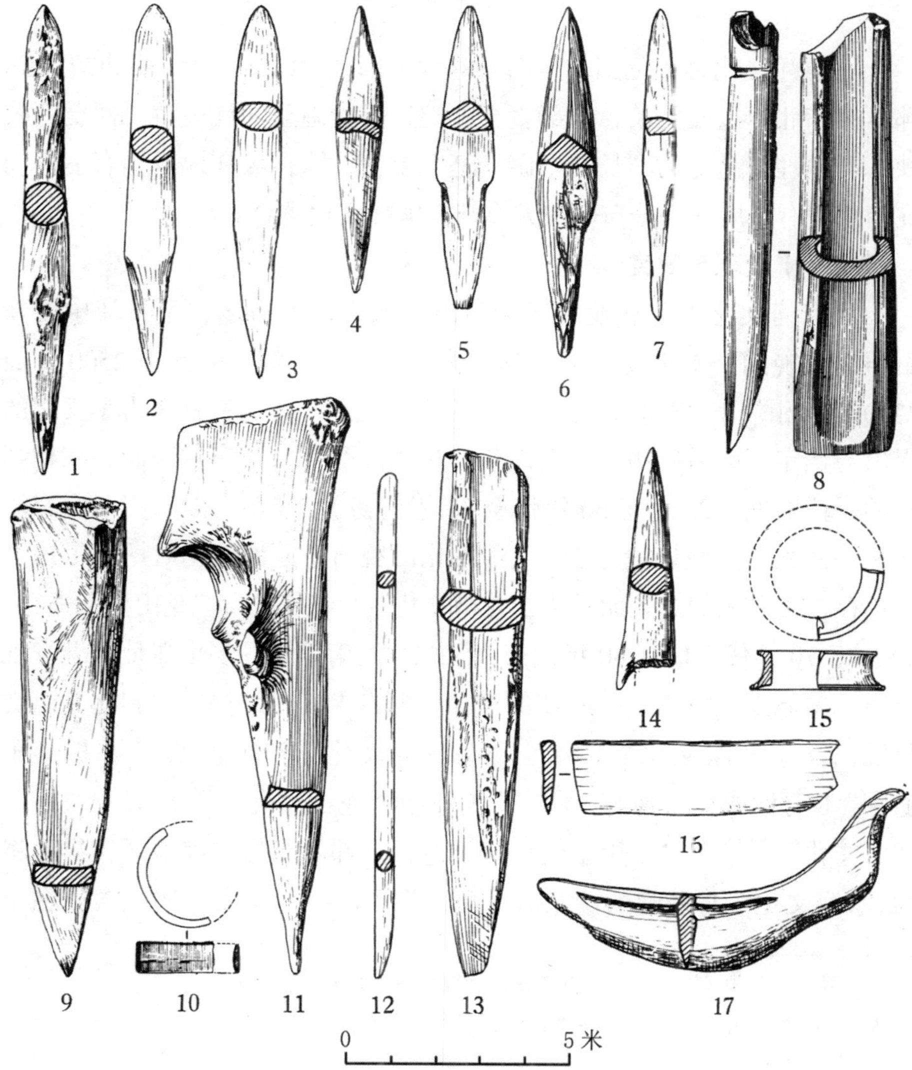

图 4–7 青龙泉遗址屈家岭文化骨器

1. 骨 镞（T57 ⑦ A ： 33） 2. 骨 镞（T58 ④ ： 19） 3. 骨 镞（T56 ⑨ ： 30） 4. 骨 镞（T45 ③ A ： 48） 5. 骨镞（T1 ⑦ B ： 48） 6. 骨镞（T65 ④ ： 3） 7. 骨镞（T67 ⑦ ： 7） 8. 骨铲（T4 ⑥ ： 32） 9. 骨锥（T9 ⑥ ： 57） 10. 骨环（107 ② ： 7） 11. 古锥（T67 ⑨ ： 22） 12. 骨笄（T4 ⑥ ： 35） 13. 骨凿（H11 ： 13） 14. 鱼叉（T61 ⑦ ： 19） 15. 骨环（T47 ⑤ ： 53） 16. 骨刀（T65 ⑦ ： 14） 17. 骨刀（T65 ⑧ C ： 24）

二、石家河文化

石家河文化分布范围北至南阳盆地中部，溯汉江而上，西北端可达郧西；东北越过武胜关，东部直至鄂皖边界，南至湘沅中游，西至西陵峡，与地理概念上的“长江中游”基本重合。除在峡江地区稍有萎缩而在南部稍有拓展外，分布范围大致与屈家岭文化重合。

（一）发现与研究

石家河文化因首次发现于天门市石家河镇而得名，是长江中游新石器时代晚期一支重要的考古学文化，主体年代约在公元前 2500—前 2200 年。相较于“屈家岭文化”，“石家河文化”作为一种考古学文化的提出与认定，前后经历了一个漫长的过程。受资料公布的限制，在相当长的一段时间（20 世纪 50 年代至 80 年代初），或将之混同于“屈家岭文化”而视为其晚期遗存[①]，或因文化面貌与中原地区同时期的考古学文化存在诸多相似之处而视为“龙山文化”[②]或称之为“龙山期”遗存。20 世纪 70 年代中期到 80 年代初，湖北、湖南等地的多个遗址相继发现相当于中原地区龙山文化时期的遗存，考古界又相继提出“湖北龙山文化”[③]、“季家湖文化”[④]、“桂花树三期文化”、“季家湖—石板巷子遗存”（简称“季石遗存”）[⑤]、“长江中游龙山文化”[⑥]、“青龙泉（三期）文化”[⑦]等命名，用于概指这类遗存。鄂西北豫西南地区较早地将“石家河文化”与稍晚的“龙山文化”作了区分，但大多还包含了在当

---

① 王劲：《江汉地区新石器时代文化综述》，《江汉考古》1980 年第 1 期。

② 长办文物考古直属工作队：《一九五八至一九六一年湖北郧县和均县发掘简报》，《考古》1961 年第 10 期。

③ 荆州地区博物馆：《湖北松滋县桂花树新石器时代遗址》，《考古》1976 年第 3 期。

④ 杨权喜：《当阳季家湖考古试掘的主要收获》，《江汉考古》1980 年第 2 期。

⑤ 裴安平：《鄂西“季石遗存”的序列及其与诸邻同期遗存的关系》，《考古类型学的理论与实践》，北京：文物出版社，1989 年。

⑥ 何介钧：《长江中游原始文化初论》，《湖南考古辑刊·第 1 集》，长沙：岳麓书社，1982 年。

⑦ 李文杰：《试论青龙泉文化与屈家岭文化、庙底沟二期文化的关系》，《中国考古学会第二次年会论文集》，北京：文物出版社，1980 年，第 11—20 页。

时尚未析出的更晚遗存“后石家河文化”（或称为乱石滩文化[①]）。

1984 年，王劲、林邦存在《房县七里河遗址发掘的主要收获》一文中，首次就屈家岭文化之后的龙山时期遗存提出“石家河文化”的命名，并初步把石家河文化划分为五个类型[②]。随后，“石家河文化”作为考古学文化名称得到绝大多数考古学者的认可，且就这一考古学文化的内涵特征、年代分期、分布区域及类型进行了深入探讨。参与这一讨论的有方酉生[③]、李龙章[④]、张绪球[⑤]、何介钧[⑥]、白云[⑦]、樊力[⑧]等。1993 年，白云在《关于“石家河文化”的几个问题》一文中，首次将过去认为是石家河文化晚期的遗存辨析出来，后续被命名为“后石家河文化”，这一认识使石家河文化的内涵及分期变得更加明朗。

21 世纪以来，学术界在已有的谱系构建基础上，以肖家屋脊、邓家湾考古报告的出版为契机，开始着眼于聚落的等级、布局、结构及演变，兴起了探讨文明进程、社会复杂化的热潮。参与这一讨论与研究的代表性学者有何驽[⑨]、张弛[⑩]、郭立新[⑪]、郭伟民[⑫]等。近年来，部分学者把石家河文化作为长江中游文明进程的一个重要阶段，从文明兴起的内在机制、模式深化对石家河文化的解读，也有学者从礼制的角度探讨社

① 樊力：《乱石滩文化初论》，《江汉考古》1998 年第 4 期。

② 王劲、林邦存：《房县七里河遗址发掘的主要收获》，《江汉考古》1984 年第 3 期。

③ 方酉生：《论湖北龙山文化》，《江汉考古》1985 年第 1 期。

④ 李龙章：《浅议石家河文化》，《江汉考古》1985 年第 3 期。

⑤ 张绪球：《石家河文化的分期分布和类型》，《考古学报》1991 年第 4 期。

⑥ 何介钧：《石家河文化浅析》，《纪念城子崖遗址发掘六十周年国际学术讨论会文集》，济南：齐鲁书社，1993 年，第 136—144 页。

⑦ 白云：《关于“石家河文化”的几个问题》，《江汉考古》1993 年第 4 期。

⑧ 樊力：《论石家河文化青龙泉三期类型》，《考古与文物》1999 年第 4 期。

⑨ 何驽：《长江中游文明进程》，北京大学博士学位论文，2001 年。

⑩ 张弛：《屈家岭—石家河文化的聚落和社会》，《考古学研究（十）》，北京：科学出版社，2003 年。

⑪ 郭立新：《长江中游地区初期社会复杂化研究（4300B.C.—2000B.C.）》，上海：上海古籍出版社，2005 年。

⑫ 郭伟民：《新石器时代澧阳平原与汉东地区的文化和社会》，北京：文物出版社，2010 年。

会复杂化的原因及过程，代表了新的学术研究方向。

（二）地域类型

石家河文化是一种分布范围很广的文化。学术界一般认为，它的四至范围北抵河南省南部，南至湖南省中部，西北到汉水上游，西南深入峡江，东到鄂东南地区（图4–8）。这一分布范围，即以两湖平原（江汉平原）为腹心、加上周邻地区的长江中游地区。

在如此广大区域内，受不同文化传统影响，不同区域的石家河文化陶器面貌差异性明显。20世纪80年代初期，在区系类型学说的指导下，学界开始着力于石家河文化类型的划分。20世纪90年代初期，由于石家河、划城岗、庙坪等遗址资料的发表，讨论这一问题的时机变得成熟。湘中地区岱子坪遗址虽然与石家河文化存在一定的相似性（如壶、瓶、杯），但其器类及组合不够典型，即便当下该区域增加了诸如罗家冲等资料，仍然只能视其为石家河文化影响的末梢边角（表4–2）。

表4–2 石家河文化类型

学者	鄂西北 豫西南	汉西	汉东	鄂东北	鄂东南	洞庭 湖北	湘中
何介钧（1982）	青龙泉—下王岗类型	季家湖—桂花树类型	石家河类型	西花园—吕王城类型	尧家林类型		岱子坪
王劲（1984）	青龙泉类型	季家湖类型	石家河类型		易家山—尧家林类型		
方酉生（1985）	青龙泉类型	季家湖类型		西花园			
李龙章（1985）	青龙泉类型	季家湖类型	石家河类型		尧家林类型		
张绪球（1991）	青龙泉类型	季家湖—石板巷子类型	石家河类型	西花园类型	尧家林类型	划城岗类型	
孟华平（1997）	青龙泉三期类型	季家湖—庙坪类型	石家河类型	西花园类型	尧家林类型	划城岗类型	岱子坪类型

综合已有观点，我们将石家河文化划分为七个区域类型，即：石家河类型、青龙泉类型、西花园类型、尧家林类型、季家湖类型、划城岗类型、庙坪类型。

石家河类型　主要分布于江汉平原。典型遗址有钟祥六合、天门石家河、应城陶家湖。

青龙泉类型　主要分布于鄂西北豫西南地区。典型遗址有湖北房县七里河、丹江口观音坪、丹江口彭家院、丹江口玉皇庙、张湾双坟店、郧县辽瓦店子、郧县青龙泉、郧县大寺、郧县鲤鱼嘴、郧县中台子、郧县下棚、郧西庹家湾、郧西归仙河、襄阳凤凰咀，河南淅川下王岗、淅川沟湾、淅川黄楝树、邓州八里岗、唐河寨茨岗、泌阳板桥、驻马店杨庄。特点是多打制盘状器；多红顶钵、花瓣钮器盖、斝；七里河出现了男女老幼合葬墓，流行腰坑葬。

西花园类型　主要分布于随枣走廊和孝感地区。典型遗址有随州西花园、随州金鸡岭、随州陈家堰、随州二王庄、随州长堰湖、随州狮子湾、大悟土城、大悟吕王城、大悟张家湾、孝感叶家庙、孝感徐家坟、黄陂张西湾、黄陂花石桥、安陆王古溜。矮足罐形鼎、镂空足盆形鼎、折腹杯、冲天流的鬶具有明显的地域特色。

尧家林类型　主要分布于鄂东地区。典型遗址有通城尧家林、新洲香炉山、蕲春易家山、武昌放鹰台、大冶蟹子地。

季家湖类型　主要分布于江汉平原西部。典型遗址有江陵张家山、江陵朱家台、江陵阴湘城、江陵荆南寺、当阳季家湖、枝江关庙山、宜都红花套、荆门龙王山。

划城岗类型　主要分布于洞庭湖平原。典型遗址有湖北松滋桂花树、公安鸡鸣城、公安青河城、枝城石板巷子、宜都茶店子、宜都鸡脑河、宜昌白庙，湖南安乡划城岗、华容车轱山、澧县道河、澧县城头山、澧县鸡叫城、临澧太山庙。

庙坪类型　主要分布于峡江地区。典型遗址有秭归庙坪、秭归旧州河、秭归官庄坪、秭归何家坪、秭归雷家坪、巴东茅寨子湾、万州巴豆林、忠县哨棚嘴、忠县何家岭、秭归下尾子、宜都鸡嘴河、宜都茶店、宜都刘家河。陶器器形有釜、大口罐、中口罐、小口罐、高领罐、长颈罐、缸、宽扁足盆形鼎、盒、豆、碗、杯、盘、钵、器盖、纺轮。石器多为大型打制石斧，陶器中的釜、罐等具有明显的地方特色。

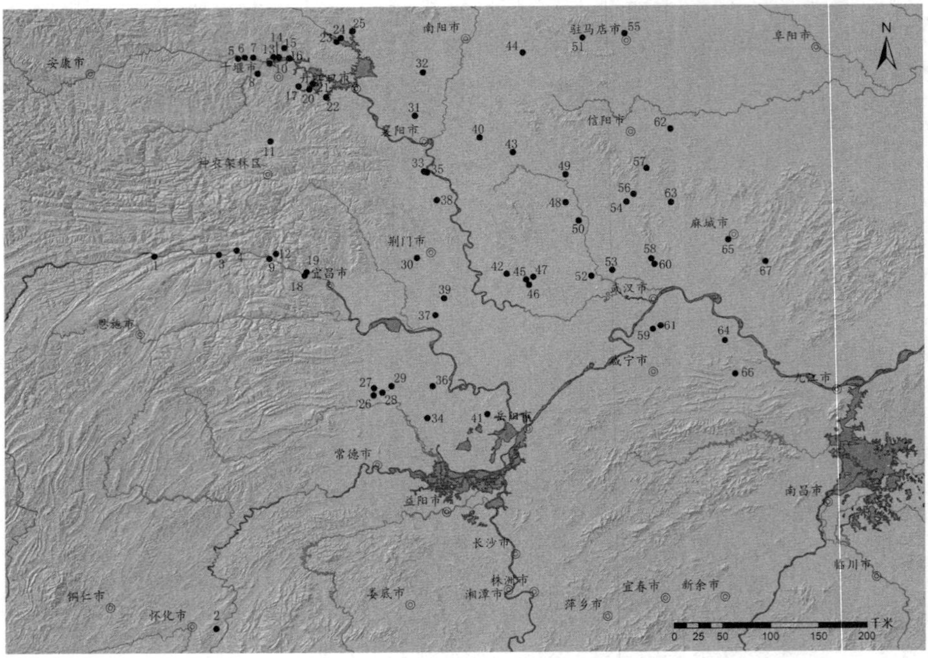

图 4-8 石家河文化遗址位置图

1. 巫山大溪 2. 怀化高坎垅 3. 巴东李家湾 4. 巴东茅寨子湾 5. 郧县下棚 6. 郧县中台子 7. 郧西归仙河 8. 张湾双坟店 9. 秭归庙坪 10. 郧县辽瓦店子 11. 房县七里河 12. 秭归官庄坪 13. 郧县鲤鱼嘴 14. 郧县大寺 15. 郧西庹家湾 16. 郧县青龙泉 17. 丹江口太山庙 18. 宜昌中堡岛 19. 宜昌白狮湾 20. 丹江口彭家院 21. 丹江口玉皇庙 22. 丹江口观音坪 23. 淅川黄楝树 24. 淅川下王岗 25. 淅川沟湾 26. 澧县城头山 27. 澧县宋家台 28. 澧县丁家岗 29. 澧县三元宫 30. 荆门叉堰冲 31. 襄阳凤凰咀 32. 邓州八里岗 33. 宜城曹家楼 34. 安乡划城岗 35. 宜城老鸹仓 36. 公安王家岗 37. 江陵毛家山 38. 宜城顾家坡 39. 荆门荆家城 40. 随州二王庄 41. 华容车轱山 42. 京山屈家岭 43. 随州狮子湾 44. 唐河寨茨岗 45. 天门石家河 46. 天门龙嘴 47. 天门笑城 48. 随州金鸡岭 49. 随州西花园 50. 安陆王古溜 51. 泌阳板桥 52. 孝感徐家坟 53. 孝感叶家庙 54. 广水四顾台 55. 驻马店杨庄 56. 大悟张家湾 57. 大悟土城 58. 黄陂花石桥 59. 江夏锣鼓包 60. 黄陂张西湾 61. 江夏潘柳村 62. 罗山李上湾 63. 大悟吕王城 64. 大冶蟹子地 65. 麻城吊尖 66. 阳新大路铺 67. 罗田庙山岗

（三）遗物特征

作为一种独立的考古学文化，石家河文化具有相当高的辨识度。以常见的陶器为例，第一，常见于屈家岭文化的双腹器（鼎、豆、碗）消失，不见蛋壳陶，鲜见彩陶。第二，脱胎于屈家岭文化的器类绝大多数发生了形态上的变化，如斜腹杯变得胎厚且瘦高、壶形器腹部锐折且通体变得瘦高、高柄杯也有变瘦高的趋势（图 4–9）。第三，在器类组合及特征上出现了新因素，如新出现了盆形鼎、腰鼓形罐、擂钵、长颈壶（多平底、无圈足）、鬶、盉、斝、厚胎缸（也称“臼”）等，流行篮纹和方格纹（图 4–10）。

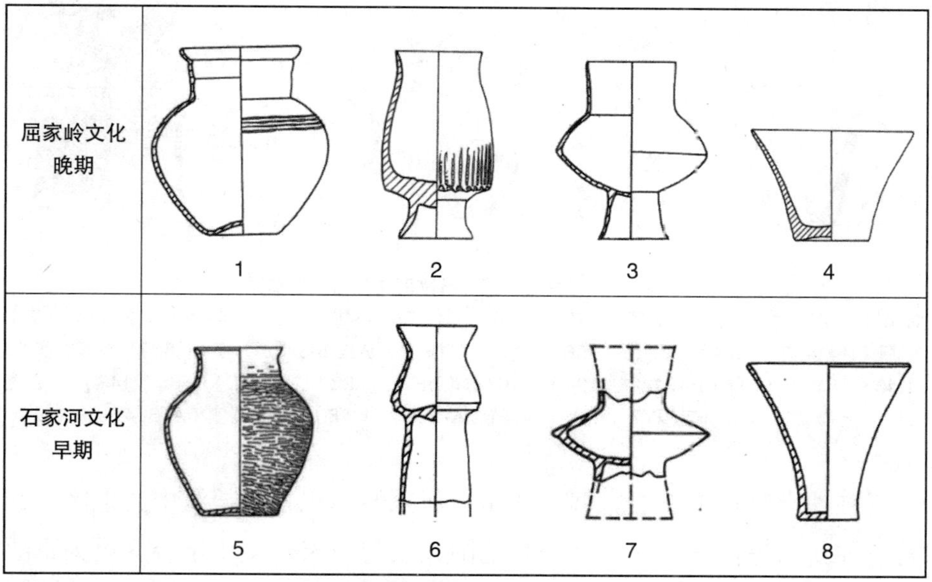

图 4–9　肖家屋脊遗址石家河文化与屈家岭文化同类型陶器

1. 高领罐（H430 ：21）　2. 矮柄杯（H85 ：1）　3. 壶（H430 ：2）　4. 斜腹杯（H85 ：21）
5. 高领罐（H56 ：15）　6. 高柄杯（H207 ：5）　7. 壶（H57 ：14）　8. 斜腹杯（H57 ：3）

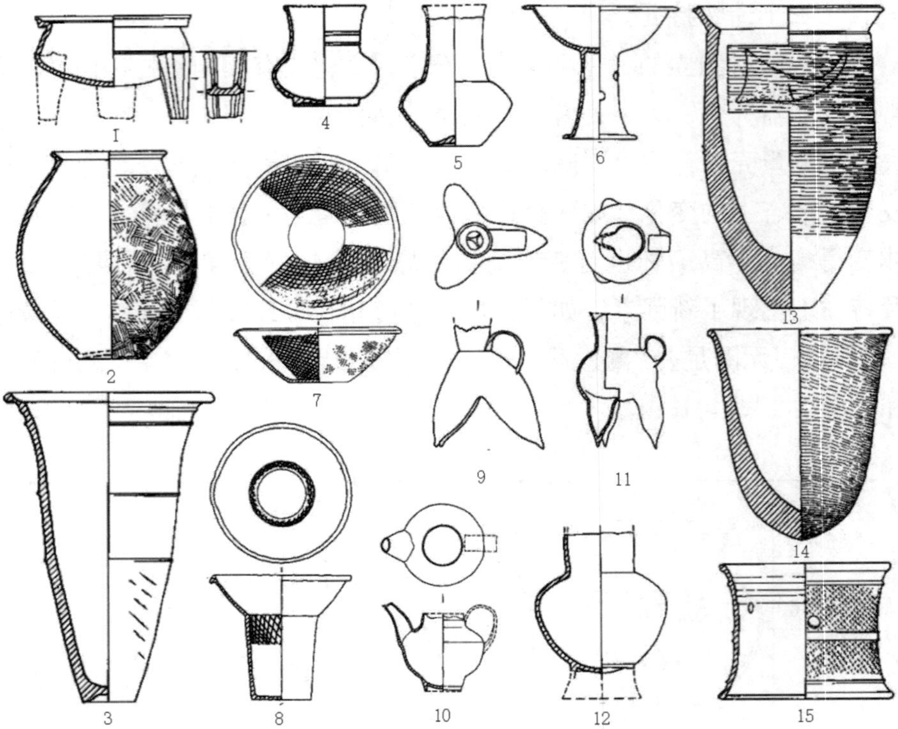

图 4-10 肖家屋脊遗址石家河文化新出现陶器

1. 鼎（H32 ：1） 2. 中口罐（H107 ：46） 3. 尊（H449 ：15） 4. 壶（AT204 ③ ：3） 5. 瓶（H434 ② ：74） 6. 豆（H56 ：3） 7. 擂钵（AT2308 ③ ：5） 8. 漏斗型擂钵（H43 ：61） 9. 鬶（H434 ② ：34） 10. 盉（H371 ：22） 11. 斝（H56 ：148） 12 壶（H434 ③：28） 13. 缸（JY7 ：9） 14. 缸（AT2014 ④：8） 15. 器座（AT304 ④ A ：8）

在遗存特征上，石家河文化是继屈家岭文化之后长江中游地区兴起的一种新的考古学文化，其分布范围大致与屈家岭文化重合，更为重要的是，在遗存的面貌及聚落形态的延续上，表现出强烈的承继性。石家河文化的形成受到来自东部长江下游樊城堆文化、张四墩文化以及良渚文化的影响，如壶、瓶等。同时也受到了来自黄河流域的庙底沟二期文化、大汶口文化的影响，前者典型文化因素如斝、盆形鼎及流行篮纹装饰，后者典型文化因素如厚胎缸、鬶、觚形杯等（图 4-11）。

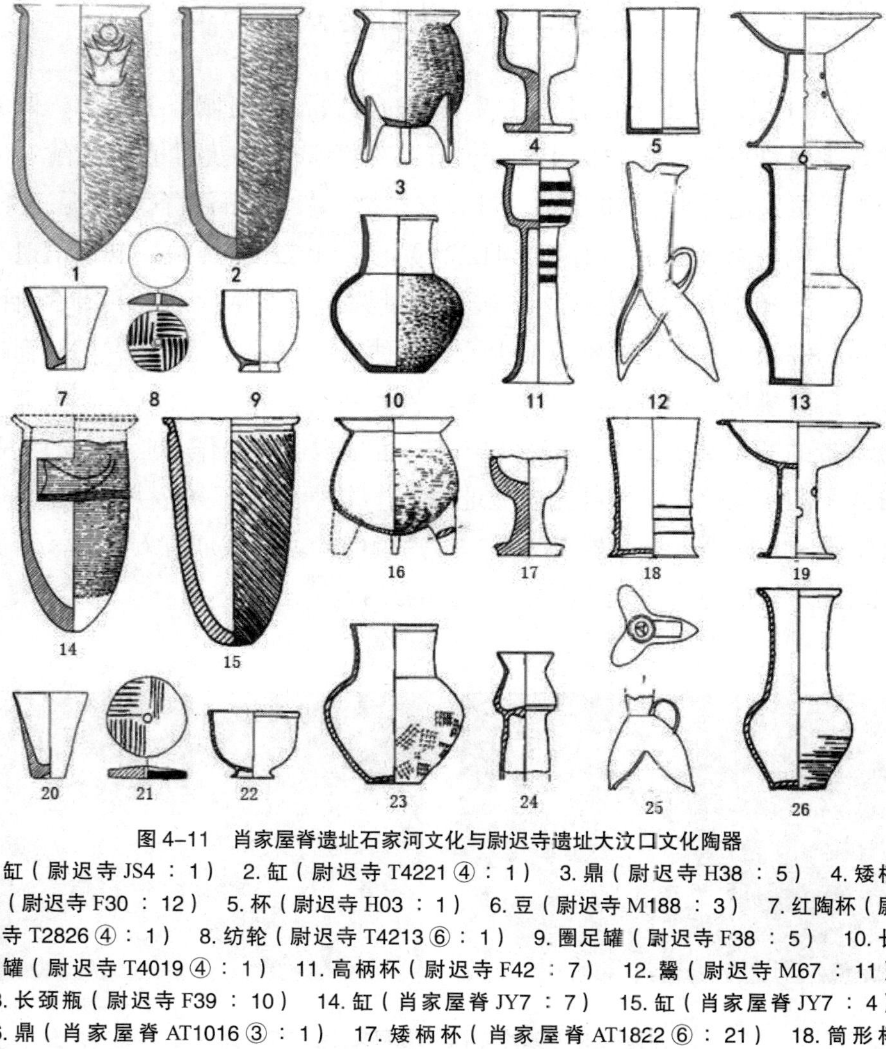

图 4–11 肖家屋脊遗址石家河文化与尉迟寺遗址大汶口文化陶器

1. 缸（尉迟寺 JS4 ：1） 2. 缸（尉迟寺 T4221 ④：1） 3. 鼎（尉迟寺 H38 ：5） 4. 矮柄杯（尉迟寺 F30 ：12） 5. 杯（尉迟寺 H03 ：1） 6. 豆（尉迟寺 M188 ：3） 7. 红陶杯（尉迟寺 T2826 ④：1） 8. 纺轮（尉迟寺 T4213 ⑥：1） 9. 圈足罐（尉迟寺 F38 ：5） 10. 长颈罐（尉迟寺 T4019 ④：1） 11. 高柄杯（尉迟寺 F42 ：7） 12. 鬶（尉迟寺 M67 ：11） 13. 长颈瓶（尉迟寺 F39 ：10） 14. 缸（肖家屋脊 JY7 ：7） 15. 缸（肖家屋脊 JY7 ：4） 16. 鼎（肖家屋脊 AT1016 ③：1） 17. 矮柄杯（肖家屋脊 AT1822 ⑥：21） 18. 筒形杯（AT602 ③：15） 19. 豆（肖家屋脊 H56 ：3） 20. 红陶杯（肖家屋脊 H96 ：1） 21. 纺轮（肖家屋脊 H207 ：8） 22. 杯（肖家屋脊 H450 ：8） 23. 圈足罐（肖家屋脊 AT1916 ④ B ：2） 24. 圈足杯（肖家屋脊 H207 ：5） 25. 鬶（肖家屋脊 H434 ②：33） 26. 瓶（肖家屋脊 H434 ②：37）

第二节 生计方式

2011年，考古工作者对江汉平原的天门石家河城址三房湾、谭家岭等遗址200平方米内的土样进行了取样浮选，共获得植物遗存7800余颗，可鉴定种属者40余种。可分农作物、杂草、野生食物资源三类。以农作物的数量最多，有稻（41.22%）、粟（0.72%）两种，以水稻遗存为主，是绝对优势的农作物，兼及少量粟作。杂草次之，共有34种，约占38.39%。野生食物资源最少，约9种，占19.54%，主要有桃、葡萄属、猕猴桃属、甜瓜属、悬钩子属、构属和芡实等[①]。江汉平原东部边缘地带的鄂州城子山[②]、孝感叶家庙[③]也呈现出以稻作农业为主的生业方式（图4-12）。孝感叶家庙城址的农作物种子在植物遗存中占比高达98%（N=10062），各类杂草仅占2%，这说明叶家庙城址古人在屈家岭文化时期对农田的管理已经拥有了丰富的经验。

1

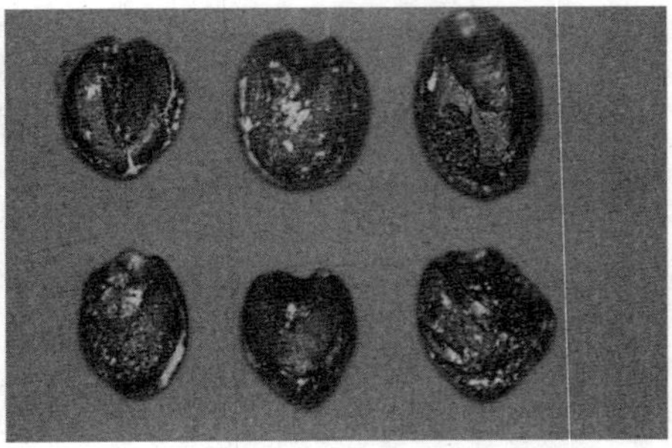

2

图4-12 屈家岭文化、石家河文化浮选农作物
1. 稻（叶家庙城址） 2. 粟（叶家庙城址）

① 邓振华等：《湖北天门市石家河城址三房湾和谭家岭遗址出土植物遗存分析》，《考古》2013年第1期。

② 唐丽雅等：《湖北鄂州城子山遗址炭化植物遗存研究》，《江汉考古》2017年第2期。

③ 湖北省文物考古研究所等：《孝感叶家庙》，北京：科学出版社，2016年，第33页。

屈家岭文化、石家河文化时期，枣阳雕龙碑①、郧县青龙泉②、枝江关庙山③等遗址的肉食来源均以家养动物为主，其占到全部哺乳动物的80%—90%以上。不同的是各遗址的家养动物存在一些差异。关庙山遗址、青龙泉遗址的家养动物仅有猪，雕龙碑则以狗、猪为主。石家河城址出土了大量的陶塑动物，种类繁多，有鱼类、鸟类、爬行类和哺乳类等，这说明石家河城址古人的肉食资源来源广泛。从动物造型来看，其中狗和猪可确定为家养动物，除牛的形象完全难以辨识，还有不少羊的形象，陶鸡较多，是否意味着鸡已经被驯化，尚难下结论④。

鄂西地区的肉食来源可能有一定的地域特征。黑家院遗址石家河文化时期肉食来源以野生动物为主。经鉴定，腹足纲有静水椎实螺、小弟拟管螺和同型巴蜗牛等3种；瓣鳃纲有圆顶珠蚌、环带丽蚌、河蚌和河蚬等4种；硬骨鱼纲有白鲢、鳙鱼、南方大口鲇和黄颡鱼等4种；爬行纲有鳖1种；鸟纲有鹅1种；哺乳纲有豪猪、狗、黄腹鼬、水獭、豹、犀、家猪、獐、水鹿、黄牛、水牛、绵羊/山羊等14种，狗、家猪和黄牛、羊为家养动物，鹅、水牛作为家养动物的证据不足。家养动物约占哺乳动物总数的32%，野生动物约占68%⑤。

中国境内新石器时代的农业起源有两条独立的源流，一个以长江中下游为中心，种植稻米的稻作农业。一个是以黄河中下游为中心，种植粟、黍为主的旱作农业⑥。在两者之间存在一个旱稻混作地带，以淮

---

① 袁靖等：《雕龙碑出土动物骨骼研究报告》，《枣阳雕龙碑》，北京：科学出版社，2006年，第364—375页。

② 罗运兵等：《青龙泉遗址墓葬出土猪骨的初步观察》，《江汉考古》2009年第3期。

③ 周本雄：《湖北枝江关庙山新石器时代遗址的动物遗存》，《枝江关庙山》，北京：文物出版社，2017年，第1011—1019页。

④ 武仙竹：《邓家湾遗址陶塑动物的动物考古学研究》，《江汉考古》2001年第4期。

⑤ 动物考古课题组：《中华文明形成时期的动物考古学研究》，《科技考古（第三辑）》，北京：科学出版社，2011年，第80—99页。

⑥ 赵志军：《植物考古学的学科定位和研究内容》，《考古》2001年第7期。

河流域为代表[①]。屈家岭文化、石家河文化分布区北缘的南阳盆地、随枣走廊的雕龙碑遗址[②]也呈现出旱稻混作的生业经济模式。淅川黄楝树发现的农作物，既有南方的稻谷，又有北方的小米[③]，具有明显南北文化的过渡特征。地理环境与黄楝树遗址类似的郧县青龙泉遗址屈家岭文化至石家河文化时期，农作物结构基本相同，均以旱作为主，主要是粟（60%）、黍（21%），兼营稻作（18%），石家河文化时期发现极少量小麦（1%）[④]。淅川下王岗遗址后岗一期文化—朱家台文化时期，农作物仅见粟和黍，屈家岭文化时期新出现稻谷，后石家河文化时期新出现少量小麦和大豆，并延续至西周时期[⑤]。

上述材料似乎可以说明，屈家岭文化时期，稻作农业向北传播，进入南阳盆地及周边。实际上稻作在南阳盆地的出现远早于屈家岭文化，邓州八里岗遗址裴李岗文化时期（8500BP）植物种子主要有稻（80.9%）和橡子（19.2%）两种，以稻为主。稻类中驯化稻已占65%，野生稻占9%，其余为不成熟稻（2.6%）和未能鉴别的穗轴（24.7%）。下王岗二期文化—朱家台文化时期（6800—5000BP）出现了粟（28.1%）和黍（33.1%），但在生业经济中水稻依然处于优势地位，约占38.8%。屈家岭文化时期，稻作在生业经济中的地位上升，从此前的38.8%上升到77.2%，粟和黍所占地位均有所下降，分别占10.7%、18.6%。石家河文化时期，延续了屈家岭文化时期的稻作为主，兼营粟（18.1%）、黍（2.7%）的农业方式。后石家河文化时期，稻的优势地位有所减弱，粟和黍相应

① 杨玉璋等：《淮河上、中游地区史前稻－旱混作农业模式的形成、发展与区域差异》，《中国科学·地球科学》2016年第8期。

② 王杰：《湖北枣阳雕龙碑遗址的考古收获》，《江汉考古》1997年第4期。

③ 长江流域规划办公室考古队河南分队：《河南淅川黄楝树遗址发掘报告》，《华夏考古》1990年第3期。

④ 吴传仁：《湖北郧县青龙泉遗址出土植物遗存分析》，中国社会科学院研究生院硕士学位论文，2011年。

⑤ 唐丽雅：《江汉地区新石器时代晚期至青铜时代农业生产动态的植物考古学观察》，中国社会科学院研究生院博士学位论文，2014年。

提高，但稻仍然在绝对数量上占有优势，并首次出现了小麦，但从出土概率和绝对数量来看，小麦在当时的食物资源中无足轻重。两周时期转变为以粟为主，兼营稻粟、小麦①。

从考古学文化面貌观察，汉水中游地区地处长江流域与黄河流域的过渡地带，是南北文化博弈的主战场，不同时期，南北考古学文化各有进退。总体来看，屈家岭文化之前，黄河流域考古学文化影响较大；屈家岭文化、石家河文化时期是长江流域考古学文化的分布范围，其后又以黄河流域的影响为主。在这种南北考古学文化拉锯式影响下，加之自然环境的多样性，这一地区的农作物表现出旱作、稻作、旱稻混作等诸多历时性的变化。这一地区，前仰韶时期最早出现的是稻作农业与旱作农业并行格局。鄂西地区以旱作农业为主，豫西地区以稻作农业为主。仰韶时期形成旱稻混作的生业方式格局，并一直延续至商周时期。其中南阳盆地的平原地带有的以稻作农业为主，有的以旱作农业为主。鄂西山地，以粟和黍为代表的旱作生业经济占有较大比重，在屈家岭文化至石家河文化时期，稻作的影响有明显强化的趋势，至龙山晚期，新出现了小麦和大豆，作物品种变得更为多样②。

即使是同一时期的旱稻混种，其生业方式也存在差异。淅川沟湾遗址后岗一期文化一屈家岭文化时期，农作物均以黍、粟和稻为主，黍始终占绝对优势③。鄂西北豫西南的房县计家湾④、郧县大寺、淅川下王岗等遗址表现出一定的共性，旱作是其农业的主要形式，粟和黍是重要的粮食作物，稻作处于从属地位⑤。伴随屈家岭文化向北挺进，该地区

① 邓振华等：《河南邓州八里岗遗址出土植物遗存分析》，《南方文物》2012 年第 1 期。

② 袁靖：《中国新石器时代至青铜时代生业研究》，上海：复旦大学出版社，2019 年，第 192 页。

③ 王育茜等：《河南淅川沟湾遗址 2007 年度植物浮选结果与分析》，《四川文物》2011 年第 2 期。

④ 唐丽雅：《江汉地区新石器时代晚期至青铜时代农业生产动态的植物考古学观察》，中国社会科学院研究生院博士学位论文，2014 年。

⑤ 唐丽雅等：《湖北郧县大寺遗址出土植物遗存分析——兼谈鄂西北豫西南山区史前农业特点》，《西部考古·第 11 辑》，北京：科学出版社，2016 年，第 73—85 页。

稻作规模可能有所扩张，这两个遗址的旱作规模可能有所萎缩，尽管如此，水稻仍未成为主要的粮食作物。

第三节　聚落与社会

进入屈家岭文化、石家河文化时期，长江中游地区的聚落形态出现了新的发展格局与演变趋势，主要表现在以下几个方面：

第一，屈家岭文化、石家河文化时期遗址的数量增多，单个遗址或遗址群的面积增大且密集成群。据不完全统计，屈家岭文化时期的遗址总数有 800 多处，石家河文化时期则超过 1000 多处，这一数据是在大多区域未开展全面的区域系统调查的基础上获得的，实际数量肯定更多。而较早的大溪文化—油子岭文化的遗址数量为 300 多处，较晚的后石家河文化时期长江中游的遗址仅 200 多处，屈家岭文化、石家河文化时期的聚落数量远多于其他时期。以石家河遗址群为例，2008 年以石家河为中心、面积约 150 平方千米的区域系统调查显示，石家河及周边区域集中分布着 73 处新石器时代遗址，其中主体区位于东河和西河交汇处，由连接成片的 45 处遗址组成。其次为北港湖与北汉湖之间的区域，共有 17 处，其他则零星地分布于东、西河两侧的岗地上。石家河遗址周围城背溪文化时期即有人类活动，油子岭文化时期的遗址有 6 处，屈家岭文化时期的遗址有 22 处，石家河文化时期的遗址有 63 处，后石家河文化时期的遗址有 14 处。石家河文化时期是石家河遗址发展的鼎盛时期。再以澧阳平原为例。考古调查结果显示，大溪文化时期遗址有 50 处，屈家岭文化时期遗址有 63 处，石家河文化时期遗址有 192 处。石家河文化时期的遗址数量是大溪文化时期的近四倍[①]。陶家湖遗址群城内有 3 处遗址，城外 1 千米范围之内有 7 处遗址，另在 2 千米半径内有 5 处。笑城遗址群半径 1 千米的范围之内有 8 处遗址。

---

① 郭伟民：《新石器时代澧阳平原与汉东地区的文化和社会》，北京：文物出版社，2010 年。

第二，环壕—城垣类的聚落形态大量涌现且有明显的等级分化。目前为止，屈家岭文化、石家河文化时期发现的各类遗址已超百处。根据聚落规模，可以分为区域性中心聚落和一般聚落。区域性中心聚落根据结构又可以分为环壕聚落和城址，前者仅有1处，后者有19处，这些聚落代表了屈家岭文化、石家河文化时期，社会复杂化和社会发展城市化发展的顶峰。经过系统调查的有石家河、陶家湖、笑城、屈家岭。规模最大的石家河遗址群，面积约8平方千米，45处遗址连接成片。屈家岭遗址群面积约2.84平方千米，由8处遗址组成。未经系统调查的大遗址中，超过50万平方千米的有应城门板湾、当阳冯山、安陆王古溜、沙洋城河、孝感叶家庙。面积20—50万平方米的有当阳糜城、石首走马岭、江陵阴湘城、澧县鸡叫城等。20万平方米以下的遗址则更多。

一、环壕聚落

环壕聚落是中国新石器时期最常见的聚落形态，从仰韶时代早期开始，全国范围内陆续均有发现。长江中游最早的环壕聚落可追溯到彭头山文化时期的彭头山遗址，目前，屈家岭文化、石家河文化时期的环壕聚落仅有屈家岭遗址1处。

屈家岭遗址位于湖北省荆门市屈家岭管理区屈家岭村和京山县雁门口镇高墩村，地处大洪山南麓向江汉平原过渡的山前丘陵地带。1954年，为配合石龙过江水库工程，在天门、京山地区调查时发现。1955—1957年，中国科学院考古研究所分别对其进行了两次发掘，提出了“屈家岭文化”的命名[①]。1989年，湖北省文物考古研究所进行的第三次发掘，发现了一批早于“屈家岭文化”的遗存[②]（油子岭文化）。2015年以来，为配合屈家岭考古遗址公园建设，湖北省文物考古研究所

① 中国科学院考古研究所：《京山屈家岭》，北京：科学出版社，1965年。

② 屈家岭考古发掘队：《屈家岭遗址第三次发掘》，《考古学报》1992年第1期。

等对遗址进行了持续发掘[①]。

屈家岭遗址总面积达2.84平方千米，是以屈家岭遗址点为核心，包括殷家岭、钟家岭、冢子坝、九亩堰、大禾场、土地山和杨湾等遗址点的屈家岭文化时期大型环壕聚落。青木垱河和青木河从屈家岭城址东、西两侧穿过，并在城址南端汇合。

外壕平面形状为不规则圆角方形，主要分布在屈家岭城址北部和西部，西南部现为青木河故道和鱼塘，东段、东南段分别穿过钟家岭遗址点和冢子坝遗址点。外壕东段地势较高的区域并未完全贯通。外壕的年代为屈家岭文化时期，但均未能发掘到底，不排除其始建年代更早的可能性。环壕聚落延续至石家河文化时期，增加了内壕，内壕呈西北—东南向，条带状从屈家岭城址中部穿过，东、西两端分别与青木垱河、青木河相接（图4–13）。

在2015—2018年的发掘中，在屈家岭文化晚期、石家河文化早期地层中发现了20余件矿石，其中大部分出自石家河文化早期地层。这些矿石的主要金属元素仅有铜，可以排除青铜器矿化的产物，应为天然铜矿石[②]。从标本外观观察，可以分为两类。一类为绿色矿石，部分表面粘附少量泥土，其含铜量最高，约70%—80%，其余成分主要是氧，据此推断可能为黑铜矿（CuO）。另一类为表面局部覆盖一层黑色物质的绿色矿石，经过分析，黑色物质为氧化铜。这一类有不含磷或含少量磷、含磷两种。不含磷或含少量磷为孔雀石，含磷的为假孔雀石和磷铜矿的混合物（图4–14）。

① 湖北省文物考古研究所等:《湖北荆门市屈家岭遗址2015—2017年发掘简报》,《考古》2019年第3期；湖北省文物考古研究所等:《屈家岭遗址殷家岭遗址点2018年发掘简报》,《江汉考古》2019年第1期。

② 魏国锋等:《天然氧化铜矿与铜制品腐蚀产物区别的探讨》,《文物保护与考古科学》2005年第1期。

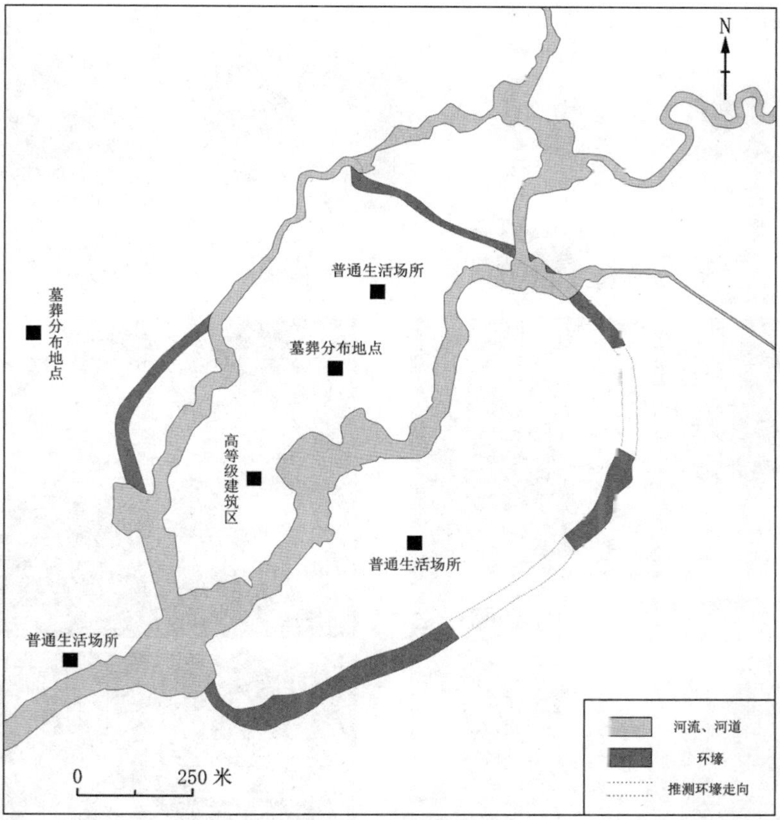

图 4-13 屈家岭遗址布局图

这几件矿石上的氧化铜，可能是氧化铜矿石经过焙烧，高温下分解形成。假孔雀石与孔雀石外观相似，古人在采集时无法分辨，因此采得的矿石为孔雀石、假孔雀石、磷铜矿的混合物。经炉火焙烧，孔雀石的分解温度仅 350℃，而假孔雀石和磷铜矿的分解温度高达 930℃。一般焙烧炉的温度约 700℃—800℃，远高于孔雀石的分解温度，但不及假孔雀石和磷酸铜盐的分解温度，故在标本中保留大部分的假孔雀石、磷铜矿和孔雀石的分解产物（氧化铜）。但由于目前暂无其他冶炼遗迹、遗物的出土，这些焙烧产物是否与冶炼活动直接相关还须进一步研究[①]。

① 江旭东：《屈家岭遗址出土铜矿石标本初步研究》，《江汉考古》2019 年第 3 期。

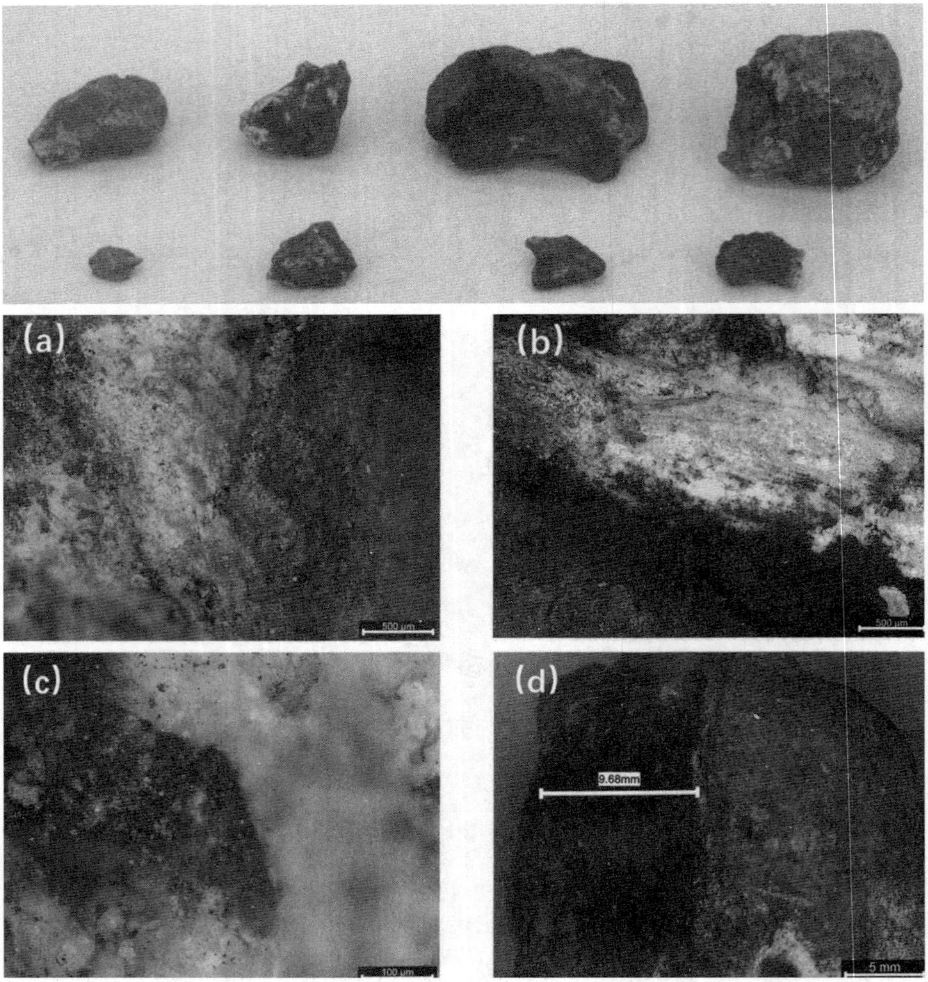

图 4–14 屈家岭遗址矿石标本

湖北境内，阳新大路铺、大冶蟹子地、天门石家河、随州金鸡岭等遗址也发现了石家河文化前后的冶炼迹象（表 4–3）。因此，有学者认为石家河文化时期开始采冶铜矿石，后石家河文化时期掌握了青铜合金术并跨进了中国青铜文明大门[①]，也有学者据此认为中国青铜冶炼技术

① 陈树祥，龚长根：《湖北新石器时代遗址出土铜矿石与冶炼遗物初析——以鄂东南和鄂中地区为中心》，《湖北理工学院学报（人文社会科学版）》2015 年第 5 期。

起源于长江中游地区[①]。

中国青铜器的起源，到目前为止仍是一个谜团。夏商时期，黄河中游的二里头文化、二里岗文化、殷墟文化都有成熟的青铜冶炼技术，是中国青铜文化发展的中心。黄河中游早于二里头文化的铜器见于陕西临潼姜寨、渭南北刘，山西榆次源涡镇、襄汾陶寺，河南淮阳平粮台、登封王城岗、杞县鹿台岗、临汝煤山等遗址。西北地区的甘肃东乡林家、张掖西城驿、永登蒋家坪、武威黄娘娘台、永靖大河庄、永靖秦魏家，青海同德宗日、西宁沈那、贵南尕马台，新疆喀什苏勐塘巴俄；黄河下游的郊县三里河、泰安大汶口等遗址也有发现。除姜寨遗址出土青铜片的年代还存在一些质疑外[②]，上述其他遗址的年代基本得到了学者的公认，均早于公元前两千纪。

依据诸多考古发现，学者关于中国的青铜冶炼技术的来源，形成了本地起源[③]与西方传入两种观点[④]。铜器有黄铜、锡铜、砷铜之别，目前公认的技术发展路径是由黄铜发展为砷铜和锡铜。黄河中游多为锡铜，少见黄铜，西北地区三者兼有之，砷铜多见于南亚。因此有学者认为青铜冶炼技术的传播，不仅仅只有中亚—新疆—甘青—中原这一条线路，还有可能存在西亚—南亚—西藏—青海东部—中原的传播路线[⑤]。

具体到湖北境内，研究者对具体发现的解释存在分歧，这都削弱了中国青铜冶炼技术长江中游起源这一观点的说服力。如随州金鸡岭发现

① 郭静云等：《中国冶炼技术本土起源：从长江中游冶炼遗存直接证据谈起（一）（二）》，《南方文物》2018 年第 3 期、2019 年第 3 期。

② 安志敏：《中国早期铜器的几个问题》，《考古学报》1985 年第 3 期。

③ 严文明：《论中国铜石并用时代》，《史前研究》1984 年第 3 期；张忠培：《中国早期青铜的发现与研究》，《中国北方考古文集》，北京：文物出版社，1990 年，第 231—239 页；白云翔：《中国早期铜器与青铜器起源》，《东南文化》2002 年第 7 期。

④ 安志敏：《试论中国的早期铜器》，《考古》1993 年第 12 期；李水城：《西北及中原早期冶铜业的区域特征及交互作用》，《考古学报》2010 年第 3 期；梅见军：《青海同德宗日遗址出土铜器的初步科学分析》，《西域研究》2010 年第 2 期。

⑤ 崔勇：《中原青铜冶炼技术西来说辨证》，《黑龙江史志》2014 年第 5 期。

的遗存，发掘者认为其为孔雀石[①]，但其他学者认为其是次生氧化铜块或者氧化亚铜废料[②]，或者孔雀石[③]。同时，对发现的一些遗物，有学者解读为坩埚、炼钢、石锤等，也缺乏明确证据，更多的是一种推测。

表 4–3 荆楚地区史前冶炼遗存

遗址	年代	遗存
屈家岭遗址	屈家岭文化晚期—石家河文化早期	铜矿石 20 余、铜块 1
石家河城址	石家河文化	铜矿石、铜器残片、炼渣
金鸡岭遗址	石家河文化	铜矿石
大路铺遗址	石家河文化—后石家河文化	炉壁残块、坩埚渣、青铜片 1 件
铜绿山遗址	石家河文化—后石家河文化	石锤
蟹子地遗址	后石家河文化	孔雀石 1 件、石砧 1 件

二、城址

较之黄河流域，长江中游史前城址的发现普遍偏晚，但考古调查开展迅速。屈家岭文化、石家河文化时期，长江中游共有 19 座城址（表 4–4、图 4–15）。长江中游有着悠久的环壕及城垣修筑史。大溪文化至油子岭文化时期，聚落面积较大的城头山、龙嘴、谭家岭，均属城址。城头山与龙嘴面积分别为 8 万余、谭家岭为 17 万平方米。城头山城址历经三次筑城，最早一次可追溯至距今 6000 多年的大溪文化一期，龙嘴城址或稍晚，距今约 5700 年，谭家岭则大约距今 5300 年。

① 湖北省文物考古研究所等：《随州金鸡岭》，北京：科学出版社，2011 年。

② 郭静云等：《中国冶炼技术本土起源：从长江中游冶炼遗存直接证据谈起（一）（二）》，《南方文物》2018 年第 3 期、2019 年第 3 期。

③ 陈树祥，龚长根：《湖北新石器时代遗址出土铜矿石与冶炼遗物初析——以鄂东南和鄂中地区为中心》，《湖北理工学院学报（人文社会科学版）》2015 年第 5 期。

表 4-4 长江中游史前城址

序号	名称	发现时间	海拔	面积（万平方米）	结构	延用年代
1	澧县鸡叫城	1978	37—38	15	平面近方形，有护城河，有三重城壕	屈家岭文化、石家河文化
2	澧县城头山	1979	45	8	平面近圆形，有护城河	大溪文化、油子岭文化、屈家岭文化
3	沙洋马家垸	1989	/	24	平面近长方形，有护城河	屈家岭文化
4	天门石家河	1989	30—46	120	平面近长方形，有护城河	屈家岭文化、石家河文化
5	石首走马岭	1989	30—40	7.8	平面圆形，内外双城，内外均有护城河	屈家岭文化、石家河文化
6	江陵阴湘城	1991	37—44	20	平面圆形，两面临水，两面护城河	屈家岭文化
7	公安鸡鸣城	1996	36—40	18	平面近圆形	屈家岭文化、石家河文化
8	应城门板湾	1998	41	20	平面长方形，有护城河	屈家岭文化
9	应城陶家湖	1998	41	67	平面椭圆形，有护城河	屈家岭文化、石家河文化
10	公安青河城	2004	29—35	6	平面圆角梯形	屈家岭文化
11	沙洋城河	2004	35—53	70	平面椭圆形	屈家岭文化
12	天门笑城	2005	26—29.5	9.8	平面曲尺形，三面临水，北面有护城河	屈家岭文化

续表

序号	名称	发现时间	海拔	面积（万平方米）	结构	延用年代
13	安陆王古溜	2006	72—75	24	平面圆角方形，有护城河	屈家岭文化、石家河文化
14	孝感叶家庙	2008	28—30	56.5	平面方形，有护城河	屈家岭文化
15	大悟土城	2008	/	5	平面圆角方形，有护城河	石家河文化
16	黄陂张西湾	2009	40	9.8	平面圆形，有护城河	石家河文化
17	襄阳凤凰咀	2019	80—90	7.5	平面方形	屈家岭文化、石家河文化
18	华容七星墩	2019	34	25	外圆内方双城	屈家岭文化、石家河文化
19	南县卢保山	2019	31	10	平面近长方形	屈家岭文化、石家河文化

根据城址的面积，可将城址分为三个等级，第一等级为面积大于100万平方米，仅有石家河城址1座，附属聚落最多可达到40处。第二类为面积在15—100万平方米之间，一般有附属聚落，包括应城门板湾、应城陶家湖、孝感叶家庙、沙洋城河、沙洋马家垸、江陵阴湘城、澧县鸡叫城、公安鸡鸣城。这类城址多出现于屈家岭文化时期第三类。面积在10万平方米以下，附属聚落很少或没有，包括天门笑城、黄陂张西湾、公安青河城、石首走马岭、澧县城头山、大悟土城等。这类城址多出现在屈家岭文化时期，在石家河文化时期达到高峰[①]。

① 湖北省文物考古研究所等：《孝感叶家庙》，北京：科学出版社，2016年，第307页。

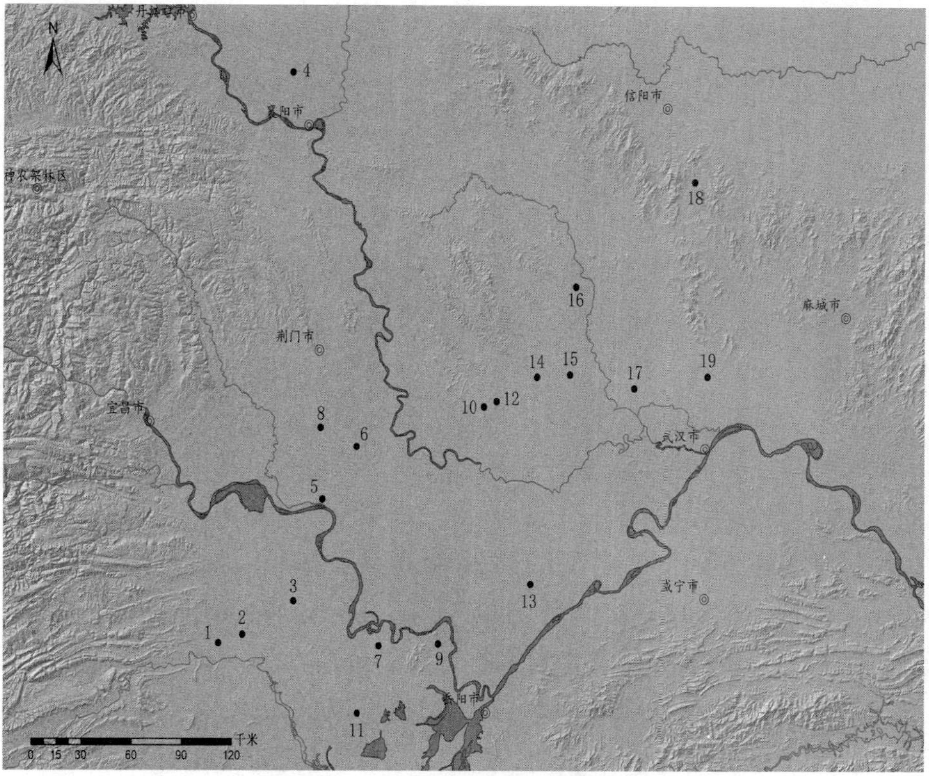

图 4-15　长江中游史前城址位置图

1. 澧县城头山　2. 澧县鸡叫城　3. 公安青河城　4. 襄阳凤凰咀　5. 公安鸡鸣城　6. 沙洋城河　7. 石首走马岭　8. 沙洋马家垸　9. 华容七星墩　10. 天门石家河　11. 南县卢保山　12. 天门笑城　13. 江陵阴湘城　14. 应城陶家湖　15. 应城门板湾　16. 安陆王古溜　17. 孝感叶家庙　18. 大悟土城　19. 黄陂张西湾

有学者认为这一时期，长江中游的城址是为了抵御周边“部落或部落集团”对财富的掠夺而修建。也有学者根据遗址的航拍图，结合遗址周边地理环境，认为这些史前城址有防洪功能，也兼具灌溉功能。尤其是近年屈家岭遗址水利系统的发现，似乎也佐证了这一观点。屈家岭文化已完成了文化一体化过程，城址的出现是为了维护屈家岭文化统一体的完整，是特权阶层为维护其统治与利益的一种防御行为。这些城址有可能实行“军事民主制”或“部落军事联盟制”，类似于早期国家形态或酋邦形态，可作为早期国家文明的典型代表。

（一）天门石家河——中心聚落

石家河城址位于湖北省天门市石家河镇北郊，距天门市区约 11 千米，遗址面积 8 余平方千米，由 40 多处遗址点组成，是长江中游地区已知的分布面积最大、保存最完整、延续时间最长、等级最高的史前城址，也是屈家岭文化、石家河文化的中心聚落（图 4-16）。

1954 年，石龙过江水库指挥部文物工作队在石家河镇周围调查时发现谭家岭等三个遗址点[①]。后陆续发现肖家屋脊、罗家柏岭、杨家湾（贯平堰）、石板冲、蓄树岭、黄金岭、敖家泉、毛家岭、田家冲、邓家湾、三房湾等遗址点。1955 年，石龙过江水库指挥部文物工作队发掘了罗家柏岭、杨家湾、石板冲、三房湾四个遗址点，其中罗家柏岭发掘面积 1600 平方米，其他三个遗址 45—100 平方米不等[②]。同年，中国社会科学院考古研究所与湖北省文管会对罗家柏岭遗址点进行了第二次发掘，发掘面积 1147 平方米[③]。1978 年，荆州博物馆对邓家湾遗址点进行了试掘。1982 年，湖北省文物考古研究所对杨家湾、土城遗址点进行了试掘[④]。1987—1991 年，荆州博物馆与北京大学联合成立石家河考古队，对邓家湾、谭家湾、肖家屋脊、土城等遗址点进行了发掘，其中肖家屋脊发掘面积 6710 平方米，邓家湾发掘面积 1575 平方米，且在 1990—1991 年对石家河城址进行了大面积的调查与发掘，发现了石家河城址，并基本弄清了古城的年代、布局以及周边遗址群的初步情况，进一步丰富了对该地区史前聚落的数量、规模、年代、文化内涵、分布等方面的认识[⑤]。2014 年以后，湖北省文物考古研究所对其进行了连续

① 王劲等：《湖北京山县石龙过江水库工程中发现的新石器时代遗址简报》，《文物参考资料》1955 年第 4 期。

② 石龙过江水库指挥部文物工作队：《湖北京山、天门考古发掘简报》，《考古通讯》1956 年第 3 期。

③ 湖北省文物考古研究所等：《湖北石家河罗家柏岭新石器时代遗址》，《考古学报》1994 年第 2 期。

④ 石家河考古队：《肖家屋脊》，北京：文物出版社，1999 年。

⑤ 石家河考古队：《石家河遗址调查报告》，《南方民族考古·第五辑》，成都：四川科学技术出版社，1993 年，第 213—294 页。

的勘探与发掘[①]。

石家河城址平面为不规则长方形。南北长约1200米、东西宽约1000米。其西墙中南段及南墙西段保存较好，地表所见墙体宽约30米，高度4米左右。墙外有城壕。但西墙北段在邓家湾遗址点的走向一直不太明确。在城址的西北角，严家山与黄家山共同构成一道东北至西南走向的弧形带状岗地，其西部为鲁台寺—扁担山—三星台构成的弧形带状岗地，两条岗地大致平行，中间的洼地为人工开挖的壕沟。

1. 邓家湾大型墓地与祭祀遗存

邓家湾遗址点位于石家河城址中部偏西北，且处在石家河古城之内西北一隅。1978年荆州博物馆在该遗址点西部进行了首次试掘。1987—1992年，北京大学考古学系、湖北省文物考古研究所、荆州地区博物馆联合组成的石家河考古队对邓家湾遗址点西部进行了三次发掘。四次共计发掘面积1575平方米，发现屈家岭文化、石家河文化土坑竖穴墓葬95座、瓮棺葬38座、祭祀遗迹数处、灰坑113座等，并解剖了一段石家河城址城垣[②]。

① 湖北省文物考古研究所等：《湖北天门市石家河古城三房湾遗址2011年发掘简报》，《考古》2012年第8期；湖北省文物考古研究所等：《湖北天门市石家河古城谭家岭遗址2011年的发掘》，《考古》2015年第3期；刘辉等：《石家河遗址2015年发掘的主要收获》，《江汉考古》2016年第1期；湖北省文物考古研究所等：《湖北天门市石家河遗址2014—2016年的勘探与发掘》，《考古》2017年第7期；湖北省文物考古研究所等：《湖北天门市石家河古城严家山遗址2016年发掘简报》，《考古》2018年第7期；湖北省文物考古研究所等：《湖北天门市石家河古城三房湾遗址2016年发掘简报》，《考古》2018年第9期；湖北省文物考古研究所等：《湖北天门市石家河古城朱家坟头遗址墓葬发掘简报》，《考古》2020年第6期。

② 石家河考古队：《邓家湾——天门石家河考古报告之二》，北京：文物出版社，2003年。

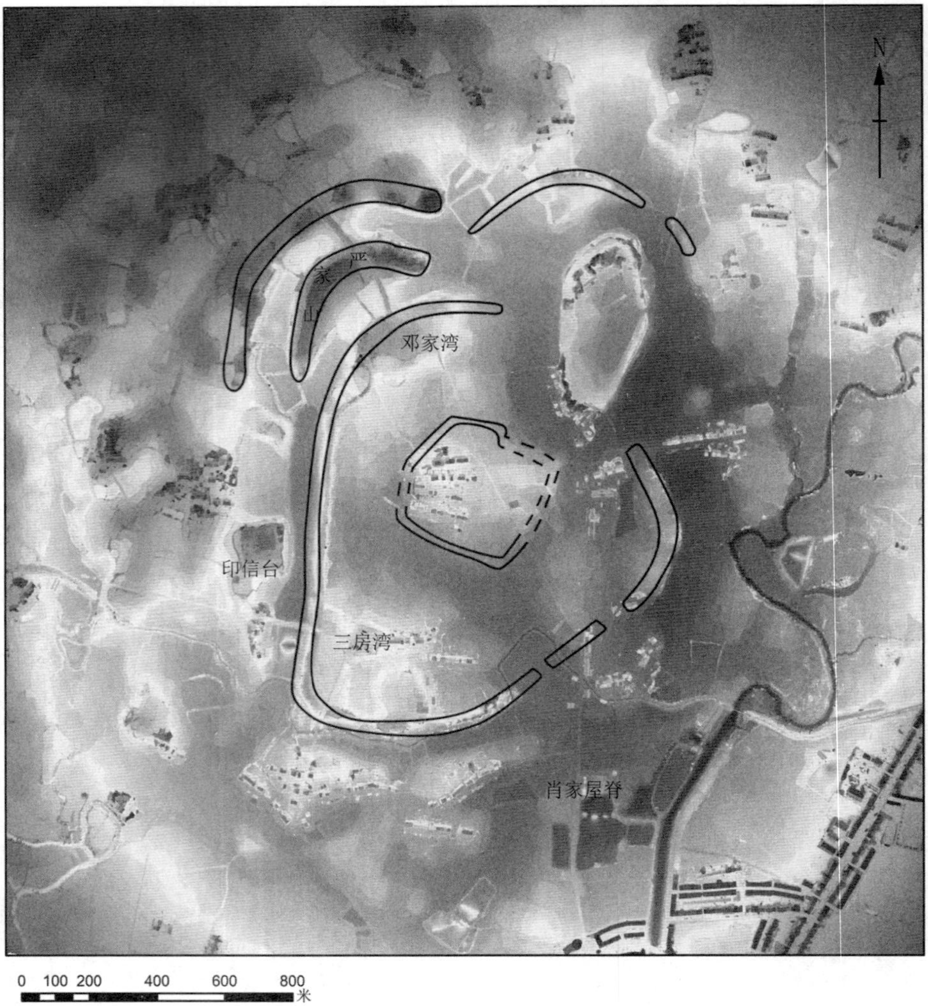

图 4–16 石家河城址航拍图

大型墓地 邓家湾已揭露的屈家岭文化、石家河文化墓葬共计 133 座，其中土坑墓 95 座、瓮棺葬 38 座。土坑墓中 68 座出土有随葬品，随葬品共计约 754 件。随葬品以小鼎、斜腹杯、高领罐、碗居多，组合方面可分两类：第一类以小鼎、斜腹杯为基本组合；第二类以高领罐为基本组合，且多有碗搭配。两套组合或单出，或同出，但摆放位置在绝大多数墓坑中可作区分。其他诸如器盖、小罐、盆、钵、壶、大口罐、中口罐等多以上述两套组合为基础加以搭配。

属于石家河文化晚期的 M32 是这批墓葬中规格最高的一座墓葬，墓口长 2.35、宽 1.9 米，足端二层台宽 0.9、高 0.3 米。单人二次葬，墓主人疑似 10 岁左右的少年，随葬品置于两侧、脚端二层台和墓地，共计陶器 50 件、石锛 1 件。其中，鼎、杯、器盖各 1 件，置于墓主人头顶端，杯 1 件置于足部，罐 3 件置于墓底一侧，39 件在墓主左右及二层台上。另有豆 1、碗 1、簋 1、鬶 1、石锛 1，均置于二层台上（图 4–17）。

祭祀遗存　邓家湾遗址点共发现祭祀遗存 6 个，可以分为屈家岭文化、石家河文化两个时期。屈家岭文化时期的祭祀遗存主要为 4 组筒形罐。筒形罐多为泥质，出土时往往相互套接。依据器形，可分细长封顶型、粗壮封顶型、子母口型。根据出土位置，可以推测这些筒形罐原来可能竖立套接，封顶型筒形罐在上，子母口筒形罐在下（图 4–18）。

邓家湾遗址点可能存在屈家岭文化早期一直沿用着石家河文化时期的“祭坛”。在其发掘区的东部偏北，有一片东西宽约 20 米、南北长约 30 米的范围，其内除有少量几个灰坑遗迹外，基本不见其他遗迹。这一片很有可能存在更大的一个祭祀场地——祭坛（图 4–19）。

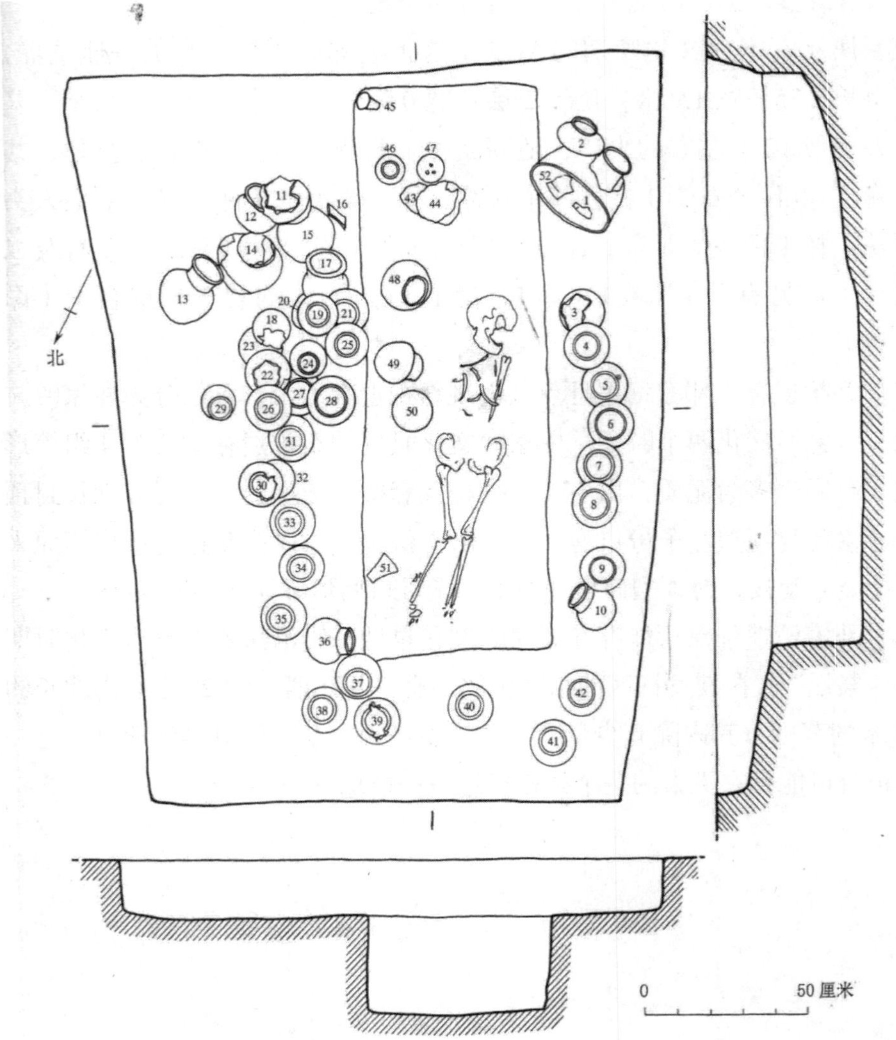

图 4-17 邓家湾 M32

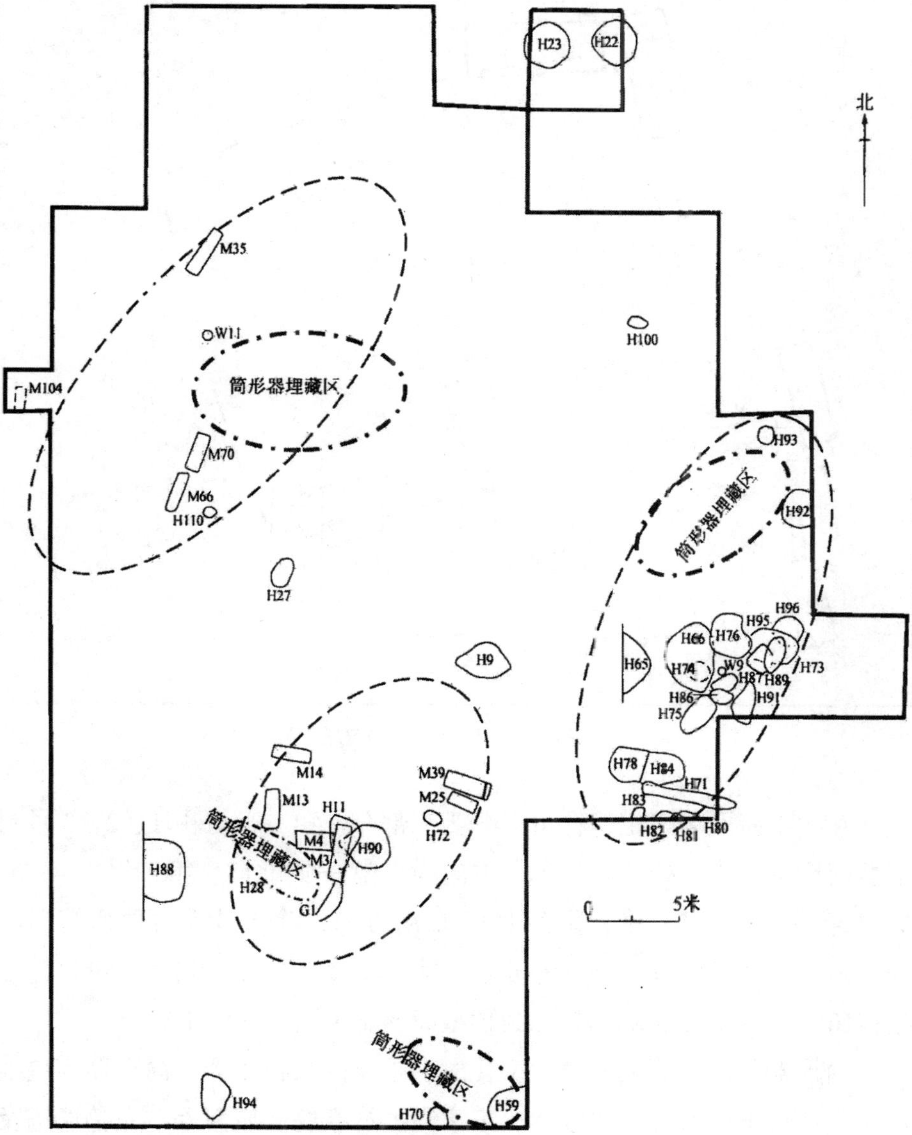

图 4–18 邓家湾遗址点屈家岭文化祭祀遗存

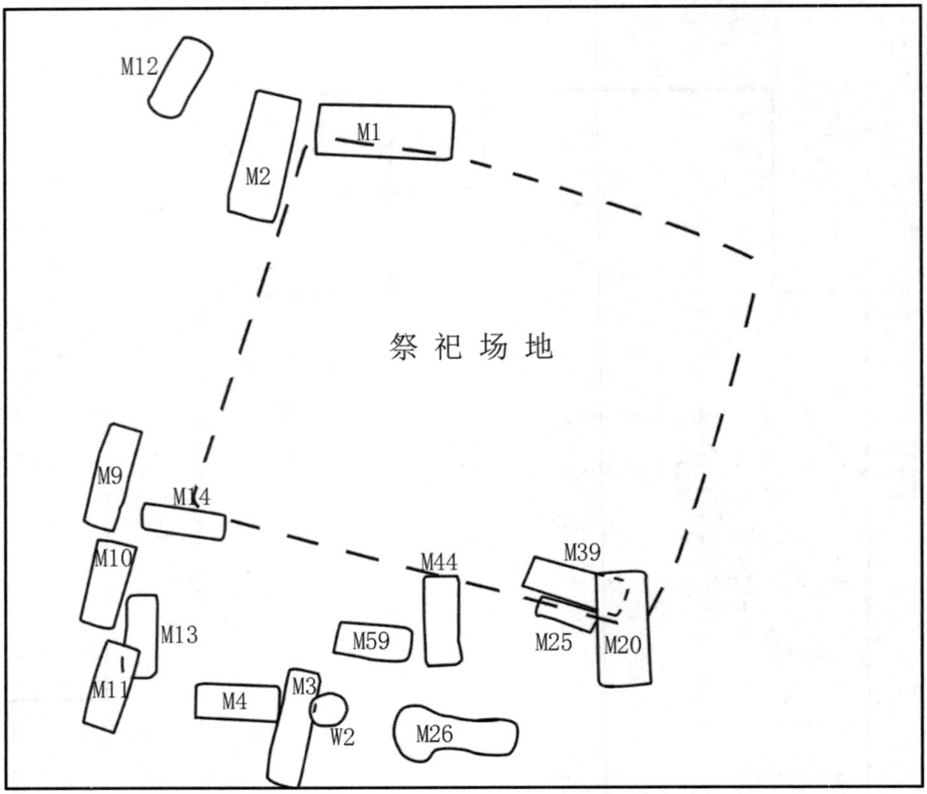

图 4–19 邓家湾遗址点祭坛

AT301 筒形罐祭祀遗存可以分为三部分。第一部分由 1、2、3 号封顶型筒形罐组成，残长约 2 米，方向为东南—西北向。第二组由 4、5、6、7 组成，残长 2.2 米，呈西北—东南方向，除 5 号为封顶型筒形罐外，其余均为子母口。第三组可分两排，8、9 为一排，均为子母口筒形罐；10、11 为一排，均为粗壮封顶型筒形罐（图 4–20，1）。

筒形器、四耳罐是屈家岭文化时期重要的祭祀用器。筒形器零星残片或残件见于谭家岭、屈家岭、王家岗、马家垸、城河等，完整遗迹及器物主要见于邓家湾，共发现 32 件，以 H28、H59 出土最多。形制主要有细长封顶（图 4–20，3）、粗壮封顶（图 4–20，2）、子母口（图 4–20，4、5）三类。四耳器这类特殊器物目前见于屈家岭、城河等遗址。

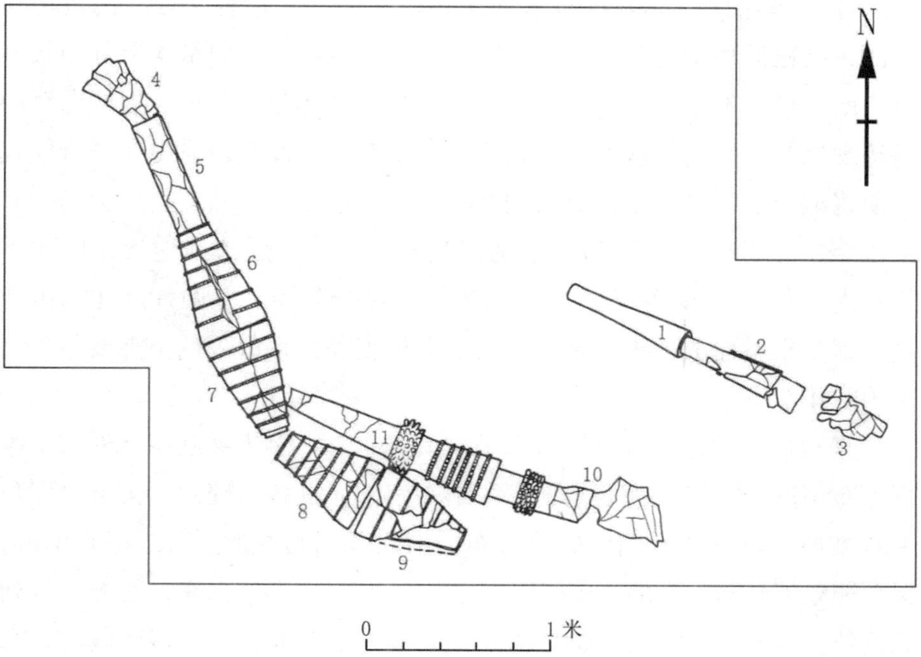

1

2　3　4　5

图 4–20　邓家湾遗址点屈家岭文化祭祀遗存

1.AT301 筒形器平面图　2. 筒形罐（H28 ：10）　3. 筒形罐（AT301 ④ F ：11）　4. 筒形罐（AT301 ④ F ：7）　5. 筒形罐（H28 ：3）

邓家湾遗址点共发现石家河文化时期的祭祀遗存2处。由祭祀活动面、祭祀活动遗迹和覆盖物三部分组成。祭祀活动面暴露部分为长方形，南北界限不明显，东西两侧都有相当大的部分被破坏。根据保存的遗迹现象和堆积情况观察，该祭祀遗存没有固定设施，只是在举行仪式之前将地面加以平整，以便人们活动和陈放祭器、祭品之类的物品，并可以多次重复使用。活动面未见夯筑痕迹，铺垫层依据地形，厚薄不均。南北长18、东西宽4、最厚1.6米。可分为南、北两片。北部由纯黄土铺垫平整而成，土质紧密。南部面积较大，系黄褐色土夹杂陶片铺垫（图4–21）。

祭祀活动遗迹主要有套缸和盖碗两类。套缸多为夹砂厚胎红陶。根据分布情况，可以分为四组，第一组在南部，缸多为碎片，大致呈三角形状堆放，较大块者围绕碎片分布，南北范围约6米。第二组在中部，保存完整器较多，东北—西南方向排列，缸口向西或向东，平置，排列长度约为6.5米。第三组在北部，大致呈圆锥形堆置，缸多已破碎，有的可复原。堆置范围约1.5米。第四组在中部偏北处，被填于一条东西向的沟槽中，均为碎片。沟长2.4、宽0.7—1、深0.5米。扣碗共有3处，呈三角状分布于北部黄土西南侧，为两个陶碗口对口相扣，平置于活动面上。东部一对，西部两对。套缸及扣碗上的覆盖层可以分为两层，第一层为陶片层，土质由上及下依次为红褐色、黄褐色、灰褐色，土质疏松，包含大量陶片。第二层为褐色土层，直接覆盖在套缸和扣碗之上。

在祭祀遗存周边还发现了2处许多套缸相互套接在一起，成排成列地平置在地面上。套缸1大致呈东北—西南方向，残长10米。最宽处1米左右。缸口与缸底互相套接，缸底套入缸口一般约1/3。套缸1北部为并列3排，南部为并列2排。每排之间缸腹基本相靠，大部分均已残破。套缸2东西向排成2排，方向为100°，两排之间相距0.3—0.4米，基本呈直线平行排列，缸口一律朝西，套法与套缸1相同（图4–22）。

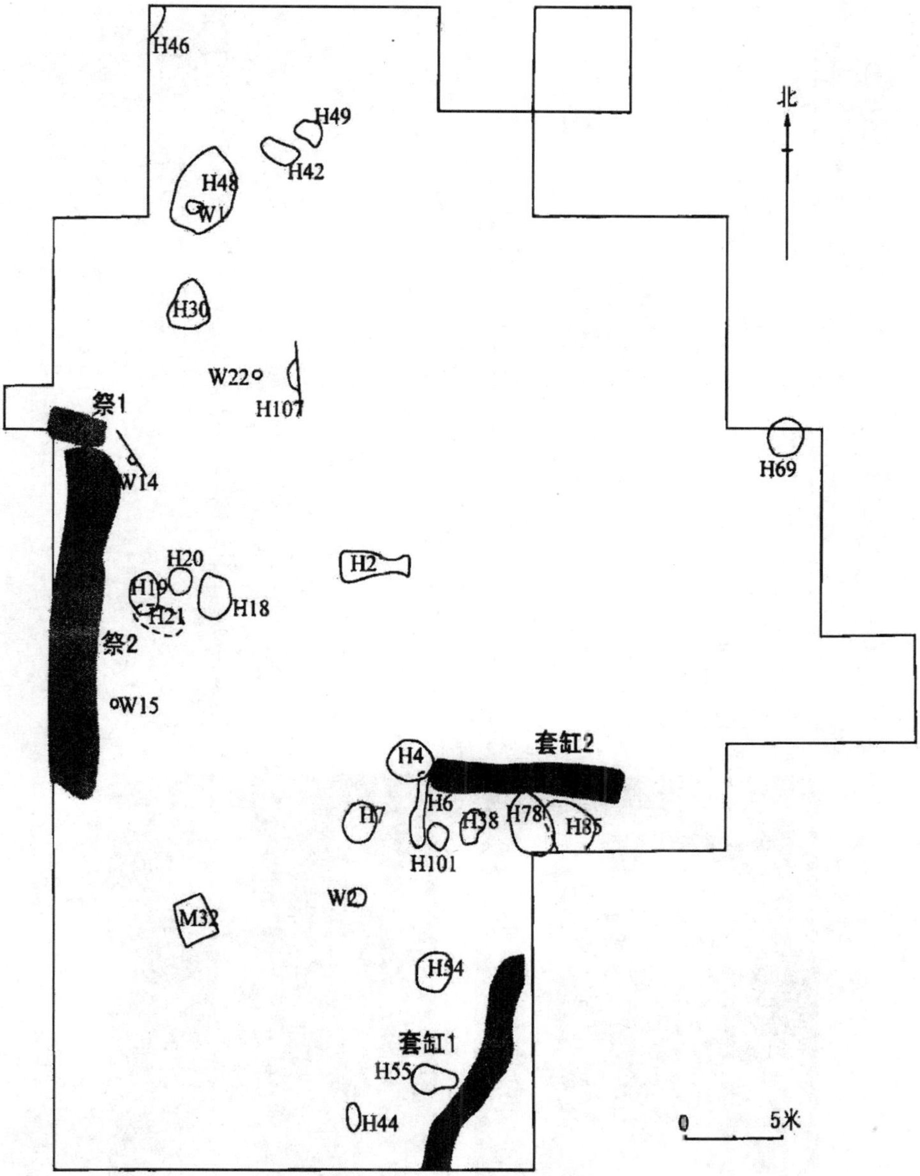

图 4-21　邓家湾遗址点石家河文化祭祀遗存

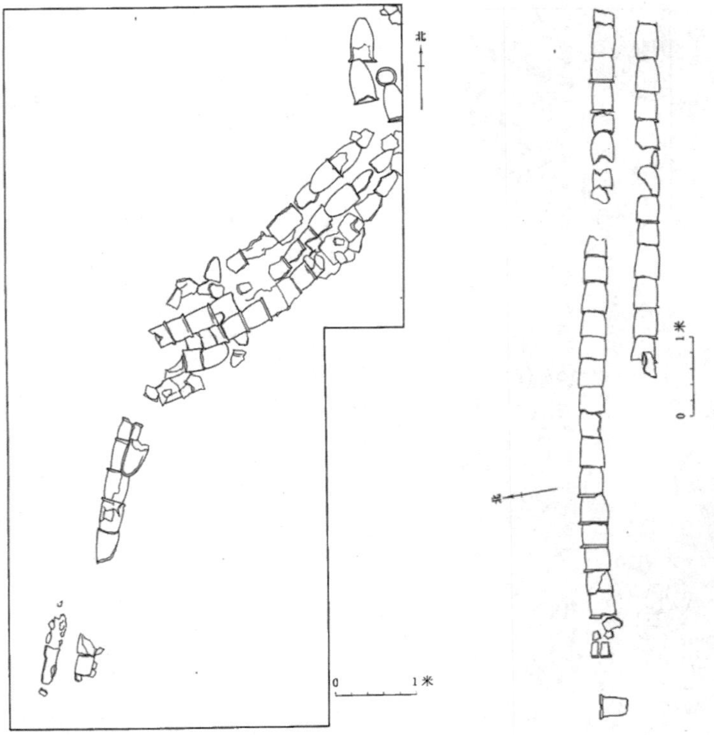

图 4-22 邓家湾遗址点石家河文化套缸

1. 套缸 1　2. 套缸 2　3. 套缸 1　4. 套缸 2

套缸 1、2 发现的陶缸均为夹砂厚胎红陶，仰折沿，筒形深腹，小平底，腹部一般有数道弦纹或者附加堆纹，下腹部多为素面，部分缸上有一个刻划符号。此类缸在地层与灰坑中也有发现。石家河文化绝大多数刻划符号见于这类套缸遗迹的厚胎缸上（图 4–23）。刻划符号可分几大类：代表自然现象的日月星；代表生产工具的镰、纺轮；代表陶器的杯、壶、瓮棺、缸等造型；代表玉器造型的璇玑；代表生殖器的男根形象；标识用途的符号。符号可能代表不同族群的“族徽”。部分刻划符号已经具备了汉字造字规律中“象形”要素，与早期文字的形成有着密切的联系（图 4–24）。

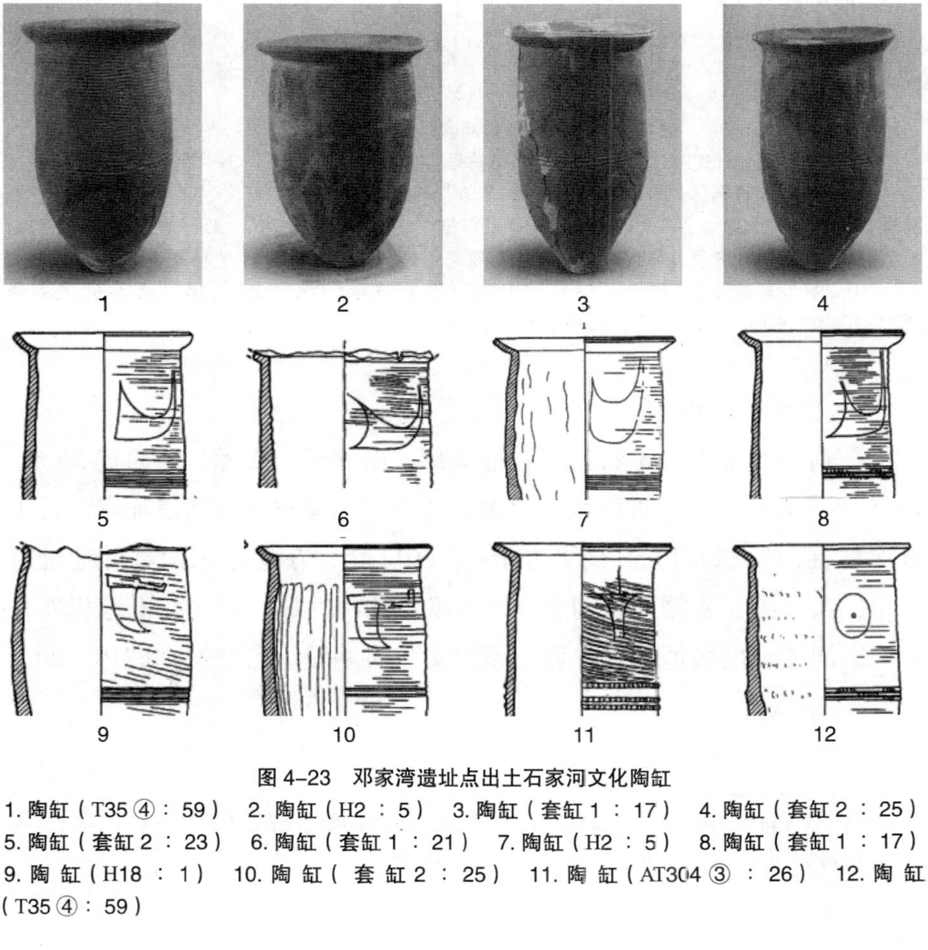

图 4–23 邓家湾遗址点出土石家河文化陶缸

1. 陶缸（T35④：59） 2. 陶缸（H2：5） 3. 陶缸（套缸 1：17） 4. 陶缸（套缸 2：25） 5. 陶缸（套缸 2：23） 6. 陶缸（套缸 1：21） 7. 陶缸（H2：5） 8. 陶缸（套缸 1：17） 9. 陶缸（H18：1） 10. 陶缸（套缸 2：25） 11. 陶缸（AT304③：26） 12. 陶缸（T35④：59）

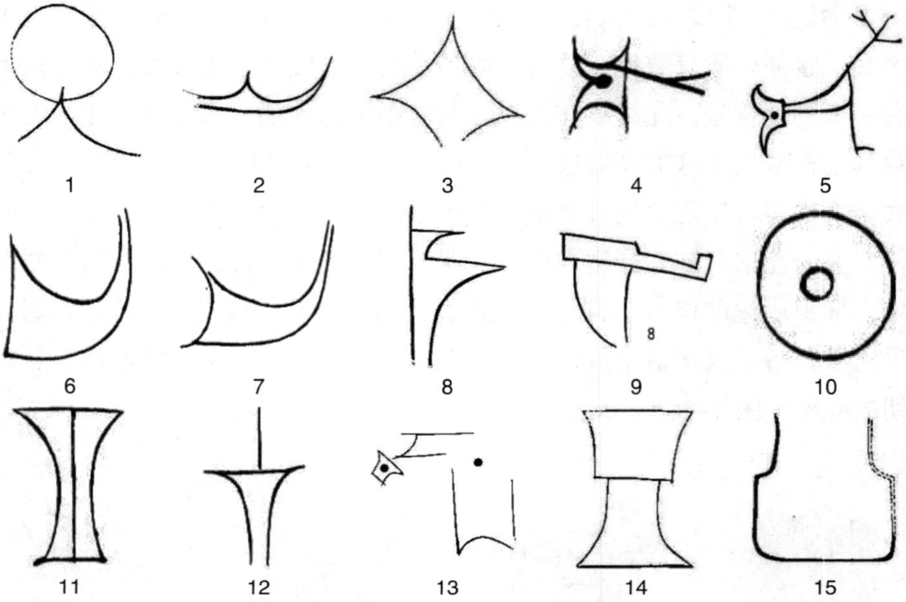

图 4–24 石家河遗址邓家湾出土陶器刻划符号

1.“日月”形符号（H327 ：3） 2.“月”形符号（AT812③：10） 3.“星”形符号（JY5 ：2） 4.“鸟”形符号（AT9③：12） 5.“鸟”形符号（AT306②：15） 6.“号角”形符号（套缸 2 ：23） 7.“号角”形符号（套缸 1 ：20） 8.“旗”形符号（H489 ：32） 9.“镰”形符号（H18 ：1） 10.“纺轮”形符号（T35④：59） 11.“杯”形符号（H63 ：5） 12.“杯”形符号（套缸 1 ：18） 13.“杯壶”形符号（JY4 ：2） 14.“高柄杯”形符号（AT1720③：90） 15.“壶”形符号（AT1219②：10）

2. 三房湾红陶杯作坊

三房湾遗址点位于石家河城址南部，南北长 106 米、东西宽 56 米。1955 年，为配合石龙过江水库建设，考古工作者对三房湾遗址点进行了首次发掘，发掘面积 50 余平方米[①]。2011 年，在遗址东南部低地进行了第二次发掘，发掘面积约 200 平方米。此次发掘，证实在低地仍然存在石家河城址的城垣，但在后石家河文化时期城垣已经遭到破坏。2016

① 湖北省文物考古研究所等：《湖北天门市石家河三处新石器时代遗址发掘》，《考古学集刊 · 第 10 辑》，北京：地质出版社，1996 年，第 48—88 页。

年，对三房湾遗址点的东台地进行了发掘，发掘面积250平方米[①]，揭露了一片从石家河文化晚期至煤山文化阶段的生产红陶杯的制陶作坊堆积。

发掘区内从第4层至第6层夹杂大量红陶杯的堆积，以5、6层最为密集。根据勘探结果，此类堆积遍布整个三房湾遗址点，厚约1.2—2.4米不等（图4-25）。初步估计，埋藏的红陶杯的数量达200万之多。如此庞大的产品数量，已经远远超出了城址本身的需求，必然还供给周边区域使用，说明石家河城很可能是大洪山南麓乃至江汉平原最重要的手工业产品生产地和集散地，也说明石家河城在该区域具有特殊的地位，是全区域的聚落中心、经济中心。

主要遗迹有陶窑、洗泥池、黄土坑、黄土堆积、烧土堆积、水缸遗迹、灰坑等（图4-26）。从三房湾遗址点发掘所揭露的遗迹看，上述大多与制陶活动紧密有关。陶窑发现了两座，Y2保存稍好。其他的红烧土堆积也可能为废弃的陶窑，仅残存底部，形制不清。Y2平面为椭圆形，东西长0.80米，南北宽0.33米。窑底保留有明显的烧结面。根据现有结构推测，火塘、窑门应该位于东部。洗泥池位于发掘区南壁，可能是淘洗和分选陶土之处，现发掘部分平面呈长方形，南北长1.7、东西宽1.4、深0.46—0.57米。洗泥池内的堆积可以分为3层，上两层为废弃堆积，最底下1层为黄色黏土、质地细腻、致密，纯净，无夹杂物，这可能是残留的已经过淘洗的泥料，应该是制作红陶杯的原料。在发掘区，发现了3个黄土坑、2个黄土堆。这些有可能都是与红陶杯制作的泥料有关。黄土坑中填土的土质接近次生土，较为纯净，应为尚未分选的陶土；地面堆放的黄土堆积较为纯净、细腻，则可能是已经淘洗过的泥坯。在发掘区的东南角发现了一个直径0.62米的圆形灰坑，其内部置1件完整的陶缸，可能为制作泥坯时专用的盛水设备。

---

① 湖北省文物考古研究所等：《湖北天门市石家河古城三房湾遗址2011年发掘简报》，《考古》2012年第8期。

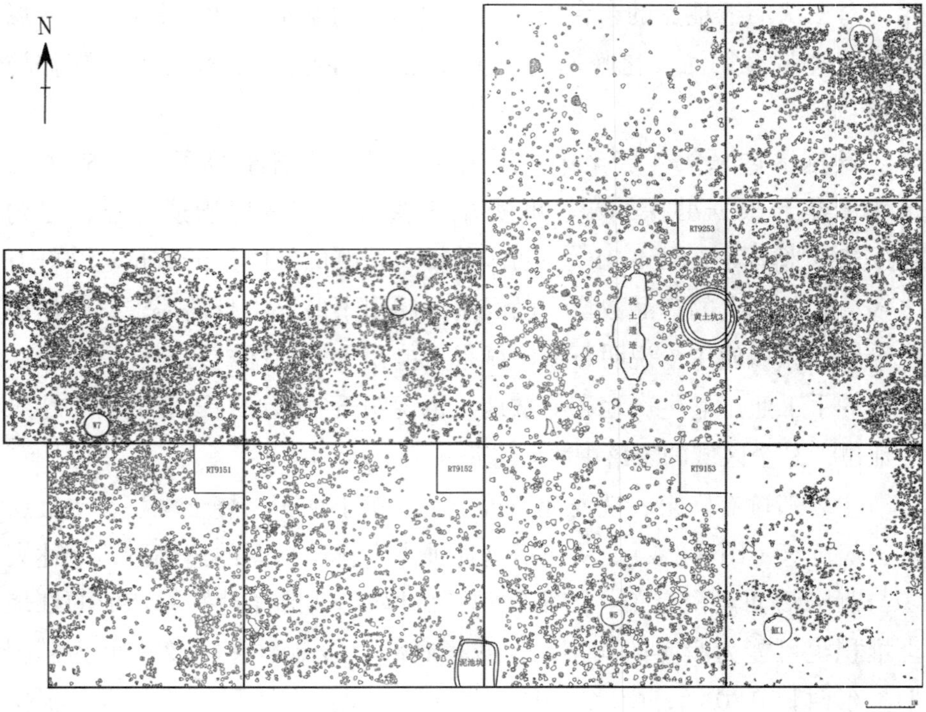

图 4–25　三房湾红陶杯作坊

3. 严家山石器作坊

严家山遗址点位于石家河城址西北岗地之上。2016 年，在发掘区文化层堆积的第 5 层下，叠压一片石块堆积（编号石块堆积 2）。石块堆积范围较广，但分布较为散乱，东西宽约 9 米，南北长约 45 米，面积约 400 平方米。石块大小不一，直径一般在 20—40 厘米左右。以含硅质岩、石英碎屑的灰白色白云岩为主。部分石块有明显的取料切割和加工痕迹。残留的石块绝大多数为石核，石片及成品极少。出土的遗物主要有石刀、石镞、砺石、石料、玉料等[①]。发掘者推测其可能为一处石器加工作坊（图 4–27）。

① 湖北省文物考古研究所等：《湖北天门市石家河古城严家山遗址 2016 年发掘简报》，《考古》2018 年第 7 期。

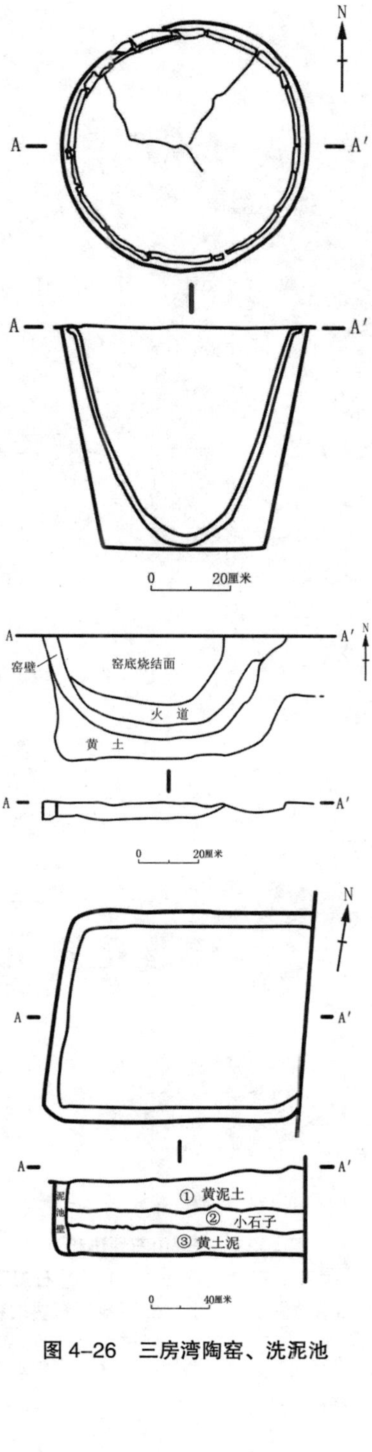

图 4-26　三房湾陶窑、洗泥池

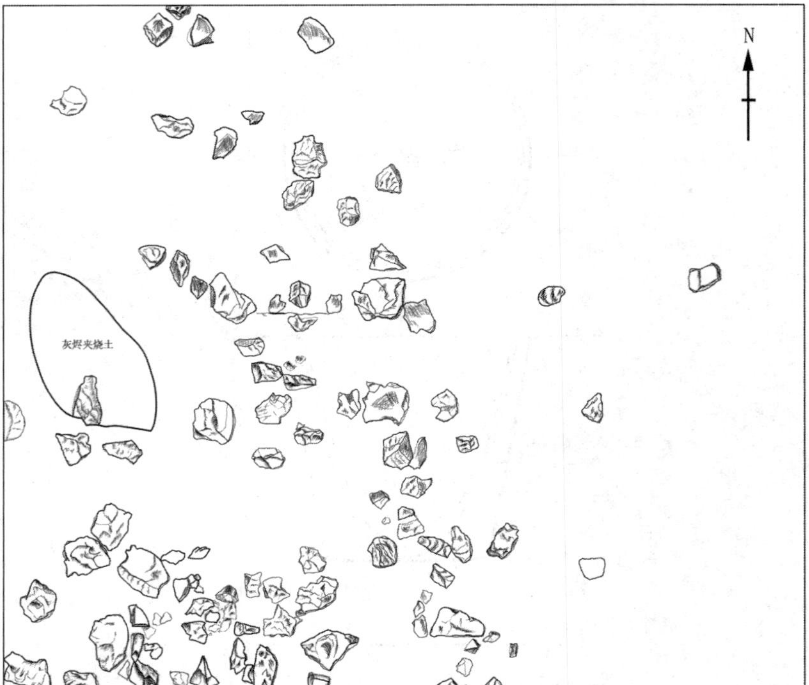

图4-27 严家山石块堆积

1. 砺石（石块堆积2：5） 2. 砺石（石块堆积2：4） 3. 石刀（石块堆积2：1） 4. 石镞（石块堆积2：2） 5. 玉料（石块堆积2：3） 6. 石料（石块堆积2：6） 7. 石料（石块堆积2：7）

4. 三房湾古桥

2011 年，在三房湾城垣之下距地表深 3.35—3.63 米深处，发现 11 根木柱东西向排列并向探方外延伸。平面可分为南北两排，间距约 1—1.1 米，北侧一排共 6 根，南侧一排共 5 根。木柱皆腐朽严重，5 根仍保存有炭化的木质结构，其余仅见柱状印痕。木柱直径约为 0.04—0.11 米，长度不详。除 3 根可能为方木外，其余皆为圆木。木柱打破的地层为湖相沉积。石家河城址在没有形成城垣以前，这里存在一条通往湖泊的南北向古河道。木构遗迹垂直于古河道，可能是连接三房湾与蓄树岭两地之间的一处古桥，年代应不晚于屈家岭文化晚期（图 4–28）。

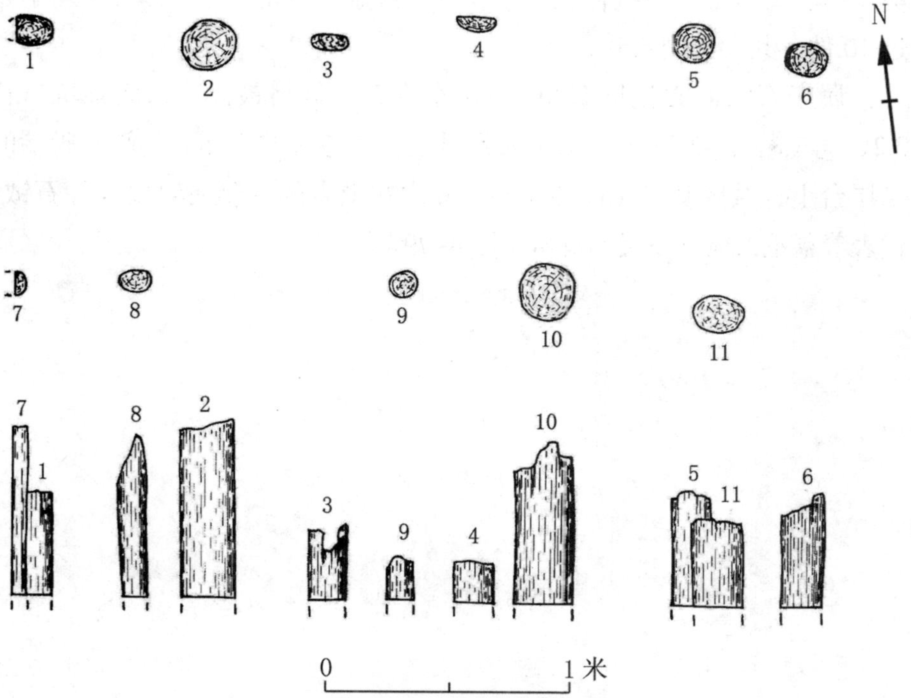

图 4–28　三房湾古桥

5. 肖家屋脊中型墓地

肖家屋脊遗址点位于天门石家河古城外东南方向，是石家河古城的重要组成部分。1987—1991 年，石家河考古队在该遗址偏北区域进行了八次抢救性发掘，累计发掘面积 6710 平方米。发掘除揭露了东、西两片面积较大的居址以及与数处与祭祀相关的遗存以外，还揭露了西北、东南、南部三个集中分布的墓区，其中西北 18 座土坑墓、东南 18 座、南部 17 座，余 7 座零散分布，共计 60 座墓葬。

60 座土坑墓中有 50 座出土随葬品。随葬品除少量石器（M7 石钺 1 件与 M48 石凿 1 件）以外，其余皆为陶器。陶器共 827 件，大类有高领罐（386 件）、敞口杯（266 件）、鼎（99 件）、碗（30 件），四类器物所占陶随葬品总数的比例分别为 46.68%、32.17%、11.97%、3.63%，其余诸类（罐、大口罐、高柄杯、小罐、豆、器盖、纺轮、壶、钵等）均不超过 10 件，共占比例 5.5%。

属于石家河文化早期 M7 位于东南墓区规格最高。这座墓坑口长 3.2、宽 1.8、深 2.35 米，墓主人为男性，在逝者的头端、脚端及脚端的二层台上，共随葬了 103 件陶器，其中在逝者的左侧还置放一件石钺，代表着墓主人极其高贵的身份（图 4-29）。

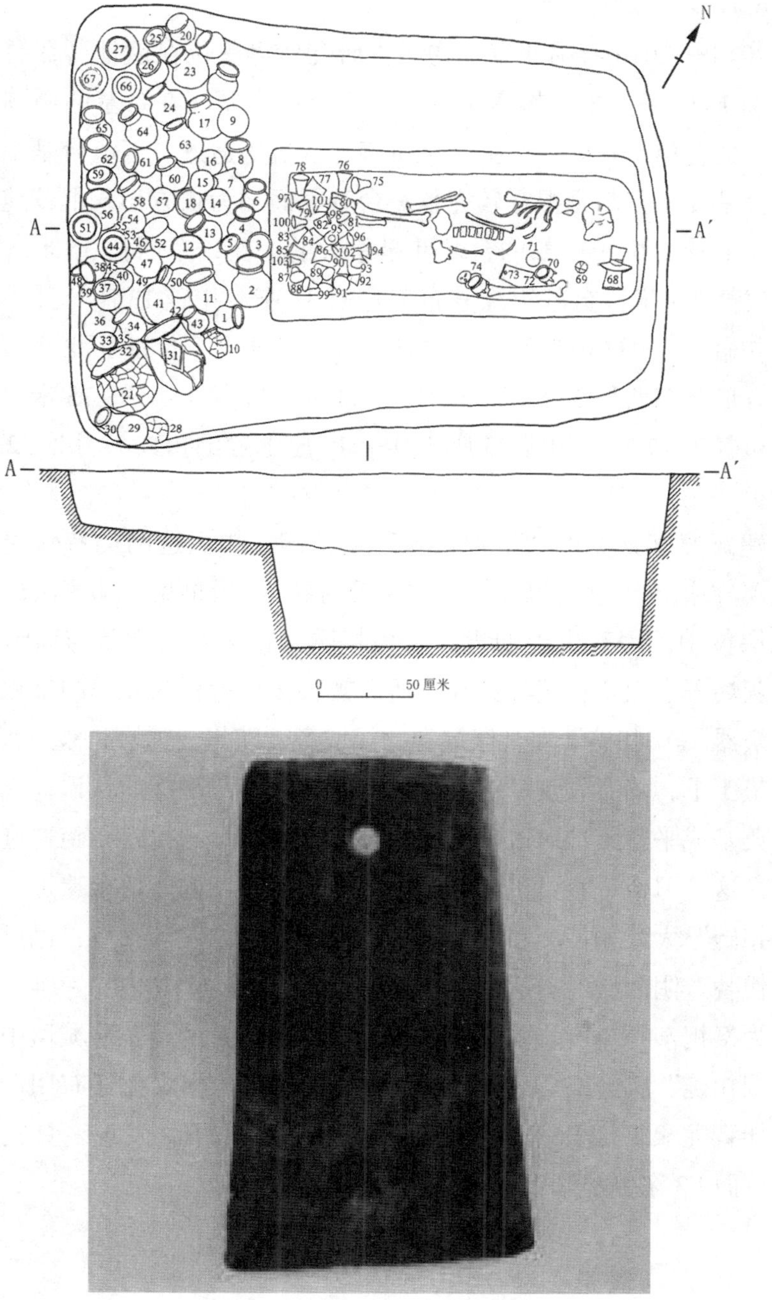

图 4–29　肖家屋脊 M7 与随葬品石钺

6. 印信台祭坛

2014—2016 年湖北省文物考古研究所等单位在遗址所在台地的顶部发掘 1475 平方米，揭露了五个祭坛类的台基，在台基的周围，分布着大量的瓮棺、扣碗、套缸、土坑墓、灰坑等遗迹。五座台基中，台基Ⅰ、台基Ⅱ、台基Ⅲ揭露较完整。台基平面均为长方形，由较纯净的黄土堆筑而成。位于南部的台基Ⅱ是最大的一座，东西长 35 米、南北宽 12、残高 1.1 米，台基边缘分布着瓮棺 31 座、扣碗 13 座（其中 4 套上置倒扣缸）、扣缸 4 座（均为单缸）。台基Ⅲ位于台基Ⅱ北部，平面大致呈方形，东西长 22.5 米、南北宽 8.8 米，残高 0.65—0.75 米。台基边缘分布瓮棺 27 座、扣碗 23 座（其中 10 座上置倒扣缸）、扣缸 2 座（图 4–30）。

建筑奠基常见的“祭祀仪器”是扣碗、扣豆这两类特殊遗存（图 4–31）。“扣碗”顾名思义，即“两碗对扣”，最早见于邓家湾的屈家岭文化层位中，因其出土的背景较为特殊，在邓家湾常常与筒形器、土台、灰烬等宗教祭祀遗存共存，所以被很多学者视为先民的祭祀过程中的“祭器”。“扣碗”在肖家屋脊的灶坑旁、随州金鸡岭和邓州八里岗的房屋垫土下，均有发现，扩展了我们对“扣碗”功能的认识，或认为与房屋奠基或平整土地时的仪式相关。石家河遗址是揭露扣碗遗迹最多的地方，这一习俗一直可以延续到石家河文化晚期的印信台遗址。“扣豆”与“扣碗”大致相似，目前仅见于城河。除了扣碗和扣豆，也可用其他器物代替。阴湘城的石家河文化遗迹中，是在一个盆内扣一碗。使用扣碗作为祭祀甚至一度影响周边地区，在淮河下游的藤花落城垣中，就曾用“倒扣碗”实施祭奠。除了用陶质器物，石家河文化还有用动物奠基的，如青龙泉 F3、F6。其中，F6 南室东边墙基下，发现一具完整的猪骨架，而 F3 东侧房基下发现一具完整的狗骨架。

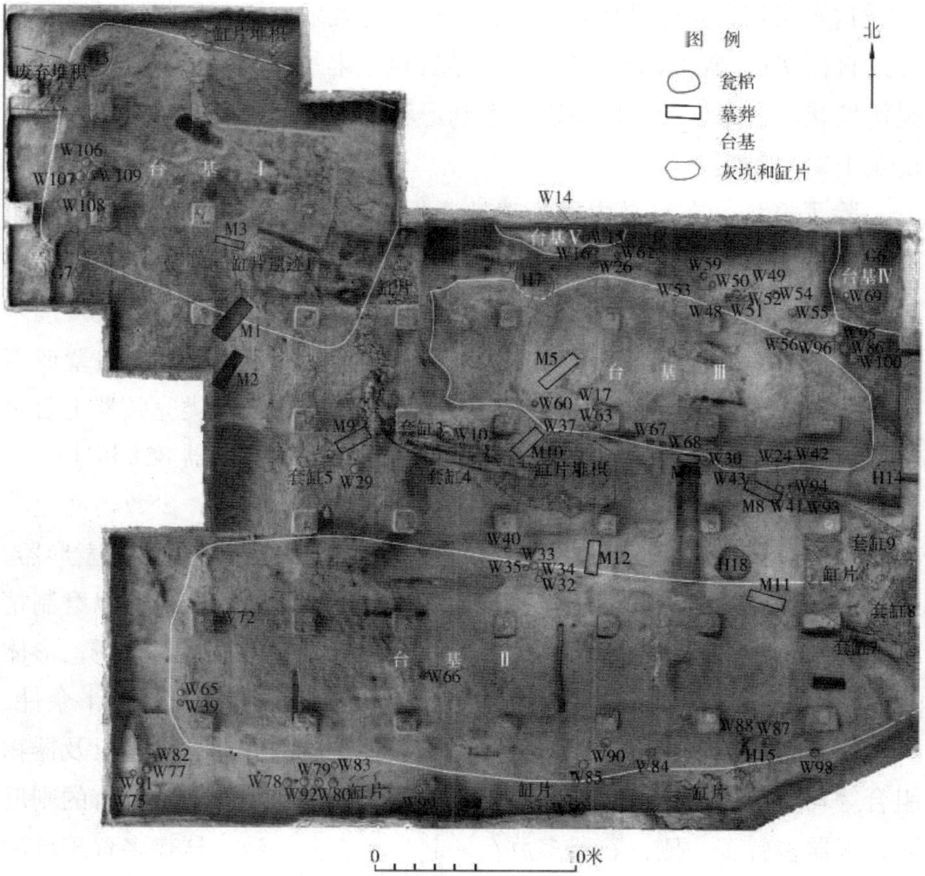

图 4–30 印信台祭坛与祭祀遗迹

1 2

图 4–31 石家河文化扣碗、扣豆

1. 扣碗（印信台） 2. 扣豆（城河）

这类祭坛在阴湘城屈家岭文化时期也有发现。阴湘城祭坛平面呈圆形，直径 9.1、高 0.8 米。整个祭坛系红烧土堆筑而成，顶部较平，周围呈漫坡状。在祭坛的周围发现数个圆形和长方形的土坑，坑内填较纯净的黄土，无其他包含物[①]。

除了祭坛，在宜昌中堡岛遗址还发现了祭坑。1993 年宜昌博物馆在中堡岛遗址中部 80 平方米范围内发现属于屈家岭文化的 23 个器物坑（部分有打破关系），坑口多呈椭圆形，极少近圆形，长径一般 180 厘米左右，短径 120 厘米左右，坑深 25—80 厘米（多为残深），斜壁或直壁，多为平底，部分为台阶状，坑内置有陶、石、玉等类完整器七百余件，可以拼对复原的数百件，合计 1000 余件，其中陶器 85% 以上，玉石器占 15%。陶器多为黑陶，次为灰陶和红陶，胎较薄，少数器物上绘彩，器形以高圈足杯为大宗，次为双腹豆、双腹碗、盂形器、壶形器、斜腹杯、弧壁平底器、细颈壶、簋、器盖、环、纺轮等；石器以磨制精细的锛、凿为主，次为斧、杵、环等；玉器较少，有璜、环、镯，形体规整，制作精细，钻孔工艺水平甚高。坑内器物多者达一百一十余件，少者仅十余件，多分层放置，分层存放位置与器物方向、器类以及器物组合等均有规律可循。有的上层多置双腹豆，双腹碗等器物，有的则反之；玉器多置于一侧；石器多放在一起，且方向一致；器物多置于坑的西南边。这批器物坑无论就其规模、形制，还是所置各类器物的规律性特点，在长江流域尚属罕见[②]。张绪球根据坑内无人骨痕迹、绝大多数存在打破关系、大量随葬器物非峡江一带埋葬传统等特点，认为这批器物坑非墓葬，而是祭祀坑[③]。至于祭祀对象，有学者进一步认为是祭祀河神。

---

① 张绪球：《屈家岭文化》，北京：文物出版社，2004 年，第 213 页。

② 卢德佩：《湖北宜昌中堡岛发现原始社会群体器物坑》，《江汉考古》1994 年第 4 期。

③ 张绪球：《屈家岭文化》，北京：文物出版社，2004 年，第 215 页。

（二）沙洋城河——院落建筑与墓地

1. 城河城址

城河城址原名“草家湾遗址”，位于湖北省沙洋县后港镇双村村，地处江汉平原西北，汉江西岸，长湖北岸，属荆山余脉的丘陵岗地向平原的过渡地带。1983 年发现并确定为新石器时代遗址①。2006 年，荆门市文物考古研究所对遗址进行了复查，确认了城址的年代和范围，并初步弄清了城内布局。2012 年至今，中国社会科学院考古研究所等单位对城河城址进行了持续勘探与发掘②。

城河城址是一处区域性中心聚落，周边 8 平方千米范围内发现 6 处同时期的遗址点。城址平面为不规则椭圆形，保存有城垣和城壕系统，以城壕的外边为界，南北长约 900 米、东西宽约 1000 米，面积达 70 万平方米。城垣内侧南北长约 600 米、东西宽约 800 米，城内面积约为 50 万平方米。20 世纪 60 年代的整田、开渠、修路等活动中，城垣遭到了严重破坏，尤以西城垣为甚。现有一条公路沿西城垣东缘贯穿南北，城内北部有一条土路东西向穿过城址。

在城址外有一条古河道从城西、南两个方向经南城垣向东流后，再折向南流注入长湖，古河道距城垣 50—240 米不等；河宽 20—30 米，河床距地表 4—10 米。城址东南角、北城垣西端西部、北城垣西端中部、南城垣中部各有一处缺口，可能为水门。东南缺口宽 3—5 米，西北缺口宽 5—8 米。城垣东南角缺口外现为一堰塘，城内从西北城垣缺口处有一条低洼地在城内弯曲向南后折向东，与城垣东南角缺口相连（图 4–32）。

---

① 国家文物局主编：《中国文物地图集·湖北分册》，西安：西安地图出版社，2002 年。

② 中国社会科学院考古研究所等。《湖北沙洋县城河新石器时代城址发掘简报》，《考古》2018 年第 9 期；中国社会科学院考古研究所等：《湖北沙洋县城河新石器时代遗址王家塝墓地》，《考古》2019 年第 7 期。

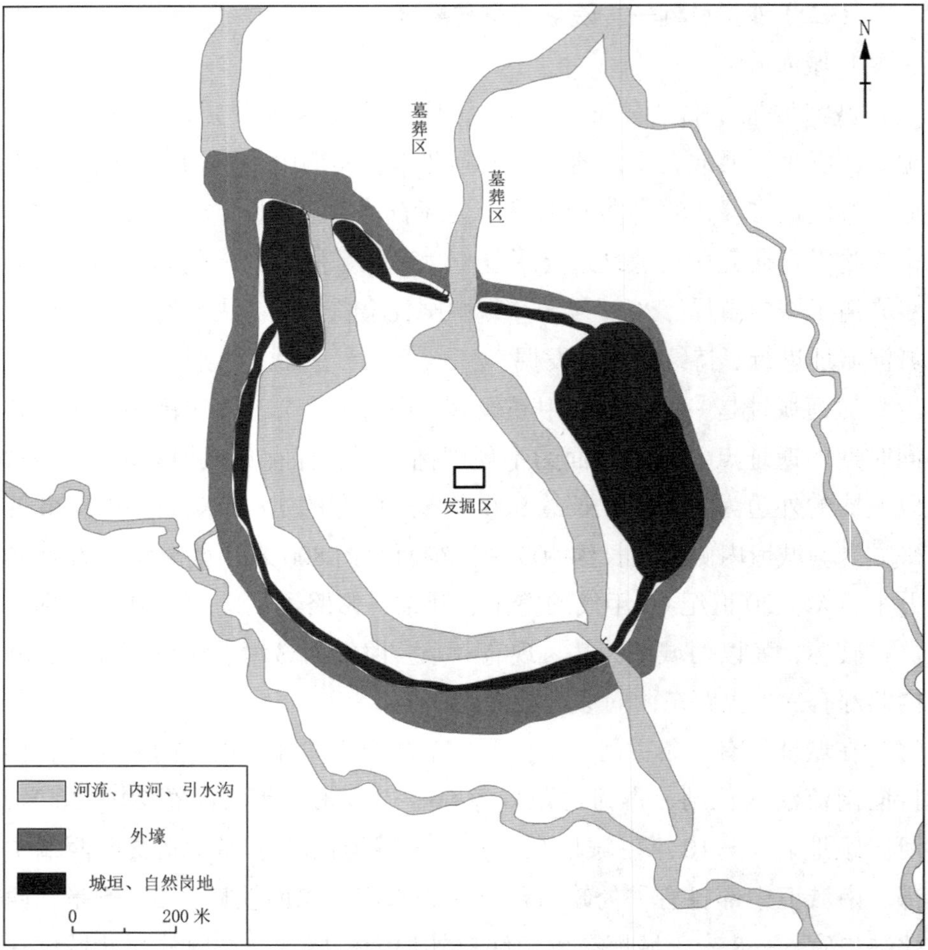

图 4–32 城河城址布局

城河城址偏东北部未见城垣，而是以西北—东南向的自然高岗地作为天然屏障，城址的东、南、西和北面城垣则为平地起筑。保存较好的城垣主要是南城垣和北城垣西段。东城垣为局部筑建，北端与东北岗地相连，残长 130 米、宽 20—40 米、高 1—1.5 米；顶宽 8 米、高出周围低地 2 米。北城垣长约 300 米、残宽 8—50 米，长 500 米、宽 50—300 米、高 2—5 米。西城垣南段保存较好，长约 800 米、宽 15—50 米、残高 3—5 米。

南城垣外壁较陡直，内坡平缓。长约650、宽5—38、高6—7米。截面呈梯形，顶窄底宽，顶宽6—10、底部宽25—39、高出地面4—5米。城垣外侧表土层下即为城垣本体。城垣土质板结，黏性较强，可能经过简单的加固处理。每层堆积虽然土色、土质和夹杂的土块稍有不同，但均未发现任何文化遗物，应是由不同类型的生土混合而成。每层堆积厚度从0.1米至0.45米不等，呈现北高南低倾斜的堆积，土方可能主要来源于南侧城外区域，且很可能是经过短时间建筑而成的。城垣底部发现大面积植被痕迹，“茎叶痕迹”清晰可见，可能为当时的“地面遗存”，这说明城垣应是平地起建。垣内坡上部较陡，下部呈缓坡状延伸至内坡台地，台地之上分布有大量文化遗存，这说明古人在这一区域长时间居住。内坡边缘发现了2条呈东西向、与城垣走向平行的沟，沟内堆积可见褐色斑块或沙性淤土，可能为城垣使用时期的排水设施（图4–33）。

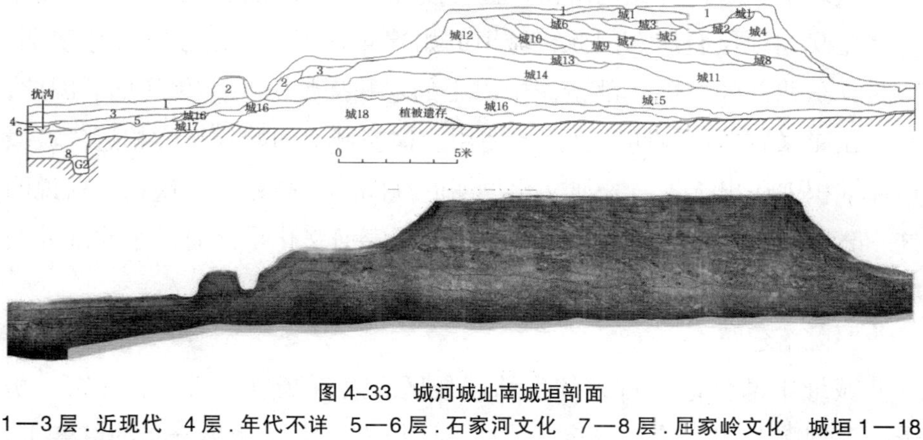

图4–33　城河城址南城垣剖面
1—3层．近现代　4层．年代不详　5—6层．石家河文化　7—8层．屈家岭文化　城垣1—18层．城垣堆积

城壕环绕于城垣的外侧，平面为椭圆形，底部呈锅底状。壕宽19—61米、深2.3—6米。城壕6—8层为淤土和淤泥层，很可能是城壕使用时期的堆积，1—5层未见水浸痕迹，可能为城壕废弃后的堆积。

与城壕呼应，城垣东南、西北及北部中段均设有水门，城外的水源可通过两条引水沟引进外城壕，再通过水门1、水门2引进城内，分别从城内的西、东两条内河汇集于水门3，再从此处经人工分水沟排至城外的自然河流，从而形成一套复杂的水系（图4–34）。

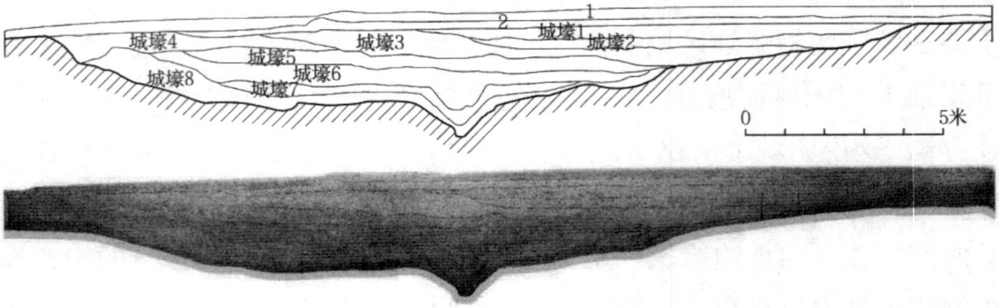

图4–34　城河城址东城壕剖面图
1、2层.近现代　城壕1—5层.城壕废弃堆积　城壕6—8层.淤土淤泥层

城垣堆积未包含文化遗物，且直接叠压于当时的地表之上，被屈家岭文化晚期地层叠压。因此，城垣的始建年代不晚于屈家岭文化晚期。同时，东北部外城壕底部淤泥中出土的遗物属屈家岭文化晚期。因此，城壕在屈家岭文化晚期即已开始使用。这与城垣的始建年代相近。城壕顶部堆积中还出土了石家河文化早期的红陶杯、高领罐等遗物。这说明这一时期，城壕之功能已大大减弱，即石家河文化早期时，东北部外城壕已接近废弃。

2. 院落建筑

城址中部台地为古人的生活居住区。发现灰坑、灰沟、陶窑、房子、大型院落式建筑、扣碗等。这一区域发现大片密集分布的红烧土，几乎连成一片。这些红烧土堆积的性质不明，可能是当时城内居住区的建筑遗迹或与之相关的废弃遗存，也可能是有意铺垫的“广场”之类设施。发现的9座房屋可分为红烧土堆砌、成组柱洞、挖槽修基三种类型。其中，F9面积最大，为大型院落式建筑的一部分。

F9呈西北—东南向，在东、西两侧各有一组建筑，二者对称，中间以墙体相连，总面积近800平方米。东侧仅局部可见基槽，形制、结构不明。西侧建筑墙基布局相对清晰，为五间相连房屋组成的排房，南北长27.4米、东西宽10.2米，室内宽8米左右，总面积约200平方米（图4–35）。

F9应是一次性建成，部分墙基中心和内侧可见成组分布的柱洞，大小有别，应与墙体加固和承重有关。F9—1内侧还有短墙分布，可能是用来分隔空间和承重。F9的北侧外围有与建筑北墙走向一致的灰沟，或与建筑使用时的排水设施有关。

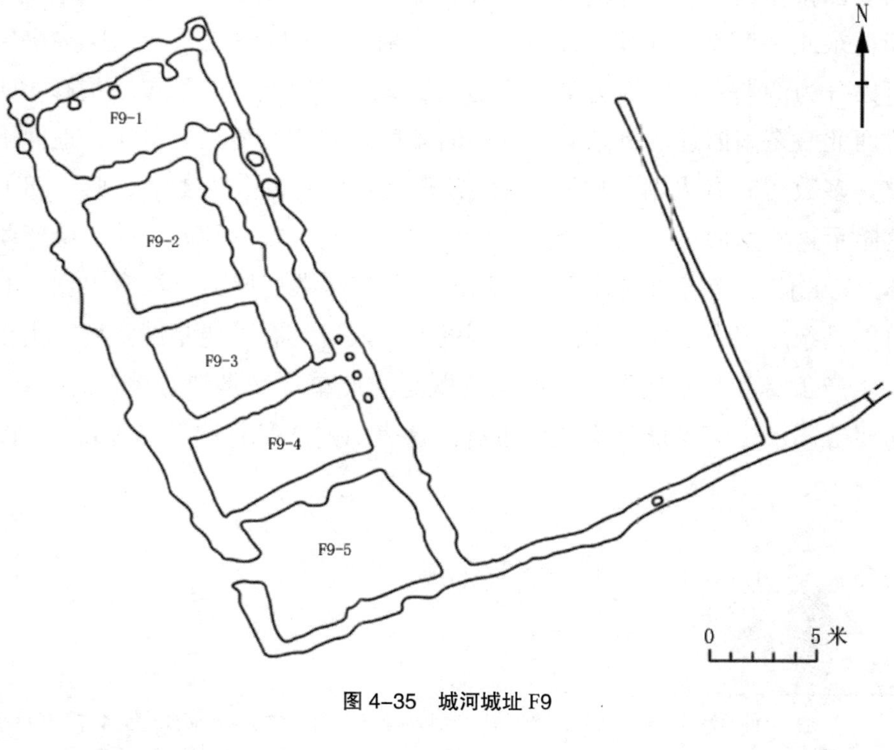

图4–35　城河城址F9

屈家岭文化时期应是城址的鼎盛阶段，中部台地建造有大型院落式建筑，周边则分布着中小型房屋，并在它们附近发现四耳器、筒形器、黄土台等祭祀活动的遗存，可能也存在必要的陶器生产活动。与中部台地的大规模生产、生活遗迹不同，南城垣内坡台地发现的多为普通的生产、生活设施，不见可与中部台地媲美的大型建筑、黄土台等遗迹。或许是城内可利用土地资源的稀缺，也迫使人们对某些地点的土地进行了反复平整和频繁利用，由此也遗留了属于土地“奠基”活动的扣豆、扣碗等遗存。石家河文化早期，城河城址居民开始收缩至南城垣内坡台地、东北岗地等少量地点进行生产、生活活动[①]。

这种院落式的建筑还见于淅川黄楝树。黄楝树院落式建筑略呈长方形，由 25 间房屋组成，有单间和双间之别，其建筑方式基本一致，均为木骨泥墙；布局严谨，方向一致，显然经过统一规划。西北—东南向有四排排房，北一排有 6 间，北二排有 3 间，南二排、南一排各为 1 间，东北—西南向排房共 15 间。从房屋的叠压打破关系看，这些房屋可以分为两期，第二期为第一期房屋倒塌后在原址、按原布局重修。四排西北—东南向、一排东北—西南向排房之间的院落土质坚实，地面平整。多数房间有火塘，1 室 1 塘比较常见，也有少数为 1 室 3 塘（F8），这暗示这些房屋可能为一个家庭所居住，而整个院落则属于一个亲族团体。F28 位于院落的中心位置，建筑面积较多数房屋大，没有火塘，有可能是亲族议事之所。屋内共发现的 5 个灰坑，有可能是储藏坑，出土有生产工具和日常用器，表明家庭既是生产单位又是消费单位。动产、房屋等不动产都可能为家庭所占有，这表明财产私有制已经出现[②]（图 4–36）。

① 中国社会科学院考古研究所等：《湖北沙洋县城河新石器时代城址发掘简报》，《考古》2018 年第 9 期。

② 郭立新：《屈家岭文化的聚落形态与社会结构分析——以淅川黄楝树遗址为例》，《中原文物》2004 年第 6 期。

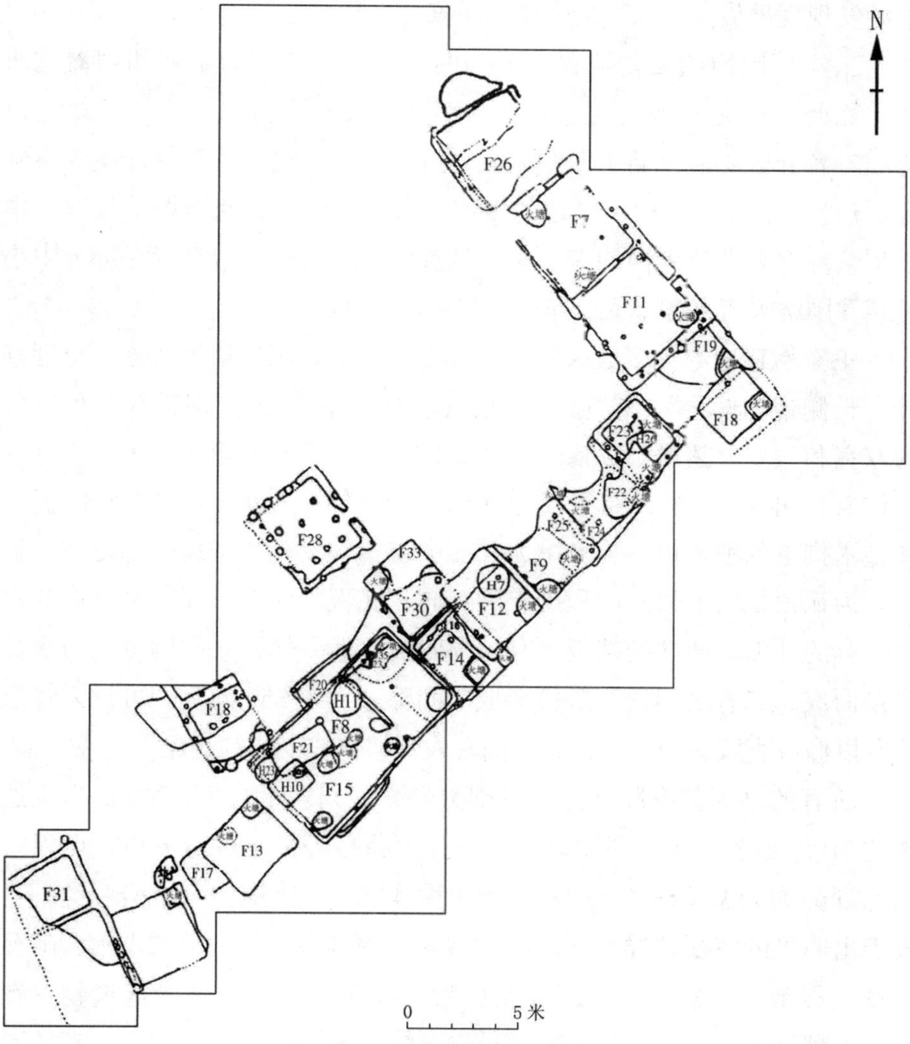

图 4–36　黄楝树遗址屈家岭文化院落

3. 王家塝公共墓地

王家塝公共墓地位于城河城址的最北端，为这一区域地势最高处，海拔达 53 米，地形呈不规则三角状自然岗地，面积约 9000 平方米。2018—2019 年，勘探发现了屈家岭文化的墓葬 200 多座，面积约 5000 平方米，对其中的 112 座墓葬、3 个陶器坑进行了发掘。这是目前长江中游发现规模最大、保存最完整的屈家岭文化墓地。

王家塝岗地的文化遗存可分为两大区域，北部为墓地和陶器坑所在，除此之外无其他文化遗存；南部则分布有少量黑灰土、红烧土遗迹。二者分区明显，囿于发掘面积，黑灰土、红烧土遗存的性质尚不确定。7 座大型墓分别位于墓地的中部、东北、西北、西南四个位置。中小型墓葬在墓地范围内均有分布，且墓向不尽相同，似乎存在部分中小型墓葬围绕大型墓葬单元分布的格局（图 4–37）。

王家塝墓地绝大多数为竖穴土坑墓，墓坑较深，墓圹清晰，个别墓葬一长侧带“偏洞”，棺木一半被镶嵌在偏洞中。同穴多室合葬可以分为双室和三室。超过 70% 墓葬可见葬具痕迹，葬具体量大小不一，有的棺体直径可达 1.5 米，有的仅为 0.4 米，具体可分为长方体形状的板棺和整木掏空的独木棺。独木棺为长江中游首次发现，结构较为复杂，盖板均为弧顶，向上弧凸的程度有所不同；底板则向下凹弧；侧壁有的斜直，有的外弧；两端的挡板，有的与底板浑然一体，有的则可能与底板拼接而成，二者之间留有拼接形成的间隙。大约 25% 的墓葬可见人骨痕迹，以仰身直肢葬为主，另有 4 例有人骨移位或变形的迹象。

所有的墓葬都有随葬品，少则数件，多则六十余件，M202 出土遗物达 70 件之多。从墓葬规模、葬具、随葬品等情况进行分析，可以将墓葬划分为大型（图 4–38）、中型（图 4–39）、次中型、小型四类，且表现出明显的特征差异。大、中型墓葬的葬具多为独木棺或木棺，随葬玉钺、石钺、漆器、象牙器以及大量磨光黑陶、猪下颌骨等遗物，在大、中型墓葬填土中，还发现随葬瓮、罐、夹砂红陶缸的现象。有的紧贴棺盖顶部，有的则保持着一定的高度，有的放在二层台上。小型墓葬规模较小，葬具的使用率低，随葬品均为陶器。

图 4–37　王家坊墓地墓葬平面图

大型墓共发现 7 座，已发掘 6 座。其中 5 座为同穴双室合葬墓，一座为同穴三室合葬墓，均头向朝南，面积均在 10 平方米以上或接近 10 平方米，墓室深达 1—2.5 米，有的墓葬内部还有生土二层台。所有大型墓的填土中均填埋有大型带盖陶容器。随葬品数量最多的可达 70 余件，以陶器为主，还有部分漆器、象牙器、玉石钺等。

1

2

图 4-38　王家垱墓地大型墓

1.M112　2.M202

1

2

3

图 4–39 王家塝墓地中型墓（M90）
1. 填土遗物 2. 棺痕及陶缸 3. 葬具及随葬品

王家塝墓地还发现 3 个陶器坑。陶器坑 1 位于墓地东部，平面形状为圆形，直壁，平底。直径 0.7、深 0.16 米。坑内交错叠压放置 7 件完整的陶器，陶质较差。器类以豆为主，并有少量罐。坑内填土为黄褐色黏土夹杂大量黑色砂粒，似是有意将黏土和砂粒混合填埋。该陶器坑位于 M48 和 M49 之间，而两墓葬规模较小，三者之间的空间关系值得关注，有一种可能就是 M48 和 M49 共同享用该坑内的陶器（图 4–41）。

1

2

图 4–40　王家塝墓地出土遗物
1.M224 随葬品　2. 小型墓（M4）

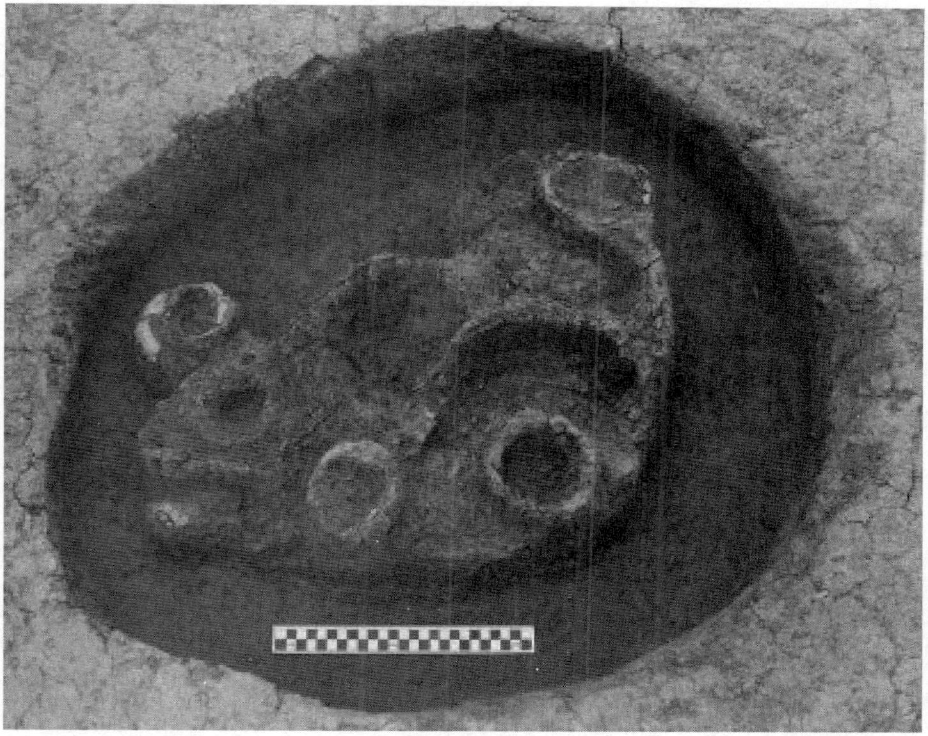

图 4–41　王家塝墓地陶器坑 1

4. 石首走马岭——城垣居住区

走马岭城址位于湖北省石首市东升镇走马岭村与屯子山村的交界处，分布在高出周围 2—9.8 米的台地上，北距长江约 10 千米，西部紧邻石首市最大的湖泊——上津湖，东南有桃花山，是低山丘陵向平原的过渡地带。

1989 年，砖厂在城址东南部取土时发现该城址。1990—1992 年，荆州市博物馆等单位在取土区域先后进行了 5 次发掘并解剖了城垣，比较全面地了解了走马岭古城的性质、年代、规模等[①]。2004 年，荆州市博物馆与石首市博物馆对走马岭古城周边进行了调查与勘探，发现了走

① 荆州市博物馆等:《湖北石首市走马岭新石器时代遗址发掘简报》,《考古》1998 年第 4 期。

马岭北边的屯子山以及南边的蛇子岭遗址点，屯子山面积与走马岭大致相当，形状都极不规则，二者相距约50米，调查者认为走马岭古城与东北的屯子山古城是一对“姊妹城”，而走马岭南边的蛇子岭则是一段未闭合的人工土垣①。2014—2018年，为配合走马岭城址大遗址保护规划编制，武汉大学历史学院考古系联合石首市博物馆对该遗址进行了勘探、调查和发掘，发现原来所认识的走马岭城址实际属整个城址的内城部分，其外围还有一个外城，外城北面又有一个“瓮城”，内城外围有一圈完整的护城河，外城外围现存有断续的护城河，北面的“瓮城”外侧也有相对完整的护城河，并与外城护城河连通②。

走马岭城址呈圆形，由内城和外城组成。内城由砚盘山、西蛾子山、东蛾子山、东纱帽山、西纱帽山组成，东西长360、南北宽300米，城内面积7.8万平方米（图4–42）。内城城垣均为人工堆筑，外侧有一圈城壕。城垣宽窄不一，一般在30米左右。有些部位，如东南角、东城垣中部、北城垣和西南角，有一些不规则的大型人工台地，具体宽度当在50米以上。内城西部、南部城垣相对较窄，仅筑成一道横截面近梯形的土堆。北部经东北角到东南部一带的城垣较宽，上宽30.6米、下宽41米、高约6米（图4–43）。

① 荆州市文物考古研究所等：《湖北公安、石首三座古城勘查报告》，《古代文明·第4卷》，北京：文物出版社，2005年，第391—412页。

② 武汉大学历史学院等：《湖北石首走马岭遗址周边史前遗址调查简报》，《江汉考古》2017年第1期；武汉大学历史学院考古系等：《湖北石首市走马岭新石器时代城址的发掘》，《考古》2018年第9期。

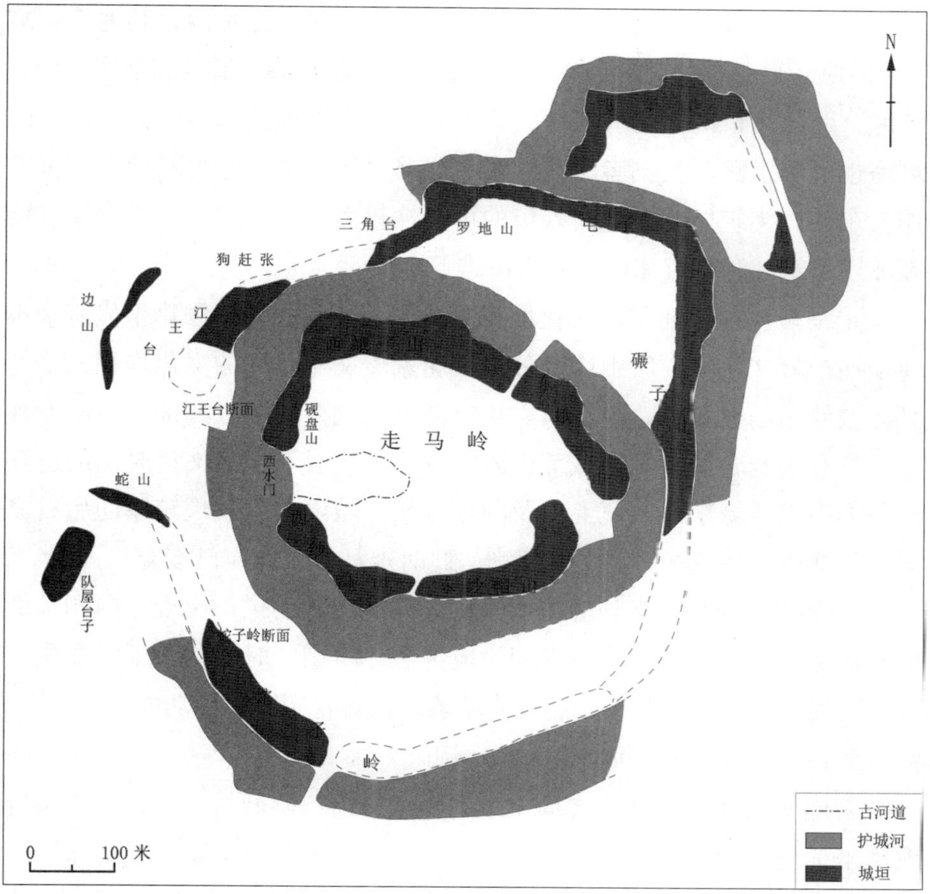

图 4-42　走马岭城址布局

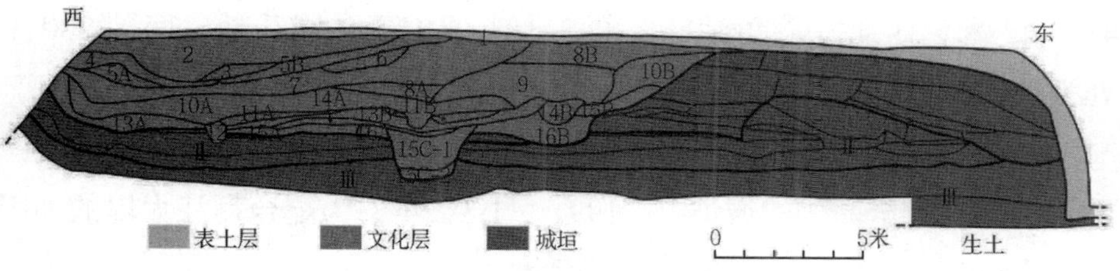

图 4-43　走马岭城址城垣剖面

走马岭内城东部地势较高，西部地势较低，在东、南、西、北各有一个豁口。西部豁口至中部洼地基本为淤泥堆积，无文化层迹。城址西部为上津湖，因此，西豁口可能为内城通往上津湖的水门，其他三个豁口均为城门。目前，正好有一条现代水泥道路从南豁口南北向横穿内、外城，北部豁口两侧均有城垣，宽度略宽于水泥道路，南部豁口西侧的城垣也紧邻道路。发掘者在南、东、北豁口均开展了考古勘探和试掘工作，东豁口为筑城时所留出入口的可能性较大，但南北豁口为后期修路破坏还是筑城时所留豁口，目前还难下定论。

走马岭城垣被油子岭文化堆积所叠压，因此城垣的修建年代应该不晚于油子岭文化。内城中广泛分布有屈家岭文化时期的文化堆积，是走马岭城使用的繁盛期。石家河文化时期在内城西北部、北部、东部发现少量遗存，此时期走马岭城址进入衰落阶段。后石家河文化时期的遗存主要集中在内城东部城垣上面及附近区域，城壕内也发现较厚的后石家河文化堆积，并基本将其淤塞填满，此时走马岭城壕应已废弃①。

值得注意的是，走马岭城垣外侧修筑成较高的拱形土堆；内侧较低的平台上普遍分布有文化层堆积，应为居住所用，时间从油子岭文化一直延续到石家河文化时期。这说明城墙高台具备实际居住功能。

5. 江陵阴湘城——城垣修整与稻田

阴湘城城址位于湖北省荆州市荆州区马山镇阳城村三组，中心位置地理坐标为东经 112° 01′ 11″，北纬 30° 30′ 58″。遗址处于沮漳河下游平原和荆山余脉的交界地带。这一地区岗地与湖泊、河流交错，地势低洼，平均海拔约为 38 米。遗址所在区域地势则相对较高，平均海拔 41—42 米。西北临菱角湖，东部 2 千米即为枣林岗丘地，南部 200 米处为荆江大堤。

1983 年，荆州博物馆等对阴湘城进行了考古调查，确认该遗址是一处新石器时代至周代的城址②。1991—1992 年，为配合荆江大堤的加固

---

① 武汉大学历史学院考古系等：《湖北石首市走马岭新石器时代城址的发掘》，《考古》2018 年第 9 期。

② 江陵县文物局：《江陵阴湘城的调查与探索》，《江汉考古》1986 年第 1 期。

工程，荆州博物馆对东城垣进行了发掘，初步搞清楚了城垣的修筑和使用年代[①]。1995年，荆州博物馆与日本福冈市教育委员会联合组队，对城址进行了更大规模的调查与发掘，进一步搞清了城址的布局[②]。

阴湘城城址平面略呈圆角方形，东、西、南三面城垣保存完好，北侧被湖水冲毁，北城垣已无存。城外有城壕，南城垣与东城垣转角处略外凸，城址东西长约580米、南北残宽约350米（图4-44）。城垣全长约900米，高出城内地面1—2米，高出城外城壕5—6米，城壕宽30—40米。东西两面城垣宽且高，南城垣则较为窄矮。城垣宽约10—25米、东城垣墙基最宽处为46米。城垣最高点在东城垣上，海拔为44.4米，城垣最低点海拔37.9米，二者高差为6.5米。

阴湘城城垣修筑可以分为两个时期，第一期城垣修建在生土之上，基础凹凸不平。城墙的修筑方法为先填平基础，再在基础上层层堆垒，似经过夯打，但夯层不明显。城垣截面为梯形，由墙体和护坡组成。墙体是以纯净的灰白土、灰黄色土堆筑成斜坡状，土质松软。为防止墙体流失，墙体表面用纯净的黄色黏土加固，似经夯实，表面光滑，分界明显，下部坡度平缓，形状不太平整。墙体高约8米，顶面宽约6.5米，底部宽约30米，与城壕边缘高度落差为7.8米。城内有护坡，以黄褐土修筑，与墙体顶部的高度落差为3米。城墙与护坡的土方有可能来自城址周围，低洼处下挖形成城壕。护坡与墙体在土质、土色上差别明显，应是在墙体建成后堆筑而成，以加固墙体，其年代应与城墙年代一致。在护坡之上的文化层中，发现了屈家岭文化遗物，这说明第一期城墙的年代下限为屈家岭文化时期。

---

① 荆州博物馆等：《湖北荆州市阴湘城遗址东城垣发掘简报》，《考古》1997年第5期。

② 荆州博物馆：《湖北荆州市阴湘城遗址1995年发掘简报》，《考古》1998年第1期。

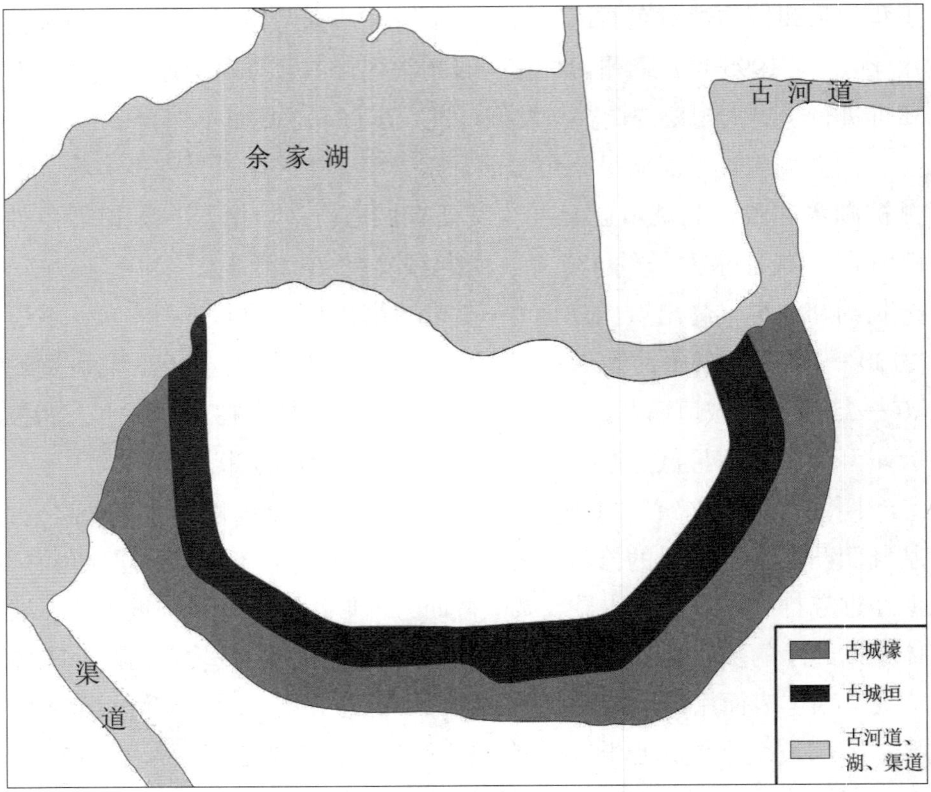

图 4–44 阴湘城城址航拍图

第二期城垣是在第一期的基础上加高加宽而成的，城墙基础宽 45 米，墙体为黄褐色和灰褐色黏土，厚约 2—4 米。墙体为分层堆筑，层次清晰，但不平整，皆向墙心部分倾斜。第二期城墙靠近第一期城墙顶部的内外两侧，又进行过修整，有明显的夯筑和版筑痕迹。内侧修整厚度为 2.5—3 米，用含草木灰和陶片的新石器时代文化堆积分层夯筑，层次明显，厚薄不一。修整堆积内包含有大溪文化、屈家岭文化、石家河文化遗物。外侧修整厚 2.15 米，以商周时期的文化堆积版筑，夯层清晰平整。这说明第二期城墙经过屈家岭文化至石家河文化、商周时期的修整（图 4–45）。

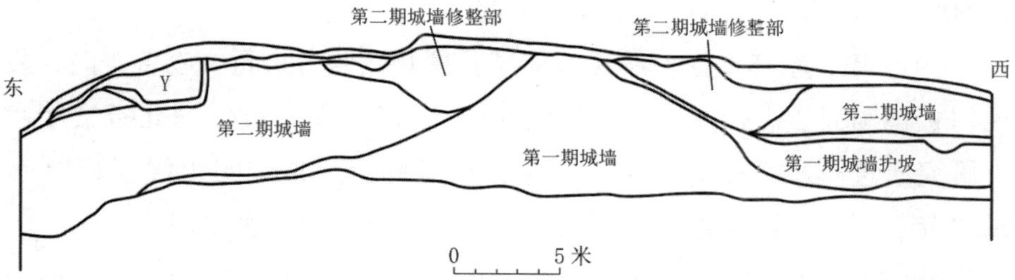

图 4–45 阴湘城城址东城垣剖面

城内东部地势较高，地形平整，海拔 41.6—42.6 米，其上现为水稻田及少量鱼塘，勘探发现了大量的红烧土堆积，似为密集的房屋遗迹，文化堆积厚度在 3 米以上，有可能是居住区。城址中部为一条南北向、宽约 50 米的低洼地，海拔 37.1—38.7 米，遗物分布较为稀疏。其与城壕的海拔相近，可能是城址中部的一条古河道。钻探发现此处地层中包含有大量的稻谷硅酸体，推测可能存在较为丰富的稻作遗迹，有可能是稻作农业区。城内自中部向西部地势逐渐趋高，海拔在 39.1—41.7 米。钻探表明文化堆积十分丰富，厚在 2 米以上，有大量红烧土，可能存在房址等遗迹，有可能同为居住区。西部偏南，文化堆积相对较为稀疏，可能为墓葬区。

城址内文化堆积包括大溪文化、屈家岭文化、石家河文化及商周等四个时期。由于第一期城墙直接修筑在生土上，且墙体内未出土文化遗存，难以确定第一期城墙的年代上限，仅可以确定其年代下限为屈家岭文化。第二期城墙则从屈家岭文化一直沿用至西周时期，到东周时则逐渐废弃。

6. 应城门板湾——土坯房

门板湾城址位于湖北应城市城北办事处星光村，中心位置地理坐标为东经 113° 32′ 18.82″，北纬 30° 45′ 49.23″，海拔为 26—37 米。地处大洪山东延余脉向江汉平原的过渡地带，低矮半丘陵与河湖交错。城址东、南、北三面均以古河道为界，西临小山岗，南北长 600 米，东西宽500—800米，总面积约110万平方米。

1979年，孝感地区博物馆、应城县博物馆联合进行文物普查时，发现门板湾城址[①]。1998年，为配合长荆铁路工程建设，湖北省文物考古研究所进行了发掘并解剖了城垣，初步确定了古城的年代和布局[②]。2000年，对门板湾城址进行了第一次全面调查和第二次发掘。

城址平面近长方形，南北长约550、东西宽约400米，面积近20万平方米。城垣外坡陡峻，内坡稍缓。城垣堆筑，土方来自外围城壕。堆筑方法为一层黄土夹一层淤泥，厚薄不均，未见夯打痕迹。西城垣保存较好，高出地表3—5米；南城垣较低，高出地表1—1.8米；东城垣、北城垣分别被河堤、水渠所压。西城垣横截面呈梯形，上窄下宽，顶部残宽13.5—14.7米，底部宽近40米，中段有一个宽约40米的豁口，疑是城门。城垣外有城壕，西城壕最明显，横截面为倒梯形，口宽底窄，长约260米，最宽处达60米、深1.8—2.5米。城垣、城壕底层堆积中均发现屈家岭文化遗物，这说明城垣的修筑年代、使用年代均集中在屈家岭文化时期。

城外南、北侧100—300米的范围内还散布着许多小型台地，如许家老屋台、许家大湾上湾、王湾老台等。每个台地的面积不等，最大的如许家大湾下湾，面积为3.5万平方米；最小的如门板湾老台，面积不足6000平方米。这些台地上的文化堆积的年代与城址相当，均属屈家岭文化时期。

在1998—1999年的发掘过程中，在西城垣下发现了1座屈家岭文化时期的房子（F1）。F1坐北朝南，方向10度，为土坯砖砌成的高台建筑，活动面高出周围活动面40—50厘米。墙体保存较好，最高处尚有2.2米，平均高度1.5米。F1面阔四间（自西向东依次编为Ⅰ—Ⅳ

---

① 孝感地区博物馆等：《应城市新石器时代遗址调查》，《江汉考古》1989年第2期。

② 陈树祥等：《应城门板湾遗址发掘获重要成果》，《中国文物报》1999年4月4日；李桃元：《应城门板湾遗址大型房屋建筑》，《江汉考古》2000年第1期。

室），进深一间，长 16.5、宽 7 米，建筑面积为 115.5 平方米。北墙外有走廊，走廊外有散水。中间两间面积较大，平面呈方形，使用面积约 17 平方米，旁边两室面积较小。门窗结构、火塘等皆保存较好；房子周围有由围墙构成的面积达 450 平方米的大型院落，为迄今新石器时代考古发现之最。

F1 修墙时先挖基槽，从基槽开始以土坯砌墙基，土坯长 35—44、宽 17—25、厚 5—7 厘米。墙体较厚，厚薄不均，一般厚度为 40—50 厘米，最厚处为 60 厘米，墙面皆涂抹夹杂有大量稻草及谷壳的白色涂料，室内涂层较厚，室外涂层较薄。

F1 共有 9 个门。分别开在北墙、西墙、走廊外墙及各室山墙上，门上部已经坍塌，结构不明，门宽 75—80 厘米，走廊东端门最大，结构保存较好。另外还开设有 7 扇窗户，除一扇在北墙外， 其余 6 扇都在南墙。除 F1 Ⅰ为小扁窗外。其余 5 扇均为落地大窗，尤以 F1 Ⅱ两扇窗户保存最为完整，有窗楣、窗台、窗框及一些细部结构，值得一提的是在窗框凹槽内还发现了一件用作垫窗扇轴的臼状圆形小石块。落地窗高 86、宽 88—96 厘米，窗台距离室内活动面 6—10 厘米。

室内活动面光滑平整，地面亦抹有黄色涂层，并经过多次垫平，局部地方清晰可见席纹编织物铺地痕迹，四室地面不在同一个水平面上，F1 Ⅰ略低，Ⅰ、Ⅱ室之间有台阶式门槛，Ⅱ、Ⅲ室在同一个平面上，Ⅳ室低于Ⅲ室 6 厘米。四个室中除Ⅰ室外，其余三室各有火塘一个，中间两间火塘皆位于室内中部略偏北，面积约为 1 平方米，一为方形，一为长方形；Ⅳ室火塘为椭圆形，紧挨西墙而建。

F1 四室门窗的设置亦体现各室有不同的使用功能，Ⅰ室仅有 1 门通Ⅱ室，南墙上设有一小窗，而Ⅳ室与Ⅰ室面积差不多，却设有两窗，除东墙有一门连通Ⅲ室外，西墙还有一门通室外（图 4–46）。

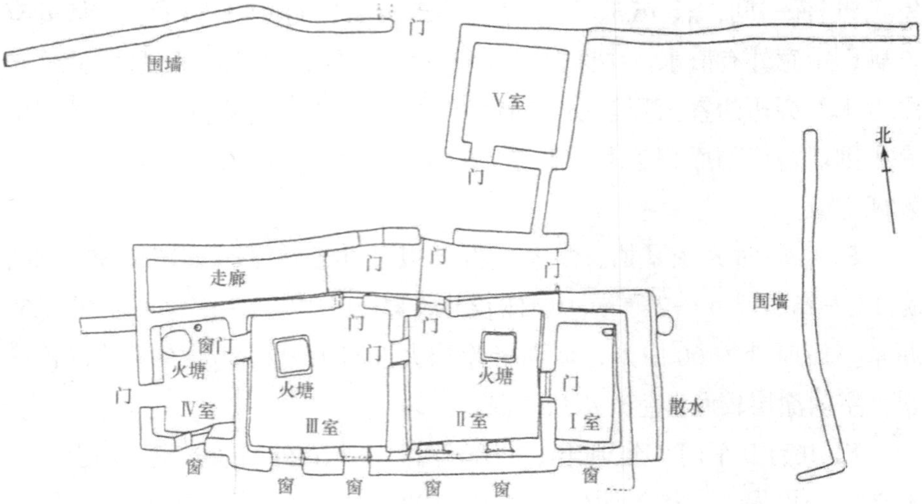

图 4–46 门板湾城址 F1 平剖面图

7. 孝感叶家庙——家山墓地

叶家庙城址位于湖北省孝感市孝南区朋兴乡叶家庙村和七份村，东南距孝感市区 6 千米，海拔 28—30 米，中心位置地理坐标为东经 113° 54′，北纬 34° 30′。城址北部为丘陵岗地，南部为平原湖区，地势由北向南逐渐降低。

20 世纪 80 年代，第二次文物普查时发现。2008 年，湖北省文物考古研究所对孝感叶家庙城址进行勘探和发掘。探明了城址的范围及城内布局，并推测该城址形成于屈家岭文化时期①。

叶家庙城址平面呈较规整的长方形，由城垣和环壕组成。以环壕的外沟边为界，南北长 560 米、东西宽 550 米，面积达 30 万平方米（图 4–47）。城垣内侧南北长 420 米、东西宽 350 米，城内面积大约为 15 万平方米。北城垣保存较好，顶宽约 30 米、高出周围低地 2—3 米。南城垣的东段被现代村落占压，中段保存较好，顶宽 27—30 米、高出现地表 4—5 米。西城垣北段保存较好，地表仍可见到较明显的南北向台地，

① 湖北省文物考古研究所等：《孝感叶家庙》，北京：科学出版社，2016 年。

高出平地 2—3 米；尤以南段地势最高，高出周围低地近 6 米。东城垣在地面已不存。西城垣、东城垣中部各发现一个缺口，有可能为城门。

城垣外发现比较完整的环壕系统，东部地表可见到利用环壕开挖的现代鱼塘；东南段的城壕宽度可能超过 40 米，现被密集的民居覆盖。据对南城垣和城壕的解剖，城壕开口一般在现地表下 0.5—1 米，沟深 2 米左右。除了环壕，可能还存在贯通城内的南北向沟，其北端起点位于城垣西北角，目前地表仍能见到一个缺口。环壕的西北角有一条城壕与古水相连，环壕的东南部向外亦有一南北向的沟，地面痕迹清楚，应为整个环壕的出水口。叶家庙城址东西长约 870 米、南北宽约 650 米，总面积约 56 万平方米。

城址西部外围的家山遗址早期为公共墓地，后期为居住。共发现瓮棺葬 44 座，土坑竖穴墓 27 座。26 座土坑竖穴墓中仅有 9 座有随葬品。44 座瓮棺葬分布在两个相对密集的区域，整体呈东北至西南的狭长地带。土坑墓主要分布在瓮棺葬密集分布区的西部和南部，形成相对集中的三片。瓮棺葬和土坑墓之间无打破关系，土坑墓均分布在瓮棺葬外围，对瓮棺葬形成了拱卫之势，这应该是一种刻意安排的分布。瓮棺葬之间有复杂的叠压打破关系，这说明墓地延续的时间可能较长（图 4-48）。

根据葬具之间的组合关系，家山墓地发现的瓮棺葬可以分为三类，第一类为两缸对扣，共 22 座；第二类缸与罐（或鼎、瓮）对扣，共 13 座。第三类为两件陶罐（或鼎）对扣，共 13 座（图 4-49，6—10）。

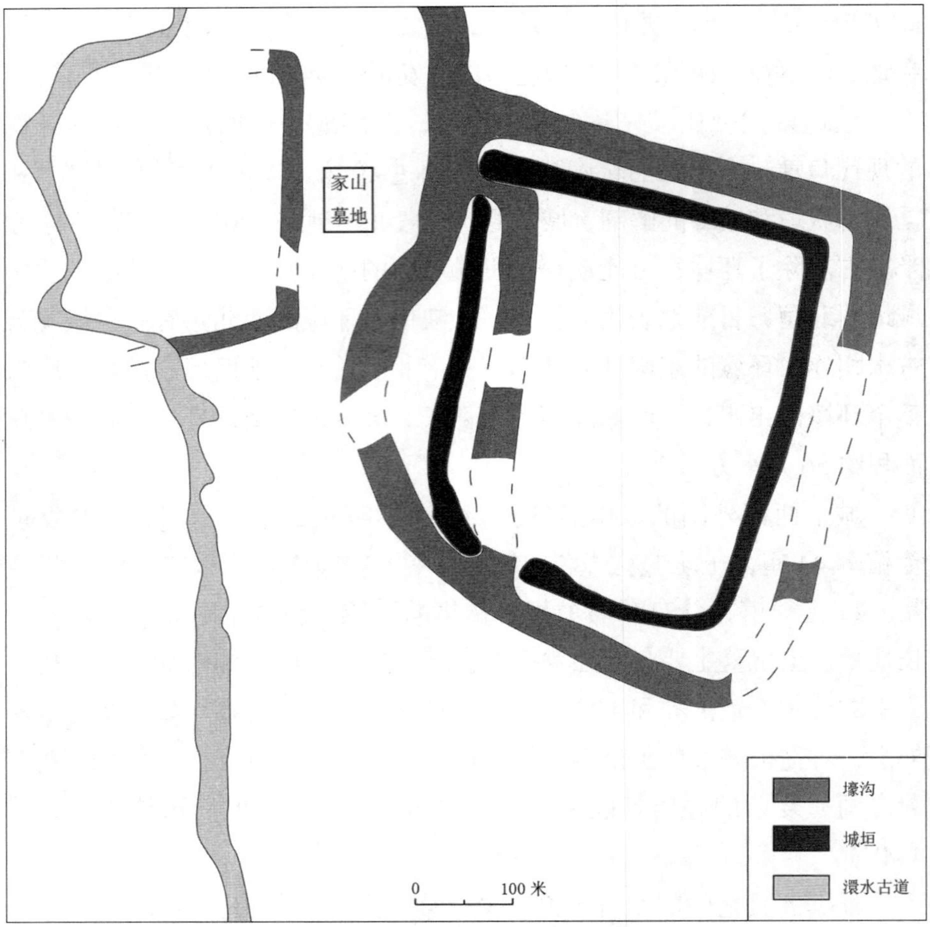

图 4–47　叶家庙城址布局图

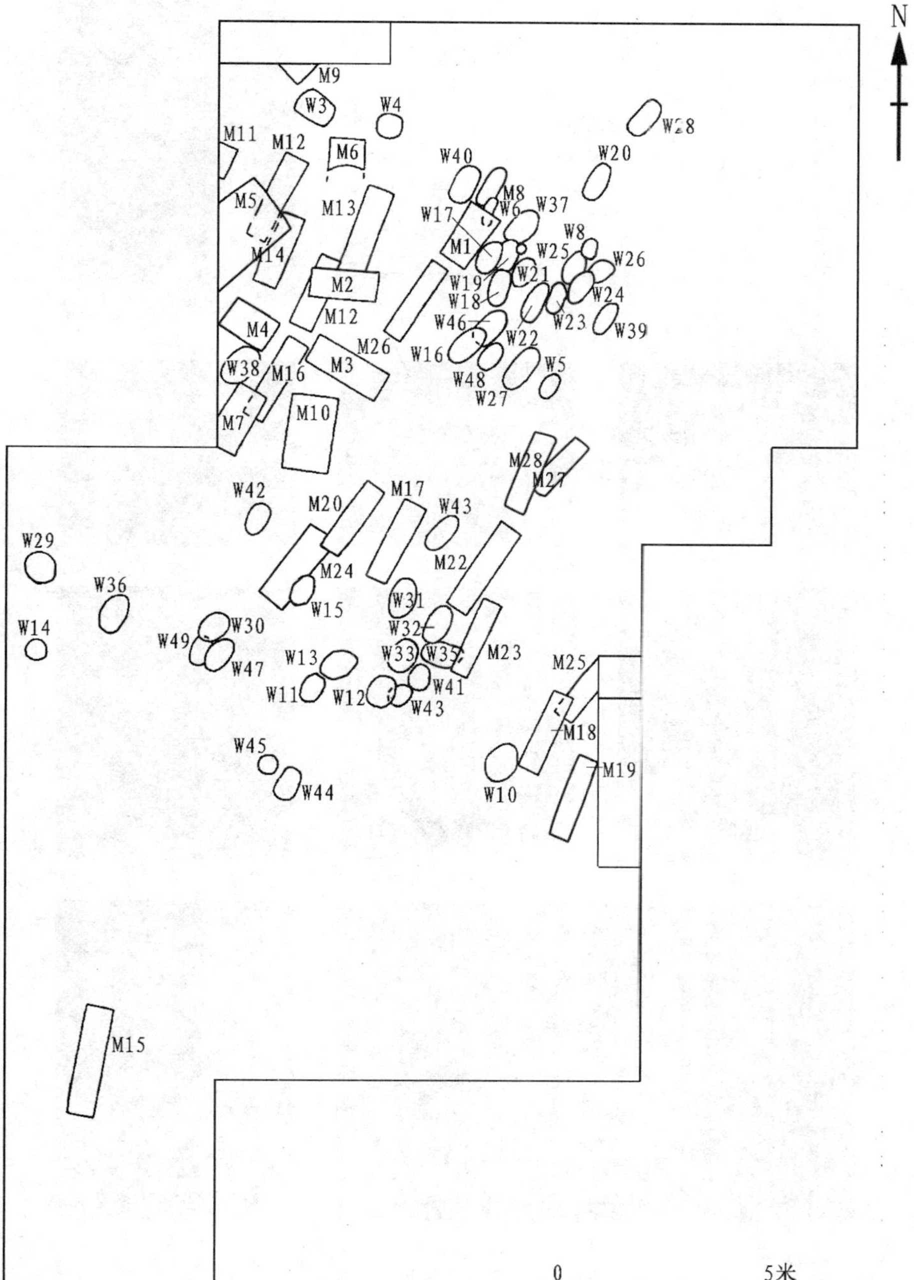

图 4–48 叶家庙城址家山墓地平面图

图 4–49　叶家庙城址家山墓地

1.M3　2. 缸（M3 ： 7）　3. 鼎（M3 ： 1）　4. 鼎（M3 ： 3）　5. 鼎（M3 ： 5）　6. 缸（W11 ： 1）　7. 缸（W11 ： 2）　8. 罐（W2 ： 2）　9. 瓮棺　10. 缸（W20 ： 3）

三、一般聚落

屈家岭文化、石家河文化发现的遗址近千处，除屈家岭环壕聚落和近20座城址外，其余的均为小型聚落。小型聚落是这一时期最基本的社会组织单位，面积一般几千平方米到几万平方米不等，死后即埋葬在遗址周边。从目前的材料看，小型聚落还有组分聚落等级的可能性。

（一）保康穆林头

穆林头遗址位于襄阳市保康县马良镇紫阳村七组，面积约8万平方米。2017—2019年发掘面积约240平方米，共清理屈家岭文化房址3座、灰坑11个、灰沟1条、墓葬22座，余为西周及以后遗迹。屈家岭文化墓葬多为单人仰身直肢葬，少量二人或三人合葬（图4–50）。多为一次葬，少量二次葬。各墓随葬品数量较多，以陶器为主，少量的石器、玉器和骨器。陶器器类有鼎、双腹豆、双腹碗、高领罐、圈足碗、高足杯、壶形器、盂形器、器盖、钵、小罐、纺轮、环等，其中以杯形器居多。石器均通体磨光，制作精美，器类有石钺、圭、斧、锛、镞、刀、凿等。玉器数量较少，制作精美，器类有钺、牙璧、斧、管等。骨器较少，有象牙杯、锥等①。

（二）下寨

下寨遗址位于河南省南阳市淅川县滔河乡下寨村北，北临丹江，东面、南面为丹江支流滔河围绕，属于河谷平原地貌，海拔高程159—165米，遗址面积约60万平方米。为配合南水北调中线工程建设，河南省文物考古研究所于2008年至2013年对下寨遗址进行了持续性的考古发掘，共揭露面积19000平方米②。

---

① 湖北省文物考古研究所等：《湖北保康穆林头遗址2017年第一次发掘》，《江汉考古》2019年第1期；湖北省文物考古研究所等：《湖北保康穆林头遗址新石器时代遗存2017年发掘简报》，《江汉考古》2022年第2期。

② 河南省文物考古研究院、河南省文物局南水北调文物保护办公室：《河南淅川县下寨遗址新石器时代墓葬发掘简报》，《考古》2020年第5期。

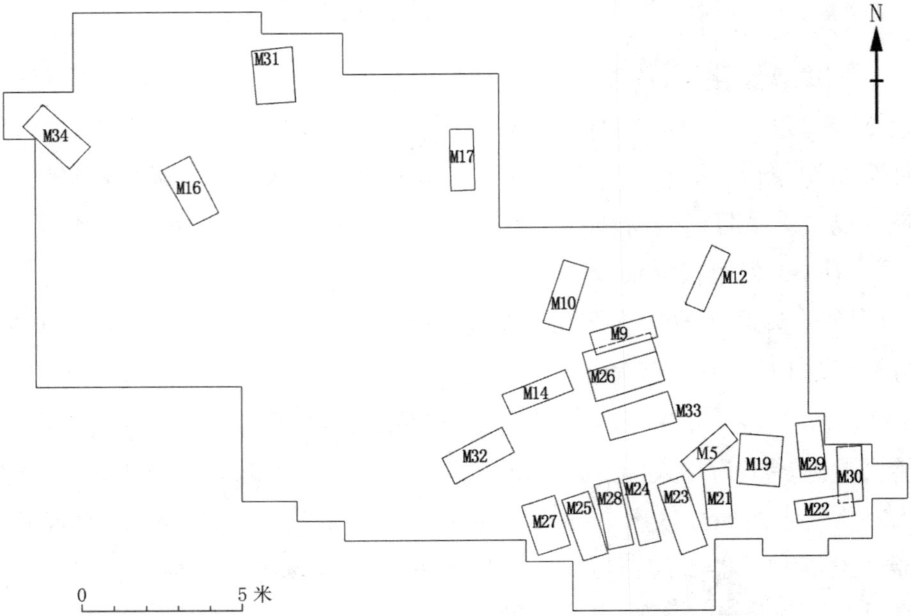

图 4–50　穆林头墓地布局

发掘的重要成果之一是发现了仰韶文化至石家河文化时期的墓葬133 座。皆为土坑竖穴墓，平面形状近长方形，直壁，平底，墓壁和底部未见明显的加工痕迹，均于墓底出土人骨一具，为单人葬。墓葬皆未被盗掘，保存较完整。经初步整理，共出土各类随葬品 152 件，包括陶器 110 件，玉、石器 39 件，蚌器 3 件。按照墓主头向的不同，可将这批墓葬分为甲、乙、丙、丁四类。甲类墓葬 59、乙类 55、丙类 4、丁类 15 座，其中甲类属于仰韶文化，后三类属于石家河文化。

乙类墓葬分布范围最广，由于后期破坏严重，因而排列显得不甚规则，但局部仍可看出大致呈南北向成排分布。丙类墓葬数量最少，且分布零散，从墓葬大小、形制和腰坑随葬陶器等特征来看，与乙类墓葬一致，且时代也相同，仅墓主头向有所差异，因此二者比较相似。丁类墓葬可明显分为两个区域，但由于数量较少，暂时难以考察其布局规律。需要注意的是，除上述后三类墓葬有少量打破甲类墓葬之外，同一朝向的墓葬之间绝无叠压打破关系。这从一定程度上说明，虽然各类墓葬共用同一墓区，但是在不同的时期，墓地是经过布局和规划的。

从墓葬形制看，头向朝北的丁类墓葬与前三类相比规模较大，埋藏略深，因而部分墓葬保存状况相对较好，随葬品也较丰富。丁类墓葬中的 M207 最具代表性，它应是目前豫西南、鄂西北地区发现的规模最大、随葬品最为丰富的石家河文化墓葬。M207 较宽的墓葬形制、丰富的随葬品、精美的石钺、木质的葬具等，皆显示出其等级较高，在整个墓地中处于比较显著的地位（图 4–51）。

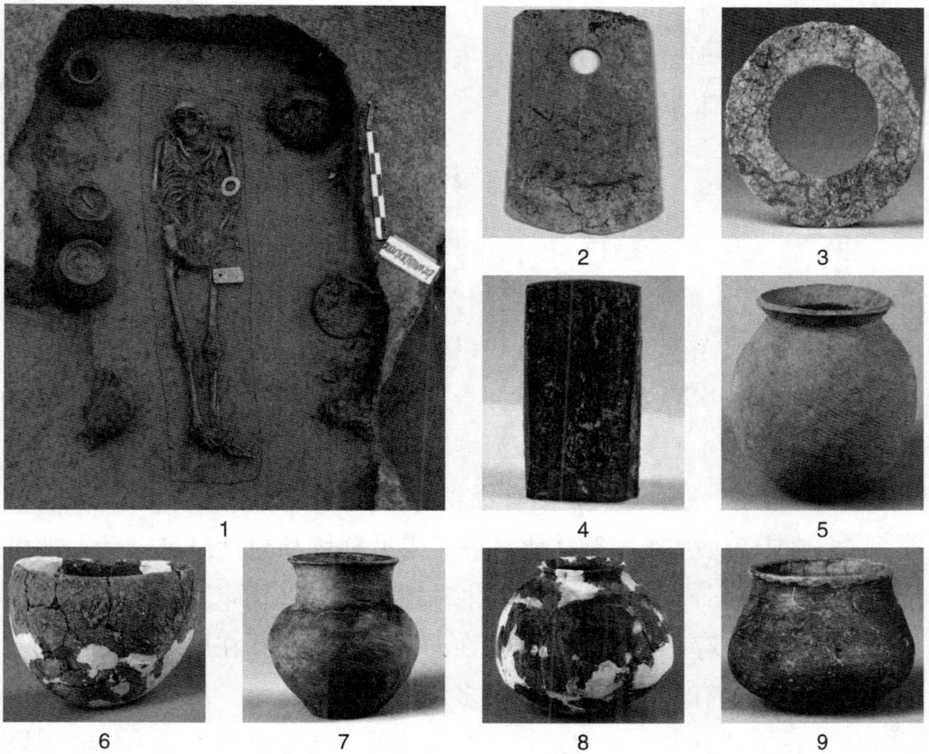

图 4–51　淅川下寨 M207 及随葬品

1.M207　2. 石钺（M207 ：8）　3. 石环（M207 ：6）　4. 石锛（M207 ：7）　5. 陶罐（M207 ：1）
6. 陶钵（M207 ：15）　7. 陶壶（M207 ：16）　8. 陶罐（M207 ：9）　9. 陶罐（M207 ：5）

第四节　葬俗

葬俗是在埋葬死者的过程中有意识形成的一系列习俗，其与居址有本质区别。居址所发现的各种遗迹、遗物往往与古人日常生活有关，属物质生活层面遗存。墓葬包含的信息常涉及处理尸体、埋葬过程以及反映古人如何面对生死等一系列与精神世界有关的物态遗存。具体来讲，葬俗包括各类随葬品的种类、总数、摆放位置、出土环境、制作工艺、用途、数量分布态势等，头向，面向，葬式，墓葬形制、尺寸，葬具形式（木棺、木椁、陶棺）、尺寸，埋葬形式（合葬、单人葬），墓葬空间布局，墓地与居址空间关系等诸多方面。

目前，共发现屈家岭文化、石家河文化、后石家河文化时期的墓地多处，以下作总体介绍。

一、葬式

屈家岭文化、石家河文化葬式可以分为二次、仰身直肢、屈肢三种（图4-52）。屈家岭文化时期，淅川黄楝树、郧县青龙泉、京山屈家岭、随州金鸡岭、巴东李家湾等遗址均以仰身直肢葬为主，不见二次葬；而走马岭遗址以二次葬为主，不见仰身直肢葬，且有两座墓葬可以确定为二次屈肢。作为中心聚落的石家河城址二者皆有之。澧县宋家台屈家岭文化墓地“根据残存骨架和随葬品摆放观察，可以确定多属侧身屈肢葬[①]”。澧县三元宫屈家岭文化墓葬“未见墓坑和葬具痕迹，且人骨均已腐烂，葬式不详[②]”。石家河文化时期以仰身直肢葬为主，其与二次葬在同一墓地共存，无二者单独存在的墓地。屈肢葬在屈家岭文化、石家河文化时期均有发现，但数量不多，所占比例较小。从走马岭和宋家台资料来看，其有可能在澧阳平原较为流行。历史时期的诸多研究成果

① 湖南省文物考古研究所:《湖南澧县宋家台新石器时代遗址》,《湖南考古辑刊·第7集》，长沙:《求索》杂志社，1999年，第51—106页。

② 湖南省博物馆:《澧县梦溪三元宫遗址》,《考古学报》1979年第4期。

表明，葬式与人群认同有密切的联系。屈家岭文化时期，仰身直肢与二次葬在多个墓地单独出现，而这种现象在石家河文化时期消失。这说明石家河文化时期，二者所流行的人群急剧融合。

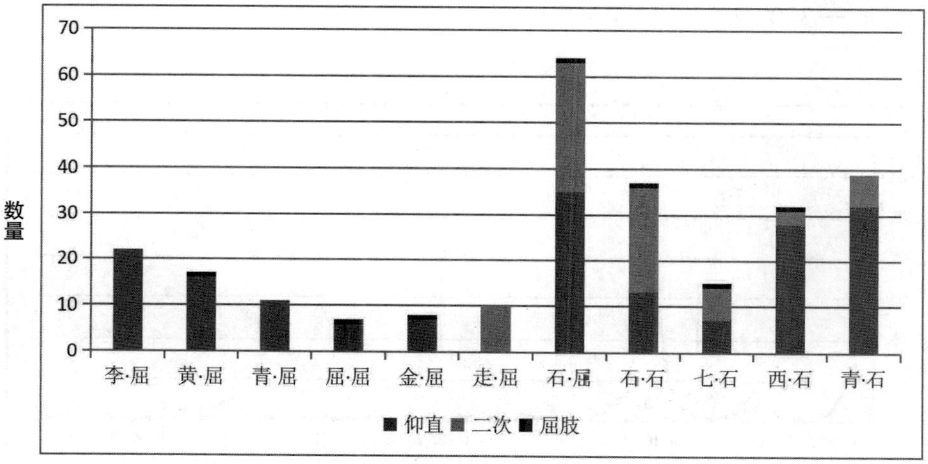

图 4–52　屈家岭文化、石家河文化墓地葬式统计

二、头向

屈家岭文化、石家河文化墓葬的头向均存在不同程度的集中现象（图 4–53）。天门石家河城址屈家岭文化集中在 20° 左右，澧县城头山墓地屈家岭文化集中在 90° —110° ，石首走马岭遗址屈家岭文化集中在 110° —130° ，巴东李家湾遗址屈家岭文化集中在 290° —330° ，房县七里河遗址石家河文化集中在 270° —290° 。公安王家岗遗址屈家岭文化墓葬可分两处，“分别位于遗址的东部和南部边缘，相距约 80 米。两区墓葬的层位和随葬品基本相同。东区清理墓葬 21 座，南北向。南区清理墓葬 53 座，东西向（100° —130° ）”[①]。淅川黄楝树遗址共发现屈家岭文化土坑竖穴墓 18 座，头向为西南者 15 座、东北 2 座，东

① 湖北荆州地区博物馆：《湖北王家岗新石器时代遗址》，《考古学报》1984 年第 2 期。

南1座。武昌放鹰台遗址屈家岭文化墓葬可辨头向者有49座，其中5座集中在东北—西南方向，其余44座集中在西北—东南方向。怀化高坎垅遗址共发现屈家岭文化土坑竖穴墓46座，除两座呈东北—西南方向（50°、52°）外，其余44座均呈西北—东南或者近东西方向（265°—320°）。

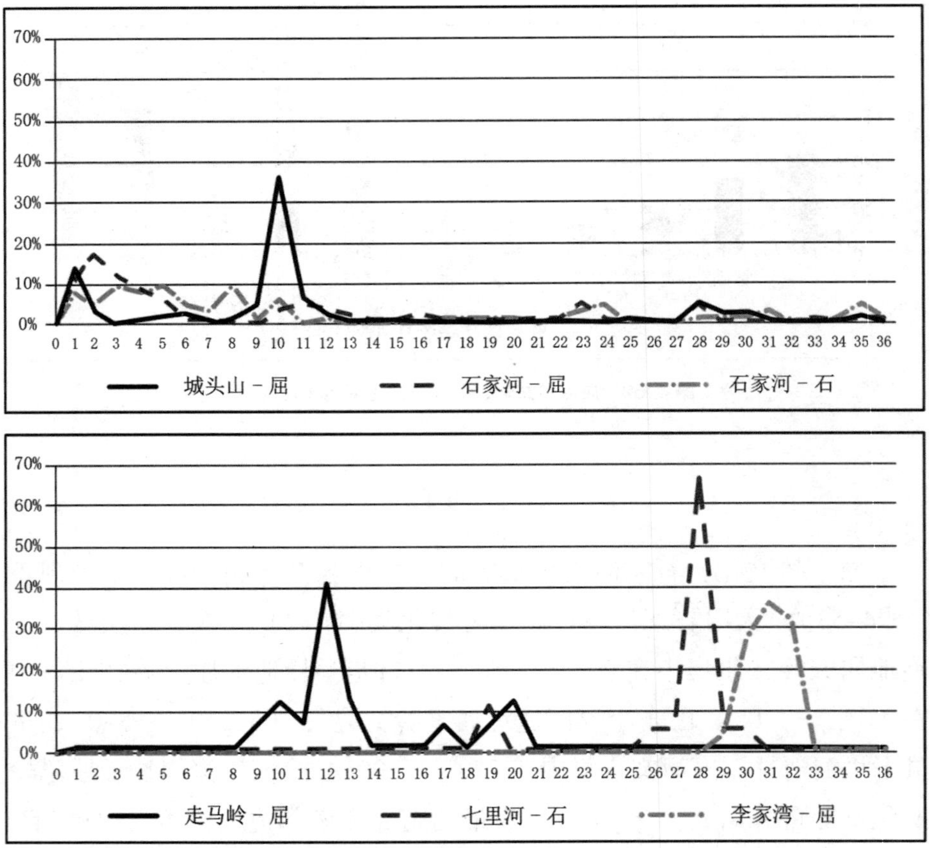

图4–53 屈家岭文化、石家河文化墓葬头向统计图①

王家岗遗址发现的墓葬可分两片，其集中方向各不相同，这说明对头向认同相同的人群倾向于死后葬在一起，与认同不同的人群在埋葬

① 横轴上的0表示墓葬头向在0°—9°之间，1表示墓葬头向在10°—19°之间，以此类推。

空间上分开。石家河城址屈家岭文化墓葬头向的集中程度明显弱于其他墓地，而石家河城址石家河文化墓葬头向基本没有呈现出集中现象，且头向不同的墓葬在同一墓地混杂分布，并无特定区域。这说明随着时间推移，在头向集中程度不断不明显的同时，各种不同头向认同的人群互相融合。屈家岭遗址群、石家河城址是长江中游该时期的中心聚落，其人群组成必然比其他遗址复杂。因此这种头向不集中现象在屈家岭遗址群、石家河城址最为明显也在情理之中。

屈家岭文化、石家河文化墓葬的集中方向多与正方向有关，从集中方向看，100°、280° 左右居多。确定正方向最原始参照应为日出与日落。屈家岭文化、石家河文化遗址纬度在 29°—32°，因此日出、日落偏离正方向的角度应小于 27°，这与很多墓地的实际情况符合（表 4–5）。值得注意的是朝东的墓葬多偏向南，朝西的墓葬多朝向北，对于这一现象，目前还难以解释。城头山遗址大溪文化与屈家岭文化在陶器组合方面差异明显，属两种考古学文化，但其头向一致，均朝东。这说明人群对头向的认同并未因使用陶器的变化而变化。石家河城址油子岭文化头向集中在 270° 左右，而屈家岭文化时期，则集中在 20° 左右。这说明这两个文化交替之时，石家河城址的人群在某些观念发生了质的改变。

表 4–5 北纬 30° 日出、日落偏角

	春 分	夏 至	秋 分	冬 至
日出	正东	东偏北 27° 19′	正东	东偏南 27° 19′
日落	正西	西偏北 27° 19′	正西	西偏南 27° 19′

三、瓮棺葬

屈家岭文化有瓮棺葬发现的遗址有湖南澧县城头山、澧县宋家台、怀化高坎垅，湖北随州西花园、随州金鸡岭、京山屈家岭、天门石家河、郧县青龙泉、郧县大寺，河南淅川下王岗、淅川黄楝树等。石家河文化有瓮棺葬发现的遗址有澧县城头山、天门石家河、郧县青龙泉、随州西花园等。

屈家岭文化、石家河文化瓮棺葬的比例差异很大。屈家岭文化时期城头山遗址所占比例最高，约为 60% 左右，怀化高坎垅遗址最低，仅为 4%。石家河文化时期城头山所占比例亦最高，约为 71%，石家河城址最低，约为 12%。从目前的资料观察，这种差异性与时间、空间都没有对应关系。

城头山遗址共发现屈家岭文化时期墓葬 461 座，其中瓮棺葬 278 座，占 60.3%。瓮棺葬葬具以釜、罐、瓮、缸、碗、钵等器类为主。发掘者将城头山遗址屈家岭文化时期墓葬分为三期，从墓葬的平面图观察。第一、二期陶棺墓与土坑竖穴墓交错分布，并未形成明显的分区。第三期时，瓮棺葬主要分布于墓地的边缘，与土坑竖穴墓之间形成了一定的区域划分。土坑竖穴墓之间以及土坑竖穴墓与陶棺墓之间存在大量打破关系，这说明第三期的墓葬在埋葬之初并未有明确规划，这种不同类型墓葬其埋葬区域的不同应该是一种潜移默化的结果，并非刻意设计（图 4–54）。

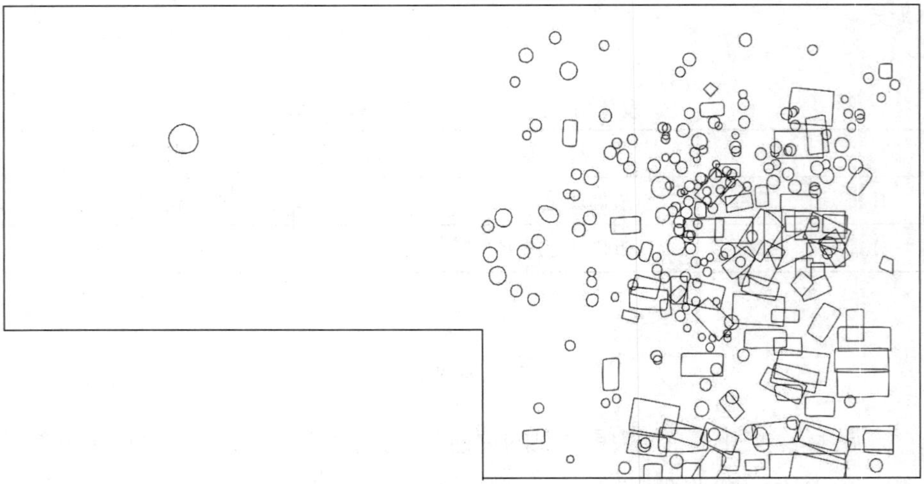

图 4–54　城头山遗址四区屈家岭文化第三期墓葬位置图

石家河城址共发现屈家岭文化墓葬108座，其中瓮棺葬20座，占18.5%。瓮棺葬葬具主要有罐、釜、瓮、碗等。邓家湾遗址点共发现屈家岭文化第二期的墓葬54座，其中瓮棺葬13座，其与土坑竖穴墓交错分布在F3四周，并未形成明显的区域划分，且有瓮棺葬打破土坑竖穴墓的现象。在F3北墙以北2.9米的范围内，有规律地分布着8个陶缸残底。其与F3在同一层位上，缸底打破当时的地面，应为F3的附属遗迹。同时，在发掘区内以F3为中心还发现了三类屈家岭文化第二期的祭祀遗存。A类为筒形器，出土时其往往相互套接，共有四处。B类为土台与灰烬。C类为红烧土与灰烬堆积。

邓家湾遗址点屈家岭文化第二期的墓葬以及祭祀遗存均以F3为中心，且二者开口层位相同，当属同时期遗存。从灰烬可以判断，火在这种祭祀活动中扮演着重要的角色。邓家湾遗址点屈家岭文化时期的这种祭祀活动延续至石家河文化时期，但在其他屈家岭文化、石家河文化遗址均未发现[①]（图4–55）。

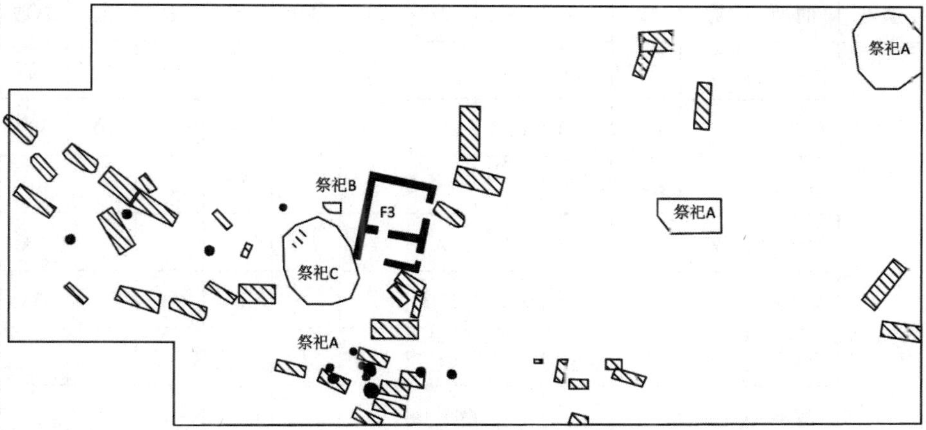

图4–55　邓家湾遗址点屈家岭第二期遗迹平面图

屈家岭文化时期，安乡划城岗、石首走马岭、巴东李家湾、澧县三

① 张弛：《石家河聚落兴盛时期葬仪中的新观念》，《考古》2014年第8期。

元宫、公安王家岗等遗址均未发现瓮棺葬。石家河文化时期，武昌放鹰台、房县七里河、安乡划城岗、天门笑城、秭归庙坪等遗址均未发现瓮棺葬。上述遗址中，发现墓葬较多的遗址，其墓葬均成片分布，未发现瓮棺葬存在两种可能。其一，墓地不存在瓮棺葬；其二，瓮棺葬与土坑竖穴墓位于不同的区域。不管属何种情况，其与城头山遗址、石家河城址均有很大的差异。这说明在屈家岭文化、石家河文化的分布范围内，瓮棺葬埋葬观念存在很大差异。

屈家岭文化各墓地瓮棺葬葬具有很大的差异。城头山遗址以罐、釜、瓮、缸、钵、碗为主。石家河城址以罐、釜、瓮、碗为主。下王岗遗址以罐、瓮为主，缺少其他两个墓地的釜类。釜在长江中游作为瓮棺葬葬具，始自大溪文化，延续至后石家河时期。釜在葬具中的比例，时间越晚，所占比例越低。石家河城址中，釜仅见于瓮棺葬，不见于土坑竖穴墓以及居址（表 4–6）。

表 4–6　长江中游史前瓮棺葬葬具

遗址	时期	钵	罐	釜	瓮	碗	缸	器盖	鼎	豆	盆	总数
城头山	大溪	12.0	15.2	53.6	4.0	4.0	0.01	4.0	0.8	1.6	/	125
	屈家岭	8.3	17.3	18.8	15.3	11.3	8.8	2.8	1.3	1.0	1.8	399
	石家河	/	30	30	30	/	/	/	10	/	/	10
石家河	油子岭	/	/	81.8	/	/	/	/	/	/	18.2	11
	屈家岭	/	21.2	27.3	12.1	27.3	/	/	3.0	9.1	/	33
	石家河	11.1	11.1	11.1	11.1	/	33.3	/	11.1	/	/	9
	后石家河	3.6	9.5	/	73.8	/	7.1	/	2.4	1.2	2.4	84
下王岗	仰韶二期	10.7	42.9	/	17.9	3.6	/	/	17.9	/	3.6	28
	屈家岭	/	3	/	/	1	/	/	/	/	/	4

续表

遗址	时期	钵	罐	釜	瓮	碗	缸	器盖	鼎	豆	盆	总数
下王岗	龙山	2.2	66.7	/	15.6	2.2	/	2.2	1.1	/	/	45
西花园	屈家岭	/	35.7	/	14.3	/	/	/	50.0	/	/	14
	石家河	8.3	2.5	8.3	16.7	/	/	/	33.3	/	8.3	12
金鸡岭	屈家岭	/	35.5	/	3.2	32.3	9.7	3.2	16.1	/	/	31

屈家岭文化、石家河文化时期，瓮棺葬除葬具外，基本不出土其他随葬品。后石家河阶段，在天门石家河肖家屋脊、天门石家河谭家岭、荆州枣林岗等遗址，瓮棺葬随葬有大量的玉器碎片。器类有动物、人物、装饰品等。这也是长江中游地区玉器出土最丰富的时期。同时这一时期的瓮棺葬出现了成人二次葬[①]，这与此前诸考古学文化有本质区别。这说明在石家河文化解体之后，人群的丧葬观念在瓮棺葬方面发生了很大的变化。

四、陶器数量

屈家岭文化、石家河文化的土坑竖穴墓在随葬陶器数量方面有很大的差异[②]。鄂西北的随州西花园、宜城曹家楼、宜城老鸹仓、郧县青龙泉、房县七里河以及豫西南的淅川下王岗、淅川黄楝树等遗址大多数墓葬均无随葬品，仅少数墓葬出土一两件陶器。淅川黄楝树遗址共发现屈家岭文化土坑竖穴墓 18 座，仅有两座墓葬出土陶器，共计 3 件，平均每座墓葬出土 0.17 件。随州西花园遗址共发现石家河文化土坑竖穴墓 30 座，仅出土猪下颚骨 1 件、石锛 1 件，无陶器出土。同时期其他地区土坑竖穴墓出土陶器明显多于上述地区。澧县城头山遗址共发现屈家岭

① 湖北省荆州博物馆：《枣林岗与堆金台——荆江大堤荆州马山段考古发掘报告》，北京：科学出版社，1999 年。

② 张弛：《石家河聚落兴盛时期葬仪中的新观念》，《考古》2014 年第 8 期。

文化土坑竖穴墓 183 座，出土陶器 1260 件，平均每座墓葬出土陶器 6.9 件，最多者达 103 件。巴东李家湾遗址共发现屈家岭文化土坑竖穴墓 22 座，出土陶器 114 件，平均每座墓葬出土陶器 5.2 件，最多者为 12 件。

同一文化在出土陶器数量方面何以有如此大的差异？这可能与该区域的文化传统有关。随枣走廊、汉水中游地区早于屈家岭文化的遗存为朱家台文化。朱家台遗址发现土坑竖穴墓 3 座，除一座随葬有 3 件陶器外，其余两座墓葬均无陶器出土。淅川黄楝树发现的 4 座土坑竖穴墓均无陶器出土。鄂西北豫西南早于朱家台文化的遗存为下王岗二期文化。下王岗遗址共发现庙底沟文化土坑竖穴墓 452 座，其中有 146 座无陶器出土，约占 32.3%，其余 306 座墓葬共出土陶器 1173 件，平均每墓出土 2.6 件。枣阳雕龙碑遗址共发现墓葬 71 座，仅有两座墓葬各随葬陶器 1 件，其余墓葬均无随葬品。郧县大寺遗址发现土坑竖穴墓 9 座，仅有一座出土陶器 1 件。上述资料表明，薄葬观念至少在下王岗二期文化时期已经在鄂西北形成，且以随枣走廊流行最甚。

墓葬是埋葬死者这一特殊活动的产物，其往往反映了死者所处社会的某些侧面，但并非全部，如性别分工、社会地位、血缘关系等。在众多侧面中，社会地位是核心内容。半山文化、马厂文化墓葬中社会地位是通过陶器以及彩陶的数量来体现的，而良渚文化则是通过玉器的种类以及数量体现[①]。屈家岭文化、石家河文化其他地区各墓地在陶器数量方面存在明显差异，可能是社会地位的反映。但鄂西北豫西南自下王岗二期文化后普遍不随葬陶器，流行薄葬。这说明这一地区的人群在价值观念方面与其他地区有很大的差异。

屈家岭文化、石家河文化墓葬葬式可以分为仰身直肢葬、二次葬和屈肢葬三种，以前二者为主，屈肢葬发现数量较少，比例很低。屈家岭文化时期，不同葬式不在同一墓地出现。如果我们认为葬式和人群认同有关，那屈家岭文化人群可以明显分为三类。油子岭文化流行仰身直肢

---

① 张忠培：《良渚文化墓地与其表述的文明社会》，《考古学报》2012 年第 4 期。

葬，大溪文化流行屈肢葬，二次葬仅见于走马岭遗址。因此屈家岭文化的形成，除与油子岭文化有关外，其延续了大溪文化的某些因素，同时当有另一支重要人群的介入。作为中心聚落的石家河城址同时出现两种葬式也不难理解。石家河文化时期，二次葬与仰身直肢葬在各个墓地混杂出现，这似乎表明流行二次葬和仰身直肢葬的人群直到这一时期才死可同茔，实现完全融合。

从头向观察，屈家岭文化时期，各墓地均呈集中趋势，但随着时间推移，集中程度逐渐减弱。同时，石家河文化时期作为中心聚落的石家河城址已经不存在头向集中现象。这说明人群的融合进一步加强。各个墓地集中方向不一说明，同一考古学文化内，其和精神世界有关的诸观念并非一致。瓮棺葬方面，各个墓地的差异性也很明显。有的瓮棺葬与土坑竖穴墓混杂在一起，有的有明显的区域划分，有的则不流行瓮棺葬。这说明屈家岭文化形成后，除从陶器层面可以辨认出数个类型外，其精神层面的差异性可能更明显。除下王岗外，屈家岭文化、石家河文化瓮棺葬葬具以釜为主，这与大溪文化有直接源流关系。这一时期的釜，仅见于瓮棺葬，已少见于土坑竖穴墓和居址。即在鼎流行的油子岭文化、屈家岭文化、石家河文化，釜依然作为瓮棺葬的葬具使用。这种传统不因生活用具的改变而变化，这与人类学研究成果基本一致，即精神层面是文化最核心也是最稳定的部分。大溪文化之后，虽然考古学文化一变再变，但始自大溪文化的某些丧葬观念却如丝如缕，延绵不绝。石家河文化解体后，瓮棺葬依然流行，但其埋葬对象已不限于儿童，且出现玉器随葬的现象，其丧葬观念发生了巨变。随枣走廊与汉水中游自下王岗二期文化开始，就流行薄葬，一直持续到石家河文化。以往的学者根据陶器器类、器形组合，将屈家岭文化分为三个类型、或四个类型、或五个类型。不管何种观点，都认为鄂西北以及豫西南属同一类型。此即上文分析中流行薄葬的区域，薄葬观念自下王岗二期文化时期形成后，在该区域历经数个考古学文化而不衰。

考古学文化的界定侧重陶器组合，同一考古学文化在葬俗方面存在明显差异也在情理之中。陶器与葬俗哪种会更好反映当时人群的文化认同呢？与人类学文化概念类似，考古学文化亦可以分为物质、制度、精神三个层次。陶器组合与葬俗反映了人群不同层级的认同。前者与技术有关，后者与精神有关，两者并非直接的对应关系。经过考古学几十年的研究，基本可以确定物质层面的文化谱系，加强精神层面文化谱系与文化传统研究，并将其与物质层面相结合，才能更深入地研究新石器时代考古学文化的变迁。

第五章　融入华夏

距今约4200—3800年，大量来自黄河流域的煤山文化因素出现在长江中游，极大地改变了荆楚地区原有的文化面貌及发展轨迹，长江中游文明汇入以中原为主导的文明进程之中，开启了更高层级的中华文明一体化演进之路。

关于这一时期荆楚地区考古学文化的命名，学界有不同的认识，有的学者强调其与中原地区煤山文化陶器面貌的联系，故直接归入煤山文化；有的学者强调荆楚地区的区域特色，命名为后石家河文化，或肖家屋脊文化，或三房湾文化。这一时期荆楚地区的文化面貌，在陶器方面确实与中原地区具有较强的相似性，但考古学文化除了陶器所体现的物质层面，还有制度和精神层面，且精神层面是核心。目前的发现表明，这一时期，荆楚地区有成熟、独特的玉礼文化，与中原地区在精神层面有本质差异。基于此，我们还是倾向于认为这一时期荆楚地区的考古遗存可以单独命名，同时又因为后石家河文化这一概念出现较早，使用较广，故采用后石家河文化这一称谓。

后石家河文化的分布遍布长江中游地区，较之石家河文化的分布，目前因为鄂东南地区的考古工作开展较少，分布不明朗以外，其他区域大致重合，但是遗址点数量明显减少。

第一节　文化内涵

一、发现与研究

后石家河文化遗存，首次见于20世纪50年代中期发掘的石家河遗址（包括罗家柏岭、贯平堰、石板冲、三房湾四处），随后在均县乱石滩、郧县大寺、淅川下王岗、宜都石板巷子、房县七里河、钟祥六合等遗址中屡有发现。

20世纪80年代中期以前，学术界曾将这批遗存笼统地归入长江中游“龙山期”。至20世纪80年代中期“石家河文化”命名提出之后的一段时间里，或将其混同于石家河文化，或视其为石家河文化发展的最晚阶段。“季家湖文化”[①]、“季石遗存”[②]等概念，同样包含了石家河文化与后石家河文化两类遗存。而基于峡江地区白庙遗址提出的“白庙文化”[③]和基于丹江口库区乱石滩遗址提出的“乱石滩文化”[④]，可视为解析这类遗存的初步探索。

进入20世纪90年代以来，学术界普遍注意到原本混同于石家河文化或界定为石家河文化晚期的这类遗存与典型的石家河文化有着显著的差异，并主张将这类遗存从石家河文化中分离出来并单独命名。1993年，白云在《关于“石家河文化”的几个问题》一文中明确指出，1987年石家河发掘简报[⑤]及张绪球《石家河文化的分期分布和类型》[⑥]一文中所分石家河文化三期的晚期与早、中两期很难看成是统一文化的延续，晚期应单列出来归入后石家河文化[⑦]。

二、类型

后石家河文化遍布长江中游地区，南至洞庭湖北岸，东至鄂东南，

① 杨权喜：《当阳季家湖考古试掘的主要收获》，《江汉考古》1980年第2期。

② 裴安平：《鄂西“季石遗存”的序列及其与诸邻同期遗存的关系》，《考古类型学的理论与实践》，北京：文物出版社，1980年。

③ 卢德佩：《鄂西发现的古文化遗址》，《考古》1986年第1期。

④ 中国社会科学院考古研究所长江工作队：《湖北均县乱石滩遗址发掘报告》，《考古》1986年第7期。

⑤ 石河考古队：《湖北省石河遗址群1987年发掘简报》，《文物》1990年第8期。

⑥ 张绪球：《石家河文化的分期分布和类型》，《考古学报》1991年第4期。

⑦ 白云：《关于“石家河文化”的几个问题》，《江汉考古》1993年第4期。

西至西陵峡，大致以长江北岸为发展重心，越是往南，影响力越弱（图5-1）。据不完全统计，目前长江中游地区经调查和发掘确认的后石家河文化遗址约400多处。在如此广阔的分布范围内，由于受当地传统及周边文化的影响不一，后石家河文化的地域特色在各区域的差异明显。综合已有的研究成果，我们将长江中游的后石家河文化分为汉东地区的三房湾类型、汉水中游的乱石滩类型、鄂西南的石板巷子类型、湘北的孙家岗类型和鄂东南的蟹子地类型（表5-1）。

表5-1 后石家河文化类型

学者	文化命名	文化属性					
		鄂西北	汉东	鄂西南	峡江	鄂东南	洞庭湖
白云（1993）	煤山文化	乱石滩类型	石板巷子类型				
孟华平（1997）	后石家河文化	乱石滩类型		石板巷子类型	白庙类型		
何驽（2006）	肖家屋脊文化	王湾三期文化乱石滩类型	肖家屋脊文化	王湾三期文化石板巷子类型	王湾三期文化白庙类型		
王劲（2007）	三房湾文化	乱石滩类型	三房湾类型	石板巷子类型	白庙类型		
袁飞勇（2020）	煤山文化	乱石滩类型	肖家屋脊类型	石板巷子类型	白庙文化	蟹子地遗存	孙家岗遗存

三房湾类型　分布于江汉平原。典型遗址有天门石家河、钟祥六合、大悟夏家河、随州西花园、孝感吴家坟、黄陂张西湾。

乱石滩类型　分布于鄂西北。典型遗址有襄阳牌坊岗、枣阳周台、房县七里河、均县乱石滩、丹江口南张家营、丹江口彭家院、丹江口玉皇庙、郧县大寺、郧县店子河、郧县青龙泉、郧县下棚、郧县余嘴、郧县龚家村、郧县郭家道子、郧县三明寺、郧县肖沟、十堰斜窝河、郧县杨家岗、郧西庹家湾、宜城下姜家边子。

孙家岗类型 主要分布于湘北地区。这一区域包含了很多传统的石家河文化因素，与典型的后石家河文化有一定的差异。玉器以圆雕和减地阳纹为特色，器形多鹰、虎、蝉等动物造型，与三房湾类型高度相似。墓地以土坑墓为主，有别于汉东地区的三房湾类型。流行“垫器葬”[①]，且大多以完整器放入，部分为事先打破。随葬品以矮领广肩罐、大圈足盘、细柄豆、钵为基本组合，矮领广肩罐占比80%以上，一般每墓2—5件，多者可达10件。典型遗址有澧县孙家岗、华容七星墩、澧县鸡叫城。

白庙类型 分布于江汉平原西部及峡江地区。陶器以褐陶和深灰陶为主，并掺入大量的细砂较多，磨光褐陶较多，磨光黑陶较少。纹饰除常见的斜方格纹、绳纹、篮纹、锥刺纹、刻划纹，还有印纹和镂孔纹，地域特点是绳纹、斜方格纹较多，篮纹较细而乱，有的篮纹又像绳纹。器类除后石家河文化常见的鼎、釜、甑、圈足盘、瓮、折沿罐、钵、壶、豆等外，最具地域特色的是多深腹罐（大、中、小三型）、垂腹罐，未见器座、厚胎杯、鬶、缸等。典型遗址有荆州枣林岗、当阳季家湖、宜都石板巷子、宜都蒋家桥、宜都王家渡、宜都茶店子、宜昌白庙、秭归下尾子、秭归卜庄河、秭归陶家坡。

蟹子地类型 主要分布于鄂东南。典型遗址有监利狮子山、大冶蟹子地。

---

① 湖南省文物考古研究所等：《湖南澧县孙家岗遗址墓地2016—2018年发掘简报》，《考古》2020年第6期。

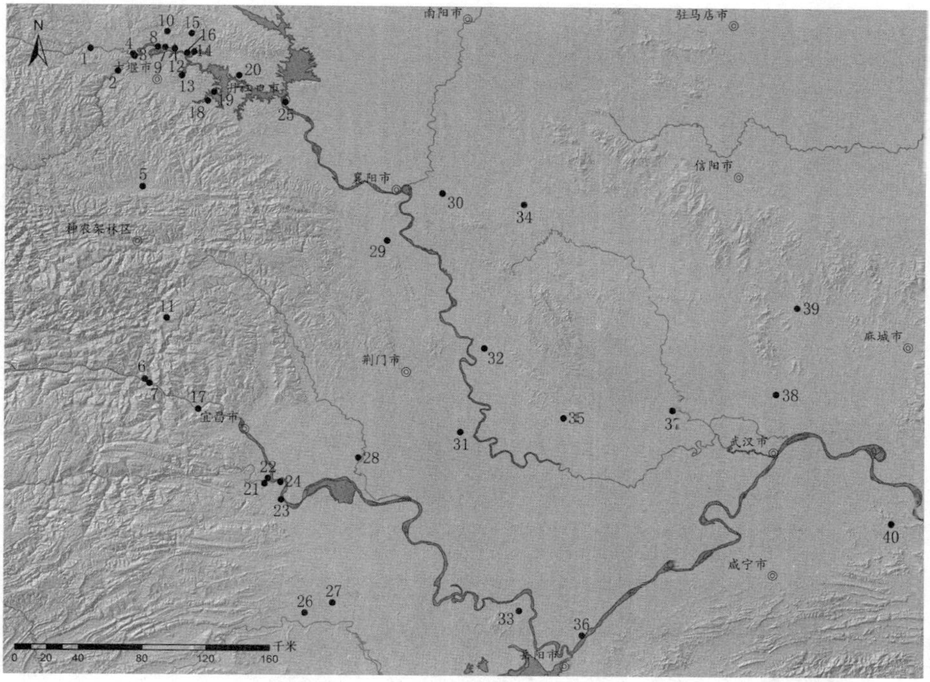

图 5-1 后石家河文化遗址位置图

1. 郧县下棚 2. 十堰斜窝河 3. 郧县店子河 4. 郧县龚家村 5. 房县七里河 6. 秭归陶家坡 7. 秭归卜庄河 8. 郧县大寺 9. 郧县杨家岗 10. 郧西庹家湾 11. 宜昌白庙 12. 郧县青龙泉 13. 郧县三明寺 14. 郧县肖沟 15. 郧县郭家道子 16. 郧县余嘴 17. 秭归下尾子 18. 丹江口彭家院 19. 丹江口玉皇庙 20. 丹江后乱石滩 21. 宜都王家渡 22. 宜都茶店子 23. 宜都石板巷子 24. 宜都蒋家桥 25. 丹江口南张家营 26. 澧县孙家岗 27. 澧县鸡叫城 28. 当阳季家湖 29. 宜城下姜家边子 30. 襄阳牌坊岗 31. 荆州枣林岗 32. 钟祥六合 33. 华容七星墩 34. 枣阳周台 35. 天门石家河 36. 监利狮子山 37. 孝感吴家坟 38. 黄陂张西湾 39. 大悟夏家河 40. 大冶蟹子地

三、陶器

后石家河文化陶质有泥质和夹砂两类。从肖家屋脊的情况来看，泥质陶占绝大多数，约占 95.51%，夹砂陶很少，仅占 4.49%。泥质陶中，以灰陶居多，约为 56.89%，其次为黑灰色（23.55%）和红色（15.06%）。在夹砂陶中，红色（2.64%）略多于灰色（1.24%）和黑色（0.61%）。饰有纹饰者与素面（55.2%）比例接近。纹饰主要有篮纹（23.5%）、绳纹

（12.2%）、方格纹（6.52%）、叶脉纹（2.58%）。篮纹绝大多数为竖篮纹和斜篮纹，纹路一般清晰细密。绳纹大多为排印，较浅，比较模糊。方格纹有正方格、斜方格和网格等纹样，以正方格较为常见。叶脉纹是一种有地方特色的纹饰。此外还有附加堆纹、划弦纹、按窝、镂孔等。陶器制作方法以轮制为主，轮制比例高于石家河文化时期。特征性器类有三角形侧装足釜形鼎、广肩矮领瓮、细柄带箍豆、大圈足盘、深腹盆（图5–2）。

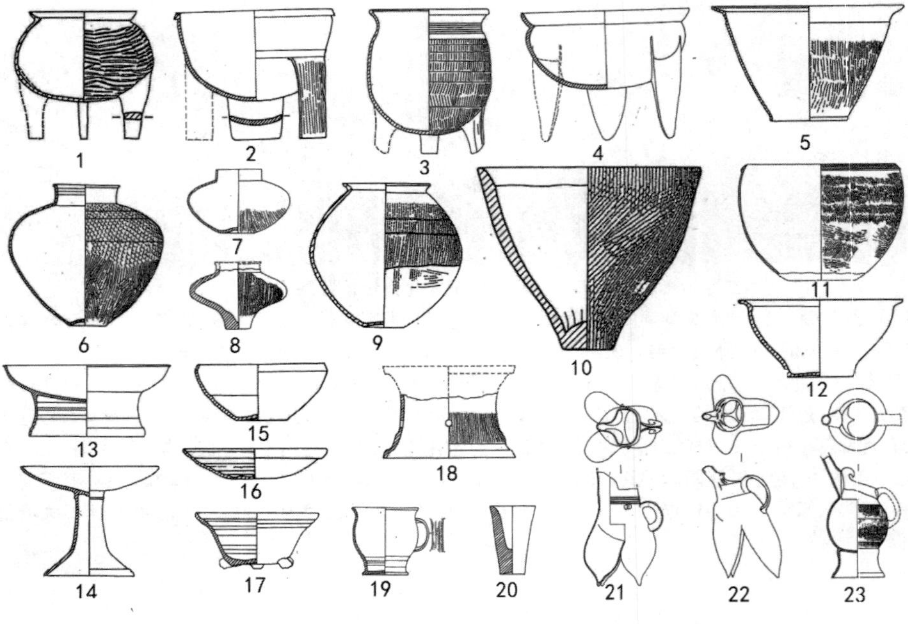

图 5–2　肖家屋脊遗址后石家河文化陶器

1. 鼎（H434 ② ： 55）　2. 鼎（H78 ： 1）　3. 鼎（AT1721 ③ ： 17）　4. 鼎（H254 ： 4）　5. 甑（AT2206 ② ： 2）　6. 广肩罐（H538 ： 1）　7. 扁腹罐（H68 ： 60）　8. 凹底罐（AT5 ② A ： 2）　9. 鼓腹罐（AT705 ② B ： 4）　10. 臼（H538 ： 17）　11. 盆（H254 ： 31）　12. 盆（H230 ： 1）　13. 圈足盘（H70 ： 51）　14. 豆（H2 ： 1）　15. 钵（H546 ： 2）　16. 钵（H350 ： 5）　17. 三足杯（H72 ： 7）　18. 器座（AT3108 ② ： 9）　19. 单耳杯（H538 ： 14）　20. 红陶杯（H2 ： 7）　21. 鬶（H70 ： 48）　22. 盉（H68 ： 63）　23. 盉（H538 ： 10）

四、陶塑动物

邓家湾遗址点发现的陶塑品，多破碎，堆积在一起。均为泥质红陶，火候较低，质地细腻，用手捏塑而成，器形较小，无彩无衣。有陶偶和陶塑动物两类，以后者为主，约占90%。陶偶形象姿态多样，有跨立式、抬腿式、坐式和卧式等。有的手舞足蹈，有的抱鱼拥物。陶偶细部，如手、脚、脸等一般不够清晰，头部只有鼻子和耳朵造型明显，基本不见眼和嘴。多细腰，着长袍，不露双手，腰、背裹裙，头后一般挽髻，头部有带冠和免冠之别。陶塑动物形象多破损，难以辨识。形象完整者多以写实为主，特征明显，可辨识物种。可细分为家禽、野兽、禽类、龟鳖和鱼等。家禽动物有狗、猪、羊、兔、猫等，以狗数量最多，形态多样，造型生动。野兽有猴子、大象、獏、狐等，以大象数量为多。禽类的数量最多，主要有鸡与鸟两类。水生动物仅有龟鳖和鱼两类。江汉地区新石器时代动物骨骼中，野生动物以鹿最为常见，但陶塑动物中无鹿，这说明制作何种陶塑动物，古人是刻意为之（图5-3）。

陶塑品多出土于祭祀遗存中及祭祀遗存周边的灰坑、灰沟或洼地堆积里。发掘者认为邓家湾遗址可能是一处祭祖场所，红陶杯和陶塑艺术品可能分别是祭具和祭品[①]。也有学者认为邓家湾的祭祀遗存可能反映一种庆贺丰收的祭祀活动，大量的陶塑动物则可能是代表祭祀时用的牺牲。那些抱鱼跪坐的陶偶可能性是祭祀者的形象，他们那种端庄肃穆和虔诚奉献的神态给人以深刻的印象。作舞蹈等各种姿态的陶偶完全是另外一种表情，可能表现庆贺的场面[②]。

---

① 石家河考古队：《邓家湾》，北京：文物出版社，2007年，第290页。

② 石家河考古队：《邓家湾》，北京：文物出版社，2007年，第5页。

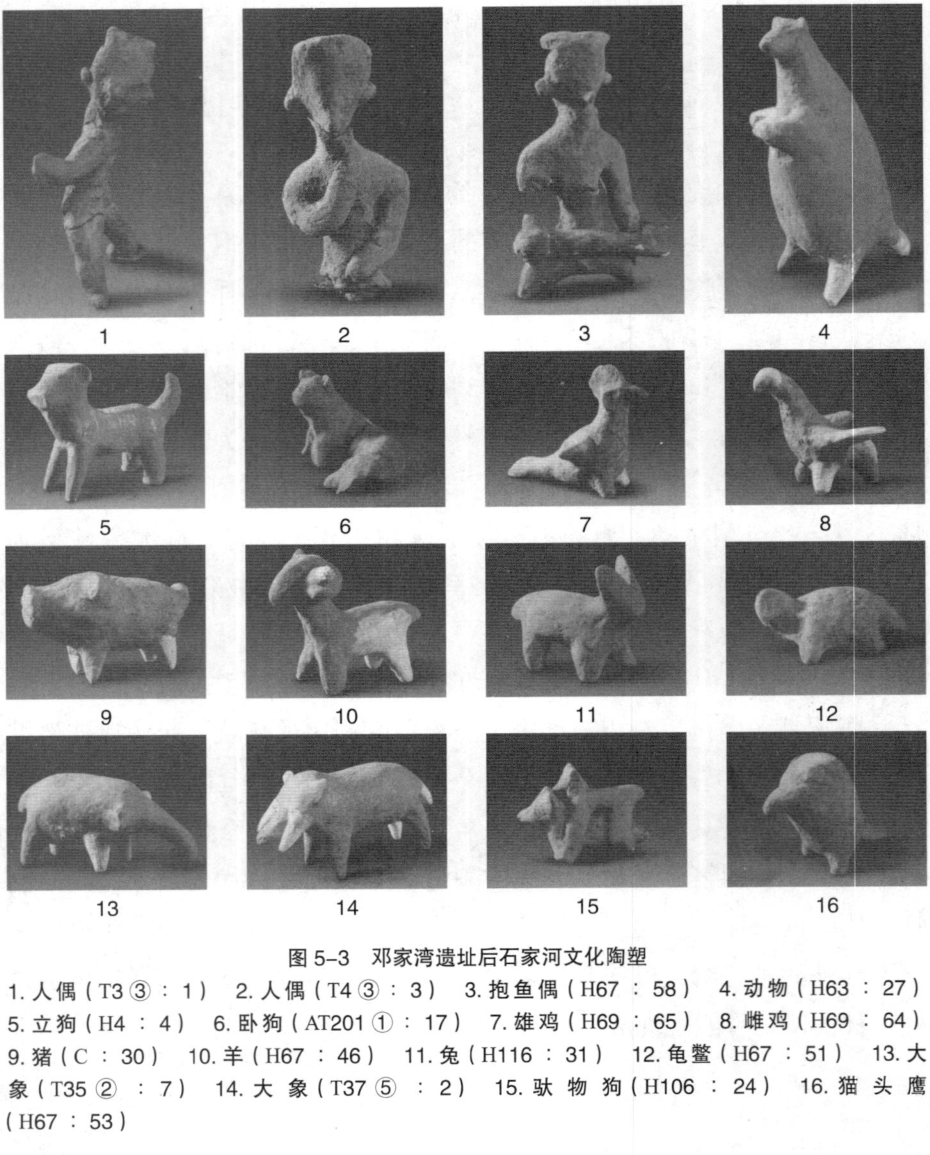

图 5-3 邓家湾遗址后石家河文化陶塑

1. 人偶（T3 ③：1） 2. 人偶（T4 ③：3） 3. 抱鱼偶（H67：58） 4. 动物（H63：27） 5. 立狗（H4：4） 6. 卧狗（AT201 ①：17） 7. 雄鸡（H69：65） 8. 雌鸡（H69：64） 9. 猪（C：30） 10. 羊（H67：46） 11. 兔（H116：31） 12. 龟鳖（H67：51） 13. 大象（T35 ②：7） 14. 大象（T37 ⑤：2） 15. 驮物狗（H106：24） 16. 猫头鹰（H67：53）

第二节 玉器文明

1955 年，天门石家河罗家柏岭遗址点首次发现了后石家河文化玉器，囿于对比材料，发掘者认为其与中原地区周代玉器特征相近，其时代应在公元前1027—前770年”[①]。1981年、1983年，考古工作者在钟祥六合遗址清理了25个瓮棺葬，随葬大量玉器。1992年，杨建芳先生认为天门石家河罗家柏岭、钟祥六合遗址出土玉器为石家河文化[②]（后石家河文化）。六合遗址“瓮棺葬中的玉器碎片很多，形状不规则，大有加工痕迹，应是制作过程中剩下的边角废料。据此推测，玉器当为本地制作”[③]。此后在天门石家河肖家屋脊、荆州枣林岗、澧县孙家岗、天门石家河谭家岭等遗址集中发现了后石家河文化阶段的玉器。其他如枣阳毛狗洞、荆州汪家屋场、天门石家河严家山、天门石家河石门，多为调查采集，少数为发掘，也有部分为征集品。

一、天门石家河肖家屋脊

位于石家河城址城垣外侧南部。1987—1989年发掘了77座后石家河文化时期的瓮棺[④]。54座瓮棺相对集中地分布在同期水塘的两侧，其余23座零散地分布于其他各处。均为竖穴土坑墓，墓圹平面有圆形、椭圆形、桃形、不规则四种，有弧壁和直壁之别。葬具以陶瓮为主，不少是两瓮相扣；少量以鼎、罐等作为葬具，其上扣盆、钵、圈足盘、豆、器盖等。在16座瓮棺中出土109件玉器，另外于地层中发现33件，在灰坑中出土1件，采集14件，合计157件，其中W6出土玉器56件，另外还出土有厚胎杯、猪牙、石珠各1件，彰显了墓主人显贵的身份。

肖家屋脊遗址点出土玉器保存较好，只有个别受沁严重，绝大部分玉料为青白玉，有玻璃光泽，色泽相似，玉料可能为同一处所产。在玉器上可以观察到锯割、制坯、雕琢、钻孔、抛光等工序。锯割一般为

① 石龙过江水库指挥部文物工作队：《湖北京山、天门考古发掘简报》，《考古通讯》1956年第3期。

② 杨建芳：《石家河文化玉器及其相关问题》，《中国艺术文物讨论会论文集·器物（上）》，台北故宫博物院，1992年，第41—58页。

③ 张绪球：《石家河文化玉器》，《江汉考古》1992年第2期。

④ 湖北省荆州博物馆等：《肖家屋脊》，北京：文物出版社，1999年。

线切割，个别为片切割。操作时先从一面切割，待切到一定深度时，再从另一面切割，两条锯口不重合之处往往会留下切割痕迹。也有的玉玦是两面切割到一定深度后从中间敲断。雕刻技法有浮雕、圆雕和透雕三种，以浮雕为主，阴纹、阳纹均有，阳纹均采用减地法。钻孔方式有管钻和实心钻两种。从形状和钻孔位置分析，有的玉器可能是用线穿连，悬挂于某一部位，有的玉器可能是用线缝于软质的冠服上，有些则是镶嵌或绑缚于木质类物上。

出土的玉器可以分为成品与边角料两类，成片又可细分为人头像，动物造型（包括蝉、虎头像、鹰、龙、鹿头像、羊头像等），装饰品（包括笄、管、坠、璜、圆形牌饰、长方形牌饰、珠等），生产工具（纺轮、锛、刀等）等。生产工具可能具有礼仪用途，而非实用（图 5–4、5–5）。

二、天门石家河谭家岭

位于石家河城址内的中心台地上。2015 年，在谭家岭遗址点东部后石家河文化时期的 5 座瓮棺内，发现了 246 件玉器及残料，是目前石家河城址出土玉器数量最多的一次。

瓮棺葬墓圹平面呈圆形，其上部已被破坏无存，残留部分多属葬具的腹底。葬具有陶瓮、陶缸、陶盆三类，以夹砂灰色方格纹陶瓮为主。随葬的玉器多散见于葬具底部，无明显的组合排列关系。葬具及玉器特征与肖家屋脊基本相同。其中 W8 出土玉器 45 件、W9 出土玉器 63 件，种类丰富、组合完整，技艺精湛，代表了后石家河文化中玉器的最高规格和最高水平。

图 5-4　肖家屋脊 W6 出土玉器（一）

1. 玉人头像（W6 ： 32）　2. 玉人头像（W6 ： 4）　3. 玉人头像（W6 ： 17）　4. 玉人头像（W16 ： 9）　5. 玉龙（W6 ： 37）　6. 玉人头像（W6 ： 38）　7. 玉蝉（W6 ： 13）　8. 玉蝉（W6 ： 8）　9. 玉蝉（W6 ： 40）

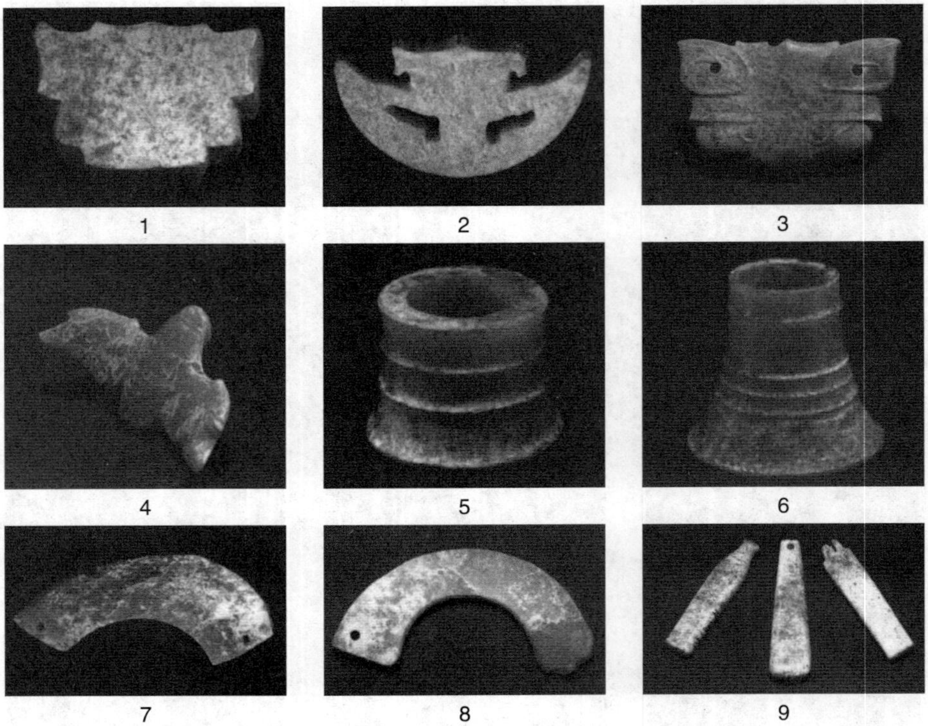

图 5-5 肖家屋脊 W6 出土玉器（二）
1. 玉虎头（W6 ：15） 2. 玉虎头（W6 ：60） 3. 玉虎头（W6 ：19） 4. 玉鹰（W6 ：7） 5. 玉管（W6 ：26） 6. 玉管（W6 ：45） 7. 玉璜（W6 ：27） 8. 玉璜（W6 ：56） 9. 柄形饰（W6 ：30、W6 ：31、W6 ：45）

谭家岭遗址点发现的玉器制作工艺技术精湛，至少采用了片切、线切、管钻、桯钻、浮雕、圆雕、减地阳刻、掏膛等工艺技术，其双面减地阳刻与掏膛工艺技术尚属首次发现，代表了史前中国乃至东亚地区玉器加工工艺的最高水平[①]。

① 湖北省文物考古研究所等：《石家河遗珍——谭家岭出土玉器遗珍》，北京：科学出版社，2019 年。

图 5-6　谭家岭遗址点出土玉器（人物形象）

1. 人头像（W8 ：2）　2. 人头像玉片（W4 ：18）　3. 人头像（W9 ：6）　4. 人头像玉片（W9 ：28）

玉料大多数属透闪石软玉。根据造型，可以分为人物形象（图5-6）、动物形象（图5-7）和饰品（图5-8）三类。人物形象出土数量不多，除神人头像外，多有普通人头像，其中的玦形连体双人头像罕见。动物形象比较丰富，有虎、鹰、蝉、鸟等造型，其中蝉的数量最多，虎次之。虎的造型可分为写实虎、长方形虎头像和管状虎头像三种。鹰的造型可分为写实鹰、抽象鹰和符号鹰三种，其中虎脸座双鹰形象设计精妙。蝉的造型可分为直背蝉和弧背蝉二种。鸟的数量不多，造型主要呈双鸟形象。其他类玉器比较复杂，有的功能比较明确，有的则难以明了，可分为冠饰、片状镂空佩饰、笄、璜、璧、管、珠、圆形牌、长方形牌等。

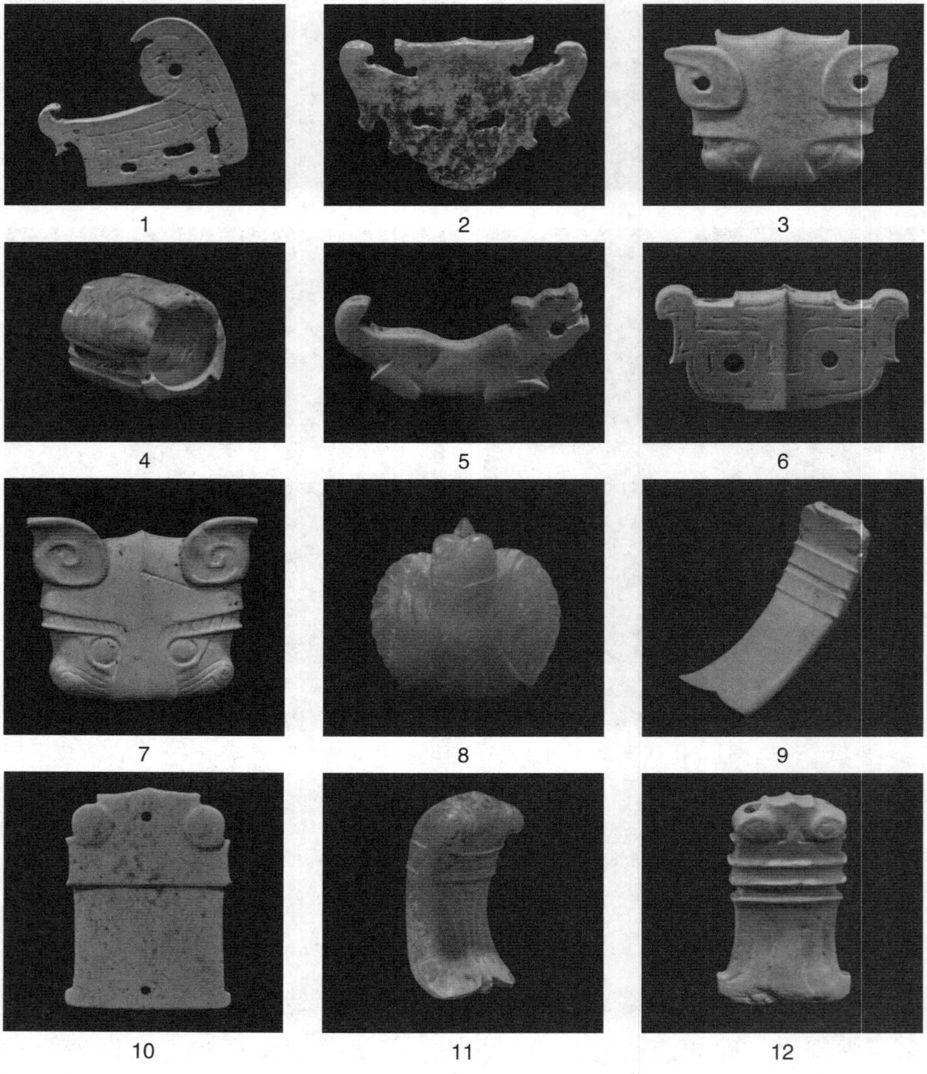

图 5–7 谭家岭遗址点出土玉器（动物造型）

1. 玉鸟（W4 ：24） 2. 玉虎头像（W9 ：52） 3. 玉虎头像（W9 ：49） 4. 玉虎像玉管（W8 ：6） 5. 玉虎（W9 ：47） 6. 玉虎头像（W4 ：26） 7. 玉虎头像（W9 ：10） 8. 玉鹰（W9 ：：3） 9. 弧形玉蝉（W8 ：24） 10. 玉蝉（W3 ：20） 11. 玉蝉（W9 ：13） 12. 玉蝉（W9 ：12）

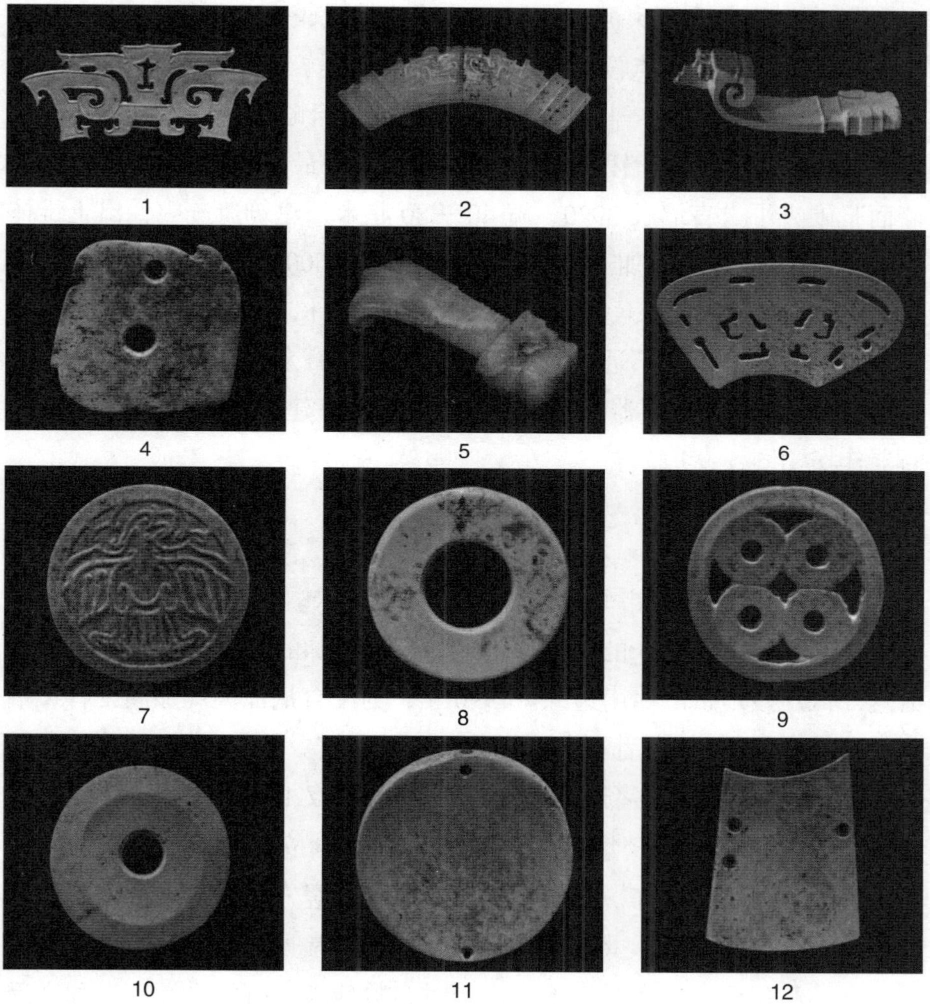

图 5–8　谭家岭遗址点出土玉器（装饰品）

1. 玉佩（W9 ： 50）　2. 玉璜（W8 ： 28）　3. 冠饰（W9 ： 60）　4. 牙璧形器（W8 ： 46）
5. 冠饰（W9 ： 62）　6. 玉佩（W9 ： 57）　7. 鹰形圆牌饰（W8 ： 34）　8. 玉环（W7 ： 37）
9. 玉佩（W9 ： 58）　10. 玉璧（W9 ： 61）　11. 牌饰（W9 ： 27）　12. 扇形饰（W8 ： 38）

目前，关于后石家河玉器制作的遗迹发现较少，仅1950年在天门石家河罗家柏岭遗址点发现了一处玉器制作作坊[①]。建筑遗迹由一道直墙和长方形土台组成。直墙方向为320°，土台略高于四周红烧土，方向为50°，垂直于直墙西北部。直墙仅土台处最高，西北段保存最好，墙面坚硬光平，直墙长3970、宽40—80厘米，建筑遗迹中，出土锥体棒形石料及有锉痕等加工痕迹的石器半成品500余件、玉器40余件、石器70余件。出陶片不多，可复原陶器30余件，约为玉石器总数的三分之一。在遗址东边不远处的一条探沟中出土百余件石钻、石棒（半成品）。结合这些玉、石器的发现情况，推测这座建筑遗迹可能为制作玉、石器作坊（图5-9）。

三、荆州枣林岗墓地

位于湖北省荆州市马山镇东北方向4千米。地势较高，为一条宽约1千米，长约5千米的高岗地。地处荆山余脉的低丘陵地带，枣林岗为这一低丘陵地带的西南边缘。1990年，为配合荆江大堤加固工程，荆州博物馆发掘了46座后石家河文化时期的瓮棺。其中43座随葬有玉石器，3座无随葬品，多者随葬玉器14件，少者仅1件[②]。

瓮棺葬分布相当密集，无一例打破关系。在分布上有一定的规律，间距均匀的呈直线排布。墓圹均为口大底小的竖穴土坑，平面以圆形为主，仅1座为椭圆形。葬具均为陶器，以瓮最常见，盆、豆作为葬具的盖。随葬品位于瓮棺葬具底部，出土时多数残破，有的系埋葬过程中敲碎，也有少量完整器。有一些经琢磨光滑，再经切割，已有雏形，但尚未成器的坯件。还有一些是打制成块，初经研磨而体表尚未光滑的玉料。枣林岗遗址出土玉器可分边角料和成品两类，成品又可分为人头像，动物造型（包括鹰、蝉、虎），装饰品（包括端饰、珠、笄、牌饰、

① 湖北省文物考古研究所等：《湖北石家河罗家柏岭新石器时代遗址》，《考古学报》1994年第2期。

② 湖北省荆州博物馆：《枣林岗与堆金台——荆江大堤荆州马山段考古发掘报告》，北京：科学出版社，1999年。

璜、管、粒、镯、琮、玭），生产工具（锛、凿、钺、刀），玉器加工工具（玉钻）等（图 5–10）。

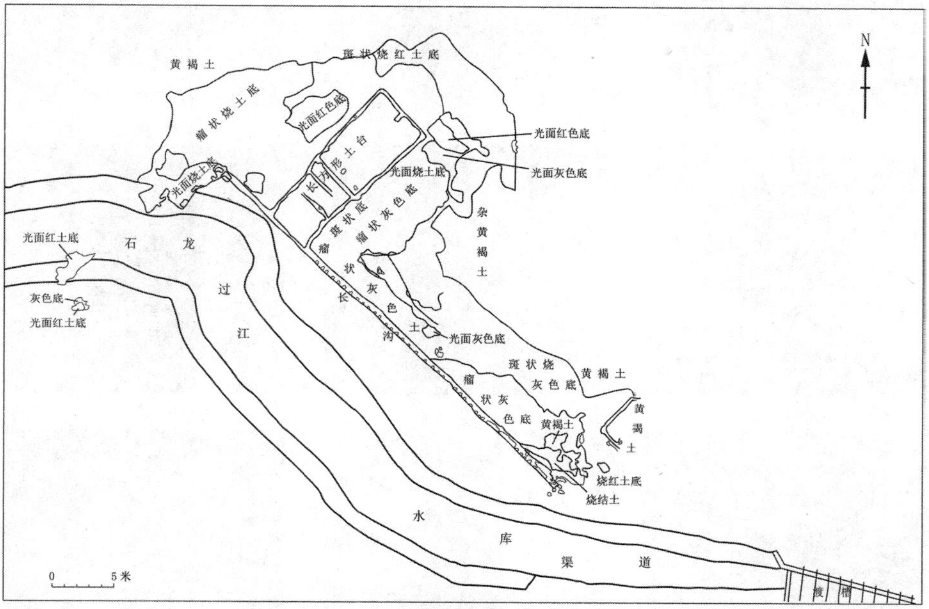

图 5–9　罗家柏岭制玉作坊

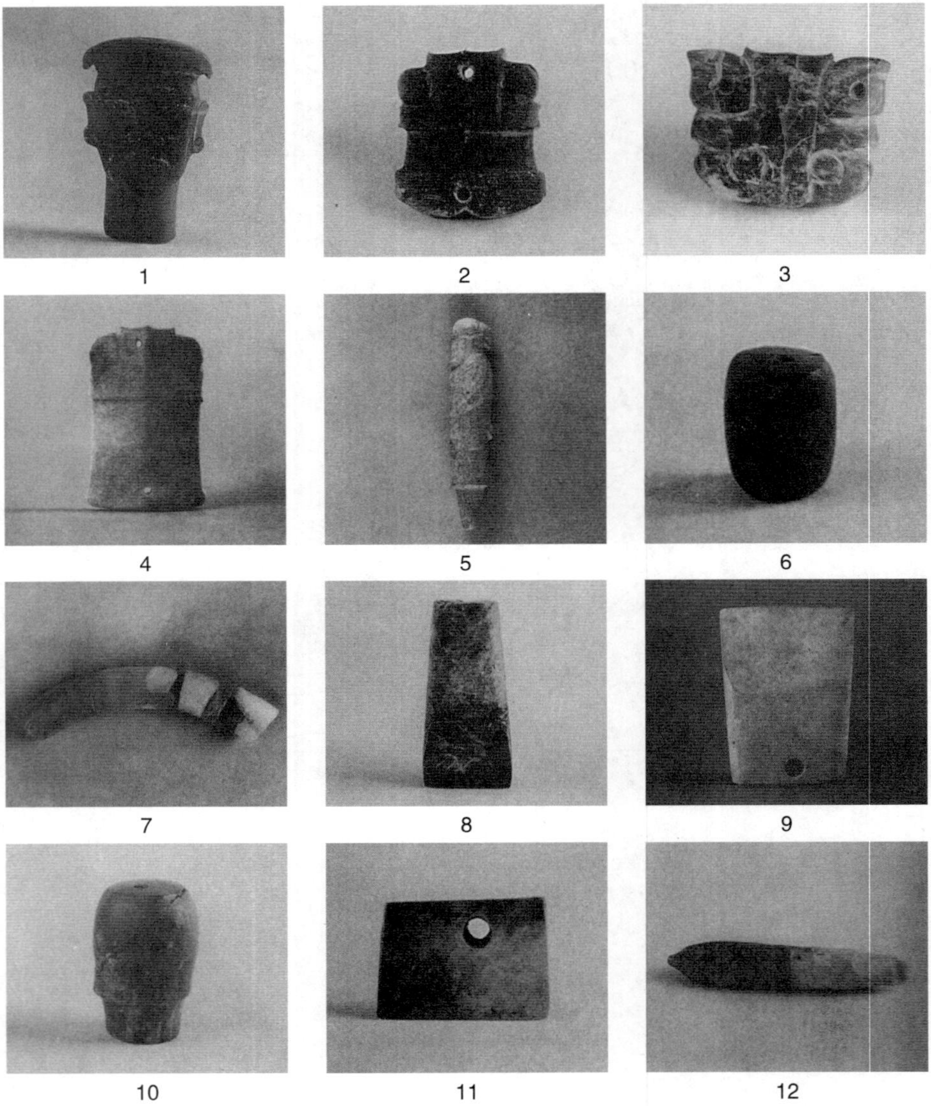

图5-10 枣林岗遗址出土玉器

1. 玉人头像（JZWM4 ∶ 1） 2. 玉蝉（JZWM8 ∶ 6） 3. 玉虎头（JZWM37 ∶ 1） 4. 玉蝉（JZWM1 ∶ 1） 5. 玉鹰（JZWM1 ∶ 2） 6. 玉珠（JZWM1 ∶ 13） 7. 玉璜（JZWM31 ∶ 2） 8. 玉凿（JZWM1 ∶ 7） 9. 玉锛（JZWM1 ∶ 5） 10. 玉端饰（JZWM40 ∶ 1） 11. 玉刀（JZWM37 ∶ 4） 12. 玉钻（JZWM39 ∶ 3）

四、澧县孙家岗遗址

位于湖南常德市澧县城头山镇大杨村三组，地处澧阳平原西部，南距澧水约10千米，东北距城头山国家考古遗址公园4千米。海拔46—49米，中心位置地理坐标为东经111° 36′ 30″、北纬29° 39′ 40″。1991年，湖南省文物考古研究所等单位对遗址东南部的墓葬区进行了发掘，发掘面积400平方米，清理后石家河文化时期墓葬33座，出土玉器26件①。2015年，湖南省文物考古研究所进行了全面考古钻探，发现了环壕、墓地、建筑台基和大型壕沟等遗迹②。2016—2018年，对孙家岗遗址墓地进行了发掘，发掘面积1990平方米，清理后石家河文化时期墓葬193座③。

孙家岗遗址发现了后石家河文化时期面积最大墓地。除1座为瓮棺墓外，其余皆为长方形土坑竖穴，墓葬排列有序。长方形土坑墓皆为西南—东北向，较为一致。同时各土坑墓又呈西北—东南向成列排布，每列墓葬数量不等，墓列间有交错。每个墓群都有多列墓葬。随葬品可分玉器和陶器两大类。玉器质地以透闪石为主，其次是阳起石，少量蛇纹石，并见有白云母—伊利石、滑石、石英以及绿松石等。器类有璧、璜、佩、笄、坠饰、祖、纺轮等，以龙形佩、凤形佩最为精美（图5-11、5-12）。

在后石家河文化众多玉器种类中，最能反映当时信仰的当属人头像和以龙、凤、虎、鹰、蝉等为造型器类。

---

① 湖南省文物考古研究所等：《澧县孙家岗新石器时代墓群发掘简报》，《文物》2000年第12期。

② 湖南省文物考古研究所：《湖南澧县孙家岗遗址2015年钻探简报》，《江汉考古》2018年第3期。

③ 湖南省文物考古研究所等：《湖南澧县孙家岗遗址墓地2016—2018年发掘简报》，《考古》2020年第6期。

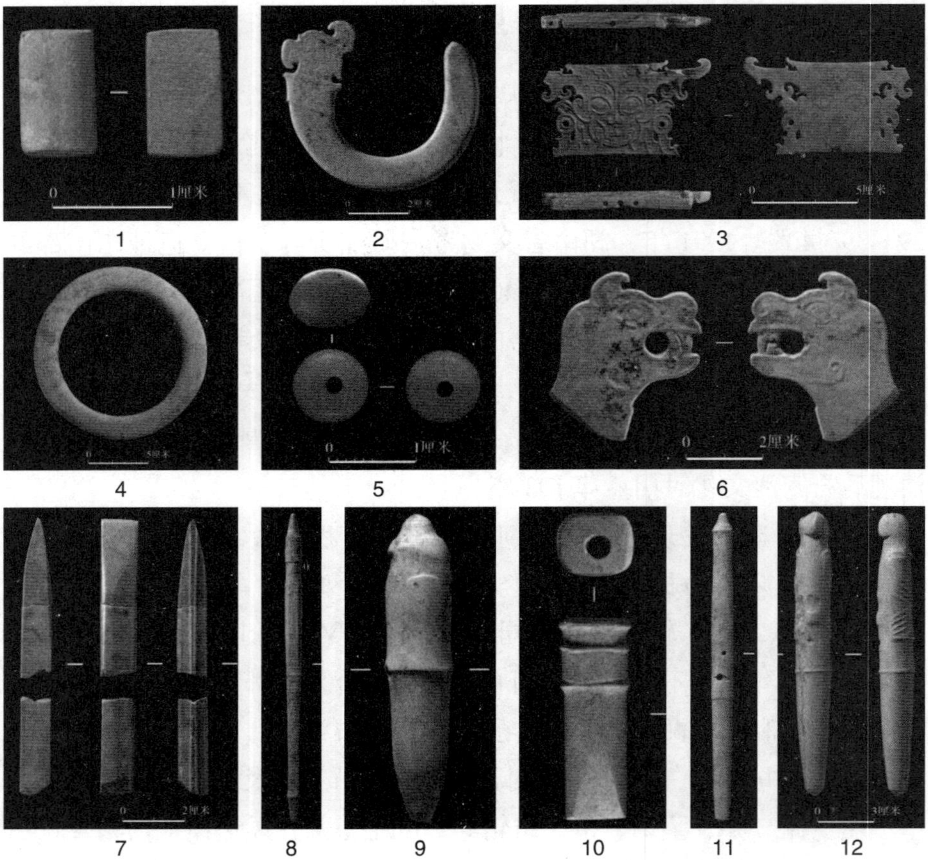

图 5-11　孙家岗遗址出土玉器（一）

1. 玉珠（M171 ：2） 2. 玉鸟首璜（M147 ：2） 3. 玉獠牙神面牌饰（M149 ：1） 4. 玉环（M120 ：10） 5. 玉珠（M79 ：1） 6. 玉虎首（M87 ：6） 7. 玉凿（M53 ：1—3） 8. 玉笄（M64 ：1） 9. 玉鹰首笄（M120 ：15） 10. 玉柄形器（M56 ：1） 11. 玉笄（M219 ：1） 12. 玉鹰首笄（M136 ：7）

后石家河文化时期的人面像可分两类，第一类有弯角和獠牙，第二类为常人形象。第一类人面像原本就是山东龙山文化之物，后来通过某种形式的接触与交往，传入后石家河文化中。第二类人面像从现有材料分析，它们与第一类性质、功用应是一样的，有可能是后石家河文化土著居民在海岱地区同期文化影响下制作的，其特点是写实性强，缺乏神秘感，省去了牙、翼状饰等在他们看来不可理解或不愿接受的东西。

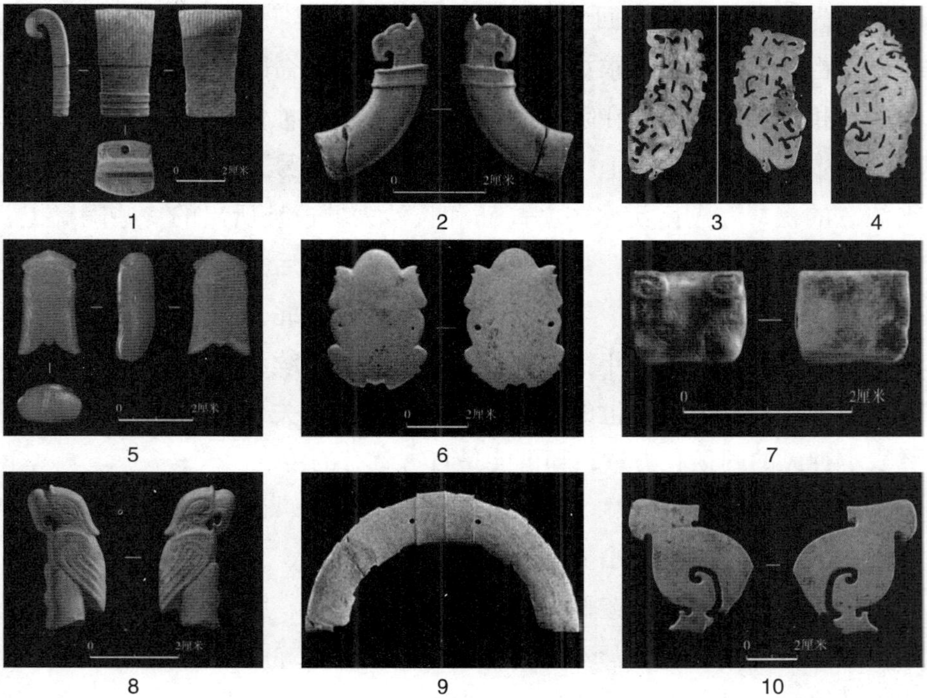

图 5-12　孙家岗遗址出土玉器（二）

1. 玉冠状器（M141 ：7）　2. 玉鸟首璜（M165 ：1、2）　3. 龙形玉佩（M14 ：1）　4. 凤形玉佩（M14 ：4）　5. 玉蝉（M85 ：1）　6. 玉蛙（M71 ：5）　7. 玉虎首（M71 ：2）　8. 玉鹰（M187 ：1）　9. 玉璜（M14 ：2）　10. 玉鹰（M75 ：1）

第一类人面像可能并非某一时期及某一地区个别小人物（如酋长、巫师）的造型，而应是后石家河文化居民及其后裔长期共同信奉的神祇或祖先崇拜（如蚩尤或少昊挚）的偶像。其性质与良渚文化玉器上的神人相似①。这些人面像都有可能是“神祖”，“神祖”是中国古代宗教的一大特色。由于古人相信氏族始祖的生命是源于自然神，自然神祇的主宰——上帝藉神灵动物如玄鸟等，引渡神圣的生命，创造了氏族的祖先。所以，在古人的心目中，神祇、祖先、神灵动物三位一体，可相互

① 杨建芳：《大溪文化玉器渊源探索——兼论有关中国新石器时代文化传播、影响的研究方法》，《南方民族考古·第一辑》，成都：四川大学出版社，1987 年，第 15—20 页。

转形。先人故去后，会回到上帝的身边作为“宾”，生民必须经由宾于帝廷的祖先，向上帝祈求神谕与福庇。祖先的生命既是源自上帝，又可与上帝相互转形。所以在宗教美术品上所雕琢的神像，其造型常取自现实生活中的活人，再加上一些代表神灵动物的符号，如獠牙鸟羽等。值得注意的是，在湖南沅水中游高庙和长沙大塘遗址所出的一些陶罐上，刻画着一种带翅的神像，其口中的獠牙与龙山、后石家河文化中发现的神祖獠牙几乎完全一样。类似的神像在湖南和湖北公安一带新石器时代的陶器上均有发现，其年代从七千多年前一直延续到五千多年前。尽管很难判断这种神像与后世的神祖之间是否有渊源关系，但是用野兽的獠牙表示神灵的凶猛和力量，却可能是自古就有的传统。

在中国的传统文化中，虎、龙、凤、鹰、蝉、鹿、羊等，一向都是人们信奉的灵物。从红山文化到先秦时代的玉器、青铜器、漆器和丝织品上，以上各种动物的造型可说是比比皆是。虎、鹰因其凶猛而受到敬畏，龙因能上天入地和善变潜形而被尊崇，至于蝉则是由于它能蜕变羽化和“饮而不食”而备受钦慕。在中国的原始巫术以及萨姆教、道教中许多动物都被看成是人神之间的使者或助手。古人重视这些动物形象，无非是想祈求它们的直接保护或通过它们沟通人神、天地之间的关系。实际上，在新石器时代中晚期的玉器文化中，以玉通神一直被视为玉器最基本的功能，后石家河文化的玉器也是一样。

在后石家河文化和龙山文化中，有些虎、鹿、龙、凤的造型被明显地赋予了神秘化和神灵化的色彩，如一些透雕抽象虎头像上，除长有弯角外，还戴有人字形或亭形冠，有的鹰、龙头上还有复杂的羽冠。人字形冠和羽冠有可能都是“皇冠”，象征着崇高的地位和权力。上海博物馆馆藏的一件与后石家河文化相似的玉人头（有弯角和獠牙）背面，有一个企立展翅的鹰纹。另外有些传世的龙山文化玉圭也是一面刻鹰纹，另一面刻人面纹。龙山文化玉器在表现神灵（神祖）时，几乎总是有两个面目不同的神灵形象并存，若有两个或多个神像都是人面神与鸟面神或鹰鸟神并存。这些现象有可能与古代的人鸟感应或人吞鸟卵而繁衍后代之族群起源神话传说有关系。有学者认为龙山—后石家河文化神祖玉雕中，存在着鹰虎等动物形象与神祖形象共存于一器的“二元对立关系，虎与神的二元对立关系或许本源自龙山时期的华北，经氏族迁徙或其他因素而传播至长江流域”，也有学者认为长江中游一带在古代存在崇虎的习俗，后石家河文化透雕玉兽（虎）面，其顶部有介字形冠，是神化的标志，可以作为崇拜虎的直接证据。

后石家河文化出土的玉器中，虽然尚未发现人与动物形象共存于一器的例子，但是两种形象的玉雕并存于同一文化和出现于同一墓葬，却也是明显的事实。龙山文化中祖神与动物神灵之间的密切关系，对于研究后石家河文化玉器中人物雕像与动物雕像的关系，无疑具有参考意义。仅就后石家河文化的鹰、虎雕像而言，它们和人面雕像的关系，很可能与龙山文化相似。但后石家河文化玉器中还有数量很多的蝉和其他一些动物雕像。这些动物雕像和人面雕像之间，有无关系以及什么关系等，却是需要进一步研究的问题。联系到长江中游先秦时代巫术盛行的文化传统，人们或许应该把这些问题和巫术活动联系起来进行观察和思考。

第六章　荆楚传说与荆楚史前时代

在中国历史的长河中，有一个比较特殊的阶段，即所谓的传说时代，也就是指依靠口耳相传所描述的远古历史时代，又称上古时代、远古时代、三皇五帝时代或神话时代。

在文字记载出现之前，历史靠世世代代人们的口述而流传，这些内容到后来才被后人追忆，并以文字的形式记录下来，成为后代文献中的古史传说。中国古代文献里有丰富的古史传说内容，包括创世神话、人类起源、先民首领、先民生活、发明创造等等，内容非常广泛，同时也比较杂糅，但从中可看出传说时代大概的社会结构、社会经济发展水平等。

徐旭生先生在《中国古史的传说时代》中，对传说时代的时限有一个界定，即“传说时代的范围，上限未能定，下限暂定于商朝的盘庚迁殷以前，因为到盘庚迁殷以后就已经有明确的史料，进入了狭义历史的范围，不属于传说时代了”①。目前在学术界，一般认为，中国历史上的传说时代指的是夏朝以前的历史时期。

按照学术界的定义，中国历史的传说时代正处于氏族社会由全盛到衰落的阶段，同时又是古代经济、文化向前发展的新起点。这个时期，在荆楚地区，随着人口的增长，聚落规模进一步扩大，聚落首领也产生了。聚落内经济生活愈发活跃，经济规模随之扩大，一些经济门类如制陶、治玉、栽培农业、养殖家禽等开始出现，一些与人们生计密切相关的发明创造如房屋、服饰、音乐等应运而生。这是一个社会剧烈变革的时代、英雄辈出的时代、新鲜事物层出不穷的时代。在此背景下，

① 徐旭生：《中国古史的传说时代》，桂林：广西师范大学出版社，2003年，序言第4页。

关于这段历史的传说流传至今，主要有女娲传说、嫘祖传说、炎帝神农氏传说等。这些传说对于我们了解荆楚史前文化，同样具有重要的价值。

巧合的是，这些传说流传的地区，基本上是在湖北西北部，如女娲传说主要流传于湖北竹山县一带，嫘祖传说流传于湖北远安县一带，炎帝神农氏传说流传于湖北随州、十堰、神农架林区等地。上述地区基本上是以荆山为中心的区域，所以，湖北荆山在荆楚文化特别是荆楚史前文化的研究中，具有非常重要的地位与价值。

第一节　创世女神女娲

女娲，又称娲皇，中国上古神话中的创世女神。

《史籀篇》《楚辞》《礼记》《山海经》《淮南子》《史记》《汉书》《风俗通义》《帝王世纪》《路史》《绎史》《独异志》等古籍文献中都有关于女娲的记载。在对史料记载的综合研究和分析基础上，后人对女娲的功绩作了如下的概括：一是抟土造人，创造了人类；二是炼石补天，拯救了人类；三是同辈成婚，繁衍了人类；四是制定了婚姻制度，教化了人类；五是创造了笙簧音乐，娱乐了人类。也有学者将女娲概括为“四神”：祖神，即女娲创造了人类；福神，即女娲炼五彩石补天，从而使大地免受灾难，人民得以安居乐业；媒神，即女娲缔造了人类幸福美满的婚姻；乐神，即女娲创造了笙簧娱人精神。女娲的这些功绩，正如《淮南子·览冥训》中所赞颂的：“考其功烈，上际九天，下契黄垆；名声被后世，光辉重（熏）万物。”

女娲众多功绩中，“女娲补天”最为著名，是流传千古的传说故事。《淮南子·览冥训》载：“往古之时，四极废，九州裂，天不兼覆，地不周载，火爁炎而不灭，水浩洋而不息，猛兽食颛民，鸷鸟攫老弱。于是女娲炼五色石以补苍天，断鳌足以立四极，杀黑龙以济冀州，积芦灰以止淫水。苍天补，四极正，淫水涸，冀州平，狡虫死，颛民生。背方州，抱圆天，和春阳夏，杀秋约冬，枕方寝绳，阴阳之所壅沉不通者，窍理之；逆气戾物，伤民厚积者，绝止之。”即在远古时期，自然界发生了一场特大灾害，天塌地陷，猛禽恶兽都出来残害百姓，女娲不忍民众受难，急民之所急，熔炼五色石来修补苍天，又杀死恶兽猛禽，重立四极天柱，平整天地，社会恢复正常。

关于女娲补天圣地的具体方位，众说纷纭，明朝徐道《神仙全传》和清朝《康熙字典》记载是在湖北的竹山县女娲山。《康熙字典》“娲”字条目：“《史记·五帝纪》女娲炼五色石补天。又女娲山，在郧阳竹山县西，相传炼石补天处。”《神仙全传》则记录了女娲在竹山的活动及炼石补天的经过。

在湖北竹山，有女娲山、女娲抟土造人大席场、女娲青锁等遗迹和景点，还有很多女娲神话与传说。女娲山位于竹山县宝丰镇境内，相传这里就是女娲抟土造人、炼石补天的地方，故名女娲山。竹山女娲山因此也成为女娲文化的重要发源地和中心。

竹山县流传着大量关于女娲的民歌、民谣、民间故事、民风、民俗以及对女娲娘娘的祭祀活动。由女娲神话派生出来的风俗，在竹山特别丰富，如，指婚习俗、滚磨订婚、盖头洞房、闹房听房等，夫妻称哥妹等至今没有改变。还有在民间文化中，女娲神话在竹山也留下了更为深刻的痕迹。比如，在竹山县民间有吹打《皇祖点子》的习俗，凡是重大节日和婚丧嫁娶、乔迁祝寿都以吹打《皇祖点子》为乐。

竹山拥有世界总储量 70% 的绿松石，即是传说中女娲炼石补天的五彩石。人类利用绿松石有据可查的历史可以上溯到 5000 年前，在古埃及法老的坟墓中，王后手臂上佩饰着精美的绿松石手镯。在古老而神秘的印第安文化、玛雅文化、阿斯特克文化中都有绿松石。在中国，新石器时代的裴里岗文化、龙山文化、大汶口文化、良渚文化、仰韶文化、半坡文化、二里头文化、齐家文化、陶寺文化、红山文化、三星堆文化遗址中，都有绿松石出土，春秋战国时期、清代是中国使用绿松石的两个高峰时期。绿松石古老、神秘、精美，被人类赋予了广泛的神性、灵性和活性。在竹山，女娲神话与绿松石息息相关。

女娲还是一个创造万物的自然之神，神通广大，化生万物，如传说女娲还发明创造了笙簧、瑟、埙等乐器，于是人们又奉女娲为音乐女神；女娲看到人们日出而作、日落而息，生活枯燥单调，产生怜惜之心，于是化甘露为酒，赐给百姓，百姓饮之，解劳顿，舒筋血，感恩戴德，以酒敬女娲，后来成为礼仪，女娲又被尊为礼仪之神；女娲还建立了婚姻制度，使青年两性相互婚配，繁衍后代，因此她也被奉为婚姻女神。

女娲是中华民族的共同人文始祖，是中华民族的母亲。女娲文化源远流长、博大精深，内容丰富，是史前文明和中华民族优秀传统文化，也是荆楚文化的一个特色文化。

第二节　“先蚕”嫘祖

中国素有“丝国”之称，著名考古学家夏鼐就曾说过，中国是世界上最早养蚕和制造丝绸的国家，并且在相当长时间中是唯一的这样一个国家。但是，蚕与蚕丝究竟起源于何时何地？学术界对此一直持有不同的意见。我们发现，在很多古籍文献中，都提到黄帝元妃、“西陵之女”嫘祖发明养蚕缫丝，是中国蚕神。古籍文献中涉及嫘祖者，举要如下：

《山海经·海内经》云：“黄帝妻雷（嫘）祖，生昌意。昌意降处若水。”

《史记·五帝本纪》云：“黄帝居轩辕之丘，而娶于西陵之女，是为嫘祖。嫘祖为黄帝正妃，生二子，其后皆有天下。”《史记索隐》司马贞按：“黄帝立四妃，象后妃四星。皇甫谧云：元妃西陵氏女，曰嫘祖，生昌意。”

《通鉴外纪》曰：“西陵氏之女嫘祖，为帝元妃，始教民育蚕治丝茧，以供衣服，后世祀为先蚕。”

《路史·后纪》云：“（黄帝）元妃西陵氏曰嫘祖，以其始蚕，故又祀先蚕。”

《通志·氏族略》释：“西陵氏，古侯国也。黄帝娶西陵氏女为妃，名嫘祖。”

以上种种记载，都载明黄帝元妃嫘祖发明了养蚕与缫丝技术。周代以后，皇室常组织隆重神圣的仪式，专门祭祀嫘祖。特别是自汉代以来，皇室“祀先蚕”的大规模祭祀仪式和活动，其目的就在于通过这些仪式和活动，推进养蚕栽桑事业的发展，进而促进农业的兴旺，带动经济的繁荣。在民间，几千年来也一直将嫘祖作为神灵来敬奉。

但是，关于嫘祖及其功绩，在学术界一直存在着巨大的争议，争议焦点主要集中在嫘祖是否确有其人、嫘祖生活在什么时代、嫘祖是否真的发明了蚕桑技术、嫘祖的出生地与活动地究竟在哪里等等，可谓众说纷纭，莫衷一是。特别是关于“西陵”究竟在何处，说法最多，主要有湖北远安说、河南西平说、山东费县说、山西夏县说、陕西黄陵说、四川盐亭说、湖北宜昌说、湖南湘潭说、浙江杭州说等多种[①]。

据文献记载和考古材料，远古西陵的地域范围应该包括川东、鄂西、襄北、荆湘部分区域，其中，宜昌属西陵部落分布的中心区域。所以，在今日宜昌的西陵山上、在先人溪畔的嫘祖洞里、在黄牛岩上的轩辕洞和玄嚣洞中，处处留有嫘祖圣迹。特别是在宜昌远安，至今仍有很多有关嫘祖的传说流传，县境内许多地名也都与嫘祖的活动有关。因此，目前有相当多的学者认同湖北宜昌远安为“西陵之女”嫘祖的故乡。

在远安，还流传着一则“嫘祖养蚕缫丝传说”：

黄帝战胜蚩尤后，建立了部落联盟，黄帝被推选为部落联盟首领。他带领大家发展生产，种五谷，驯养动物，制造生产工具；而制作衣冠的事，就交给正妃嫘祖了。

在制作衣冠的过程中，嫘祖和黄帝手下的另外三个人作了具体分

① 郑祥杰：《嫘祖故里探讨》，载高沛主编：《嫘祖文化研究》，北京：文物出版社，2007年。

工：一个人负责做帽子，一个人负责做衣服，一个人负责做鞋，而嫘祖则负责提供原料。

于是，嫘祖就带领妇女上山剥树皮、织麻网，她们还把男人们猎获的各种野兽的皮毛剥下来，进行加工。过了不久，各部落的大小首领都穿上了衣服和鞋，戴上了帽子。

一天，嫘祖突然感到身体不适，吃不下任何东西。大家想了各种办法，做了好多嫘祖平时爱吃的东西，谁知嫘祖总是摇头，一点也不想吃。

有一天，几个女人悄悄商量，决定上山摘些野果回来给嫘祖吃。她们一早就进山，跑遍了山山峁峁，摘了许多果子，可是用口一尝，不是涩的，便是酸的。直到天快黑了，她们突然在一片桑树林里发现满树结着白色的小果。她们以为找到了好鲜果，就忙着去摘，谁也没顾得尝上一小口。等各人把筐子摘满后，天已渐渐黑了。她们怕山上有野兽，就匆匆忙忙下山。回来后，这些女子尝了尝筐子里的白色小果，也没有什么味道；又用牙咬了咬，怎么也咬不烂。大家你看我，我看你，谁也不知道是什么果子。

嫘祖是个非常聪明的女人，她仔细询问了白色小果是从什么山上、什么树上摘的，然后高兴地对周围女子说："这不是果子，不能吃，但它们却有大用处。你们为黄帝立下一大功。"

不久，嫘祖的病就全好了。她不顾黄帝劝阻，亲自带领妇女上山要看个究竟。嫘祖在桑树林里观察了好几天，才弄清这种白色小果，是一种虫子口吐细丝绕织而成的，并非树上的果子。她回来把此事告诉黄帝，并要求黄帝下令保护山上所有的桑树。黄帝同意了。

从此，在嫘祖的倡导下，人们开始了栽桑养蚕的历史。后人为了纪念嫘祖这一功绩，就将她尊称为"先蚕娘娘"。

在远古时期，人们在极度恶劣的自然环境中艰难地生存、繁衍和发展。嫘祖发明养蚕和缫丝织绸技术，才使"黄帝、尧、舜垂衣裳而天下治”[①]。衣裳之治，是先民告别野蛮、走向文明的一个标志。

嫘祖教民养蚕缫丝，建立了光照千秋的功业。人们世代相传尊称嫘祖为蚕母娘娘，每年农历三月十五日，传说是嫘祖生辰，来自全国各地的数万游客齐聚远安县嫘祖镇，隆重举行嫘祖庙会，隆重纪念中华民族的伟大先人嫘祖。

嫘祖，作为蚕桑丝织业的发明者，是中国几千年来蚕桑文化、丝绸文化的杰出代表，将永远在中国乃至人类文明史上绽放其丝绸般绚烂的色彩。

第三节 人文始祖炎帝神农氏

在夏朝建立之前，中国历史经历了一个“三皇五帝”时代。所谓“三皇五帝”，即中国在夏朝以前的“帝王”。现在看来，他们都是部落首领，由于实力强大而成为部落联盟的领导者。

不同史家对“三皇五帝”有不同的定义。尽管说法不尽相同，但炎帝神农氏始终为三皇之一，却无异辞。

炎帝神农氏是海内外炎黄子孙所公认的我国原始社会部落联盟的杰出首领，与传说中的黄帝轩辕氏齐名，共同被尊崇为中华民族的始祖。

“神农氏”作为原始氏族部落首领或古帝的名号，最早见于《周易》一书。《周易·系辞下》说：“包牺氏（伏羲氏）没，神农氏作……神农氏没，黄帝、尧、舜氏作。”这里记载了伏羲氏—神农氏—黄帝—尧—舜的历史演进顺序，反映出神农氏生活在伏羲氏之后、黄帝轩辕氏之前的一个历史时代。

《庄子·盗跖》篇说：“神农之世，卧则居居，起则于于，民知其母，不知其父，与麋鹿共处，耕而食，织而衣，无有相害之心，此至德之隆也。”从这段记载看，炎帝神农氏时代应该处于“民知其母，不知

① 《易经·系辞下》。

其父”的母系氏族社会阶段。而《商君书·画策篇》载:“神农之世,公耕而食,妇织而衣,刑政不用而治,甲兵不起而王。”《吕氏春秋·爱类》载:“神农之教曰:士有当年而不耕者,则天下或受其饥矣;女有当年而不绩者,则天下或受其寒矣。故身亲耕,妻亲绩,所以见致民利也。”这两则材料分明又在说,炎帝神农氏时代已经迈入男耕女织的父系氏族社会阶段了。

相互抵牾的两种记载似乎向我们透露了这样一个史实:炎帝神农氏所处的时代是由母系氏族社会向父系氏族社会过渡的时代,是由渔猎采集经济向农耕经济转型的一个重要时期。这个阶段,有的部落尚处于母系氏族社会,有的则已跨入父系氏族社会的门槛,是人类社会文明初创的时代。

炎帝神农的生地,也是一个众说纷纭的话题,最主要的有三说,即“泰山说”、“华阳说”和“厉山说”。

“泰山说”的唯一证据,便是《史记·封禅书》中有“炎帝封泰山”一语。这仅能说明炎帝曾在泰山会盟诸部落首脑,但并无炎帝部落发祥于泰山一带的意思。

“华阳说”见于张守节《史记正义》引皇甫谧《帝王世纪》:“神农氏,姜姓也。母曰任姒,有蟜氏女,登为少典妃,游华阳,有神龙首,感生炎帝。人身牛首,长于姜水。有圣德,以火德王,故号炎帝。”据考证,华阳系指秦岭以南的汉水上游地区。

相比而言,“厉山说”的证据比其他二说更为充分,也更具说服力。《补三皇本纪》中说:“神农……本起烈山,故称烈山氏,亦曰厉山氏。”《礼记·祭法》说:“是故厉山氏之有天下也,其子曰农,能殖百谷。”郑玄注云:“厉山氏,炎帝也,起于厉山,或曰有烈山氏。”关于厉山的地望,《荆楚岁时记》中说:“随郡北界有厉山村,村南有厉山,山下有一穴,父老相传神农所生。”《括地志》的相关记载更为明确:“厉山在随州随县北百里,山东有石穴,曰神农生于厉乡,所谓烈山氏。”清同治《随州志·古迹》也说:“神农洞在州北百廿里。”今随州市殷店镇境内有烈山，山下确有一洞，即名神农洞。

综合考察上述诸家之言，炎帝神农生于今湖北随州东北之厉山的说法更为接近历史本原。

而且，随州地区气候温和，雨水充沛，土壤肥沃，草木茂盛，自古就是远古先民生息劳作的理想之地。考古及相关资料表明，早在旧石器时代，就已经有人类生活在随州这片土地上。据不完全统计，随州境内已发现新石器时代文化遗址60余处，其中较为重要的遗址有西花园、冷皮垭、庙台子、陈家湾、戎家湾、莲花寺、赵家庙、点将台、金鸡岭以及与随州相邻的枣阳雕龙碑等。这些新石器时代遗址的调查与发掘表明，在距今6000—5000年这个历史阶段中，随枣走廊曾有一支农耕文明发达的部落在此生息劳作。据此，随州作为炎帝神农的诞生地和主要活动区域，也当在情理之中。

《淮南子·主术训》中说，炎帝神农氏“其地南至交趾（今岭南一带），北至幽都（今河北北部），东至旸谷（今山东东部），西至三危（今甘肃敦煌一带），莫不听从”，其活动范围达大半个中国。这应该视作炎帝神农氏的影响所在，大体上也就是炎帝神农氏部落及其部落联盟的活动地域。在湖北境内，炎帝神农氏活动最为集中的区域在随州、襄阳和神农架等地。

炎帝神农氏的丰功伟绩，史籍中鲜有成篇的全面记载，但是仔细检索，有关炎帝神农氏时代的传说资料，在先秦两汉古籍中有十分丰富的记述。概括起来，炎帝神农氏对于中华文明的贡献主要体现在以下方面：

一是始作耒耜，以利民耕。《周易·系辞下》载：“庖牺氏没，神农氏作，斫木为耜，揉木为耒，耒耨之利，以教天下……”耒、耜都是木制工具，是当时从事农业生产的最主要的用具。在生产水平十分低下的原始社会，生产工具的改进，势必对生产力产生巨大的推动作用。耒耜后来成为中国农具的总称。

二是始种五谷，以为民食。《管子·形势解》载：“神农教耕生谷，以致民利。”同书《轻重戊》载：“神农作，树五谷淇山之阳，九州之民乃知谷食，而天下化之。”《淮南子·修务训》载：“于是神农乃始教民播种五谷，相土地之宜……”在发明先进生产工具的同时，炎帝神农氏指导先民开展农作物种植，我国原始农业也因之逐步发展起来。这一点，从随枣走廊新石器时代遗址聚落规模的扩大、稻谷遗迹和生产工具大量出土等，都得到了有力的印证。在炎帝神农氏对人类文明的诸多贡献中，以开创农业文明的贡献最大，影响最深。在恶劣的自然环境面前，炎帝神农氏不断积累经验，发明工具，改变了远古人类茹毛饮血的原始生活状态，成为中国农耕文明的开拓者和奠基者，奠定了中国农业文明的第一个里程碑。

三是遍尝百草，发明医药。《淮南子·修务训》载：“古者民茹草饮水，采树木之实，食蠃蚌之肉，时多疾病毒伤之害。于是神农……尝百草之滋味、水泉之甘苦，令民知所避就。当此之时，一日而遇七十毒。”远古时期，疾病和毒蛇猛兽的伤害是人类生存最严重的威胁。炎帝神农氏为了解除疾病和创伤带给人们的痛苦，深入山野辨尝各种草木的性味，从而发明用草药医治疾病和创伤的方法。正因为神农氏是我国医药学的奠基者，我国第一部药物学专著被后世冠名为《神农本草经》。

四是日中为市，首倡交易。《周易·系辞下》载：神农氏“日中为市，致天下之民，聚天下之货，交易而退，各得其所……”随着社会生产力的提高和社会分工的进一步细化，人们对物品交换的需求日益强烈。于是，炎帝神农氏设立集市，聚集四方货物，以物易物，互通有无。

五是治麻为布，遮体避寒。《商君书·画策篇》载：“神农之世，公耕而食，妇织而衣。”《庄子·盗跖》：“神农之世……耕而食，织而衣。”一系列文献记载以及随枣走廊新石器时代遗址大量出土的陶质纺轮，从两方面印证了炎帝神农氏首创原始纺织业的非凡成就。

六是制弧剡矢，以抵侵凌。《吴越春秋》载：“古者人民朴质，饥食鸟兽，渴饮雾露，死则裹以白茅，投于中野。孝子不忍见父母为禽兽所食，故作弹以守之。故歌曰‘继竹、续竹，飞土、逐宍’之谓也，于是神农、黄帝弦木为弧，剡木为矢，弧矢之利，以威四方。”炎帝神农氏发明弓箭，有效地抵御了来自其他部落和猛兽的侵扰。

七是作陶为器，以储民用。《逸周书》载：“神农之时，天雨粟，神农耕而种之。作陶冶斤斧。”《太平御览》引《逸周书》则说：“神农耕而作陶。”制陶术是先民在新石器时代最主要的创造之一，也是人类由茹毛饮血的野蛮时代向文明时代迈进的一个重要标志。

八是首作琴瑟，娱乐民众。《世本·作》载：“神农作琴”“神农作瑟”。桓谭《新论》说神农氏“始削桐为琴，绳丝为弦，以通神明之德，合天地之和焉。”又云：“神农氏为琴七弦，足以通万物而考理乱也。”湖北新石器时代遗址里曾出土不少陶球和陶铃，陶球分空心或实心，形状各异，有的还有手柄，外部装饰各种纹饰和色彩。实心陶球内装石子，轻轻摇动，即发出响声。陶铃器身为椭圆形，顶面有并列两穿孔，可作穿绳吊挂之用。对于陶球和陶铃的用途，有研究者认为，它们应该是乐器之类的娱乐工具。如此说成立，至少印证了炎帝神农氏时期先民已经开始音乐方面的精神追求。

九是台榭而居，安家立业。《皇王大纪》载：炎帝神农氏“相土田燥湿肥硗，兴农桑之业，春耕夏耘，秋获冬藏，为台榭而居。”从渔猎采集转向农耕，人们随之开始了定居生活，于是修建简陋房屋，聚族而居，形成原始村落。从大溪文化开始，人们的居所从半地穴式到完全地面式，从单间到多间，建筑技术不断进步。在枣阳雕龙碑新石器时代遗址的房屋建筑中，地面平整、坚硬，地面涂抹材料与现代水泥几乎一样，还出现了迄今为止时代最早的推拉门①。这些充分说明了炎帝神农氏时代在房屋建筑技术方面的突破与进步。

十是首创煮盐，强健体魄。《世本·作》载：“宿沙作煮盐。”《淮南子·道应训》载：“宿沙之民，皆自攻其君而归神农。”由此可知，首

① 王杰：《湖北枣阳雕龙碑遗址的考古收获》，《江汉考古》1997年第4期。

创煮盐的是炎帝神农氏的部属宿沙之民。盐的发明对于改善人类营养结构，增强人类体质具有十分重要的作用。

十一是观测天文，设立历法。炎帝神农氏在首创农业的同时，对于原始天文学和历法学的创立，也是卓有成就的。神农氏及其部落先民在长期的生产实践中，注意到“火”（即星）与季节的关系，并运用所掌握的天文历法知识指导农业生产。在随州冷皮垭新石器时代遗址出土的陶豆柄上，雕刻有北斗七星图案，这或许是生息于此地的原始先民天文历法知识的艺术表现①。

炎帝神农氏对中华文明有不可磨灭的巨大贡献，从史实与神话两者的结合来看，炎帝神农是中华民族之祖、农业之祖、医药之祖、商贸之祖、音乐之祖等，如此多的发明创造，只有黄帝才能和他相媲美。所以，炎、黄二帝同时被尊崇为中华文明的开创者和中华民族的人文始祖。

民族精神是一个民族在长期共同生活和实践中形成的思想观念、价值取向与信仰、性格及心理的总和，是这个民族得以生生不息地繁衍和发展的灵魂与动力，也是该民族所创造的文化的核心。

炎帝神农氏是我国原始社会时期一位勤劳、勇敢、睿智的部落首领，他率领该部落在艰难生存与艰苦发展的历程中，创造了特色鲜明的文化——炎帝神农文化。炎帝神农文化背后所蕴含的民族精神主要包括：四海同心的团结精神、勇于探索的创新精神、脚踏实地的实干精神、刚健有为的自强精神、不怕牺牲的拼搏精神以及胸怀天下的奉献精神。数千年来，这些精神和黄帝文化所孕育的民族精神一道，生生不息，薪火相传，为中华民族和中华文明的绵延壮大做出了杰出的贡献。

第一，四海同心的团结精神。在中华民族的文明演进过程中，炎帝神农氏开创的农耕文明，迈开了向文明社会跨越的第一步。在漫长的历史时期，炎帝神农氏的神话传说对中华民族国民心理的成长、民族认同

① 刘玉堂、黄敬刚：《从考古发现看随的农业》，《农业考古》1986 年第 1 期。

与民族团结的提升乃至国家的统一与强盛，都具有重要价值。

第二，勇于探索的创新精神。炎帝神农氏是中华文明历史上最早勇于探索、开拓创新的典范之一。他勇于探索，能够在先民蒙昧之初，善于模仿、善于观察，勤于动手，勤于总结，不断积累生产经验和常识，从而发明许多生产生活工具和文化娱乐用具，成为农业、制陶、医学、音乐、天文、历法、商业等等众多领域的创造者、奠基者和集大成者。

第三，脚踏实地的实干精神。炎帝神农氏脚踏实地，孜孜不倦，事必身先。据说炎帝之时，由于人口的增加，光靠渔猎采集已经难以为继，于是炎帝神农氏亲自“尝百草之实，察酸苦之味，教民食五谷”。为了部落的生存发展，炎帝神农氏亲自耕种，妻子亲自纺织，促进部落的发展壮大。为了解除民众疾病之苦，炎帝神农氏亲尝百草，识别草木的性能，即所谓“神农始尝百草，始有医药”。他还亲自制造了七弦琴和五弦瑟，促进了音乐艺术事业的发展。

第四，刚健有为的自强精神。刚健有为的自强精神在炎帝神农文化中尤其突出，这种精神在炎帝部落成员如精卫、夸父、刑天等人的身上同样得到淋漓尽致的体现。精卫是炎帝的女儿，因失足于海而失去生命，于是化而为鸟，衔石填海，百折不挠；夸父不畏艰难，敢和太阳一争高下，以至“道渴而死”。“夸父逐日”的故事体现出炎帝部落为了认识大自然、征服大自然而自强不息的顽强精神；炎帝近臣刑天在部落战争中，冲锋陷阵，被俘后，被斩头颅，仍不甘心失败，再次站起，把胸前的两个乳头当作一双眼睛，把肚脐当作嘴巴，左手握盾，右手持斧，战斗不止。“刑天舞干戚，猛志固常在”，这是一幅多么壮烈的画面！

第五，不怕牺牲的拼搏精神。上古时期先民们由于生存条件恶劣，茹毛饮血，多患疾病，生命与健康得不到保障。炎帝神农氏作为部落首领，看到人民的疾苦，决心寻求治病之药，解除人们的痛苦。于是，炎帝神农氏遍尝百草，采药的足迹遍布大江南北，历经艰险，九死一生。

第六，胸怀天下的奉献精神。作为部落首领，炎帝神农氏不顾个人安危，一心为公，全心为民，不求任何回报。《淮南子·齐俗训》说他

“身自耕，妻亲织，以为天下先”。《淮南子·修务训》说“神农憔悴”，“圣人之忧劳百姓甚矣”。炎帝神农氏的这种大公无私和奉献精神，是中华民族“先天下之忧而忧，后天下之乐而乐”核心价值观的源头之一。

以农耕文明为突出特征的炎帝神农文化对中华文化的发轫、孕育及发展具有深刻的影响，它不仅奠定了中华文化的基础，而且指引着中华文化的发展趋向。炎帝神农文化是传承几千年的中华民族文化之源，是凝聚全世界炎黄子孙的民族之魂，更是激励华夏儿女不屈不挠、顽强拼搏、创新奉献的精神支柱。这些精神正是中华民族自尊、自立、自信、自强精神的活水源头。

结　语

训诂文字，我们知道，荆与楚是同物异名，荆即楚，楚即荆，它本是一种柔韧性较好的木本植物，《说文·卷一》："荆，楚木也。"《说文·卷六》："楚，丛木，一名荆也。"因为柔软且长有小刺，荆楚这种植物在古代还用作刑具，如战国时期赵国名将廉颇"肉袒负荆，因宾客至蔺相如门谢罪"[①]的"荆"就是用这种荆条制成的刑鞭。唐代司马贞为此作注说："负荆者，荆，楚也，可以为鞭。"[②]"负荆请罪""荆楚之刑"等成语即由此而来。

而荆、楚作为地方名称，最初可能出现在夏朝。禹伐三苗，控制长江中游地区后，设立了传说中的九州之一的古荆州。因此，荆楚一词是有着丰富内涵的复合概念，兼具地域、历史与文化三种特性。

作为一种具有鲜明地域特色的文化形态，从断代的静态角度看，荆楚文化主要是指以当今湖北地区为主体的古代荆楚历史文化；从发展的动态角度看，荆楚文化不仅包括古代的历史文化，还包括从古到今乃至未来湖北地区所形成的具有地方特色的区域文化。也就是说，荆楚文化是地方特色鲜明、空间范围确定的地域文化，包括荆楚大地上荆楚儿女自远古至当今所创造的一切文化成果。史前文化、炎帝神农文化、楚文化、三国文化、禅宗文化、武当文化、首义文化、红色文化、名人文化、非遗文化等，共同组成内涵丰富、精彩纷呈的荆楚文化宝库。

荆楚文化历经漫长的发展演化，在不同的时代呈现出不同的文化面貌与特质，对荆楚文化的形成与发展也起着不同的作用与影响。如果

---

① 《史记·廉颇蔺相如列传》。

② 《史记·廉颇蔺相如列传》。

说由先秦时期楚人、楚国、楚族所创造的楚文化是荆楚文化的源头与核心，由不同时期荆楚人民所创造的三国文化、禅宗文化、武当文化、首义文化等是荆楚文化的特色文化，那么，由旧石器时代、新石器时代荆楚先民所创造的史前文化堪称荆楚文化的先声。在旧石器时代，荆楚地区是中国远古人类及其文化演化的主要地区之一。在新石器时代，荆楚地区文化遗存富集，文化谱系完整，一跃成为长江中游地区史前文明的中心，荆楚文化大放异彩，为实证“早期中国”文明基因贡献了荆楚力量。同时，荆楚地域所在的长江与黄河珠联璧合，成为中华文明的共同摇篮。在这个过程中，荆楚地区史前文化贡献巨大。

条分缕析，荆楚地区史前文化对中华文明的贡献至少有两点。首先，在旧石器考古方面，湖北是我国发现古人类化石遗存最多的地区之一，且时代跨度长，使湖北成为探索人类起源的重要地区。这些丰富且年代相对连续的古人类化石材料，不仅实证了我国百万年的人类史，而且使我们能够对“我们是从哪里来的”这个世界性的课题，作出不懈的努力与探索。

从古到今，现代人类起源问题一直是世界科学界最感兴趣也是最具争议性的一个话题。《圣经》记载，上帝创造的亚当、夏娃繁衍了人类，而我们中国人则认为，女娲、伏羲才是人类的老祖宗。

在古人类学研究领域中，人类进化阶段包括古猿、猿人、能人、直立人、智人与现代人，这已成为学界广泛的共识。目前存在争论的焦点主要是现代人类的起源问题，即我们的直系祖先来自哪里？围绕这个争论，主要有两大学说，即“非洲起源说”和“多地区进化说”。

自 1871 年达尔文出版《人类的由来及性选择》以来，现代人类起源于非洲、演化自一支古猿逐渐成为学术界主流观点，即“非洲起源说”。持有该观点的学者认为，人类的定义就是灵长类中能常规两足直立行走的类群，因而追溯人类起源就是寻找最早的直立行走证据，亦即人类与血缘关系最近的黑猩猩相揖别的节点。最近 20 年来在非洲已发现 700 万年前开始直立行走的撒海尔人、600 万年前的原初人，以及其后的地猿、南方古猿等，构筑了人类起源与早期演化的化石材料证据链。同样，人类最早起源的证据也出自非洲，包括肯尼亚出土的约330万年前的石制品、埃塞俄比亚出土的约250万年前的石制品等。同时，现代地质学研究表明，今非洲大陆历史上曾经发生过剧烈的气候变化，导致降雨量减少，热带丛林退缩，很多区域荒漠化，其中一部分树栖古猿被迫改变栖居方式，下到地面生活，这被认为是从猿向人过渡、直立行走出现、人类在非洲起源的环境动因。大约在距今20万至10万年前，非洲大陆上的古人类演化到晚期智人阶段，即进化为现代人类，非洲成为现代人类唯一的起源地，其他地区的现代人群都是在非洲诞生的早期现代人群向外迁徙、扩散的结果。1967年，埃塞俄比亚出土3具保存较为完整而且生存年代明确的智人骨骼化石，其年代可以追溯到距今16万年前，也为现代人“非洲起源说”提供了有力的支持。

除了“非洲起源说”，还有一种“多地区进化说”认为，100万至200万年前，直立人由非洲扩展到其他大陆后，分别独立演化为现代非洲人、亚洲人、大洋洲人和欧洲人。

近几十年来，因为中国大陆先后发现了北京人、元谋人等直立人的化石，也有专家提出现代人“亚洲起源说”。但与非洲发现的距今200万年以上的早期人类化石相比，都显得太“年轻”。在人类“非洲起源说”面前，“亚洲起源说”显得有些苍白无力。

所以，目前在国际古人类学界，普遍认为现代人类起源于非洲。如果依照这个观点，则现代中国人的直系祖先就是从非洲走出来的。那么，现代中国人真的是“走出非洲”的古人类的后裔吗?

实际上，在中国境内，与人类起源与演化有关的考古发现不断涌现，中国成为非洲之外人类化石和文化遗存最古老、最丰富的地区，而且这些材料成为一个序列，是一种生生不息的序列。我们通过对考古学、古人类学、民族学等资料进行综合研究，基本上可以厘定中华远古历史在中国大地上发展的一个基本脉络：在安徽繁昌癞痢山人字洞、重庆巫山龙骨坡、湖北建始龙骨洞、陕西蓝田上陈等地发现了距今240万至 200 万年的石制品等人类文化遗存，与非洲发现的最早的人类文化遗存的年代接近，对在亚洲地区探索人类的起源具有十分重大的意义；而“猿人”（云南元谋猿人、陕西蓝田猿人、北京猿人等）、“古人”（即早期智人，包括广东韶关马坝人、湖北长阳人、山西襄汾丁村人等）和“新人”（即晚期智人，包括广西柳江人和麒麟山人、内蒙古和宁夏河套人、北京山顶洞人等）三个阶段构成中国远古人类的原始群时期。此后，中国进入了一条源远流长、奔腾不息的文明长河。

在湖北，与人类起源有关的考古发现同样很多，湖北境内古人类遗迹遗存的富集程度和系统性全国仅有、世界罕见。我们简单梳理如下：

建始人化石，经鉴定其年代距今 215 万至 195 万年。

郧县人化石，经鉴定其年代距今 100 万年。从 1990 年至 2022 年，郧县人遗址先后开展了 7 次考古发掘。此前 5 次考古发掘调查中，在核心区发现了 2 具距今约 100 万年的古人类头骨化石，即郧县人 1、2 号头骨，此外还出土了 20 余种哺乳动物化石和 207 件石制品。2022 年，该遗址发掘出土 3 号头骨，其保存得更加完好，直立人形态特点更加明确，是迄今欧亚内陆发现的同时代最为完整的古人类头骨化石，保留该阶段人类重要的解剖学特征。该头骨与 1、2 号头骨位于同一套地层中，与同一层位的石制品和哺乳动物化石的共生关系明确，地层、时代和埋藏学信息清楚。郧县人处在欧亚大陆古人类约 200 万年演化历程的关键节点上，为探讨东亚直立人的来源与演化模式以及直立人与智人的演化关系等重大课题提供了翔实而关键的化石及文化证据。

长阳人化石，经鉴定其年代距今 19 万年。

郧西人化石，经鉴定其年代约在 10 万至 4 万年以前，属于旧石器晚期智人阶段，是目前东亚地区发现的最早的晚期智人，填补了东亚早期智人向晚期智人演化过程中的缺环，对研究中国现代人的来源与演化等具有极其重要的意义。出土郧西人化石的遗址还发现了湖北地区最早的用火遗迹。

江陵鸡公山遗址，其年代为距今 5 万至 4 万年，是目前所发现的中国第一例平原旧石器时代遗址，填补了我国旧石器时代平原居址的空白。江陵鸡公山遗址的发现证明，旧石器晚期以来人类活动开始从山前地带走向平原，而2022年发掘的当阳九里岗遗址则正处于江汉平原北缘的山前地带，将其与鸡公山遗址一并串联审视，它为研究江汉地区早期人类活动范围、揭示早期人类生活场景提供了又一个关键节点。

持续100多年的科学考古表明，中国旧石器时代文化是连续发展、薪火相传的。当然，不排除其中有基因和文化的交流发生。其中湖北古人类化石出土地点、旧石器文化遗址数量较多，遗址文化内涵丰富，发展演化脉络比较清晰完整。它们不仅极大地丰富了我国古人类考古、旧石器时代考古的学术体系，揭示了湖北是中国古人类演化的主要地区之一，而且对于探讨人类“一元”“二元”“多元”起源论具有重要学术意义。而且我们有理由相信，随着研究的深入（如古DNA技术对东亚早期智人基因的破译等），中国乃至东亚将逐渐成为研究人类起源与演化这个世界性课题的重点区域，人类起源相关研究的突破乃至重大理论的改写、创新，很可能发生在中国和东亚。这其中就应该有荆楚史前文化的地位与影响。

荆楚史前文化对中华文明的另一大贡献，体现在新石器时代，也就是从距今1万年到距今5000年前后，荆楚先民创造了从文明起步到走向辉煌的区域新石器文化，在长江中游地区独树一帜。长江流域尤其是长江中游地区，以荆楚为代表，是稻作农业重要的起源地之一，是最早的陶器发现区域之一，也是最早步入早期文明阶段的区域之一，在中华文明起源和发展中发挥了重要作用。

目前学术界关于人类进入文明社会的标志，众说纷纭，持论各异，诸如城市的出现、文字的书写、金属工具的使用、密集型农业的产生、宗教的统一力量和礼仪建筑的出现等。尽管观点众多，但我们发现，在湖北境内新石器时代晚期诸多遗址中，人类文明起源的诸多要素如早期城市、原始文字、金属工具、宗教礼仪设施、稻作农业等都有表现，如同文明星空上的点点星辰，特别引人注目。峡江地区太阳人石刻、黑曜石雕塑人像，沙洋城河遗址大型合葬墓，屈家岭文化时期的高温黑釉陶器，及屈家岭、石家河等古城，是长江中游从文明起步到距今5000年前后走向辉煌的见证。特别是石家河遗址前后持续数千年，其鼎盛时期距今约5000年到4000年，石家河古城面积达120万平方米，是迄今所见长江中游规模最大的史前城址，其已经具有都城性质。同时石家河古城不断整合文化与资源，引领着长江中游向前发展，使其成为中华文明起源的重要区域。石家河遗址群印信台大型祭祀场所、谭家岭高等级敛玉瓮棺、三房湾大型专业制陶作坊等，多维度揭示了早期中国的文明基因。

如同中华文化的发展轨迹，在荆楚史前历史文化的发展进程中，同样存在一个“传说时代”，即所谓的“三皇五帝”时期，有着丰富的古史传说内容流传至今，包括创世神话、人类起源、先民首领、先民生活、发明创造等。

一般认为，“三皇五帝”是指中国历史上氏族社会由全盛到衰落阶段的部落联盟首领，“三皇”即燧人、伏羲、炎帝神农，“五帝”即黄帝、颛顼、帝喾、唐尧、虞舜。对于传说时代的人物，不可以与信史时代的人物视为完全相同的概念。传说时代的人物很大程度上是代表了当时的一个氏族或部落，这是目前学术的共识。

在荆楚地区，“三皇五帝”的事迹与功德都有一定的流传，如黄帝与黄帝元妃嫘祖、炎帝神农、女娲等。如在湖北西部流传大量有关“西陵女”嫘祖的传说，言其为黄帝元妃，发明了养蚕与缫丝技术。荆楚史前文化中有关嫘祖其人、其事的传说，实际上反映了荆楚地区原始蚕桑丝织业的发展水平，以及社会文明的进步程度。事实上，自新石器时代开始，荆楚地区一直是中国古代纺织刺绣业高度发达的一个地区之一，荆楚地区流传的嫘祖神话应该就是该史实的一个印证。

又如黄帝，除了其元妃嫘祖活动在荆楚地区外，在春秋战国时期叱咤一时的楚人、楚族更是直接寻根到黄帝。司马迁《史记·楚世家》中记载：“楚之先祖出自帝颛顼高阳。高阳者，黄帝之孙，昌意之子也。

高阳生称，称生卷章，卷章生重黎。重黎为帝喾高辛居火正，甚有功，能光融天下，帝喾命曰祝融。共工氏作乱，帝喾使重黎诛之而不尽。帝乃以庚寅日诛重黎，而以其弟吴回为重黎后，复居火正，为祝融。吴回生陆终。”楚国诗人屈原在其作品《离骚》中首句即言：“帝高阳之苗裔兮。”这些记载都说明楚族的始祖是颛顼高阳氏，而高阳氏又是黄帝之孙，所以楚族的始祖是以华夏族为主体的当时各族人民的共同祖先——黄帝轩辕。

炎帝神农的传说在荆楚地区流传最广、影响最为深远。炎帝神农、黄帝轩辕是我国原始社会氏族部落的杰出首领，是中华文明的开创者和中华民族的人文始祖。根据传说，史前荆楚是炎帝神农部落的发祥地与主要活动地，该部落正是以湖北随州为中心，沿汉水向长江流域和黄河流域南北拓展的。炎帝神农活动的时间约在新石器时代中晚期，其最伟大的功绩当属教人播种五谷，发明并推广原始农业。与此相映照，自新石器时代早期至晚期，荆楚地区始终广泛开展稻作。考古发掘工作表明，在湖北宜都城背溪、京山屈家岭、天门石家河、枝江关庙山、郧县青龙泉、随州黄土岗、应城门板湾、武昌放鹰台、大冶蟹子地等新石器时代文化遗址中，均有稻作遗迹发现。毫无疑问，湖北是中国稻作农业的起源地之一，在世界稻作农业文明史上也占有重要地位。

按照农作物种植的差异，中国农耕文化主要由北方的粟作文化和南方的稻作文化两大体系构成。南方稻作文化体系的形成与发展，则与荆楚地区史前稻作农业的起源与发展密不可分。

此外，女娲是古往今来在中华大地流传最广泛、影响力最大的神话人物之一，女娲文化是中华民族传统文化重要的一部分。在中国，女娲庙在很多地方有分布，但其神话和传说的中心很可能在湖北竹山一带，女娲传说在湖北竹山家喻户晓，世代相传。流传在竹山县的女娲传说题材丰富、形式多样、语言原始、风物互映，留存着显著的早期神话人神一体的特征，印证了荆楚文化源远流长的隽远文脉。

纵观世界各国各民族历史，神话传说在某种程度上就是远古部落在没有文字记录的情况下，通过口口相传的方式保留下来的历史。对当时的人们而言，神话传说就是一种记录，就是对于自然现象的解释、对社会现象的认知，是当时社会的缩影。对于中华民族而言，神话传说也同样是历史的一部分。神话传说是传播历史的载体，为中华民族历史的延续贡献了不可估量的力量。

中国的古史传说时代应该恰是中华文明的初创期。近些年来越来越多的考古发现表明，公元前3000年左右，中华文明初兴，传说时代的古史框架基本可信，神话传说背后也有真实的历史素地。有关传说以不同的形式与载体在荆楚地区流传较广，从中可以部分反映史前时期荆楚地区社会结构、社会经济发展水平等情况。

荆楚文化是悠久的中华文明的重要组成部分，在中华文明发展史上地位举足轻重。“问渠那得清如许，为有源头活水来。”史前时期荆楚文化不仅是总体荆楚文化的重要组成部分，更是荆楚文化地域特色、人文风貌的源头。以史前荆楚文化为起点，荆楚文化不断发展、增益，最终汇入统一的中华文明。

参考文献

一、考古简报

1.《湖北京山发现新石器时代遗址》，《文物参考资料》1955 年第 2 期。

2. 王劲、吴瑞生、谭维四：《湖北京山县石龙过江水库工程中发现的新石器时代遗址简报》，《文物参考资料》1955 年第 4 期。

3. 江海：《湖北钟祥县刘家石门水库工地内发现古遗址四处》，《文物参考资料》1955 年第 8 期。

4. 石龙过江水库指挥部文物工作队：《湖北京山、天门考古发掘简报》，《考古通讯》1956 年第 3 期。

5. 湖北省文物管理委员会：《湖北蕲春易家山新石器时代遗址调查简报》，《考古通讯》1956 年第 3 期。

6. 小毛：《湖北钟祥县又发现三处古代遗址》，《文物参考资料》1956 年第 6 期。

7. 熊亚云：《武大铁路修建中发现大批古墓葬和古遗址》，《文物参考资料》1956 年第 11 期。

8. 四川省博物馆：《四川省三峡水库考古调查简报》，《考古》1959 年第 8 期。

9. 湖北省文物管理委员会：《湖北蕲春易家山新石器时代遗址》，《考古》1960 年第 5 期。

10. 杨锡璋：《长江中游湖北地区考古调查》，《考古》1960 年第 10 期。

11. 中国科学院考古研究所长江队三峡工作组：《长江西陵峡考古调查与试掘》，《考古》1961 年第 5 期。

12. 中国科学院考古研究所安阳发掘队：《1958—1959 殷墟发掘简报》，《考古》1961 年第 2 期。

13. 长办文物考古直属工作队：《一九五八至一九六一年湖北郧县和均县发掘简报》，《考古》1961 年第 10 期。

14. 四川长江流域文物保护委员会文物工作队：《四川巫山大溪新石器时代遗址发掘记略》，《文物》1961 年第 11 期。

15. 中国科学院考古研究所湖北发掘队：《湖北黄冈螺蛳山遗址的探掘》，《考古》1962 年第 7 期。

16. 河南省文物局文物工作队：《河南镇平赵湾新石器时代遗址的发掘》，《考古》1962 年第 1 期。

17. 河南省文物局文物工作队：《河南唐河寨茨岗新石器时代遗址》，《考古》1963 年第 12 期。

18. 高仲达：《湖北宜都甘家河新石器时代遗址》，《考古》1965 年第 1 期。

19. 河南省文物局文物工作队：《河南唐河茅草寺新石器时代遗址》，《考古》1965 年第 1 期。

20. 中国科学院考古研究所安阳发掘队：《1971 年安阳后冈发掘简报》，《考古》1972 年第 3 期。

21. 河南省博物馆长江流域规划办公室文物考古队河南分队：《河南淅川下王岗遗址的试掘》，《文物》1972 年第 10 期。

22. 湖南省博物馆：《澧县梦溪新石器时代遗址试掘简报》，《文物》1972 年第 2 期。

23. 李炎贤、袁振新、董兴仁等：《湖北大冶石龙头旧石器时代遗址发掘报告》，《古脊椎动物与古人类》1974 年第 2 期。

24. 许春华、韩康信、王令红：《鄂西巨猿化石及共生的动物群》，《古脊椎动物与古人类》1974 年第 4 期。

25. 高建：《与鄂西巨猿共生的南方古猿牙齿化石》，《古脊椎动物与古人类》1975 年第 2 期。

26. 荆州地区博物馆：《湖北松滋县桂花树新石器时代遗址》，《考古》1976 年第 3 期。

27. 纪南城文物工作队：《江陵毛家山发掘记》，《考古》1977 年第 3 期。

28. 湘江：《湖北郧西发现猿人牙齿化石》，《古脊椎动物与古人类》1977 年第 2 期。

29. 湖南省博物馆：《澧县梦溪三元宫遗址》，《考古学报》1979 年第 4 期。

30. 湖南省博物馆：《澧县梦溪三元宫遗址》，《考古学报》1979 年第 4 期。

31. 宜昌地区文物工作队等：《枝江县关庙山新石器时代遗址试掘简报》，《宜昌地区历史文物资料汇编》，1979 年。

32. 蒲显钧、蔡先启：《孝感地区两处新石器遗址调查》，《江汉考古》1980 年第 2 期。

33. 陈贤一：《江陵张家山遗址的试掘与探索》，《江汉考古》1980 年第 2 期。

34. 李建：《郧阳猿人》，《江汉考古》1980 年第 1 期。

35. 吴汝康、董兴仁：《湖北郧县猿人牙齿化石》，《古脊椎动物与古人类》1980 年第 2 期。

36. 中国社会科学院考古研究所湖北工作队：《湖北枝江县关庙山新石器时代遗址发掘简报》，《考古》1981 年第 4 期。

37. 孝感地区博物馆：《大悟县吕王城遗址调查》，《江汉考古》1981 年第 1 期。

38. 四川省博物馆：《巫山大溪遗址第三次发掘》，《考古学报》1981 年第 4 期。

39. 湖北省博物馆：《湖北省长阳县果酒岩发现古人类化石》，《古脊椎动物与古人类》1981 年第 2 期。

40. 湖北省博物馆、房县文化馆、武汉大学考古专业七六级：《房县羊鼻岭遗址调查简报》，《江汉考古》1982 年第 1 期。

41. 北京大学考古专业商周组等：《晋豫鄂三省考古调查简报》，《文物》1982 年第 7 期。

42. 湖北省博物馆：《沮、漳河中游考古调查》，《江汉考古》1982 年第 2 期。

43. 湖南省博物馆：《澧县东田丁家岗新石器时代遗址》，《湖南考古辑刊・第 1 集》，长沙：岳麓书社，1982 年。

44. 安徽省文物工作队：《潜山薛家岗新石器时代遗址》，《考古学报》1982 年第 3 期。

45. 中国科学院考古研究所安阳发掘队：《安阳后冈新石器时代遗址的发掘》，《考古》1982 年第 6 期。

46. 湖南省博物馆：《湖南安乡县汤家岗新石器时代遗址》，《考古》1982 年第 4 期。

47. 孝感地区博物馆：《孝感、黄陂两县部分古遗址复查简报》，《江汉考古》1983 年第 4 期。

48. 黄石市博物馆：《大冶上罗村遗址试掘简报》，《江汉考古》1983 年第 4 期。

49. 中国社会科学院考古研究所湖北工作队：《湖北枝江关庙山遗址第二次发掘》，《考古》1983 年第 1 期。

50. 武汉大学历史系考古专业、咸宁地区博物馆、通城县文化馆：《湖北通城尧家林遗址的试掘》，《江汉考古》1983 年第 3 期。

51. 湖北省博物馆等：《当阳冯山、杨木岗遗址试掘简报》，《江汉考古》1983 年第 1 期。

52. 南阳地区文物队、方城县文化馆：《河南方城县大张庄新石器时代遗址》，《考古》1983 年第 5 期。

53. 湖北宜昌地区博物馆、四川大学历史系考古专业：《湖北宜昌白庙遗址试掘简报》，《考古》1983 年第 5 期。

54. 湖北省宜昌地区博物馆：《宜昌县清水滩新石器时代遗址的发掘》，《考古与文物》1983 年第 2 期。

55. 湖南省博物馆：《安乡划城岗新石器时代遗址》，《考古学报》1983 年第 4 期。

56. 群力：《湖北郧西县白龙洞又发现猿人牙齿化石》，《人类学学报》1983 年第 2 期。

57. 湖北省博物馆：《襄阳山湾发现的几件打制石器》，《江汉考古》1983 年第 1 期。

58. 孝感地区博物馆、大悟县博物馆：《大悟县几处古遗址的调查》，《江汉考古》1984 年第 1 期。

59. 湖南岳阳地区文物队：《湖南华容县试掘车轱山新石器时代遗址》，《江汉考古》1984 年第 1 期。

60. 宜昌地区博物馆：《宜昌县杨家湾新石器时代遗址》，《江汉考古》1984 年第 4 期。

61. 湖北省博物馆：《襄阳三步两道桥遗址调查》，《江汉考古》1984 年第 2 期。

62. 湖北荆州地区博物馆：《湖北王家岗新石器时代遗址》，《考古学报》1984 年第 2 期。

63. 中国社会科学院考古研究所长江工作队：《湖北郧县和均县考古调查与试掘》，《考古学集刊·第 4 集》，北京：中国社会科学出版社，1984 年。

64. 湖北省博物馆：《秭归龚家大沟遗址的调查试掘》，《江汉考古》1984 年第 1 期。

65. 孝感地区博物馆：《大悟吕王城重点调查简报》，《江汉考古》1985 年第 3 期。

66. 襄阳地区博物馆：《随州几处古遗址的调查》，《江汉考古》1985 年第 2 期。

67. 孝感地区博物馆：《湖北孝感地区古文化遗址调查》，《考古》1986 年第 7 期。

68. 孝感地区博物馆、大悟县博物馆：《大悟县土城古遗址探掘简报》，《江汉考古》1986 年第 2 期。

69. 湖南省岳阳地区文物工作队：《华容车轱山新石器时代遗址第一次发掘简报》，《湖南考古辑刊·第 3 集》，长沙：岳麓书社，1986 年。

70. 安徽省文物考古研究所：《望江汪洋庙新石器时代遗址》，《考古学报》1986 年第 1 期。

71. 中国社会科学院考古研究所长江工作队：《湖北均县乱石滩遗址发掘报告》，《考古》1986 年第 7 期。

72. 徐新华：《内乡县香花寨遗址新出土陶器》，《中原文物》1986 年第 4 期。

73. 湖南省博物馆：《湖南石门县皂市下层新石器遗存》，《考古》1986 年第 1 期。

74. 湖南省文物考古研究所、湖南省澧县博物馆：《湖南省澧县新石器时代早期遗址调查报告》，《考古》1989 年第 10 期。

75. 江陵县文物局：《江陵阴湘城的调查与探索》，《江汉考古》1986 年第 1 期。

76. 湖北省孝感地区博物馆：《孝感市几处古遗址调查简报》，《江汉考古》1987 年第 3 期。

77. 湖北省博物馆：《湖北当阳季家湖新石器时代遗址》，《文物资料丛刊》1987 年第 10 期。

78. 黄陂县文化馆：《黄陂境内的新石器时代文化遗存》，《江汉考古》1987 年第 2 期。

79. 荆门市博物馆：《荆门市荆家城新石器时代遗址调查》，《江汉考古》1987 年第 2 期。

80. 云梦县博物馆：《湖北云梦新石器时代遗址调查简报》，《考古》1987 年第 2 期。

81. 荆州地区博物馆、钟祥县博物馆：《钟祥六合遗址》，《江汉考古》1987 年第 2 期。

82. 安徽省文物考古研究所：《宿松黄鳝嘴新石器时代遗址》，《考古学报》1987 年第 4 期。

83. 湖北省黄冈地区博物馆：《湖北黄冈螺蛳山遗址墓葬》，《考古学报》1987 年第 3 期。

84. 安徽省文物考古研究所：《安徽枞阳、庐江古遗址调查》，《江汉考古》1987 年第 4 期。

85. 安徽省文物考古研究所：《安徽潜山县天宁寨新石器时代遗址》，《考古》1987 年第 11 期。

86. 湖北宜昌地区博物馆、四川大学历史系：《宜昌中堡岛新石器时代遗址》，《考古学报》1987 年第 1 期。

87. 河南省文物研究所：《长葛石固遗址发掘报告》，《华夏考古》1987 年第 1 期。

88. 湖北省博物馆等：《丹江口市石鼓后山坡旧石器地点调查简报》，《江汉考古》1987 年第 4 期。

89. 中国科学院古脊椎动物与古人类研究所、湖北省博物馆：《湖北房县樟脑洞旧石器时代遗址发掘报告》，《人类学学报》1987 年第 4 期。

90. 天门县博物馆：《天门县新石器时代遗址调查》，《江汉考古》1987 年第 4 期。

91. 湖南省文物普查办公室、湖南省文物考古研究所：《湖南临澧古遗址普查报告》，《考古》1988 年第 3 期。

92. 荆门市博物馆：《荆门市新石器时代遗址调查简报》，《江汉考古》1988 年第 4 期。

93. 沙市市博物馆：《湖北沙市市新石器时代遗址调查》，《江汉考古》1988 年第 1 期。

94. 武汉大学历史系考古专业：《清水滩遗址 1984 年发掘简报》，《江汉考古》1988 年第 3 期。

95. 武汉大学历史系考古教研室等：《湖北宜城曹家楼新石器时代遗址》，《考古学报》1988 年第 1 期。

96. 纪南城考古工作站：《江陵朱家台遗址调查简报》，《江汉考古》1988 年第 4 期。

97. 望江县文物管理所：《安徽望江县新石器时代遗址调查》，《考古》1988 年第 6 期。

98. 湖北省博物馆江陵考古工作站：《宜昌伍相庙新石器时代遗址发掘简报》，《江汉考古》1988 年第 1 期。

99. 长办库区处红花套考古工作站、枝城市博物馆：《城背溪遗址复查记》，《江汉考古》1988 年第 4 期。

100. 襄樊市博物馆：《湖北枣阳毛狗洞遗址调查》，《江汉考古》1988 年第 3 期。

101. 湖北省宜昌地区博物馆：《白庙子遗址第二次试掘简报》，《中原文物》1988 年第 2 期。

102. 黄冈地区博物馆：《黄冈地区几处古文化遗址》，《江汉考古》1989 年第 1 期。

103. 国家文物局三峡考古队：《湖北宜昌中堡岛遗址发掘简报》，《文物》1989 年第 2 期。

104. 宜昌地区博物馆：《当阳罗家山新石器时代遗址调查简报》，《江汉考古》1989 年第 4 期。

105. 江西省文物工作队：《江西靖安郑家坳新石器时代墓葬清理简报》，《东南文化》1989 年 Z1 期。

106. 湖南省文物考古研究所等：《湖南临澧县太山庙遗址发掘》，《考古》1989 年第 10 期。

107. 中国社会科学院考古所长江工作队：《湖北均县朱家台遗址》，《考古学报》1989 年第 1 期。

108. 河北省文物研究所、邯郸地区文物管理所：《河北永年石北口遗址发掘简报》，《文物春秋》1989 年第 3 期。

109. 长办考古队河南分队：《淅川下集新石器时代遗址发掘报告》，《中原文物》1989 年第 1 期。

110. 荆州地区博物馆、北京大学考古系：《湖北江陵荆南寺遗址第一、二次发掘简报》，《考古》1989 年第 8 期。

111. 孝感地区博物馆：《湖北孝感地区新石器时代遗址调查试掘》，《考古》1990 年第 11 期。

112. 石河考古队：《湖北省石河遗址群 1987 年发掘简报》，《文物》1990 年第 8 期。

113. 大悟县博物馆：《大悟县古文化遗址调查简报》，《江汉考古》1990 年第 2 期。

114. 孝感地区博物馆：《湖北大悟吕王城遗址》，《江汉考古》1990 年第 2 期。

115. 孝感市文管所：《孝感市大台子新石器时代遗址调查》，《江汉考古》1990 年第 2 期。

116. 武汉大学历史系考古教研室等：《湖北麻城栗山岗新石器时代遗址》，《考古学报》1990 年第 4 期。

117. 湖南省津市市文物普查办公室：《湖南省津市市新石器时代遗址普查简报》，《考古》1990 年第 1 期。

118. 长江流域规划办公室考古队河南分队：《河南淅川黄楝树遗址发掘报告》，《华夏考古》1990 年第 3 期。

119. 益阳地区博物馆、益阳县博物馆：《益阳泽群村古遗址调查》，《江汉考古》1991 年 4 期。

120. 湖北省博物馆：《丹江口市石鼓村旧石器地点调查》，《东南文化》1991 年第 1 期。

121. 武汉大学随州考古发掘队：《随州西花园遗址发掘简报》，《江汉考古》1991 年第 2 期。

122. 中国社会科学院考古研究所湖北工作队：《湖北黄梅陆墩新石器时代墓葬》，《考古》1991 年第 6 期。

123. 麻城市博物馆：《麻城金罗家遗址调查简报》，《江汉考古》1992 年第 3 期。

124. 河南省文物研究所、信阳地区文物管理委员会罗山县文物管理委员会：《1991 年河南罗山主要考古收获》，《华夏考古》1992 年第 3 期。

125. 湖南省博物馆等：《怀化高坎垅新石器时代遗址》，《考古学报》1992 年第 3 期。

126. 枝江县博物馆：《湖北枝江新石器时代遗址调查》，《考古》1992 年第 2 期。

127. 宋康年：《安徽望江汪家山发现新石器时代遗址》，《考古》1992 年第 10 期。

128. 山西省考古研究所：《山西翼城枣园新石器时代早期遗址调查报告》，《文物季刊》1992 年 2 期。

129. 河北省文物研究所、河北文化学院：《武安赵窑遗址发掘报告》，《考古学报》1992 年第 3 期。

130. 屈家岭考古发掘队：《屈家岭遗址第三次发掘》，《考古学报》1992 年第 1 期。

131. 山西省考古研究所：《山西侯马褚村遗址试掘简报》，《文物季刊》1993 年第 2 期。

132. 孝感地区博物馆：《湖北省汉川县考古调查简报》，《考古》1993 年第 8 期。

133. 津市文物管理所：《湖南津市古遗址调查报告》，《江汉考古》1993 年第 1 期。

134. 武汉大学历史系考古教研室等：《湖北新洲香炉山遗址（南区）发掘简报》，《江汉考古》1993 年第 1 期。

135. 麻城市博物馆：《麻城罗家墩遗址调查简报》，《江汉考古》1993 年第 3 期。

136. 孝感市博物馆：《湖北安陆市新石器时代遗址调查》，《江汉考古》1993 年第 4 期。

137. 湖南省文物考古研究所、湖南省澧县文物管理所：《澧县城头山屈家岭文化城址调查与试掘》，《文物》1993 年第 12 期。

138. 三峡考古队：《湖北宜昌白庙遗址 1993 年发掘简报》，《江汉考古》1994 年第 1 期。

139. 宜昌博物馆：《秭归下尾子遗址发掘简报》，《江汉考古》1994 年第 1 期。

140. 湖北省文物考古研究所：《1982 年秭归县柳林溪发掘的新石器早期文化遗存》，《江汉考古》1994 年第 1 期。

141. 湖北省文物考古研究所：《宜昌窝棚墩遗址的调查与发掘》，《江汉考古》1994 年第 1 期。

142. 岳阳市文物工作队等：《钱粮湖坟山堡新石器时代遗址试掘报告》，《湖南考古辑刊·第 6 集》，长沙：岳麓书社，1994 年。

143. 北京大学考古学系、南阳地区文物研究所：《河南邓州八里岗遗址的调查与试掘》，《华夏考古》1994 年第 2 期。

144. 江西省文物考古研究所、宜春地区文物博物事业管理所、靖安县博物馆：《靖安郑家坳墓地第二次发掘》，《考古与文物》1994 年第 2 期。

145. 湖北省文物考古研究所等：《湖北石家河罗家柏岭新石器时代遗址》，《考古学报》1994 年第 2 期。

146. 湖北省荆州地区博物馆：《湖北京山油子岭新石器时代遗址的试掘》，《考古》1994 年第 10 期。

147. 郧阳地区博物馆、竹山县文化馆：《竹山县霍山遗址调查简报》，《江汉考古》1994 年第 4 期。

148. 李端阳、陈明芳：《湖北孝感市古文化遗址调查简报》，《考古》1994 年第 9 期。

149. 湖北省文物考古研究所、黄冈地区博物馆罗田县文物管理所：《湖北罗田庙山岗遗址发掘报告》，《考古》1994 年第 9 期。

150. 孝感市博物馆：《孝感市古文化遗址调查简报》，《江汉考古》1995 年第 3 期。

151. 湖北省孝感地区博物馆：《1980 年湖北广水市考古调查报告》，《考古》1995 年第 2 期。

152. 襄樊市博物馆：《随枣走廊几处新石器时代遗址调查》，《江汉考古》1995 年第 4 期。

153. 宜昌博物馆：《湖北宜昌市中堡岛遗址西区 1993 年发掘简报》，《考古》1996 年第 9 期。

154. 黄学诗、郑绍华、李超荣等：《丹江库区脊椎动物化石和旧石器的发现与意义》，《古脊椎动物学报》1996 年第 3 期。

155. 湖北省文物考古研究所：《1985—1986 年宜昌白庙遗址发掘简报》，《江汉考古》1996 年第 3 期。

156. 十堰市博物馆：《十堰市犟河沿岸两处古遗址调查》，《江汉考古》1996 年第 2 期。

157. 湖北省文物考古研究所、武汉大学历史系考古教研室：《湖北江陵朱家台遗址 1991 年的发掘》，《考古学报》1996 年第 4 期。

158. 十堰市博物馆、郧西县文化馆：《南水北调工程丹江口水库郧西县淹没区考古调查简报》，《江汉考古》1996 年第 2 期。

159. 湖北省文物考古研究所、中国社会科学院考古研究所：《湖北天门市石家河三处新石器时代遗址发掘》，《考古学集刊·第 10 辑》，北京：地质出版社，1996 年。

160. 刘德银：《阴湘城古城址发掘获重大成果》，《中国文物报》1996 年 11 月 24 日。

161. 湖北省文物考古研究所、十堰市博物馆、郧县博物馆：《南水北调工程丹江口水库区郧县淹没区新石器时代考古调查》，《江汉考古》1996 年第 2 期。

162. 北京大学考古系、驻马店市文物保护管理所：《河南驻马店市党楼遗址的发掘》，《考古》1996 年第 5 期。

163. 北京大学考古实习队、河南省南阳市文物研究所：《1991 年唐白河流域及淮源史前遗址的考古调查》，《江汉考古》1996 年第 2 期。

164. 荆州博物馆、监利县博物馆：《监利狮子山遗址调查与试掘》，《江汉考古》1997 年第 2 期。

165. 荆州博物馆、福冈教育委员会：《湖北荆州市阴湘城遗址东城墙发掘简报》，《考古》1997 年第 5 期。

166. 北京大学考古学系、南阳地区文物研究所：《河南邓州市八里岗遗址 1992 年的发掘与收获》，《考古》1997 年第 12 期。

167. 孟华平、周国平、王成武：《秭归庙坪遗址发掘的主要收获》，《江汉考古》1997 年第 1 期。

168. 湖北省荆门市博物馆：《荆门马家院屈家岭文化城址调查》，《文物》1997 年第 7 期。

169. 十堰市博物馆：《郧县梅子园遗址调查简报》，《江汉考古》1997 年第 3 期。

170. 荆州博物馆：《湖北荆州市阴湘城遗址 1995 年发掘简报》，《考古》1998 年第 1 期。

171. 李超荣：《丹江水库区发现的旧石器》，《中国历史博物馆馆刊》1998 年第 1 期。

172. 孝感市博物馆：《湖北孝感吴家坟遗址发掘》，《考古学报》1998 年第 3 期。

173. 荆州博物馆：《湖北荆州观音垱汪家屋场遗址的调查》，《文物》1999 年第 1 期。

174. 湖北省文物考古研究所：《神农架犀牛洞旧石器时代遗址发掘报告》，《人类学学报》1998 年第 2 期。

175. 北京大学考古实习队、河南省南阳市文物研究所：《河南邓州八里岗遗址发掘简报》，《文物》1998 年第 9 期。

176. 荆州市博物馆、石首市博物馆、武汉大学历史系考古专业：《湖北石首市走马岭新石器时代遗址发掘简报》，《考古》1998 年第

4 期。

177. 荆州博物馆：《湖北公安鸡鸣城遗址的调查》，《文物》1998 年第 6 期。

178. 十堰市博物馆、房县博物馆：《房县羊鼻岭遗址再调查》，《江汉考古》1998 年第 2 期。

179. 武汉市博物馆：《洪山放鹰台遗址 97 年度发掘报告》，《江汉考古》1998 年第 3 期。

180. 十堰市博物馆：《湖北十堰发现 2 件手斧》，《人类学学报》1999 年第 1 期。

181. 湖北省十堰市博物馆：《郧县三浪滩遗址调查简报》，《江汉考古》1999 年第 3 期。

182. 湖北省文物考古研究所：《长江三峡工程坝区白狮湾遗址发掘简报》，《江汉考古》1999 年第 1 期。

183. 湖北省文物考古研究所：《1985—1986 三峡坝区三斗坪遗址发掘简报》，《江汉考古》1999 年第 2 期。

184. 尹检顺：《澧县鸡叫城新石器时代晚期遗址又有新发现》，《中国文物报》1999 年 6 月 23 日。

185. 湖南省文物考古研究所：《湖南澧县宋家台新石器时代遗址》，《湖南考古辑刊·第 7 集》》，长沙：《求索》杂志社，1999 年。

186. 席道合、雷芬：《安乡县子龙庵遗址发掘主要收获》，《湖南考古辑刊·第 7 集》，长沙：《求索》杂志社，1999 年。

187. 黄冈地区博物馆：《1990 年湖北黄冈螺蛳山遗址墓葬清理发掘》，《鄂东考古发现与研究》，武汉：湖北科学技术出版社，1999 年。

188. 湖北省考古研究所：《“汉阳人”化石的发现》，《文物世界》2000 年第 2 期。

189. 湖北省十堰市博物馆：《湖北郧县两处旧石器地点调查》，《南方文物》2000 年第 3 期。

190. 北京大学考古文博院、南阳地区文物研究所：《河南邓州八里岗遗址1998年度发掘简报》，《文物》2000年第11期。

191. 湖南省文物考古研究所：《湖南黔阳高庙遗址发掘简报》，《文物》2000年第4期。

192. 国家文物局三峡文物保护领导小组湖北工作站、厦门大学历史系考古教研室：《湖北巴东茅寨子湾遗址发掘报告》，《三峡考古之发现·二》，北京：科学出版社，2000年。

193. 武汉市博物馆、江夏区博物馆、武汉大学考古系：《1998年江夏区潘柳村遗址发掘报告》，《江汉考古》2000年第3期。

194. 河南省文物考古研究所、信阳市文物管理委员会：《河南罗山县李上湾新石器时代遗址》，《华夏考古》2000年第3期。

195. 湖北省文物考古研究所等：《大悟张家湾遗址发掘简报》，《江汉考古》2000年第3期。

196. 湖南省文物考古研究所、澧县文物管理处：《澧县孙家岗新石器时代墓群发掘简报》，《文物》2000年第12期。

197. 湖北省十堰市博物馆：《湖北十堰发现3件大型尖状器》，《人类学学报》2001年第4期。

198. 北京大学考古文博院三峡考古队等：《忠县井沟遗址群哨棚嘴遗址发掘简报》，《重庆库区考古报告集·1997卷》，北京：科学出版社，2001年。

199. 湖南省文物考古研究所：《湖南辰溪县松溪口贝丘遗址发掘简报》，《文物》2001年第6期。

200. 湖北省荆州博物馆等：《鸡公山遗址发掘初步报告》，《人类学学报》2001年第2期。

201. 国家文物局三峡文物保护领导小组湖北工作站等：《湖北巴东茅寨子湾遗址发掘报告》，《考古学报》2001年第3期。

202. 湖南省文物考古研究所：《湖南安乡县划城岗遗址第二次发掘简报》，《考古》2001年第4期。

203. 福建省博物馆考古队等：《万州涪溪口遗址发掘报告》，《重庆库区考古报告集·1997卷》，北京：科学出版社，2001年。

204.湖北省文物考古研究所等：《太山庙新石器时代遗址第一次发掘简报》，《江汉考古》2001年第2期。

205.李桃元：《湖北应城门板湾新石器时代遗址》，《1999年中国重要考古发现》，北京：文物出版社，2001年。

206.安徽省文物考古研究所：《安徽安庆市夫子城新石器时代遗址的发掘》，《考古》2002年第2期。

207.湖北省文物考古研究所：《湖北秭归何家坪遗址发掘简报》，《江汉考古》2002年第3期。

208.湖南省文物考古研究所：《澧县鸡叫城古城址试掘简报》，《文物》2002年第5期。

209.宜昌博物馆：《秭归沙湾遗址发掘简报》，《湖北库区考古报告集·第一卷》，北京：科学出版社，2003年。

210.宜昌博物馆：《秭归渡口遗址发掘简报》，《湖北库区考古报告集·第一卷》，北京：科学出版社，2003年。

211.南京大学历史学系考古教研室：《秭归仓坪遗址发掘简报》，《湖北库区考古报告集·第一卷》，北京：科学出版社，2003年。

212.南京大学历史学系考古教研室等：《巴东鸽子窝遗址2000年发掘简报》，《湖北库区考古报告集·第一卷》，北京：科学出版社，2003年。

213.湖北省文物考古研究所等：《湖北宣城老鸹仓遗址试掘报告》，《江汉考古》2003年第1期。

214.成都市文物考古研究所等：《巫山四龙嘴遗址调查与试掘》，《重庆库区考古报告集·1998卷》，北京：科学出版社，2003年。

215.湖北省文物考古研究所：《秭归何家坪遗址发掘简报》，《湖北库区考古报告集·第一卷》，北京：科学出版社，2003年。

216.天津市历史博物馆考古部：《秭归台丘遗址发掘报告》，《湖北库区考古报告集·第一卷》，北京：科学出版社，2003年。

217. 宜昌博物馆：《秭归将军滩遗址发掘简报》，《湖北库区考古报告集·第一卷》，北京：科学出版社，2003年。

218. 宜昌博物馆等：《秭归旧州河遗址发掘报告》，《湖北库区考古报告集·第一卷》，北京：科学出版社，2003年。

219. 恩施自治州博物馆：《巴东白羊坪遗址发掘简报》，《湖北库区考古报告集·第一卷》，北京：科学出版社，2003年。

220. 丹江口市博物馆：《湖北丹江口市玉皇庙遗址调查简报》，《华夏考古》2003年第2期。

221. 中国科学院古脊椎动物与古人类研究所等：《丹江口库区红石坎Ⅰ旧石器地点发掘简报》，《人类学学报》2004年第1期。

222. 山西省考古研究所：《山西垣曲县宁家坡遗址发掘纪要》，《华夏考古》2004年第2期。

223. 湖北省文物考古研究所：《巴东店子头遗址发掘简报》，《江汉考古》2004年第3期。

224. 湖北省文物考古研究所：《巴东高桅子遗址发掘简报》，《湖北库区考古报告集·第二卷》，北京：文物出版社，2005年。

225. 湖北省文物考古研究所济南城工作站：《巴东石柱子遗址发掘简报》，《湖北库区考古报告集·第二卷》，北京：文物出版社，2005年。

226. 湖北省文物考古研究所济南城工作站：《巴东长渡河遗址发掘简报》，《湖北库区考古报告集·第二卷》，北京：文物出版社，2005年。

227. 十堰市博物馆：《湖北丹江口市连沟旧石器遗址调查》，《华夏考古》2005年第1期。

228. 湖北省文物考古研究所：《巴东鸭子嘴遗址（西区）发掘简报》，《湖北库区考古报告集·第二卷》，北京：科学出版社，2005年。

229. 湖北省文物考古研究所纪南城工作站：《巴东火焰石遗址发掘报告》，《湖北库区考古报告集·第二卷》，北京：科学出版社，

2005 年。

230. 湖南省文物考古研究所等：《湖南安乡划城岗遗址第二次发据报告》，《考古学报》2005 年第 1 期。

231. 恩施自治州博物馆：《巴东九红岩化石点发掘简报》，《湖北库区考古报告集 · 第三卷》，北京：科学出版社，2006 年。

232. 宜昌博物馆：《卜庄河古遗址（A、B 区）发掘简报》，《湖北库区考古报告集 · 第三卷》，北京：科学出版社，2006 年。

233. 湖南省文物考古研究所：《湖南洪江市高庙新石器时代遗址》，《考古》2006 年第 7 期。

234. 宜昌博物馆：《秭归玉种地遗址发掘简报》，《湖北库区考古报告集 · 第一卷》，北京：科学出版社，2003 年。

235. 湖北省文物考古研究所：《秭归县砂罐岭遗址发掘简报》，《湖北库区考古报告集 · 第四卷》，北京：科学出版社，2007 年。

236. 湖北省文物考古研究所：《巴东茅寨子湾遗址的第二次发掘》，《湖北库区考古报告集 · 第三卷》，北京：科学出版社，2006 年。

237. 湖北省文物考古研究所：《荆门叉堰冲新石器时代遗址第二次发掘简报》，《江汉考古》2006 年第 1 期。

238. 荆州市文物考古研究所等：《湖北公安、石首三座古城勘查报告》，《古代文明 · 第 4 卷》，北京：文物出版社，2006 年。

239. 吴顺东：《湖南辰溪大洑潭电站淹没区考古取得重要收获》，《中国文物报》2006 年 9 月 1 日。

240. 福建省考古队等：《万州涪溪口遗址发掘报告》，《重庆库区考古报告集 ·1998 卷》，北京：科学出版社，2003 年。

241. 福建省考古队等：《万州涪溪口遗址第三次发掘报告》，《重庆库区考古报告集 ·1999 卷》，北京：科学出版社，2006 年。

242. 朱俊英：《湖北青龙泉遗址发掘取得重要收获》，《中国文物报》2006 年 12 月 15 日。

243. 北京大学考古实习队：《河南邓州太子岗遗址复查记》，《古代文明·第5卷》，北京：文物出版社，2006年。

244. 湖北省文物考古研究所等：《湖北省麻城余家寨遗址调查简报》，《江汉考古》2006年第3期。

245. 宜昌博物馆等：《巴东县祠堂包化石点发掘简报》，《湖北库区考古报告集·第四卷》，北京：科学出版社，2007年。

246. 十堰市博物馆：《湖北丹江口市毛家洼旧石器遗址调查》，《华夏考古》2007年第1期。

247. 襄樊市考古队：《襄樊市牌坊岗新石器时代遗址发掘简报》，《江汉考古》2007年第4期。

248. 襄樊市文物考古研究所等：《枣阳周台遗址发掘报告》，《襄樊考古文集·第一辑》，北京：科学出版社，2007年。

249. 李超荣、许勇、张双权等：《丹江口库区的旧石器文化——记双树旧石器遗址的发掘》，《化石》2007年第2期。

250. 南京大学历史系考古专业等：《巫山江东嘴遗址发掘报告》，《重庆库区考古报告集·2000卷》，北京：科学出版社，2007年。

251. 重庆市文物考古所等：《巫山大溪遗址勘探发掘报告》，《重庆库区考古报告集·2000卷》，北京：科学出版社，2007年。

252. 重庆市文物考古所等：《万州巴豆林遗址发掘报告》，《重庆库区考古报告集·2001卷》，北京：科学出版社，2007年。

253. 湖北省文物考古研究所等：《湖北天门笑城城址发掘报告》，《考古学报》2007年第4期。

254. 湖北省文物考古研究所：《巴东茅寨子湾遗址的第二次发掘》，《湖北库区考古报告集·第三卷》，北京：科学出版社，2006年。

255. 襄阳市文物考古研究所等：《汉水中游河谷地区新石器时代遗址调查》，《襄樊考古文集·第一辑》，北京：科学出版社，2007年。

256. 吉林大学边疆考古研究中心：《巴东县雷家坪遗址第三次发掘简报》，《湖北库区考古报告集·第四卷》，北京：科学出版社，2007年。

257. 刘武等：《湖北郧西黄龙洞古人类用火证据》，《科学通报》2008 年第 24 期。

258. 中国科学院古脊椎动物与古人类研究所等：《丹江口库区彭家河旧石器遗址发掘简报》，《人类学学报》2008 年第 2 期。

259. 重庆师范大学历史与文博学院等：《湖北郧县伏龙观旧石器时代遗址调查简报》，《人类学学报》2008 年第 1 期。

260. 武汉市文物考古研究所等：《湖北省武汉市江夏豹澥槎山遗址 2001 年发掘简报》，《江汉考古》2008 年第 4 期。

261. 湖北省文物考古研究所：《湖北随州市黄土岗遗址新石器时代环壕的发掘》，《考古》2008 年第 11 期。

262. 湖北省文物考古研究所等：《湖北麻城吊尖遗址发掘简报》，《江汉考古》2008 年第 1 期。

263. 武汉大学历史学院等：《湖北石首陈浩岗遗址调查与试掘》，《中原文物》2018 年第 1 期。

264. 荆门市文物考古研究所：《湖北荆门市后港城河城址调查报告》，《江汉考古》2008 年第 2 期。

265. 湖北省文物考古研究所等：《湖北郧县大寺遗址 2006 年发掘简报》，《考古》2008 年第 4 期。

266. 蒋俊春等：《安陆市王古溜新石器时代城址》，《中国考古学年鉴·2007 年》，北京：文物出版社，2008 年。

267. 湖北省文物考古研究所等：《湖北荆门龙王山新石器时代墓地发掘简报》，《江汉考古》2008 年第 4 期。

268. 中国科学院古脊椎动物与古人类研究所等：《丹江口北泰山庙旧石器遗址发掘简报》，《人类学学报》2009 年第 3 期。

269. 武汉大学考古系等：《湖北省郧西胡家窝遗址发掘报告》，《江汉考古》2009 年第 3 期。

270. 湖北省文物考古研究所：《大洪山南麓史前聚落调查——以石家河为中心》，《江汉考古》2009 年第 1 期。

271. 吉林大学边疆考古研究中心等：《湖北十堰犟河口遗址 2008 年发掘简报》，《四川文物》2010 年第 6 期。

272. 国务院三峡工程建设委员会办公室等：《长江三峡工程淹没区及迁建区文物古迹保护规划报告》，北京：中国三峡出版社，2010 年。

273. 中国科学院古脊椎动物与古人类研究所人类演化实验室等：《湖北建始高坪洞穴调查及其试掘简报》，《人类学学报》2010 年第 4 期。

274. 湖北省文物考古研究所等：《湖北大冶蟹子地遗址 2009 年发掘报告》，《江汉考古》2010 年第 4 期。

275. 秭归县屈原纪念馆：《秭归陶家坡遗址发掘报告》，《湖北库区考古报告集·第五卷》，北京：科学出版社 2010 年。

276. 宜昌博物馆：《宜昌伍相庙遗址 2001 年度发掘简报》，《湖北库区考古报告集·第五卷》，北京：科学出版社，2010 年。

277. 宜昌博物馆：《秭归独石子遗址发掘简报》，《湖北库区考古报告集·第五卷》，北京：科学出版社，2010 年。

278. 宜昌博物馆：《秭归大沱湾遗址发掘简报》，《湖北库区考古报告集·第五卷》，北京：科学出版社，2010 年。

279. 秭归县文物局：《秭归何家坡遗址发掘简报》，《湖北库区考古报告集·第五卷》，北京：科学出版社，2010 年。

280. 潜江市博物馆：《秭归何家岭、沙包岭墓地发掘简报》，《湖北库区考古报告集·第五卷》，北京：科学出版社，2010 年。

281. 郑州大学历史学院考古系等：《河南淅川县沟湾遗址仰韶文化遗存发掘简报》，《考古》2010 年第 6 期。

282. 湖北省文物考古研究所等：《湖北郧西张家坪遗址发掘简报》，《江汉考古》2010 年第 3 期。

283. 武汉大学考古系等：《湖北郧县青龙泉遗址 2008 年度发掘简报》，《江汉考古》2010 年第 1 期。

284. 湖北省文物考古研究所等：《2008 年湖北省丹江口市观音坪遗

址发掘报告》,《江汉考古》2010 年第 2 期。

285. 湖北省文物考古研究所:《湖北随州新石器时代遗址调查》,《江汉考古》2010 年第 1 期。

286. 中国科学院古脊椎动物与古人类研究所等:《黄家湾旧石器遗址发掘简报》,《考古与文物》2011 年第 1 期。

287. 中国科学院古脊动物与古人类研究所人类演化实验室:《龙口旧石器遗址调查简报》,《历史教学(下半月刊)》2011 年第 2 期。

288. 湖北省文物考古研究所:《湖北大悟夏家河遗址发掘简报》,《江汉考古》2011 年第 2 期。

289. 武汉大学考古系等:《湖北郧县店子河遗址发掘简报》,《考古》2011 年第 5 期。

290. 湖北省文物考古研究所:《湖北郧县中台子遗址发掘报告》,《江汉考古》2011 年 1 期。

291. 河南省文物考古研究所等:《河南淅川县下寨遗址 2009—2010 年发掘简报》,《华夏考古》2011 年 2 期。

292. 湖北省文物考古研究所等:《2000—2001 年随州厉山佘家老湾遗址试掘报告》,《江汉考古》2011 年第 4 期。

293. 郑州大学历史学院考古系等:《河南淅川吴营遗址屈家岭文化遗存发掘简报》,《江汉考古》2011 年第 2 期。

294. 中国科学院古脊椎动物与古人类研究所人类演化实验室等:《丹江口库区宋湾旧石器地点发掘简报》,《人类学学报》2012 年第 1 期。

295. 北京联合大学应用文理学院历史文博系等:《湖北郧县刘湾旧石器时代遗址发掘简报》,《江汉考古》2012 年第 2 期。

296. 中国科学院古脊椎动物与古人类研究所等:《湖北丹江口北泰山庙 2 号旧石器地点发掘简报》,《人类学学报》2012 年第 4 期。

297. 湖北省文物考古研究所等:《湖北孝感市叶家庙新石器时代城址发掘简报》,《考古》2012 年第 8 期。

298. 湖北省文物考古研究所：《湖北广水四顾台遗址发掘简报》，《江汉考古》2012 年第 3 期。

299. 湖北省文物考古研究所等：《武汉市黄陂区张西湾新石器时代城址发掘简报》，《考古》2012 年第 8 期。

300. 武汉大学考古系：《湖北郧西归仙河遗址 2009 年度发掘简报》，《江汉考古》2012 年第 1 期。

301. 湖北省文物考古研究所等：《湖北天门市石家河古城三房湾遗址点 2011 年发掘简报》，《考古》2012 年第 8 期。

302. 湖北省文物考古研究所：《郧县中台子遗址发掘报告》，《湖北南水北调工程考古报告集·第二卷》，北京：科学出版社，2013 年。

303. 金山大学地理、考古与环境研究学院等：《丹江口库区果茶场Ⅱ旧石器遗址发掘简报》，《人类学学报》2013 年第 2 期。

304. 中国科学院古脊椎动物与古人类研究所人类演化实验室等：《鄂西南古人类活动新证据》，《第四纪研究》2013 年第 3 期。

305. 吉林大学边疆考古研究中心等：《湖北丹江口市杜店旧石器时代遗址发掘简报》，《考古》2013 年第 11 期。

306. 南京大学历史系考古学及博物馆学专业：《湖北省丹江口市南张家营遗址发掘简报》，《湖北南水北调工程考古报告集·第一卷》，北京：科学出版社，2013 年。

307. 成都文物考古研究所《湖北省十堰市斜窝河遗址发掘简报》，《湖北南水北调工程考古报告集·第一卷》，北京：科学出版社，2013 年。

308. 中国科学院古脊椎动物与古人类研究所：《郧县尖滩坪遗址 2006—2007 年发掘简报》，《湖北南水北调工程考古报告集·第二卷》，北京：科学出版社，2013 年。

309. 武汉大学历史学院等：《湖北郧县后房旧石器遗址发掘简报》，《江汉考古》2013 年第 1 期。

310. 湖北省文物考古研究所等：《湖北郧西庹家湾遗址发掘报告》，

《考古学报》2013年1期。

311.湖北省文物考古研究所：《湖北省丹江口市观音坪遗址2008年发掘报告》，《湖北南水北调工程考古报告集·第一卷》，北京：科学出版社，2013年。

312.湖北省文物考古研究所：《丹江口彭家院遗址2006年发掘简报》，《湖北南水北调工程考古报告集·第二卷》，北京：科学出版社，2013年。

313.湖北省文物考古研究所：《郧县鲤鱼嘴遗址发掘简报》，《湖北南水北调工程考古报告集·第二卷》，北京：科学出版社，2013年。

314.吉林大学边疆考古研究中心：《湖北郧县余嘴2号旧石器地点发掘简报》，《人类学学报》2014年第1期。

315.吉林大学边疆考古研究中心：《丹江口龙口旧石器遗址发掘简报》，《湖北南水北调工程考古报告集（四）》，北京：科学出版社，2014年。

316.河北省文物考古研究所：《丹江口库区黄沙河口旧石器地点发掘简报》，《湖北南水北调考古报告集·三》，北京：科学出版社，2014年。

317.湖北省文物考古研究所：《郧县郭家道子遗址2010年度发掘简报》，《湖北南水北调工程考古报告集·第四卷》，北京：科学出版社，2014年。

318.荆州博物馆：《丹江口玉皇庙遗址发掘简报》，《湖北南水北调工程考古报告集·第四卷》，北京：科学出版社，2014年。

319.中山大学考古队：《郧县下棚遗址发掘简报》，《湖北南水北调工程考古报告集·第三卷》，北京：科学出版社，2014年。

320.吉林大学边疆考古研究中心：《郧县余嘴遗址发掘简报》，《湖北南水北调工程考古报告集·第三卷》，北京：科学出版社，2014年。

321.中国人民大学北方民族考古研究所：《郧县龚家村遗址发掘简报》，《湖北南水北调工程考古报告集·第四卷》，北京：科学出版社，

2014年。

322.湖北省文物考古研究所等：《宜城下姜家边子遗址发掘简报》，《江汉考古》2014年第2期。

323.吉林大学边疆考古研究中心等：《丹江口库区水牛洼旧石器遗址发掘简报》，《人类学学报》2014年第1期。

324.湖北省文物考古研究所：《郧县刘湾遗址发掘简报》，《湖北南水北调工程考古报告集·第四卷》，北京：科学出版社，2014年。

325.内乡县衙博物馆：《河南内乡新石器时代遗址调查》，《中原文物》2014年4期。

326.安徽省文物考古研究所等：《安徽怀宁孙家城新石器时代遗址发掘简报》，《文物》2014年第5期。

327.湖北省文物考古研究所：《郧县辽瓦店子遗址2007年发掘简报》，《湖北南水北调工程考古报告集·第四卷》，北京：科学出版社，2014年。

328.潜江市博物馆：《沙洋钟桥遗址考古发掘简报》，《湖北南水北调工程考古报告集·第五卷》，北京：科学出版社，2014年。

329.湖北省文物考古研究所：《丹江口市彭家院遗址2008年发掘简报》，《湖北南水北调工程考古报告集·第三卷》，北京：科学出版社，2014年。

330.湖北省文物考古研究所：《郧县人遗址2006—2007年发掘简报》，《湖北南水北调工程考古报告集·第三卷》，北京：科学出版社，2014年。

331.湖北省文物考古研究所：《郧西庹家湾遗址发掘报告》，《湖北南水北调工程考古报告集·第六卷》，北京：科学出版社，2015年。

332.湖北省文物考古研究所：《郧县郭家院遗址发掘简报》，《湖北南水北调工程考古报告集·第六卷》，北京：科学出版社，2015年。

333.湖北省文物考古研究所：《郧县黑家院遗址发掘简报》，《湖北南水北调工程考古报告集·第六卷》，北京：科学出版社，2015年。

334. 湖北省文物考古研究所等：《随州余家老湾新石器时代遗址2006年试掘简报》，《江汉考古》2015年第6期。

335. 湖北省文物考古研究所等：《湖北天门市石家河古城谭家岭遗址2011年的发掘》，《考古》2015年第3期。

336. 武汉大学考古学系等：《湖北郧县庹家洲遗址老官台文化遗存》，《考古》2016年第1期。

337. 武汉大学历史学院考古系等：《湖北郧县三明寺遗址新石器时代遗存发掘简报》，《江汉考古》2016年第1期。

338. 益阳市文物管理处等：《沅江漉湖遗址发掘报告》，《先秦南洞庭——南洞庭湖古遗址发掘报告集》，北京：科学出版社，2016年。

339. 吉林大学边疆考古研究中心：《湖北郧县余嘴遗址旧石器时代遗存发掘简报》，《考古》2016年第8期。

340. 郑州大学历史学院等：《河南淅川单岗遗址屈家岭文化遗存发掘简报》，《中原文物》2016年第4期。

341. 河北师范大学历史文化学院等：《湖北郧县肖沟旧石器时代遗址发掘简报》，《人类学学报》2017年第1期。

342. 重庆市文化遗产研究院等：《重庆市巫山县大水田遗址大溪文化遗存发掘简报》，《考古》2017年第1期。

343. 厦门大学历史系考古专业：《郧县杨家岗遗址2006年发掘简报》，《湖北南水北调工程考古报告集·第七卷》，北京：科学出版社，2017年。

344. 十堰市博物馆：《郧县滴水岩旧石器时代遗址发掘简报》，《湖北南水北调工程考古报告集·第七卷》，北京：科学出版社，2017年。

345. 厦门大学历史系考古专业：《张湾双坟店遗址2009年发掘简报》，《湖北南水北调工程考古报告集·第七卷》，北京：科学出版社，2017年。

346. 武汉大学历史学院等：《湖北石首走马岭遗址周边史前遗址调查简报》，《江汉考古》2017年第1期。

347. 湖北省文物考古研究所等:《大洪山南麓陶家湖—笑城区域系统调查》,《江汉考古》2017 年第 5 期。

348. 荆州博物馆等:《荆州公安鸡鸣城遗址考古勘探试掘简报》,《江汉考古》2017 年第 2 期。

349. 武汉大学考古系:《郧县尖滩坪遗址发掘简报》,《湖北南水北调工程考古报告集·第七卷》,北京:科学出版社,2017 年。

350. 湖北省文物考古研究所等:《湖北天门市石家河古城三房湾遗址 2016 年发掘简报》,《考古》2018 年第 9 期。

351. 湖北省文物考古研究所等:《湖北天门市石家河古城严家山遗址 2016 年发掘简报》,《考古》2018 年第 9 期。

352. 湖北省文物考古研究所等:《湖北随县狮子湾遗址发掘简报》,《江汉考古》2018 年第 4 期。

353. 武汉大学历史学院考古系等:《湖北石首市走马岭新石器时代城址的发掘》,《考古》2018 年第 9 期。

354. 湖南省文物考古研究所:《湖南华容车轱山遗址第三次考古发掘简报》,《湖南考古辑刊·第 13 集》,北京:科学出版社,2018 年。

355. 中国社会科学院考古研究所等:《湖北沙洋县城河新石器时代城址发掘简报》,《考古》2018 年第 9 期。

356. 胡清波:《襄阳发现一座新石器时代城址》,《中国文物报》2018 年 2 月 8 日。

357. 郑州大学历史学院考古系等:《河南淅川县沟湾遗址屈家岭文化遗存发掘简报》,《考古》2018 年第 10 期。

358. 郑州大学历史学院考古系等:《河南淅川县沟湾遗址石家河文化遗存发掘简报》,《四川文物》2018 年第 3 期。

359. 湖南省文物考古研究所:《湖南临澧杉龙岗遗址发掘报告》,《湖南考古辑刊·第 14 集》,长沙:岳麓书社,2019 年。

360. 湖北省文物考古研究所等:《湖北保康穆林头遗址 2017 年第一次发掘》,《江汉考古》2019 年第 1 期。

361. 武汉大学历史学院等：《湖北郧县肖沟遗址发掘简报》，《江汉考古》2019 年第 4 期。

362. 湖北省文物考古研究所等：《湖北荆门市屈家岭遗址 2015—2017 年发掘简报》，《考古》2019 年第 3 期。

363. 湖北省文物考古研究所等：《屈家岭遗址殷家岭遗址点 2018 年发掘简报》，《江汉考古》2019 年第 1 期。

364. 湖北省文物考古研究所等：《湖北麻城梅家墩遗址新石器时代遗存发掘简报》，《江汉考古》2019 年第 1 期。

365. 中国社会科学院考古研究所等：《湖北沙洋县城河新石器时代遗址王家塝墓地》，《考古》2019 年第 7 期。

366. 湖南省文物考古研究所等：《湖南澧县孙家岗 2016—2018 年发掘简报》，《考古》2020 年第 6 期。

367. 刘辉：《松滋市关洲新石器时代遗址》，《中国考古学年鉴·2018》，北京：中国社会科学出版社，2020 年，第 317 页。

368. 湖北省文物考古研究所等：《湖北天门市石家河古城朱家坟头遗址墓葬发掘简报》，《考古》2020 年第 6 期。

369. 王良智：《湖南华容七星墩遗址发现“外圆内方”双城结构史前城址》，《中国文物报》2020 年 8 月 7 日。

二、考古报告

1. 中国科学院考古研究所：《京山屈家岭》，北京：科学出版社，1965 年。

2. 西安半坡博物馆：《西安半坡》，北京：文物出版社，1982 年。

3. 中国社会科学院考古研究所：《宝鸡北首岭》，北京：文物出版社，1983 年。

4. 河南省文物研究所等：《淅川下王岗》，北京：文物出版社，1989 年。

5. 陕西省考古研究所：《龙岗寺》，北京：文物出版社，1990 年。

6. 中国社会科学院考古研究所：《青龙泉与大寺》，北京：科学出版社，1991 年。

7. 宝鸡市考古工作队等：《宝鸡福临堡》，北京：文物出版社，1993 年。

8. 武汉大学历史系考古教研室等：《西花园与庙台子》，武汉：武汉大学出版社，1993 年。

9. 陕西省考古研究所等：《陕南考古报告集》，西安：三秦出版社，1994 年。

10. 中国社会科学院考古研究所：《临潼白家村》，成都：巴蜀书社，1994 年。

11. 中国社会科学院考古研究所：《师赵村与西山坪》，北京：中国大百科全书出版社，1999 年。

12. 湖北省荆州博物馆：《枣林岗与堆金台——荆江大堤荆州马山段考古发掘报告》，北京：科学出版社，1999 年。

13. 湖北省荆州博物馆等：《肖家屋脊》，北京：文物出版社，1999 年。

14. 湖北省文物考古研究所：《郧县人》，武汉：湖北科学技术出版社，2001 年。

15. 中国历史博物馆考古部等：《垣曲古城东关》，北京：科学出版社，2001 年。

16. 国家文物局三峡考古队：《朝天嘴与中堡岛》，北京：文物出版社，2001 年。

17. 湖北省文物考古研究所：《宜都城背溪》，北京：文物出版社，2001 年。

18. 郑州市文物考古研究所：《郑州大河村》，北京：科学出版社，2001 年。

19. 湖北省文物考古研究所等：《武穴鼓山》，北京：科学出版社，

2001年。

20. 湖北省文物事业管理局等：《秭归庙坪》，北京：科学出版社，2003年。

21. 湖北省文物考古研究所：《武昌放鹰台》，北京：文物出版社，2003年。

22. 湖北省文物考古研究所等：《邓家湾》，北京：文物出版社，2003年。

23. 国务院三峡工程建设委员会办公室等：《秭归柳林溪》，北京：科学出版社，2003年。

24. 安徽省文物考古研究所：《潜山薛家岗》，北京：文物出版社，2004年。

25. 郑绍华：《建始人遗址》，北京：科学出版社，2004年。

26. 山西省考古研究所：《翼城枣园》，科学技术文献出版社，2004年。

27. 陕西省考古研究所：《临潼零口村》，西安：三秦出版社，2004年。

28. 国务院三峡工程建设委员会办公室等：《秭归官庄坪》，北京：科学出版社，2005年。

29. 湖北省文物考古研究所：《郧西人——黄龙洞遗址发掘报告》，北京：科学出版社，2006年。

30. 湖南省文物考古研究所：《彭头山与八十垱》，北京：科学出版社，2006年。

31. 国务院三峡工程建设委员会办公室等：《巴东楠木园》，北京：科学出版社，2006年。

32. 中国社会科学院考古研究所：《枣阳雕龙碑》，北京：科学出版社，2006年。

33. 甘肃省文物考古研究所：《秦安大地湾》，北京：文物出版社，2006年。

34. 湖北省博物馆：《郧县人——长江中游的远古人类》，北京：文物出版社，2007年。

35. 陕西省考古研究院等：《宝鸡关桃园》，北京：文物出版社，2007年。

36. 湖南省文物考古研究所：《澧县城头山》，北京：文物出版社，2007年。

37. 湖北省文物考古研究所：《邓家湾》，北京：文物出版社，2003年。

38. 河南省文物管理局等：《新安荒坡》，郑州：大象出版社，2008年。

39. 湖北省文物考古研究所：《房县七里河》，北京：文物出版社，2008年。

40. 国务院三峡工程建设委员会办公室等：《巴东雷家坪》，北京：科学出版社，2009年。

41. 国务院三峡工程建设委员会办公室等：《巴东李家湾》，北京：科学出版社，2009年。

42. 国务院三峡工程建设委员会办公室等：《秭归东门头》，北京：科学出版社，2010年。

43. 中国社会科学院考古研究所：《黄梅塞墩》，北京：文物出版社，2010年。

44. 湖北省文物考古研究所等：《随州金鸡岭》，北京：科学出版社，2011年。

45. 湖北省荆州博物馆等：《谭家岭》，北京：文物出版社，2011年。

46. 河南省文物考古研究所：《濮阳西水坡》，郑州：中州古籍出版社，2012年。

47. 湖南省文物考古研究所：《安乡汤家岗》，北京：科学出版社，2013年。

48. 湖北省文物考古研究所等：《阳新大路铺》，北京：文物出版社，

2013年。

49. 湖北省文物局等：《郧县上宝盖》，北京：科学出版社，2013年。

50. 北京大学考古文博学院等：《白河流域史前遗址调查报告》，北京：文物出版社，2013年。

51. 湖北省文物考古研究所：《湖北史前城址》，北京：科学出版社，2015年。

52. 湖北省文物考古研究所等：《孝感叶家庙》，北京：科学出版社，2016年。

53. 中国社会科学院考古研究所：《枝江关庙山》，北京：文物出版社，2017年。

54. 湖北省文物考古研究所等：《郧县刘湾遗址》，北京：科学出版社，2018年。

55. 湖北省文物考古研究所等：《石家河遗珍——谭家岭出土玉器遗珍》，北京：科学出版社，2019年。

56. 武汉大学历史学院考古系等：《郧县店子河遗址》，北京：科学出版社，2020年。

57. 湖北省文物考古研究所等：《郧县大寺遗址》，北京：科学出版社，2020年。

58. 中国社会科学院考古研究所：《淅川下王岗2008—2010年考古发掘报告》，北京：科学出版社，2020年。

三、研究论文

1. 夏鼐：《关于考古学上文化的定名问题》，《考古》1959年第4期。

2. 梁思永：《小屯、龙山与仰韶》，《梁思永考古论文集》，北京：科学出版社，1959年。

3. 梁思永：《后冈发掘小记》，《梁思永考古论文集》，北京：科学出版社，1959 年。

4. 石兴邦：《有关马家窑文化的一些问题》，《考古》1962 年第 6 期。

5. 杨建芳：《略论仰韶文化和马家窑文化的分期》，《考古学报》1962 年第 1 期。

6. 唐云明：《试谈有关河北仰韶文化中的一些问题》，《考古》1964 年第 9 期。

7. 吴汝康：《人和猿的界限问题》，《古脊椎动物与古人类》1974 年第 3 期。

8. 佟柱臣：《从考古材料试探我国的私有制和阶级的起源》，《考古》1975 年第 4 期。

9. 徐春华：《湖北郧县猿人化石的发掘》，《古人类论文集——纪念恩格斯〈劳动在从猿到人转变过程中的作用〉写作一百周年报告会论文汇编》，北京：科学出版社，1978 年。

10. 张忠培：《试论东庄村和西王村遗存的文化性质》，《考古》1979 年第 1 期。

11. 安志敏：《略论三十年来我国的新石器时代考古》，《考古》1979 年第 5 期。

12. 李文杰：《试论大溪文化与屈家岭文化、仰韶文化的关系》，《考古》1979 年第 2 期。

13. 林向：《大溪文化与巫山大溪遗址》，《中国考古学第二次年会论文集》，北京：文物出版社，1980 年。

14. 何介钧：《试论大溪文化》，《中国考古学会第二次年会论文集》，北京：文物出版社，1980 年。

15. 王劲：《江汉地区新石器时代文化综述》，《江汉考古》1980 年第 1 期。

16. 俞伟超：《先楚与三苗文化的考古学推测》，《文物》1980 年第

10期。

17. 王劲：《江汉地区新石器时代文化综述》，《江汉考古》1980年第1期。

18. 杨权喜：《当阳季家湖考古试掘的主要收获》，《江汉考古》1980年第2期。

19. 李文杰：《试论青龙泉文化与屈家岭文化、庙底沟二期文化的关系》，《中国考古学会第二次年会论文集》，北京：文物出版社，1980年。

20. 王仁湘：《新石器时代葬猪的宗教意义》，《文物》1981年第2期。

21. 苏秉琦、殷玮璋：《关于考古学文化的区系类型问题》，《文物》1981年第5期。

22. 张绪球、何德珍、王运新：《试论大溪文化陶器的特点》，《江汉考古》1982年第2期。

23. 张之恒：《试论大溪文化》，《江汉考古》1982年第1期。

24. 丁清贤：《鄂西北、豫西南仰韶文化的性质与分期》，《中原文物》1982年第4期。

25. 何介钧：《长江中游原始文化初论》，《湖南考古辑刊・第1集》，长沙：岳麓书社，1982年。

26. 唐嘉弘：《越与三苗并不同源》，《江汉论坛》1982年第11期。

27. 苏秉琦：《从楚文化探索中提出的问题》，《江汉考古》1982年第1期。

28. 向绪成：《从关庙山遗址看大溪文化的分期——兼评目前大溪文化的几种分期》，《江汉考古》1983年第3期。

29. 张银运：《鄂西“南方古猿”和印尼早更新世若干人类化石》，《人类学学报》1984年第2期。

30. 张忠培：《原始农业考古的几个问题》，《农业考古》1984年第2期。

31. 郭引强、赵清：《试论大河村仰韶文化的分期及类型》，《中原文物》1984 年第 4 期。

32. 纪仲庆：《宁镇地区新石器时代文化与相邻地区诸文化的关系》，《中国考古学会第三次年会论文集》，北京：文物出版社，1984 年。

33. 杨德标：《谈薛家岗文化》，《中国考古学会第三次年会论文集》，北京：文物出版社，1984 年。

34. 王劲、林邦存：《房县七里河遗址发掘的主要收获》，《江汉考古》1984 年第 3 期。

35. 李文杰、黄素英：《浅说大溪文化陶器的渗碳工艺》，《江汉考古》1985 年第 4 期。

36. 卢德佩：《论鄂西大溪文化》，《江汉考古》1985 年第 1 期。

37. 王杰：《屈家岭文化与大溪文化关系中的问题探讨》，《江汉考古》1985 年第 3 期。

38. 方酉生：《论湖北龙山文化》，《江汉考古》1985 年第 1 期。

39. 李龙章：《浅议石家河文化》，《江汉考古》1985 年第 3 期。

40. 向绪成：《屈家岭遗址下层及同类遗存文化性质讨论》，《考古》1985 年第 7 期。

41. 张云鹏：《江汉地区新石器时代考古收获（1955—1965）》，《汉江考古》1985 年 4 期。

42. 任式楠：《略论大溪文化》，《中国考古学研究》，北京：文物出版社，1986 年。

43. 原思训、陈铁梅、高世君：《华南若干旧石器时代地点的铀系年代》，《人类学学报》1986 年第 2 期。

44. 李文杰：《大溪文化的类型和分期》，《考古学报》1986 年第 2 期。

45. 祁国钧：《试论屈家岭文化的类型与相关问题》，《江汉考古》1986 年第 4 期。

46. 张忠培：《研究考古学文化需要探索的几个问题》，《文物与考古论集》，北京：文物出版社，1986 年。

47. 康悦林：《江汉平原第四纪地层划分与古气候分期》，《湖北地质》1987 年第 1 期。

48. 杨建芳：《大溪文化玉器渊源探索——兼论有关中国新石器时代文化传播、影响的研究方法》，《南方民族考古・第一辑》，成都：四川大学出版社，1987 年。

49. 王劲：《鄂西北仰韶文化及同时期文化分析》，《华夏考古》1987 年第 2 期。

50. 林邦存：《三苗与濮关系初探》，《湖北省考古学会论文选集・一》，武汉：武汉大学学报编辑部，1987 年。

51. 周厚强：《对孝感地区新石器时代文化的几点认识》，《湖北省考古学会论文集・一》，武汉：武汉大学学报编辑部，1987 年。

52. 严文明：《中国史前文化的统一性与多样性》，《文物》1987 年第 3 期。

53. 俞伟超：《中国早期的"模制法"制陶术》，《文物与考古论集》，北京：文物出版社，1987 年。

54. 高一龙：《关于薛家岗文化几个问题的探讨》，《文物研究・第 4 辑》，合肥：黄山书社，1988 年。

55. 赵善德：《薛家岗新石器遗存分期的讨论》，《江汉考古》1988 年 4 期。

56. 刘和惠：《论薛家岗文化》，《文物研究・第 4 辑》，合肥：黄山书社，1988 年。

57. 李龙章：《江汉新石器时代文化系统族属考》，《江汉考古》1988 年第 2 期。

58. 裴安平：《关于季家湖龙山时代遗存的年代分期》，《江汉考古》1989 年第 4 期。

59. 李家和、杨巨源、刘诗中：《江西薛家岗类型文化遗存的发现和研究——四谈江西新石器时代晚期文化》，《东南文化》1989 年第 3 期。

60. 杨立新：《薛家岗文化浅析》，《文物研究·第6辑》，合肥：黄山书社，1990年。

61. 吴新智：《中国远古人类的进化》，《人类学学报》1990年第4期。

62. 王杰：《试论湖南大溪文化》，《考古》1990年第3期。

63. 严文明：《中国史前稻作农业遗存的新发现》，《江汉考古》1990年第3期。

64. 杨权喜：《试论城背溪文化》，《东南文化》1991年第5期。

65. 陈国庆、孟华平：《大溪文化陶支座用途剖析》，《江汉考古》1991年第3期。

66. 徐祖祥：《论大溪文化》，《南方民族考古·第三辑》，成都：四川科学技术出版社，1991年。

67. 张绪球：《石家河文化的分期分布和类型》，《考古学报》1991年第4期。

68. 黎泽高：《枝城市新石器文化概述》，《江汉考古》1991年第1期。

69. 中国社会科学院考古研究所实验室：《放射性碳素测定年代报告（一八）》，《考古》1991年第7期。

70. 施雅风等：《中国全新世大暖期气候与环境的基本特征》，《中国全新世大暖期气候与环境》，北京：海洋出版社，1992年。

71. 孟华平：《论大溪文化》，《考古学报》1992年第4期。

72. 高蒙河：《长江中游的史前器座及其相关问题》，《江汉考古》1992年第3期。

73. 赵宾福：《半坡文化研究》，《华夏考古》1992年2期。

74. 张忠培、乔梁：《后冈一期文化研究》，《考古学报》1992年第3期。

75. 沈强华：《试论朱家台文化》，《江汉考古》1992年第2期。

76. 田建文、薛新民、杨林中：《晋南地区新石器时期考古学文化的新认识》，《文物季刊》1992 年 2 期。

77. 余西云：《三元宫遗址的分期及其文化性质》，《江汉考古》1992 年第 2 期。

78. 中国社会科学院考古研究所实验室：《放射性碳素测定年代报告（一九）》，《考古》1992 年第 7 期。

79. 中国社会科学院考古研究所实验室：《放射性碳素测定年代报告（二〇）》，《考古》1993 年第 7 期。

80. 何介钧：《石家河文化浅析》，《纪念城子崖遗址发掘六十周年国际学术讨论会文集》，济南：齐鲁书社，1993 年。

81. 白云：《关于“石家河文化”的几个问题》，《江汉考古》1993 年第 4 期。

82. 王家德：《试论长江三峡地区大溪文化的原始渔猎》，《江汉考古》1994 年第 3 期。

83. 靳松安、任伟：《略论汉水中游地区的仰韶文化》，《中原文物》1994 年第 4 期。

84. 杨权喜：《试论江汉古城的兴衰》，《江汉考古》1994 年第 4 期。

85. 余西云：《长江中游新石器时代的陶鼎研究》，《华夏考古》1994 年第 2 期。

86. 罗仁林：《试论皂市下层文化的分期及相关问题》，《湖南考古辑刊・第 6 集》，长沙：岳麓书社，1994 年。

87. 张绪球：《屈家岭文化古城的发现与初步研究》，《考古》1994 年第 7 期。

88. 武仙竹：《郧县人遗址的地层和古气候》，《化石》1995 年第 1 期。

89. 杨权喜：《石家河古城探讨》，《中华文化论坛》1995 年第 4 期。

90. 王杰：《雕龙碑新石器时代遗址发掘收获》，《江汉考古》1995 年第 3 期。

91. 杨新改、韩建业：《禹征三苗探索》，《中原文物》1995 年第

2 期。

92. 杨权喜：《石家河古城社会性质浅析》，《中原文物》1995 年第 4 期。

93. 中国社会科学院考古研究所实验室：《放射性碳素测定年代报告（二二）》，《考古》1995 年第 7 期。

94. 陈铁梅、杨全、胡艳秋：《湖北郧县人化石地层的 ESR 测年研究》，《人类学学报》1996 年第 2 期。

95. 孟华平：《长江中游新石器时代考古学文化谱系初探》，《长江中游史前文化暨第二届亚洲文明学术讨论会论文集》，长沙：岳麓书社，1996 年。

96. 王红星：《长江中游地区早期城址管窥》，《长江中游史前文化暨第二届亚洲文明学术讨论会文集》，长沙：岳麓书社，1996 年。

97. 张学海：《浅说早期城的发现》，《长江中游史前文化暨第二届亚洲文明学术讨论会文集》，长沙：岳麓书社，1996 年。

98. 郭胜斌等：《附山园—黄家园遗址的考古发现与初步研究》，《长江中游史前文化暨第二届亚洲文明学术讨论会论文集》，长沙：岳麓书社，1996 年。

99. 石兴邦：《横亘东西的淮汉中介文化带—青莲岗—下王岗文化传统》，《长江中游史前文化暨第二届亚洲文明学术讨论会论文集》，长沙：岳麓书社，1996 年。

100. 张忠培：《仰韶时代——史前社会的繁荣与向文明时代的转变》，《故宫博物院院刊》1996 年第 1 期。

101. 王吉怀：《试析史前遗存中的家畜埋葬》，《华夏考古》1996 年第 1 期。

102. 朱育新、王苏民、吴瑞金：《全新世江汉平原地区长江南移年代的沉积学依据》，《科学通报》1997 年第 18 期。

103. 朱诚、于世永、卢春成：《长江三峡及江汉平原地区全新世环境考古与异常洪涝灾害研究》，《地理学报》1997 年第 3 期。

104. 张国硕、阴春枝：《我国新石器时代城址综合研究》，《郑州大学学报·哲学社会科学版》，1997 年第 2 期。

105. 中国社会科学院考古研究所实验室：《放射性碳素测定年代报告·二四》，《考古》1997 年第 7 期。

106. 王杰：《湖北枣阳雕龙碑遗址的考古收获》，《江汉考古》1997 年第 4 期。

107. 林邦存：《关于屈家岭文化区、系、类型问题的初步分析》，《江汉考古》1997 年第 1、2 期。

108. 周春茂、阎毓民：《零口文化的发现及其意义》，《文博》1997 年第 5 期。

109. 孙祖初：《中原地区新石器时代中期向晚期的过渡》，《华夏考古》1997 年第 4 期。

110. 尹检顺：《论鄂西与洞庭湖区新石器时代早期文化序列及相互关系》，《江汉考古》1998 年第 2 期。

111. 张君：《湖北枣阳市雕龙碑新石器时代人骨分析报告》，《考古》1998 年第 2 期。

112. 任式楠：《中国史前城址考察》，《考古》1998 年第 1 期。

113. 卢可可：《中国史前城址的区域与类型研究》，《中国历史地理论丛》1998 年第 3 期。

114. 张之恒：《长江流域史前古城的初步研究》，《东南文化》1998 年第 2 期。

115. 樊力：《乱石滩文化初论》，《江汉考古》1998 年第 4 期。

116. 吴新智：《从中国晚期智人颅牙特征看中国现代人起源》，《人类学学报》1998 年第 4 期。

117. 蔡述明、赵艳、杜耘等：《全新世江汉湖群的环境演变与未来发展趋势——古云梦泽问题的再认识》，《武汉大学学报（哲学社会科学版）》1998 年第 6 期。

118. 樊力：《论石家河文化青龙泉三期类型》，《考古与文物》1999

年第 4 期。

119. 鲁西奇：《新石器时代汉水流域聚落地理的初步考察》，《中国历史地理论丛》1999 年第 1 期。

120. 向绪成：《试论黄冈地区新石器时代文化》，《鄂东考古发现与研究》，武汉：湖北科学技术出版社，1999 年。

121. 张森水：《管窥新中国旧石器考古学的重大发现》，《人类学学报》1999 年第 3 期。

122. 高星：《关于“中国旧石器时代中期”的探讨》，《人类学学报》1999 年第 1 期。

123. 柯越海、宿兵、肖君华等：《Y 染色体单倍型在中国汉族人群中的多态性分布与中国人群的起源与迁移》，《中国科学》2000 年第 6 期。

124. 任桂园：《巫山文化简论》，《四川三峡学院学报》2000 年第 4 期。

125. 樊力：《豫西南地区新石器文化的发展序列及其与邻近地区的关系》，《考古学报》2000 年第 2 期。

126. 孙广清：《河南仰韶文化的发现与研究——纪念仰韶文化发现 80 周年》，《中原文物》2001 年第 5 期。

127. 吴文祥等：《4000aB.P. 前后降温事件与中华文明的诞生》，《第四纪研究》2001 年第 5 期。

128. 杨肇清：《20 世纪仰韶文化的重要发现与研究》，《四川大学考古专业创建 40 周年暨冯汉骥教授百年诞辰纪念文集》，成都：四川大学出版社，2001 年。

129. 陈光：《试论后冈一期文化》，《苏秉琦与当代中国考古学》，北京：科学出版社，2001 年。

130. 杨权喜：《关于鄂西六处新石器时代晚期遗存的探讨》，《考古》2001 年第 5 期。

131. 李桃元：《应城门板湾遗址大型房屋建筑》，《江汉考古》2000 年第 1 期。

132. 韩建业：《斜腹杯与三苗文化》，《江汉考古》2002 年第 1 期。

133. 吴文祥、刘东生：《5500aBP 气候事件在三大文明古国古文明和古文化演化中的作用》，《地学前缘》2002 年第 1 期。

134. 吴新智、尚虹：《中国直立人变异的初步研究》，《第四纪研究》2002 年第 1 期。

135. 赵辉、魏峻：《中国新石器时代城址的发现与研究》，《古代文明·第 1 卷》，2002 年。

136. 邹厚曦等：《巫山大溪遗址历次发掘和分期》，《重庆·2001 三峡文物保护学术研讨会论文集》，北京：科学出版社，2003 年。

137. 罗运兵：《试论柳林溪文化》，《2003 三峡文物保护与考古学研究学术研讨会论文集》，北京：科学出版社，2003 年。

138. 刘彬徽：《关于三苗与三苗文化的讨论》，《江汉考古》2003 年第 4 期。

139. 孟华平：《“太阳人”与东门头遗址》，《文物天地》2003 年 S1 期。

140. 余西云：《楠木园：三峡考古的一个坐标点》，《文物天地》2003 年 S1 期。

141. 郭立新：《长江中游地区新石器时代自然环境变迁研究》，《中国历史地理论丛》2004 年第 2 期。

142. 贾汉清：《从顾家坡墓地的发掘看史前时代文化交叉地带的部落冲突》，《华夏考古》2004 年第 4 期。

143. 何驽：《长江中游文明进程的阶段与特点简论》，《江汉考古》2004 年第 1 期。

144. 赵春青：《长江中游与黄河中游史前城址的比较》，《江汉考古》2004 年第 3 期。

145. 刘德银：《长江中游史前古城与稻作农业》，《江汉考古》2004 年第 3 期。

146. 陈文武：《秭归“太阳人”石刻艺术初探》，《三峡文化研究

（第四辑）》，武汉：武汉出版社，2004 年。

147. 吴文祥、葛全胜：《全新世气候事件及其对古文化发展的影响》，《华夏考古》2005 年第 3 期。

148. 贺刚：《高庙遗址的发掘及其相关问题的初步研究》，《湖南省博物馆馆刊·第二期》，长沙：岳麓书社，2005 年。

149. 朱铁权、王昌燧、徐大力：《双墩遗址黑陶渗炭工艺初探》，《文物保护与考古科学》2005 年第 2 期。

150. 尹检顺：《汤家岗文化初论》，《南方文物》2007 年第 2 期。

151. 贺刚、陈利文：《高庙文化及其对外传播与影响》，《南方文物》2007 年第 2 期。

152. 王月前：《东关遗址仰韶早期遗存的相关问题》，《中原文物》2007 年第 2 期。

153. 王劲：《后石家河文化定名的思考》，《江汉考古》2007 年第 1 期。

154. 武仙竹、李禹阶、裴树文等：《湖北郧西白龙洞遗址骨化石表面痕迹研究》，《第四纪研究》2008 年 6 期。

155. 杨亚长、马明志、胡松梅等：《陕西史前考古的发现和研究》，《考古与文物》2008 年 6 期。

156. 武仙竹、裴树文、吴秀杰等：《湖北郧西白龙洞古人类遗址初步研究》，《人类学学报》2009 年第 1 期。

157. 贺刚：《高庙遗址出土白陶概论》，《湖南考古学集刊·第 8 辑》，北京：科学出版社，2009 年。

158. 韩建业：《初期仰韶文化研究》，《古代文明·第 8 卷》，北京：文物出版社，2010 年。

159. 任式楠：《中国史前整栋多间地面房屋建筑的发现及其意义》，《考古学辑刊·第 18 辑》，北京：科学出版社，2010 年。

160. 刘辉：《长江中游新石器时代城址聚落的新发现与新思考》，《中国聚落考古的理论与实践——纪念新砦遗址发掘 30 周年学术研讨会论文集》，北京：科学出版社，2010 年。

161. 郭伟民：《新石器时代澧阳平原与汉东地区的文化和社会》，北京：文物出版社，2010 年。

162. 黄尚明：《从环境史视角看石家河古城崛起的背景》，《江汉考古》2010 年第 3 期。

163. 武仙竹、李禹阶、刘武：《旧石器时代人类用火遗迹的发现与研究》，《考古》2010 年第 6 期。

164. 裴安平：《聚落群聚形态视野下的长江中游史前城址分类研究》，《考古》2011 年第 4 期。

165. 冯小波、陆成秋、王昊：《湖北郧县直立人遗址研究新进展》，《江汉考古》2011 年第 3 期。

166. 李英华：《大冶石龙头遗址石器的新研究》，《江汉考古》2011 年第 2 期。

167. 涂华、沈冠军、武仙竹：《古人类遗址湖北郧西黄龙洞的铀系年代》，《人类学学报》2011 年第 3 期。

168. 胡雅丽：《店子头早期遗存人类食物浅议》，《江汉考古》2011 年第 2 期。

169. 魏兴涛：《灵宝底董仰韶文化遗存的分期与相关问题探讨》，《中国国家博物馆馆刊》2011 年第 1 期。

170. 李潇丽、武仙竹、裴树文：《湖北郧西白龙洞洞穴发育与古人类生存环境探讨》，《第四纪研究》2012 年第 2 期。

171. 刘扬、贺存定、陈全家等：《湖北丹江口杜店旧石器时代遗址发现的遗迹现象初探》，《江汉考古》2012 年第 1 期。

172. 魏继印：《北首岭遗址仰韶文化早期遗存研究》，《考古》2012 年第 12 期。

173. 笪浩波：《长江中游新石器时代聚落分布与环境关系（上）》，《华夏考古》2013 年第 3 期。

174. 高江涛：《长江下游及相邻地区史前红陶钵覆面葬初探》，《考古》2014 年第 5 期。

175. 何强、赵宾福：《雕龙碑遗址第三期遗存的性质、年代与渊源——兼论“雕龙碑三期文化”》，《江汉考古》2014 年第 6 期。

176. 魏兴涛：《豫西晋南和关中地区仰韶文化初期遗存研究》，《考古学报》2014 年第 4 期。

177. 杨建华：《浅析中国史前多间房屋的出现与功能分析》，《东北亚古代聚落与城市考古国际学术研讨会论文集》，北京：科学出版社，2014 年。

178. 任博、宋国定、冯小波：《湖北省郧县黄家窝旧石器时代遗址石制品初步研究》，《中原文物》2014 年第 5 期。

179. 谢树成、胡超涌、顾延生等：《最近 13ka 以来长江中游古水文变化》，《地球科学》2015 年第 2 期。

180. 刘武、邢松、张银运：《中国直立人牙齿特征变异及其演化意义》，《人类学学报》2015 年第 4 期。

181. 汤斌、刘红艳：《四川博物院藏巫山大溪遗址出土彩陶球制作工艺研究》，《四川文物》2015 年第 6 期。

182. 郁永彬、吴小红、崔剑锋等：《甘肃张掖西城驿遗址陶器的科技分析与研究》，《考古》2017 年第 7 期。

183. 李英华、周玉瑞、孙雪峰：《湖北郧县后房遗址石器工业的年代、操作链及其意义》，《江汉考古》2018 年第 2 期。

184. 高星：《制作工具在人类演化中的地位与作用》，《人类学学报》2018 年第 3 期。

185. 王良智、曲新楠：《彭头山文化分期与类型》，《江汉考古》2018 年第 3 期。

186. 郭伟民：《关庙山一期：关于考古学文化陶器的认识与解读》，《江汉考古》2018 年第 3 期。

187. 李锋、高星：《东亚现代人来源的考古学思考：证据与解释》，《人类学学报》2018 年第 2 期。

188. 鲁晓珂、李伟东、李新伟：《夹砂陶器掺合料的初步研究》，《文物保护与考古科学》2018 年第 5 期。

四、研究专著

1. [法] 拉马克著，沐绍良译：《动物哲学》，北京：商务印书馆，1937 年。

2. [德] 恩格斯著：《劳动在从猿到人转变过程中的作用》，北京：人民出版社，1951 年。

3. 唐文雅、叶学齐、杨宝亮：《湖北自然地理》，武汉：湖北人民出版社，1980 年。

4. 徐旭生：《中国古史的传说时代》，北京：文物出版社，1985 年。

5. 闾国年：《长江中游湖盆扇三角洲的形成与演变及地貌的再现与模拟》，北京：测绘出版社，1991 年。

6. 中国科学院考古研究所：《中国考古学中碳十四年代数据集 1965—1991》，北京：文物出版社，1992 年。

7. 张绪球：《长江中游新石器时代文化概论》，武汉：湖北科学技术出版社，1992 年。

8. 河南省文物研究所：《河南考古四十年》，郑州：河南人民出版社，1994 年。

9. 孟华平：《长江中游史前文化结构》，武汉：长江文艺出版社，1997 年。

10. 杨育彬、袁广阔：《20 世纪河南考古发现与研究》，郑州：中州古籍出版社，1997 年。

11. 李家治：《中国科学技术史・陶瓷卷》，北京：科学出版社，1998 年。

12. 苏秉琦：《中国文明起源新探》，北京：生活・读书・新知三联书店，1999 年。

13. 许宏：《先秦城市考古学研究》，北京：北京燕山出版社，2000年。

14. 黄镇国、张伟强等：《中国日本全新世环境演变对比研究》，广州：广东科技出版社，2002年。

15. 张绪球：《屈家岭文化》，北京：文物出版社，2004年。

16. 张弛：《长江中下游地区史前聚落研究》，北京：文物出版社，2003年。

17. 何介钧：《长江中游新石器时代文化》，武汉：湖北教育出版社，2004年。

18. 马世之：《中国史前古城》，武汉：湖北教育出版社，2003年。

19. 郭立新：《长江中游地区初期社会复杂化研究（4300B.C.—2000B.C.）》，上海：上海古籍出版社，2005年。

20. 靳松安：《河洛与海岱地区考古学文化的交流与融合》，北京：科学出版社，2006年。

21. 余西云：《西阴文化：中国文明的滥觞》，北京：科学出版社，2006年。

22. [英]达尔文著，周建人等译：《物种起源》，北京：商务印书馆，2008年。

23. 余西云：《巴史——以三峡考古为证》，北京：科学出版社，2010年。

24. 中国社会科学院考古研究所：《中国考古学·新石器卷》，北京：中国社会科学出版社，2010年。

25. 王绍武：《全新世气候变化》，北京：气象出版社，2011年。

26. [瑞典]安特生著，乐森玙译：《甘肃考古记》，北京：文物出版社，2011年。

27. 笪浩波：《长江中游文明化进程中的人地关系——以新石器时代为例》，上海：上海古籍出版社，2013年。

28. 贺刚：《湘西史前遗存与中国古史传说》，长沙：岳麓书社，

2013 年。

29. 吴新智、徐欣：《探秘远古人类》，北京：外语教学与研究出版社，2015 年。

五、学位论文

1. 罗运兵：《薛家岗文化研究》，武汉大学硕士学位论文，2004 年。

2. 李英华：《三峡地区石器工业研究》，武汉大学硕士学位论文，2005 年。

3. 沈莎莎：《晋南地区仰韶早期遗存研究》，吉林大学硕士学位论文，2008 年。

4. 贺存定：《丹江库区杜店旧石器遗址的石器研究》，吉林大学硕士学位论文，2009 年。

5. 李小彬：《枣园类型研究》，郑州大学硕士学位论文，2010 年。

6. 郑万泉：《沟湾遗址仰韶文化研究》，郑州大学硕士毕业论文，2010 年。

7. 刘学彬：《湖北郧西白龙洞遗址 $^{26}Al/^{10}Be$ 埋藏测年研究》，南京师范大学硕士学位论文，2015 年。

8. 李默然：《马岭遗址后冈一期文化聚落与社会》，武汉大学博士学位论文，2017 年。

9. 方梦霞：《长江中下游地区旧石器文化的分期与分区》，浙江大学硕士学位论文，2016 年。

10. 徐行华：《湖北长阳人遗址和柳陂酒厂旧石器遗址的铀系测年研究》，南京大学硕士学位论文，2019 年。

11. 袁飞勇：《煤山文化研究》，武汉大学博士学位论文，2020 年。

六、外文资料

1.Wolpoff M H. Modern homo sapiens origins : A general theory of hominid evolution involving the fossil evidence from East Asia. The origin of modern humans : A world survey of fossil evidence, 1984.

2.Cann R L, Stoneking M, Wilson A C. Mitochondrial DNA and Human Evolution. Nature, 1987, 325(6099): 31-36.

3.Smith F H, Falsetti A B, Donnelly S M. Modern human origins. American Journal of Physical Anthropology, 1989, 32(Supplement S10): 35 - 68.

4.Schwartz J H. Sudden origins: Fossils, genes, and the emergence of species. New York: John Wiley & Sons, 1999.

5.Jin L, Su B. Natives or immigrants: modern human origin in east Asia. Nature Reviews Genetics, 2000, 1(2): 126.

6.McDougall I, Brown F H, Fleagle J G. Stratigraphic placement and age of modern humans from Kibish, Ethiopia. Nature, 2005, 433(7027): 733-736.

7.Macaulay V, Hill C, Achilli A, et al. Single, Rapid Coastal Settlement of Asia Revealed by Analysis of Complete Mitochondrial Genomes. Science, 2005, 308(5724): 1034-1036.

8.Mercader J, Barton H, Gillespie J, et al. 4, 300-Year-old chimpanzee sites and the origins of percussive stone technology. Proceedings of the National Academy of Sciences, 2007, 104(9): 3043-3048.

9.Klein R G. The Human Career: Human Biological and Cultural Origins (third edition). Chicago: The University of Chicago Press, 2009.

10.XiaoKe L, WeiDong L, Bin L, et al. Analysis of the potteries from ancient Liangzhu city-site. Science China (Technological Sciences), 2013, 56 (04): 945-951.

11.Fu Q, Li H, Moorjani P, et al. Genome sequence of a 45, 000-year-old modern human from western Siberia. Nature, 2014, 514 (7523): 445-449.

12.Harmand S, Lewis J E, Feibel C S, et al. 3. 3-million-year-old stone tools from Lomekwi 3, West Turkana, Kenya. Nature, 2015, 521: 310-315

13.Liu W, María Martinón-Torres, Cai Y J, et al. The earliest unequivocally modern humans in southern China. Nature, 2015, 526 (7575): 696—699.

14.Michel V, Valladas H, Shen G, et al. The earliest modern Homo sapiens in China? Journal of Human Evolution, 2016, 101: 101-104.

15.Hublin J J, Ben-Ncer A, Bailey S E, et al. New fossils from Jebel Irhoud, Morocco and the pan-African origin of Homo sapiens. Nature, 2017, 546 (7657) : 289—292.

16.Richter D, Grün R, Joannes-Boyau R, et al. The age of the hominin fossils from Jebel Irhoud, Morocco, and the origins of the Middle Stone Age. Nature, 2017, 546 (7657): 293-296.

17.Clarkson C, Jacobs Z, Marwick B, et al. Human occupation of northern Australia by 65, 000 years ago. Nature, 2017, 547 (7663): 306-310.

18.WANG K X, Xu X H, Sun X F, et al. Cosmogenic nuclide burial dating of Liuwan Paleolithic site in the Luonan Basin, Central China. Journal of Geographical Sciences, 2019, 29 (3): 406—416.

后记（一）

荆楚文化是悠久的中华文明的重要组成部分，在中华文明发展史上地位举足轻重。当巡礼中华地域文明版图时，我们不无崇敬地发现：在混沌初开的史前时期，在长江中游、洞庭之滨的荆楚故地，荆楚先民早已在此艰苦跋涉，开辟草莱，从蒙昧走向文明，书写了荆楚文化精彩史卷的第一篇章。为此，我们《荆楚文化史·史前卷》写作团队在撰写之初，就给自己预设了两个目标，第一个是通过考古材料讲述荆楚地区百万年的人类史、一万年的文化史和五千多年的文明史；第二个是阐释荆楚文化在中华文化多元一体格局中的重要地位和巨大贡献。付梓在即，回望初心，虽不能说完全达到预期目标，但已尽力。

《荆楚文化史·史前卷》的撰写是集体劳动的成果。张硕、宋海超确定全书写作框架，张硕撰写绪论、第六章和结语，彭蛟完成第一章的撰写，宋海超完成第二、三章的撰写和全书统稿、核校及参考文献的编排，向其芳完成第四、五章的撰写，卢祺负责了插图的扫描，左智负责了部分插图的绘制，刘明路负责了参考文献、脚注的核查。

《荆楚文化史·史前卷》的撰写，得到了诸多领导、专家的大力支持和悉心指导，对此，我们写作团队牢记于心，感念不忘。感谢湖北省荆楚文化研究会王生铁、武清海、李佑才、陈昆满、杜建国等领导的全力支持；感谢中国社会科学院学部委员王震中研究员对本书的充分肯定与建设性的修改意见；感谢湖北省社会科学院刘玉堂、尹弘兵，武汉大学余西云，湖北大学孟华平、刘辉，湖北省文物考古研究院朱俊英，湖北省博物馆王先福诸位先生针对本书体例、结构、文风、资料等诸多方面提出的中肯意见，从而使得本书的质量得到了较大提升；感谢武汉大学袁飞勇博士在书稿写作过程中的无私帮助；感谢本卷责编李晋阳做出的大量细致繁琐的编校工作。

《荆楚文化史·史前卷》涉及时间跨度大，地域范围广，内容庞杂，限于学识和能力，本书肯定还存在诸多不足之处，敬请大家批评指正。

作者

2022年冬月于珞珈山

后记（二）

组织撰写《荆楚文化史》是湖北省荆楚文化研究会近十年来最重要的工作之一。研究会自成立以来，一直致力于荆楚文化的研究、宣传和普及工作，每年召开学术年会和青年学者论坛，先后出版了“荆楚八个一百”、《楚文化概要》等荆楚文化普及丛书、学术专著和一大批研讨会论文集，并且与中央新影集团联合拍摄《凤舞神州》电视纪录片（十集），纪录片经中央电视台播出后在国内外产生良好反响。在此基础上，有些专家建议应当撰写一部全面阐述荆楚文化的专著。时任省九届政协主席、省荆楚文化研究会名誉会长王生铁同志高度重视这一建议，在同荆州博物馆原馆长滕壬生等几位资深专家进行深入讨论后，考虑到湖北发现年代最早的新石器时代文化——宜都城背溪文化距今八千年左右，故暂定书名为《荆楚文化八千年》。

王生铁同志一贯关心、支持荆楚文化的研究与普及工作。他在任荆州地委书记时紧抓不放建成了以楚文化藏品为镇馆之宝而闻名的荆州博物馆，并在全省成立了第一个荆楚文化研究所；他任省委常委、副省长、省委副书记和省九届政协主席时，依然将考古发掘、遗址保护等荆楚文化工作时刻挂在心头，并经常关心和请益于张正明、魏昌等一批楚文化研究专家。2010 年 3 月 23 日，他与时任会长武清海同志研究工作时，正式提出研究会要尽快组织专家学者撰写《荆楚文化八千年》，并强调，本书的写作原则是“无据不入书”，其核心要义是为中华文化“充实内容，填补空白，纠正误差，还原真实”，要在对长江文明集中梳理研究的基础上，充分展现荆楚大地辉煌灿烂的历史文化。武清海会长在随后的会长办公会上要求秘书处对此展开调查研究和意见征询。经过一年多的筹备，2012 年 1 月 11 日，会长办公会正式确定，将成立写作班子和拟定写作提纲列入研究会的主要工作日程。此后武清海会长多次召开调研会反复讨论，密切关注工作进展。

2014年2月22日，我会将本书列为第三届理事会工作的重中之重，并于同年3月8日召开了《荆楚文化八千年》项目启动会，武清海会长代表研究会作了动员讲话，围绕“提高认识、统一思想，把握原则、深入发掘，广集史料、科学利用，明确体例、严格要求，组织专班、精心运作”五个方面提出了具体要求。会议确定由张硕、尹弘兵、叶植、吴成国、任放、严昌洪、袁北星等7位专家担任分卷主编，组织各分卷撰写团队，拟定写作提纲和安排写作进度，《荆楚文化八千年》一书的撰写工作正式拉开帷幕。工作一段时间后，张硕研究员因任务分工、严昌洪教授因健康原因辞去分卷主编一职，并推荐宋海超副教授、张继才教授分别担任史前卷、近代卷主编，继续编撰工作。

为争取有关方面的重视和支持，武清海会长率相关同志两次向省委宣传部主要领导汇报《荆楚文化八千年》的工作进度，并积极争取省新闻出版局的支持。2014年11月，本书被湖北省社科工作领导小组列入湖北省社科基金重点项目。为加快写作进度和提高书稿质量，研究会确定由七位时任副会长陈昆满、柳菊兴、刘玉堂、邱久钦、李德华、张武、杜建国分别担任七个分卷的联系人，以利工作推进。

在中共中央组织部作出有关离退休领导干部在群团任职一般不得超过70岁的规定以后，王生铁同志和武清海同志先后辞去了名誉会长和会长职务。2017年9月23日，研究会召开三届三次理事会，选举省十届政协常务副主席李佑才同志为会长。李佑才会长强调要一以贯之地继续抓好《荆楚文化八千年》的编撰工作，并聘请了一批热衷于荆楚文化研究的老领导和老专家担任研究会的特邀研究员，按原定计划不断推进《荆楚文化八千年》的编撰工作。

为更好地开展相关工作，研究会成立《荆楚文化八千年》编辑出版委员会，王生铁同志担任主任，武清海、李佑才同志担任副主任；聘请省社科院原副院长、知名荆楚文化研究专家刘玉堂研究员担任主编，省委宣传部原常务副部长李德华、省社科联原党组书记陈昆满、原省文化厅厅长杜建国担任副主编。

为保证书稿质量，编委会聘请省内相关领域的知名学者担任各分卷一审、二审的评审专家，并且委托有相当理论素养和工作经验的武清海、李德华、陈昆满3位特邀研究员再次对各分卷进行详细审读。

2018年8月，研究会在《荆楚文化八千年》申请湖北省学术著作出版专项资金资助项目过程中，经编辑出版委员会研究，决定将本书更名为《荆楚文化史》，并成功申报2018年省级和2019年国家级出版基金资助项目。2018年11月19日省委办公厅、省政府办公厅印发《关于传承发展中华优秀传统文化的实施意见》（鄂办发［2018］44号文）确定《荆楚文化史》为湖北传承发展优秀传统文化重点项目中的优秀传统文化出版项目，由省委宣传部牵头负责。

为切实提高《荆楚文化史》一书的质量，根据王生铁同志的提议，2019年6月，研究会副会长兼秘书长杜建国、主编刘玉堂及特邀研究员陈昆满代表编委会专程赴京，聘请中国社会科学院荣誉学部委员、中国历史学会原会长张海鹏教授担任北京专家审稿组组长，邀请北京大学、中国社科院等单位的知名专家分别对各卷进行终审。

在多方力量的支持下，7个分卷写作团队的专家们废寝忘食、呕心沥血地开展工作。经过数载披阅增删，各卷初审稿、二审稿、终审稿次第送审，最后由主编刘玉堂研究员精心修改、定稿并撰写总序。惜在明清卷即将定稿之际，该卷主编任放教授不幸英年早逝。经武汉大学陈锋教授推荐，武汉大学历史学院杨国安教授不顾工作任务繁重，毅然承担了明清卷的修改完善工作。

近十年来，王生铁、武清海、李佑才等几位老领导高度重视《荆楚文化史》的编撰出版工作，先后17次带领相关专家学者前往省内外进行考察调研，搜集第一手材料；前后20余次主持召开编撰工作会议，从确定写作提纲、选定分卷主编、召集全体写作人员进行动员，到了解各阶段研究进展情况、解决所遇到的各类难题，以及参与每卷的多次审稿会，每个环节都浸透着他们的心血。

此外，还有一大批领导、专家、工作人员密切关注着书稿的进展。如：研究会特邀研究员胡嘉猷，时任副秘书长古红英、刘胜瑜，荆楚文化研究中心原主任劳志强、副主任张艳鸽和工作人员陈波、肖幼琴、吴胡珂曜、段帅等，都为本书的出版做了大量具体工作。

在本书撰写、修改和审定过程中，还得到了省委宣传部、省政协办公厅、省政协文史和学习委员会、省财政厅、省新闻出版局、省社科联、省社科院、湖北教育出版社等单位的大力支持和帮助，在此，谨一并表示衷心感谢！

由于研究团队水平所限，本书不足之处在所难免，敬请读者批评指正。

湖北省荆楚文化研究会

2021年11月8日